『十三五』国家重点出版物出版规划项目

中国中药资源大典

资源大典

吉林卷

4

黄璐琦 / 总主编

曲晓波　姜大成　于俊林 / 主　编

北京科学技术出版社

图书在版编目（CIP）数据

中国中药资源大典．吉林卷．4 / 曲晓波，姜大成，
于俊林主编．— 北京：北京科学技术出版社，2022.1
　ISBN 978-7-5714-1811-3

　Ⅰ．①中… Ⅱ．①曲… ②姜… ③于… Ⅲ．①中药资
源－资源调查－吉林 Ⅳ．①R281.4

　中国版本图书馆 CIP 数据核字（2021）第 218176 号

策划编辑：李兆弟　侍　伟
责任编辑：侍　伟　王治华　李兆弟　陈媞颖
责任校对：贾　荣
图文制作：樊润琴
责任印制：李　茗
出 版 人：曾庆宇
出版发行：北京科学技术出版社
社　　址：北京西直门南大街16号
邮政编码：100035
电　　话：0086-10-66135495（总编室）　　0086-10-66113227（发行部）
网　　址：www.bkydw.cn
印　　刷：北京捷迅佳彩印刷有限公司
开　　本：889 mm × 1194 mm　　1/16
字　　数：1017千字
印　　张：46
版　　次：2022年1月第1版
印　　次：2022年1月第1次印刷
审 图 号：GS（2021）8727号
ISBN 978-7-5714-1811-3

定　　价：490.00元

《中国中药资源大典·吉林卷 4》

编写人员

主　　编　曲晓波　姜大成　于俊林

副 主 编　孙云龙　肖井雷　于　澎　张立秋　马　全　秦汝兰

编　　委　（按姓氏笔画排序）

于　澎　于俊林　马　全　王　哲　王　烨　王　瑞　王月珍　王兆武

王英平　王英哲　王绍鹏　车宏伟　牛志多　尹春梅　白　洋　包海鹰

朴明杰　毕　博　曲晓波　吕惠子　朱华云　朱键勋　任延慧　刘　丹

刘　迪　刘　霞　刘小康　刘丽华　刘丽娟　刘泽轩　刘俊宏　刘雪莲

刘淑芹　齐伟辰　安海成　孙云龙　孙仁爽　孙佳明　李　波　李　剑

李天生　李世昌　李成华　李宜平　李剑男　李晓华　李福子　李嘉文

杨世海　杨利民　肖井雷　肖春萍　吴　媛　吴国梁　吴望蕊　何甜甜

汪　娟　宋利捷　张　涛　张　辉　张　强　张卫东　张天柱　张凤瑞

张立秋　张庆增　张景龙　张增江　陈天丽　林　喆　国　坤　罗浩铭

金　勋　金　哲　周　繇　庞　博　於文博　郑永春　郑春哲　屈巧凤

孟芳芳　赵　磊　胡权德　胡彦武　柳忠润　侯晓琳　姜大成　祝洪艳

秦汝兰　秦佳梅　耿长明　贾纪元　徐　伟　翁丽丽　高　雅　高宇丹

高荣华　高晨光　容路生　董　蕊　董方言　程　潜　谢丽娟　雷钧涛

路　静　褚　颖　蔡广知

被子植物

亚麻科 Linaceae 亚麻属 *Linum*

垂果亚麻 *Linum nutans* Maxim.

| 植物别名 | 贝加尔亚麻。

| 药 材 名 | 垂果亚麻（药用部位：花、果实、种子）。

| 形态特征 | 多年生草本，高20～40cm。直根系，根颈木质化。茎多数丛生，直立，中部以上叉状分枝，基部木质化，具鳞片状叶；不育枝通常不发育。茎生叶互生或散生，狭条形或条状披针形，长10～25mm，宽1～3mm，边缘稍卷，无毛。聚伞花序，花蓝色或紫蓝色，直径约2cm；花梗纤细，长1～2cm，直立或稍偏向一侧弯曲；萼片5，卵形，长3～5mm，宽2～3mm，基部有5脉，边缘膜质，先端锐尖；花瓣5，倒卵形，长约1cm，先端圆形，基部楔形；雄蕊5，与雌蕊近等长或短于雌蕊，花丝中部以下稍宽，基部合生成环；退化雄蕊5，锥状，与雄蕊互生；子房5室，卵形，长约2mm；花柱5，

垂果亚麻

分离，柱头头状。蒴果近球形，直径 6 ~ 7mm，草黄色，开裂；种子长圆形，长约 4mm，宽约 2mm，褐色，花期 6 ~ 7 月，果期 7 ~ 8 月。

| **生境分布** | 生于沙质草原或干山坡。分布于吉林白城、松原等。

| **资源情况** | 野生资源稀少。药材主要来源于野生。

| **采收加工** | 花盛开的季节采收花，除去杂质，晒干。秋季果实成熟时采收果实，除去杂质，晒干。秋季果实成熟时采收植株，打下种子，除去杂质，再晒干。

| **功能主治** | 花、果实，通经活络。用于子宫瘀血，经闭，身体虚弱。种子，清热解毒，平肝潜阳。用于神经性头痛；外用于伤口红肿。

亚麻科 Linaceae 亚麻属 Linum

宿根亚麻 *Linum perenne* L.

| 植物别名 | 豆麻、多年生亚麻、蓝亚麻。

| 药材名 | 宿根亚麻（药用部位：花、果实、种子）。

| 形态特征 | 多年生草本，高 20 ~ 90cm。根为直根，粗壮，根颈头木质化。茎多数，直立或仰卧，中部以上多分枝，基部木质化，具密集狭条形叶的不育枝。叶互生；叶片狭条形或条状披针形，长 8 ~ 25mm，宽 8 ~ 3（~ 4）mm，全缘内卷，先端锐尖，基部渐狭，1 ~ 3 脉（实际上由于侧脉不明显而为 1 脉）。花多数，组成聚伞花序，蓝色、蓝紫色、淡蓝色，直径约 2cm；花梗细长，长 1 ~ 2.5cm，直立或稍向一侧弯曲；萼片 5，卵形，长 3.5 ~ 5mm，外面 3 片先端急尖，内面 2 片先端钝，全缘，5 ~ 7 脉，稍凸起；花瓣 5，倒卵形，长 1 ~ 1.8cm，先端圆形，基部楔形；雄蕊 5，长于或短于雌蕊，或与雌蕊近等长，

宿根亚麻

花丝中部以下稍宽，基部合生；退化雄蕊 5，与雄蕊互生；子房 5 室，花柱 5，分离，柱头头状。蒴果近球形，直径 3.5 ～ 7 (～ 8) mm，草黄色，开裂；种子椭圆形，褐色，长 4mm，宽约 2mm。花期 6 ～ 7 月，果期 8 ～ 9 月。

| **生境分布** | 生于干旱草原、沙砾质干河滩、干旱的山地阳坡、疏灌丛或草地。分布于吉林白城、松原等。

| **资源情况** | 野生资源较少。药材主要来源于野生。

| **采收加工** | 夏季花盛开时采摘花，晒干。秋季果实成熟时采收果实，晒干。采收果实时打下种子，除去杂质，再晒干。

| **功能主治** | 淡，平。通络活血。用于血瘀经闭。

| **用法用量** | 内服研末，3 ～ 9g。

亚麻科 Linaceae 亚麻属 *Linum*

野亚麻 *Linum stelleroides* Planch.

野亚麻

| 植物别名 |

松叶亚麻、疔毒草、珍珠菜。

| 药 材 名 |

野亚麻（药用部位：地上部分或种子）。

| 形态特征 |

一年生或二年生草本，高20～90cm。茎直立，圆柱形，基部木质化，有凋落的叶痕点，不分枝或自中部以上多分枝，无毛。叶互生，线形、线状披针形或狭倒披针形，长1～4cm，宽1～4mm，顶部钝、锐尖或渐尖，基部渐狭，无柄，全缘，两面无毛，6脉3基出。单花或多花组成聚伞花序；花梗长3～15mm，花直径约1cm；萼片5，绿色，长椭圆形或阔卵形，长3～4mm，顶部锐尖，基部有不明显的3脉，边缘稍为膜质，并有易脱落的黑色头状带柄的腺点，宿存；花瓣5，倒卵形，长达9mm，先端啮蚀状，基部渐狭，淡红色、淡紫色或蓝紫色；雄蕊5，与花柱等长，基部合生，通常有退化雄蕊5；子房5室，有5棱；花柱5，中下部结合或分离，柱头头状，干后黑褐色。蒴果球形或扁球形，直径3～5mm，有纵沟5，室间开裂；种子长圆形，长2～2.5mm。花期6～9月，果

期 8 ～ 10 月。

| **生境分布** | 生于干旱草原、沙砾质干河滩、干旱的山地阳坡、疏灌丛或草地。以长白山区为主要分布区域，分布于吉林延边、白山、通化、吉林、辽源（东丰）、白城、松原、四平等。

| **资源情况** | 野生资源较少。药材主要来源于野生。

| **采收加工** | 秋季果实成熟时割取地上部分，晒干。秋季果实成熟时采收植株，打下种子，除去杂质，再晒干。

| **药材性状** | 本品全株无毛，黄绿色。茎细圆柱形，长 30 ～ 70cm，直径 2 ～ 3mm，中部以上多分枝。质脆易折，断面中空，周围有纤维连接。叶线形，互生。花淡紫色，单生于茎枝端，形成聚伞花序。种子长圆形，长 2 ～ 2.5mm。气微，味苦。

| **功能主治** | 甘，平。养血润燥，祛风解毒。用于血虚便秘，皮肤瘙痒，瘾疹，疮痈肿毒。

亚麻科 Linaceae 亚麻属 Linum

亚麻
Linum usitatissimum L.

| 植物别名 | 山西胡麻、壁虱胡麻、鸦麻。

| 药 材 名 | 亚麻子（药用部位：种子。别名：亚麻仁、胡麻子）、亚麻（药用部位：根、茎叶）。

| 形态特征 | 一年生草本。茎直立，高 30 ~ 120cm，多在上部分枝，有时自茎基部亦有分枝，但密植则不分枝，基部木质化，无毛，韧皮部纤维强韧弹性，构造如棉。叶互生；叶片线形、线状披针形或披针形，长 2 ~ 4cm，宽 1 ~ 5mm，先端锐尖，基部渐狭，无柄，内卷，三出至五出脉。花单生于枝顶或枝的上部叶腋，组成疏散的聚伞花序；花直径 15 ~ 20mm；花梗长 1 ~ 3cm，直立；萼片 5，卵形或卵状披针形，长 5 ~ 8mm，先端凸尖或长尖，有 3（~ 5）脉；中央一脉明显凸起，边缘膜质，无腺点，全缘，有时上部有锯齿，宿存；

亚麻

花瓣 5，倒卵形，长 8 ~ 12mm，蓝色或紫蓝色，稀白色或红色，先端啮蚀状；雄蕊 5，花丝基部合生；退化雄蕊 5，钻状；子房 5 室，花柱 5，分离，柱头比花柱微粗，细线状或棒状，长于或几等于雄蕊。蒴果球形，干后棕黄色，直径 6 ~ 9mm，先端微尖，室间开裂成 5 瓣；种子 10，长圆形，扁平，长 3.5 ~ 4mm，棕褐色。花期 6 ~ 8 月，果期 7 ~ 10 月。

| 生境分布 | 生于田间、路旁、水沟等。以长白山区为主要分布区域，分布于吉林延边、白山、通化、长春、吉林、辽源（东丰）、松原（前郭尔罗斯）、白城（洮北、大安）等。吉林东部地区有栽培。

| 资源情况 | 野生资源较少。药材主要来源于栽培。

| 采收加工 | 亚麻子：秋季果实成熟时采收植株，晒干，打下种子，除去杂质，再晒干。
亚麻：秋季采挖根，洗净，切片晒干。夏季采收茎叶，鲜用或晒干。

| 药材性状 | 亚麻子：本品呈扁平卵圆形，一端钝圆，另一端尖而略偏斜，长 4 ~ 6mm，宽 2 ~ 3mm。表面红棕色或灰褐色，平滑有光泽，种脐位于尖端的凹入处；种脊浅棕色，位于一侧边缘。种皮薄，胚乳棕色，薄膜状；子叶 2，黄白色，富油性。气微，嚼之有豆腥味。以色红棕、光亮、饱满、纯净者为佳。
亚麻：本品茎长 30 ~ 120cm，具分枝。表面无毛，基部木化。质韧，断面可见皮部纤维性强。叶片线形、线状披针形、披针形，长 2 ~ 4cm，宽 1 ~ 5mm，先端锐尖，无柄。气微，味淡。

| 功能主治 | 亚麻子：甘，平。归肺、肝、大肠经。润燥通便，养血祛风。用于肠燥便秘，皮肤干燥，瘙痒，脱发。
亚麻：辛、甘，平。平肝，活血。用于肝风头痛，跌打损伤，痈肿疔疮。

| 用法用量 | 亚麻子：内服煎汤，5 ~ 10g；或入丸、散。外用适量，榨油涂。
亚麻：内服煎汤，15 ~ 30g。外用适量，捣敷；或研末调敷。

| 附　注 | （1）《榆树县志》（1943）的"本地物产"中有关于亚麻的记载。
（2）亚麻子药用量不大。以亚麻子为原料生产的亚麻油富含 α- 亚麻酸，具有增长智力、保护视力、降低血脂和胆固醇、延缓衰老、抗过敏、抑制癌症的发生和转移等作用，深受消费者的喜爱。吉林年产亚麻子数百吨，未来发展前景广阔。

大戟科 Euphorbiaceae 铁苋菜属 Acalypha

铁苋菜 *Acalypha australis* L.

| **植物别名** | 血见愁、鬼见愁、野麻草。

| **药 材 名** | 铁苋菜（药用部位：地上部分。别名：人苋、血见愁、野麻草）。

| **形态特征** | 一年生草本，高 0.2 ~ 0.5m，小枝细长，被贴柔毛，毛逐渐稀疏。叶膜质，长卵形、近菱状卵形或阔披针形，长 3 ~ 9cm，宽 1 ~ 5cm，先端短渐尖，基部楔形，稀圆钝，边缘具圆锯，上面无毛，下面沿中脉具柔毛；基出脉 3，侧脉 3 对；叶柄长 2 ~ 6cm，具短柔毛；托叶披针形，长 1.5 ~ 2mm，具短柔毛。雌雄花同序，花序腋生，稀顶生，长 1.5 ~ 5cm，花序梗长 0.5 ~ 3cm，花序轴具短毛，雌花苞片 1 ~ 2(~ 4)，卵状心形，花后增大，长 1.4 ~ 2.5cm，宽 1 ~ 2cm，边缘具三角形齿，外面沿掌状脉具疏柔毛，苞腋具雌花 1 ~ 3；花梗无；雄花生于花序上部，排列成穗状或头状，雄花苞片卵形，长约

铁苋菜

0.5mm，苞腋具雄花 5 ～ 7，簇生；花梗长 0.5mm；雄花花蕾时近球形，无毛，花萼裂片 4，卵形，长约 0.5mm，雄蕊 7 ～ 8；雌花萼片 3，长卵形，长 0.5 ～ 1mm，具疏毛，子房具疏毛，花柱 3，长约 2mm，撕裂 5 ～ 7。蒴果直径 4mm，具 3 分果爿，果皮具疏生毛和毛基变厚的小瘤体；种子近卵状，长 1.5 ～ 2mm，种皮平滑，假种阜细长。花果期 4 ～ 12 月。

| **生境分布** | 生于田间地头、路边、林缘。吉林各地均有分布。

| **资源情况** | 野生资源丰富。药材主要来源于野生。

| **采收加工** | 夏、秋季采割，除去杂质，晒干。

| **药材性状** | 本品黄绿色。茎粗壮，具深纵棱。叶多皱缩破碎，完整叶展平后三角状卵形或卵形，长 4 ～ 15cm，宽 2 ～ 13cm，边缘掌状浅裂或全缘。小花成团。胞果宿存膜质花被，灰绿色，先端 5 裂，胞果果皮膜质，有白色斑点。种子扁圆形，直径 2 ～ 3mm，黑色，无光泽，表面具明显的圆形深洼或凹凸不平。气微，味微苦。

| **功能主治** | 苦、涩，平。归心、肺经。清热解毒，利水，化痰止咳，杀虫，收敛止血。用于痢疾，腹泻，腹胀，吐血，便血，衄血，尿血，功能失调性子宫出血，咳嗽气喘，疳积；外用于皮炎，湿疹，创伤出血，痈疖疮疡。

| **用法用量** | 内服煎汤，10 ～ 30g。外用鲜品适量，捣敷。

| **附　　注** | 铁苋菜资源丰富，药用量小，市场价格低廉。吉林目前尚无铁苋菜药材商品产出。

大戟科 Euphorbiaceae 大戟属 Euphorbia

乳浆大戟 *Euphorbia esula* L.

| **植物别名** | 猫眼草、东北大戟、松叶乳汁大戟。

| **药 材 名** | 鸡肠狼毒（药用部位：根。别名：顺水龙、顺水狼毒、猫眼草）、乳浆草（药用部位：地上部分）。

| **形态特征** | 多年生草本。根圆柱状，长 20cm 以上，直径 3 ～ 6mm，褐色或黑褐色。茎单生或丛生，单生时自基部多分枝，高 30 ～ 60cm，直径 3 ～ 5mm；不育枝常发自基部，有时发自叶腋。叶线形至卵形，长 2 ～ 7cm，宽 4 ～ 7mm，先端尖或钝尖；无叶柄；不育枝叶常为松针状，长 2 ～ 3cm；总苞叶 3 ～ 5，与茎生叶同形；伞幅 3 ～ 5，长 2 ～ 5cm；苞叶 2，常为肾形，少为卵形或三角状卵形，长 4 ～ 12mm。花序单生于二歧分枝的先端，基部无柄；总苞钟状，高约 3mm，直径 2.5 ～ 3mm，边缘 5 裂，裂片半圆形至三角形；腺体 4，新月形，

乳浆大戟

两端具角，褐色。雄花多枚，苞片宽线形；雌花 1，子房柄明显伸出总苞之外；花柱 3，分离；柱头 2 裂。蒴果三棱状球形，长与直径均 5 ~ 6mm，花柱宿存；种子卵球状，长 2.5 ~ 3mm，直径 2 ~ 2.5mm，成熟时黄褐色，种阜盾状，无柄。花期 5 ~ 6 月，果期 7 ~ 8 月。

| **生境分布** | 生于路旁、杂草丛、山坡、林下、河沟边、荒山、沙丘及海边沙地、河岸湿地、灌丛间，或向阳山坡的石砾质地及林缘。分布于吉林白城（通榆、镇赉、洮南、大安）、松原（长岭、前郭尔罗斯）、四平（双辽、伊通）、吉林（磐石、蛟河、永吉、舒兰）、长春（九台）、辽源（东丰）、通化（梅河口）等。

| **资源情况** | 野生资源较少。药材主要来源于野生。

| **采收加工** | 鸡肠狼毒：夏、秋季采挖，晒干。
乳浆草：春季花期采收，除去泥土及残根，晒干。

| **药材性状** | 鸡肠狼毒：本品呈圆锥状或纺锤形，直径 1 ~ 5cm，长约 25cm，有的具分枝。外皮呈褐色至黑褐色。粉质，断面黄白色，较平坦。气微，味淡。

| **功能主治** | 鸡肠狼毒：微辛、甘，平；有大毒。舒筋活血，止痛，通便。用于风湿关节痛，胃痛，痛经，大便秘结。
乳浆草：苦，寒；有毒。归肺、脾经。解毒杀虫，化痰散结。用于无名肿毒，瘰疬。

| **用法用量** | 鸡肠狼毒：内服煎汤，0.9 ~ 2.4g。外用适量，捣敷。
乳浆草：外用适量，熬膏。

| **附 注** | 乳浆草已被列入 2019 年版《吉林省中药材标准》第二册。

大戟科 Euphorbiaceae 大戟属 Euphorbia

狼毒 *Euphorbia fischeriana* Steud.

狼毒

| 植物别名 |

短柱狼毒、狼毒大戟、东北狼毒。

| 药 材 名 |

狼毒（药用部位：根。别名：续毒、狼毒疙瘩、猫眼根）。

| 形态特征 |

多年生草本。根圆柱状，肉质，常分枝，长20～30cm，直径4～6cm。茎单一，不分枝，高15～45cm，直径5～7mm。叶互生，茎下部叶鳞片状，呈卵状长圆形，长1～2cm，宽4～6mm，向上渐大，逐渐过渡到正常茎生叶；茎生叶长圆形，长4～6.5cm，宽1～2cm，先端圆或尖。总苞叶同茎生叶，常5；伞幅5，长4～6cm；次级总苞叶常3，卵形，长约4cm，宽约2cm；苞叶2，三角状卵形，长、宽均约2cm。花序单生二歧分枝先端；总苞钟状，高约4mm，直径4～5mm，边缘4裂，裂片圆形；腺体4，半圆形，淡褐色。雄花多朵，伸出总苞外。雌花1，子房柄长3～5mm；花柱3，中部以下合生；柱头不分裂，中部微凹。蒴果卵球状，长约6mm，直径6～7mm；花柱宿存；成熟时分裂成3分果爿；种子扁球状，长、直径均约 4mm，灰褐色；种阜无柄。花期 5 ~ 6 月，果期 6 ~ 7 月。

| 生境分布 |

生于干燥、向阳的山坡草地、草坪或河滩台地。吉林各地均有分布。

| 资源情况 |

野生资源较少。药材主要来源于野生。

| 采收加工 |

春、秋季采挖，除去茎叶、泥沙，切片，晒干。

| 药材性状 |

本品为类圆形或长圆形块片，直径 1.5 ~ 8cm，厚 0.3 ~ 4cm。外皮棕黄色，切面纹理或环纹显黑褐色。体轻，质脆，易折断，断面有粉性。气微，味微辛。水浸后有黏性，撕开可见黏丝。

| 功能主治 |

辛，平；有毒。归肝、脾经。泻水逐饮，破积杀虫。用于水肿腹胀，痰食虫积，心腹疼痛，癥瘕积聚；外用于淋巴结结核，皮癣。

| 用法用量 |

内服煎汤，1 ~ 3g；或入丸、散。外用适量，研末调敷；或醋磨汁涂；或鲜品去皮捣敷；或熬膏敷。

大戟科 Euphorbiaceae 大戟属 Euphorbia

泽漆 *Euphorbia helioscopia* L.

| **植物别名** | 五凤草、五灯草、五朵云。

| **药 材 名** | 泽漆（药用部位：全草。别名：猫眼草、五凤草、凉伞草）。

| **形态特征** | 一年生草本。根纤细，长7～10cm，直径3～5mm，下部分枝。茎直立，单一或自基部多分枝，分枝斜展向上，高10～50cm，直径3～7mm。叶互生，倒卵形或匙形，长1～3.5cm，宽5～15mm，先端具牙齿，中部以下渐狭或呈楔形；总苞叶5，倒卵状长圆形，长3～4cm，宽8～14mm，先端具牙齿，基部略渐狭，无柄；总伞幅5，长2～4cm；苞叶2，卵圆形，先端具牙齿，基部呈圆形。花序单生，有柄或近无柄；总苞钟状，高约2.5mm，直径约2mm，光滑无毛，边缘5裂，裂片半圆形，边缘和内侧具柔毛；腺体4，盘状，中部内凹，基部具短柄，淡褐色。雄花数枚，明显伸出总苞外；雌花1，子房

泽漆

柄略伸出总苞边缘。蒴果三棱状阔圆形，光滑，具明显的三纵沟，长 2.5 ～ 3mm，直径 3 ～ 4.5mm，成熟时分裂为 3 个分果片；种子卵状，长约 2mm，直径约 1.5mm，暗褐色。花期 5 ～ 6 月，果期 8 ～ 9 月。

| **生境分布** | 生于山沟、路旁、荒野或山坡等。以长白山区为主要分布区域，分布于吉林延边、白山、通化、吉林、辽源（东丰）等。

| **资源情况** | 野生资源较少。药材主要来源于野生。

| **采收加工** | 4 ～ 5 月开花时采收，除去须根及泥沙，晒干。

| **药材性状** | 本品切成段状，有时具黄色的肉质主根。根顶部具紧密的环纹，外表具不规则的纵纹，断面白色，木部呈放射状；茎圆柱形，鲜黄色至黄褐色，表面光滑或具不明显的纵纹，有明显的互生、褐色的条形叶痕；叶暗绿色，常皱缩，破碎或脱落；茎先端具多数小花及灰色的蒴果；总苞片绿色，常破碎。气酸而特异，味淡。

| **功能主治** | 辛、苦，寒；有毒。归大肠、小肠、脾、肺经。逐水消肿，祛痰，散瘀解毒，散结，杀虫。用于水肿，肝硬化腹水，痰饮喘咳，细菌性痢疾，癥瘕痞块；外用于瘰疬，淋巴结结核，结核性瘘管，神经性皮炎，癣疮。

| **用法用量** | 内服煎汤，3 ～ 9g；或熬膏；或入丸、散。外用适量，煎汤洗；或熬膏涂；或研末调敷。

大戟科 Euphorbiaceae 大戟属 Euphorbia

地锦 *Euphorbia humifusa* Willd. ex Schlecht.

| **植物别名** | 地锦草、铺地锦。

| **药 材 名** | 地锦草（药用部位：全草。别名：奶浆草、铺地锦、铺地红）。

| **形态特征** | 一年生草本。根纤细，长 10 ~ 18cm，直径 2 ~ 3mm，常不分枝。茎匍匐，自基部以上多分枝，偶尔先端斜向上伸展，基部常红色或淡红色，长达 20 ~ 30cm，直径 1 ~ 3mm。叶对生，矩圆形或椭圆形，长 5 ~ 10mm，宽 3 ~ 6mm，先端钝圆，基部偏斜，略渐狭，边缘常于中部以上具细锯齿；叶柄极短，长 1 ~ 2mm。花序单生于叶腋，基部具 1 ~ 3mm 的短柄；总苞陀螺状，高与直径均约 1mm，边缘 4 裂，裂片三角形；腺体 4，矩圆形，边缘具白色或淡红色附属物；雄花数枚，近与总苞边缘等长；雌花 1，子房柄伸出至总苞边缘，子房三棱状卵形，光滑无毛，花柱 3，分离，柱头 2 裂。蒴果三棱状卵球形，

地锦

长约 2mm，直径约 2.2mm，成熟时分裂为 3 个分果片，花柱宿存；种子三棱状卵球形，长约 1.3mm，直径约 0.9mm，灰色，每个棱面无横沟，无种阜。花期 7 ～ 8 月，果期 8 ～ 9 月。

| **生境分布** | 生于荒地、田野、路边、砂石地或住宅附近，为常见农田杂草。吉林各地均有分布。

| **资源情况** | 野生资源丰富。药材主要来源于野生。

| **采收加工** | 夏、秋季采收，除去杂质，晒干。

| **药材性状** | 本品常皱缩卷曲，根细小。茎细，呈叉状分枝，表面带紫红色，光滑无毛或疏生白色细柔毛；质脆，易折断，断面黄白色，中空。单叶对生，具淡红色短柄或几无柄；叶片多皱缩或已脱落，展平后呈长椭圆形，长 5 ～ 10mm，宽 4 ～ 6mm；绿色或带紫红色，通常无毛或疏生细柔毛；先端钝圆，基部偏斜，边缘具小锯齿或呈微波状。杯状聚伞花序腋生，细小。蒴果三棱状球形，表面光滑。种子细小，卵形，褐色。无臭，味微涩。

| **功能主治** | 辛，平。归肝、大肠经。清热解毒，凉血止血，利湿退黄，利尿，通乳，止血，杀虫。用于痢疾，泄泻，咯血，尿血，便血，崩漏，疮疖痈肿，湿热黄疸。

| **用法用量** | 内服煎汤，9 ～ 20g，鲜者可用 30 ～ 60g；或入散剂。外用适量，鲜品捣敷或研末撒。

大戟科 Euphorbiaceae 大戟属 *Euphorbia*

续随子 *Euphorbia lathylris* L.

| **植物别名** | 千金子。

| **药 材 名** | 千金子（药用部位：种子。别名：打鼓子、一把伞、小巴豆）、续随子叶（药用部位：叶）。

| **形态特征** | 二年生草本，全株无毛。根柱状，长 20cm 以上，直径 3 ~ 7mm，侧根多而细。茎直立，基部单一，略带紫红色，顶部二歧分枝，灰绿色，高可达 1m。叶交互对生，于茎下部密集，于茎上部稀疏，线状披针形，长 6 ~ 10cm，宽 4 ~ 7mm，先端渐尖或尖，基部半抱茎，全缘；侧脉不明显；无叶柄；总苞叶和茎叶均为 2，卵状长三角形，长 3 ~ 8cm，宽 2 ~ 4cm，先端渐尖或急尖，基部近平截或半抱茎，全缘，无柄。花序单生，近钟状，高约 4mm，直径 3 ~ 5mm，边缘5 裂，裂片三角状长圆形，边缘浅波状；腺体 4，新月形，两端具短

续随子

角，暗褐色；雄花多数，伸出总苞边缘；雌花 1，子房柄几与总苞近等长，子房光滑无毛，直径 3 ~ 6mm，花柱细长，3 枚，分离，柱头 2 裂。蒴果三棱状球形，长与直径均约 1cm，光滑无毛，花柱早落，成熟时不开裂；种子柱状至卵球状，长 6 ~ 8mm，直径 4.5 ~ 6.0mm，褐色或灰褐色，无皱纹，具黑褐色斑点，种阜无柄，极易脱落。花期 4 ~ 7 月，果期 6 ~ 9 月。

| 生境分布 | 生于向阳山坡。吉林无野生分布。吉林各地均有栽培。

| 资源情况 | 吉林广泛栽培。药材主要来源于栽培。

| 采收加工 | 千金子：夏、秋季果实成熟时采收，除去杂质，干燥。可随用随采。

续随子叶：夏、秋季采收叶，除去杂质，干燥。

| 药材性状 | 千金子：本品呈椭圆形或倒卵形，长约 5mm，直径约 4mm。表面灰棕色或灰褐色，具不规则网状皱纹，网孔凹陷处灰黑色，形成细斑点。一侧有纵沟状种脊，先端为凸起的合点，下端为线形种脐，基部有类白色凸起的种阜或具脱落后的疤痕。种皮薄脆，种仁白色或黄白色，富油质。气微，味辛。

续随子叶：本品为单叶交互对生，平展，有短柄；叶片披针形或卵状披针形，由下而上渐大，长 5 ~ 12cm，宽 0.8 ~ 1.3cm，先端锐尖，基部心形而多少抱茎，全缘。气微，味苦。

| 功能主治 | 千金子：辛，温；有毒。归肝、肾、大肠经。泻下逐水，破血消癥。用于二便不通，水肿，痰饮，积滞胀满，血瘀经闭；外用于顽癣，赘疣。

续随子叶：苦，微温。祛斑，解毒。用于白癜风，面皯，蝎螫。

| 用法用量 | 千金子：内服制霜入丸、散，1 ~ 2g。外用适量，捣敷或研末醋调涂。

| 附　　注 | 千金子为有毒中药材，市场管控严格，用量较小。早在 20 世纪末，吉林个别市县曾种植过续随子，后因产量低，价格低而放弃。目前续随子在吉林无药材商品产出。

大戟科 Euphorbiaceae 大戟属 Euphorbia

林大戟
Euphorbia lucorum Rupr.

| 植物别名 | 山猫眼。

| 药 材 名 | 林大戟（药用部位：根）。

| 形态特征 | 多年生草本。根自基部多分枝或不分枝，呈圆锥状，长 10 ~ 15cm，暗褐色。茎单一或数个发自基部，向上直立，高 50 ~ 80cm，顶部多分枝。叶互生，椭圆形或长椭圆形，长 3 ~ 5cm，宽 1 ~ 1.5cm，先端圆，基部渐狭；侧脉羽状；近无叶柄；总苞叶常为 5 枚，近卵形，长 1.5 ~ 2.2cm，宽 1 ~ 1.3cm，先端渐尖或尖；伞幅 5，长 5.5 ~ 6cm；次级苞叶 3，棱状卵形或近圆形，长与宽均 1 ~ 1.2cm，先端圆或钝；苞叶 2。花序单生二歧聚伞分枝的先端；总苞钟状，直径约 2.5mm，高约 2mm，边缘 4 裂，裂片钝圆；腺体 4，狭椭圆形，暗褐色；雄花多数，微伸出总苞外；雌花 1，子房柄

林大戟

明显伸出总苞外，子房除沟外被长瘤，花柱 3，近基部合生，柱头 2 裂。蒴果三棱状球形，长约 3.5mm，直径约 4mm，具 3 纵沟；种子近球状，长 1.5 ~ 2mm，直径约 1.5mm。花期 5 ~ 6 月，果期 7 ~ 8 月。

| **生境分布** | 生于林下、林缘、灌丛、山中草地、山坡、河岸附近。以长白山区为主要分布区域，分布于吉林延边、白山、通化、长春、吉林、辽源（东丰）、白城（大安）等。

| **资源情况** | 野生资源较少。药材主要来源于野生。

| **采收加工** | 秋末或春初采挖。除去残茎及须根，洗净，晒干。

| **药材性状** | 本品多分枝，呈圆锥状，暗褐色或黑褐色。表面具不规则纵纹，根表皮易脱落。质硬。气微，味微苦、涩。

| **功能主治** | 辛，平；有大毒。清热解毒，逐水通便，消肿散结。外用于牛皮癣。

大戟科 Euphorbiaceae 大戟属 Euphorbia

斑地锦 *Euphorbia maculata* L.

| 药 材 名 | 斑地锦（药用部位：全草。别名：铺地红、血见愁、卧蛋草）。

| 形态特征 | 一年生匍匐小草本，高 15 ~ 25cm，含白色乳汁。根纤细，分枝较密，枝柔细，带淡紫色，表面有白色细柔毛。叶小，对生，成 2 列，长椭圆形，长 5 ~ 8mm，宽 2 ~ 3mm，先端具短尖头，基部偏斜，边缘中部以上疏生细齿，上面暗绿色，中央具暗紫色斑纹，下面被白色短柔毛；叶柄长仅 1mm 或几无柄；托叶线形，通常 3 深裂。杯状聚伞花序单生于枝腋和叶腋，呈暗红色；总苞钟状，4 裂，具腺体 4，腺体横椭圆形，并有花瓣状附属物，总苞中包含由 1 雄蕊所成的雄花数朵，中间有雌花 1，具小苞片，花柱 3，子房有柄，悬垂于总苞外。蒴果三棱状卵球形，直径约 2mm，表面被白色短柔毛，先端残存花柱；种子卵形，具角棱，光滑。花期 5 ~ 6 月，果期 8 ~ 9 月。

斑地锦

生境分布	生于山野、路边或园圃内。吉林白山等地有分布。
资源情况	野生资源一般。药材主要来源于野生。
采收加工	6 ~ 9 月采收，晒干。
功能主治	辛，平。归肝、大肠经。清热解毒，凉血止血，利湿退黄。用于痢疾，泄泻，咯血，尿血，便血，崩漏，疮疖痈肿，湿热黄疸。
用法用量	内服煎汤，10 ~ 15g，鲜品可用 15 ~ 30g；或入散剂。外用适量，鲜品捣敷或研末撒。

大戟科 Euphorbiaceae 大戟属 Euphorbia

铁海棠 *Euphorbia milii* Ch. des Moulins

| 植物别名 | 麒麟刺。

| 药 材 名 | 铁海棠(药用部位:茎叶、根、乳汁。别名:麒麟刺、玉麒麟、番鬼刺)。

| 形态特征 | 蔓生落叶灌木。茎多分枝,长 60 ~ 100cm,直径 5 ~ 10mm,具纵棱,密生硬而尖的锥状刺,刺长 1 ~ 1.5(~ 2)cm,直径 0.5 ~ 1mm,常呈 3 ~ 5 列排列于棱脊上,呈旋转状。叶互生,通常集中于嫩枝上,倒卵形或长圆状匙形,长 1.5 ~ 5cm,宽 0.8 ~ 1.8cm,先端圆,具小尖头,基部渐狭,全缘,无柄或近无柄;托叶钻形,长 3 ~ 4mm,极细,早落。花序 2、4 或 8 个组成二歧状复花序,生于枝上部叶腋;复序具柄,长 4 ~ 7cm;每个花序基部具 6 ~ 10mm 长的柄,柄基部具 1 膜质苞片,长 1 ~ 3mm,宽 1 ~ 2mm,上部近平截,边缘具微小的红色尖头;苞叶 2,肾圆形,长 8 ~ 10mm,宽

铁海棠

12 ～ 14mm，先端圆且具小尖头，其部渐狭，无柄，上面鲜红色，下面淡红色，紧贴花序；总苞钟状，高 3 ～ 4mm，直径 3.5 ～ 4mm，边缘 5 裂，裂片琴形，上部具流苏状长毛，且内弯；腺体 5，肾圆形，长约 1mm，宽约 2mm，黄红色。雄花数枚，苞片丝状，先端具柔毛；雌花 1，常不伸出总苞外，子房光滑无毛，常包于总苞内，花柱 3，中部以下合生，柱头 2 裂。蒴果三棱状卵形，长约 3.5mm，直径约 4mm，平滑无毛，成熟时分裂为 3 个分果爿；种子卵柱状，长约 2.5mm，直径约 2mm，灰褐色，具微小的疣点；无种阜。花果期全年。

| 生境分布 | 生于山野、路边或园圃内。吉林无野生分布。吉林庭院有少量栽培。

| 资源情况 | 吉林偶见栽培。药材主要来源于栽培。

| 采收加工 | 全年均可采收茎叶、根、乳汁，晒干或鲜用。

| 药材性状 | 本品茎肉质，长可达 20 ～ 80cm，绿色，有纵棱，棱上有锥状的硬刺，刺长 1 ～ 2.5cm。叶片倒卵形至矩圆状匙形，长 2.5 ～ 5cm，先端圆或具凸尖，基部渐狭呈楔形，表面黄绿色。气微，味苦、涩。

| 功能主治 | 苦、涩，凉；有小毒。归心经。解毒，排脓，活血，逐水。用于痈疮肿毒，烫火伤，跌打损伤，横痃，肝炎，水臌。

| 用法用量 | 内服煎汤，鲜品 9 ～ 15g；或捣汁。外用适量，捣敷。

大戟科 Euphorbiaceae 大戟属 Euphorbia

大戟 *Euphorbia pekinensis* Rupr.

大戟

| 植物别名 |

京大戟、湖北大戟。

| 药 材 名 |

大戟（药用部位：根。别名：下马仙、龙虎草、膨胀草）。

| 形态特征 |

多年生草本。根圆柱状，长 20 ~ 30cm。茎单生或自基部多分枝，每个分枝上部又 4 ~ 5 分枝，高 40 ~ 80cm。叶互生，常为椭圆形，少为披针形或披针状椭圆形，变异较大，先端尖或渐尖；主脉明显；总苞叶 4 ~ 7，长椭圆形，先端尖，基部近平截；伞幅 4 ~ 7，长 2 ~ 5cm；苞叶 2，近圆形，先端具短尖头。花序单生于二歧分枝先端；总苞杯状，高约 3.5mm，直径 3.5 ~ 4mm，边缘 4 裂，裂片半圆形；腺体 4，半圆形或肾状圆形，淡褐色；雄花多数，伸出总苞之外；雌花 1，具较长的子房柄，柄长 3 ~ 6mm；子房幼时被较密的瘤状突起，花柱 3，分离，柱头 2 裂。蒴果球状，长约 4.5mm，直径 4 ~ 4.5mm，被稀疏的瘤状突起；花柱宿存且易脱落；种子长球状，长约 2.5mm，直径 1.5 ~ 2mm，暗褐色或微光亮，腹面具浅色条纹，种阜近

盾状，无柄。花期 6 ~ 7 月，果期 8 ~ 9 月。

| **生境分布** | 生于山坡、灌丛、路旁、荒地、疏林内、林下、林缘、山中草地。分布于吉林长春（九台）、四平（伊通、双辽）、白城（通榆、镇赉、洮南）、松原（前郭尔罗斯、长岭）、吉林（蛟河）、通化（通化）等。

| **资源情况** | 野生资源较少。药材主要来源于野生。

| **采收加工** | 春季未发芽前或秋季茎叶枯萎时采挖，除去残茎及须根，洗净，晒干。

| **药材性状** | 本品呈不规则长圆锥形，略弯曲，常有分枝，长 10 ~ 20cm，直径 0.5 ~ 2cm，近根头部偶见膨大至 4cm；根头常见茎的残基及芽痕。表面灰棕色或棕褐色，粗糙，具纵直沟纹及横向皮孔，支根少而扭曲。质坚硬，不易折断，断面类棕黄色或类白色，纤维性。气微，味微苦、涩。

| **功能主治** | 苦，寒；有毒。归肺、脾、肾经。泻水逐饮，消肿散结。用于水肿胀满，胸腹积水，痰饮积聚，气逆咳喘，二便不利，痈肿疮毒，瘰疬痰核。

| **用法用量** | 内服煎汤，1.5 ~ 3g；或入丸、散，每次 1g；或醋炙内服。外用适量，生用。

| **附　　注** | （1）在《吉林新志》（1934）的"本地物产"中有关于大戟的记载。
（2）大戟药用量很少。吉林野生资源主要集中在东部山区和中部半山区各市县，分布零散，蕴藏量小，无药材商品产出。

大戟科 Euphorbiaceae 大戟属 Euphorbia

钩腺大戟
Euphorbia sieboldiana Morr. & Decne.

| 植物别名 | 锥腺大戟。

| 药 材 名 | 钩腺大戟（药用部位：根茎）。

| 形态特征 | 多年生草本。根茎较粗壮，基部具不定根，长 10 ~ 20cm，直径 4 ~ 15mm。茎单一或自基部多分枝，每个分枝向上再分枝，高 40 ~ 70cm，直径 4 ~ 7mm。叶互生，椭圆形、倒卵状披针形、长椭圆形，变异较大，长 2 ~ 5（~ 6）cm，宽 5 ~ 15mm，先端钝或尖或渐尖，基部渐狭或呈狭楔形，全缘；侧脉羽状；叶柄极短或无；总苞叶 3 ~ 5，椭圆形或卵状椭圆形，长 1.5 ~ 2.5cm，宽 4 ~ 8mm，先端钝尖，基部近平截；伞幅 3 ~ 5，长 2 ~ 4cm；苞叶 2，常呈肾状圆形，少为卵状三角形或半圆形，变异较大，长 8 ~ 14mm，宽 8 ~ 16mm，先端圆或略呈凸尖，基部近平截或微凹，或近圆形。花

钩腺大戟

序单生于二歧分枝的先端，基部无柄；总苞杯状，高 3 ~ 4mm，直径 3 ~ 5mm，边缘 4 裂，裂片三角形或卵状三角形，内侧具短柔毛或具极少的短柔毛，腺体 4，新月形，两端具角，角尖钝或长刺芒状，变化极不稳定，以黄褐色为主，少有褐色、淡黄色或黄绿色；雄花多数，伸出总苞之外；雌花 1，子房柄伸出总苞边缘，子房光滑无毛，花柱 3，分离，柱头 2 裂。蒴果三棱状球形，长 3.5 ~ 4mm，直径 4 ~ 5mm，光滑，成熟时分裂为 3 分果爿；花柱宿存，且易脱落；种子近长球状，长约 2.5mm，直径约 1.5mm，灰褐色，具不明显的纹饰，种阜无柄。花果期 4 ~ 9 月。

| **生境分布** | 生于田间、林缘、灌丛、林下、山坡、草地，生境较杂。分布于吉林延边、白山、通化等。

| **资源情况** | 野生资源较少。药材主要来源于野生。

| **采收加工** | 夏、秋季采挖，除去杂质和泥沙，晒干。

| **功能主治** | 辛，平；有大毒。泻下利尿，破积镇痛，杀虫。用于肺结核、皮肤结核、腺结核、骨结核等，干湿疥癣。

| **用法用量** | 外用煎汤洗。有毒，宜慎用。

大戟科 Euphorbiaceae 白饭树属 Flueggea

一叶萩

Flueggea suffruticosa (Pall.) Baill.

| **植物别名** | 叶底珠、狗梢条。

| **药 材 名** | 一叶萩（药用部位：嫩枝叶、根）。

| **形态特征** | 落叶灌木，高1～3m，多分枝。小枝浅绿色，近圆柱形，有棱槽。叶片纸质，椭圆形或长椭圆形，稀倒卵形，长1.5～8cm，宽1～3cm，先端急尖至钝，基部钝至楔形，全缘或间中有不整齐的波状齿或细锯齿；叶柄长2～8mm；托叶卵状披针形，长1mm，宿存。花小，雌雄异株，簇生于叶腋；雄花3～18簇生，花梗长2.5～5.5mm，萼片通常5，椭圆形、卵形或近圆形，长1～1.5mm，宽0.5～1.5mm，雄蕊5，花丝长1～2.2mm，花药卵圆形，长0.5～1mm；雌花花梗长2～15mm，萼片5，椭圆形至卵形，长1～1.5mm，花盘盘状，全缘或近全缘，子房卵圆形，2～3室，花柱3，长1～1.8mm。

一叶萩

蒴果三棱状扁球形，直径约 5mm，成熟时淡红褐色，有网纹，3 片裂；果梗长 2 ~ 15mm，基部常有宿存的萼片；种子卵形而侧扁压状，长约 3mm，褐色而有小疣状突起。花期 6 ~ 7 月，果期 8 ~ 9 月。

| **生境分布** | 生于林缘、灌丛、干燥山坡、沟边。吉林各地均有分布。

| **资源情况** | 野生资源较丰富。药材主要来源于野生。

| **采收加工** | 春、夏季采收嫩枝叶，除去杂质，晒干。夏、秋季采挖根，除去杂质和泥沙，晒干。

| **药材性状** | 本品嫩枝条呈圆柱形，略具棱角，长 30 ~ 40cm，粗端直径约 2mm。表面暗绿黄色，有时略带红色，具纵向细微纹理。质脆，断面四周纤维状，中央白色，叶多皱缩、破碎，有时尚有黄色的花朵或灰黑色的果实。气微，味微辛而苦。本品根不规则分枝，圆柱形，表面红棕色，有细纵皱，疏生凸起的小点或横向皮孔。质脆，断面不整齐。木质部淡黄白色。气微，味淡转涩。

| **功能主治** | 辛、苦，温；有毒。祛风活血，益肾强筋。用于风湿腰痛，四肢麻木，阳痿，小儿疳积，面神经麻痹，脊髓灰质炎后遗症。

大戟科 Euphorbiaceae 叶下珠属 Phyllanthus

蜜甘草

Phyllanthus ussuriensis Rupr. et Maxim.

| 植物别名 | 蜜柑草、飞蛇仔。

| 药 材 名 | 蜜柑草（药用部位：全草。别名：夜关门、地莲子）。

| 形态特征 | 一年生草本，高达60cm。茎直立，常基部分枝，枝条细长；小枝具棱；全株无毛。叶片纸质，椭圆形至长圆形，长5～15mm，宽3～6mm，先端急尖至钝，基部近圆，下面白绿色；侧脉每边5～6；叶柄极短或几乎无叶柄；托叶卵状披针形。花雌雄同株，单生或数朵簇生于叶腋；花梗长约2mm，丝状，基部有数枚苞片；雄花萼片4，宽卵形，花盘腺体4，分离，与萼片互生，雄蕊2，花丝分离，药室纵裂；雌花萼片6，长椭圆形，果时反折，花盘腺体6，长圆形，子房卵圆形，3室，花柱3，先端2裂。蒴果扁球状，直径约2.5mm，平滑；果梗短；种子长约1.2mm，黄褐色，具有褐色疣点。花期4～7

蜜甘草

月，果期 7 ~ 10 月。

| **生境分布** | 生于山坡、路旁、草地。分布于吉林白山、通化等。

| **资源情况** | 野生资源较少。药材主要来源于野生。

| **采收加工** | 夏、秋季采收，鲜用或晒干。

| **药材性状** | 本品长 15 ~ 60cm。茎无毛，分枝细长。叶 2 列，互生，条形或披针形，长 8 ~ 20mm，宽 2 ~ 5mm，先端尖，基部近圆形，具短柄，托叶小。花小，单性，雌雄同株；无花瓣，腋生。蒴果圆形，具下垂细柄，直径约 2mm，表面平滑。气微，味苦、涩。

| **功能主治** | 苦，寒。归肝、胃经。清热利尿，消食止泻，明目，利胆。用于蛇咬伤，小儿疳积，感冒，目赤，暑热腹泻，赤白痢，夜盲，小便失禁，淋证，肾炎水肿，黄疸性肝炎。

| **用法用量** | 内服煎汤，15 ~ 30g。外用适量，煎汤洗；或鲜品捣敷。

大戟科 Euphorbiaceae 蓖麻属 Ricinus

蓖麻 *Ricinus communis* L.

蓖麻

| 药 材 名 |

蓖麻子（药用部位：种子。别名：蓖麻仁、大麻子、红大麻子）。

| 形态特征 |

一年生粗壮草本或草质灌木，高达5m。小枝、叶和花序通常被白霜，茎多液汁。叶近圆形，长和宽达40cm或40cm以上，掌状7～11裂，裂缺几达中部，裂片卵状长圆形或披针形，先端急尖或渐尖，边缘具锯齿；掌状脉7～11。网脉明显；叶柄粗壮，中空，长可达40cm，先端具2盘状腺体，基部具盘状腺体；托叶长三角形，长2～3cm，早落。总状花序或圆锥花序，长15～30cm或更长；苞片阔三角形，膜质，早落；雄花花萼裂片卵状三角形，长7～10mm，雄蕊束众多；雌花萼片卵状披针形，长5～8mm，凋落，子房卵状，直径约5mm，密生软刺或无刺，花柱红色，长约4mm，顶部2裂，密生乳头状突起。蒴果卵球形或近球形，长1.5～2.5cm，果皮具软刺或平滑；种子椭圆形，微扁平，长8～18mm，平滑，斑纹淡褐色或灰白色，种阜大。花期6～9月(栽培)。

| **生境分布** | 生于阳光充足、土层深厚、疏松肥沃、排水良好的土壤中。分布于吉林白山、通化等。吉林东部有栽培。

| **资源情况** | 野生资源较少。药材主要来源于栽培。

| **采收加工** | 秋季采摘成熟果实，晒干，除去果壳，收集种子。

| **药材性状** | 本品呈椭圆形或卵形，稍扁，长0.9～1.8cm，宽0.5～1cm。表面光滑，有灰白色与黑褐色或黄棕色与红棕色相间的花斑纹。一面较平，一面较隆起，较平的一面有1隆起的种脊，一端有灰白色或浅棕色凸起的种阜。种皮薄而脆。胚乳肥厚，白色，富油性，子叶2，菲薄。气微，味微苦、辛。以粒大、饱满、赤褐色、有光泽者为佳。

| **功能主治** | 甘、辛，平；有毒。归大肠、肺经。泻下通滞，消肿拔毒。用于大便燥结，痈疽肿毒，喉痹，瘰疬。

| **用法用量** | 外用适量，捣敷患处，亦可入丸剂内服。

| **附　注** | （1）蓖麻在吉林药用历史较久。在《东丰县志》（1917）、《辑安县志》（1931）、《榆树县志》（1943）等多部地方志中均有关于蓖麻的记载。
（2）蓖麻子药用量不大，但以蓖麻子为原料生产的蓖麻油被广泛应用于医药、化工、建材和化妆品等领域，故蓖麻子用量巨大。吉林年产蓖麻子商品5000t以上，未来发展前景广阔。

大戟科 Euphorbiaceae 地构叶属 Speranskia

地构叶

Speranskia tuberculata (Bunge) Baill.

| 植物别名 | 地沟叶、透骨草、珍珠透骨草。

| 药 材 名 | 透骨草（药用部位：全草。别名：珍珠透骨草、吉盖草、枸皮草）。

| 形态特征 | 多年生草本。茎直立，高 25 ~ 50cm，分枝较多。叶纸质，披针形
或卵状披针形，长 1.8 ~ 5.5cm，宽 0.5 ~ 2.5cm，先端渐尖，稀急
尖，尖头钝，基部阔楔形或圆形，边缘具疏离圆齿或有时深裂；叶
柄长不及 5mm 或近无柄；托叶卵状披针形，长约 1.5mm。总状花
序长 6 ~ 15cm，上部有雄花 20 ~ 30，下部有雌花 6 ~ 10，位于花
序中部的雌花的两侧有时具雄花 1 ~ 2；苞片卵状披针形或卵形，
长 1 ~ 2mm；雄花 2 ~ 4 生于苞腋，花梗长约 1mm；花萼裂片卵
形，长约 1.5mm，花瓣倒心形，具爪，长约 0.5mm，雄蕊 8 ~ 15 枝；
雌花 1 ~ 2 生于苞腋，花梗长约 1mm，花萼裂片卵状披针形，长约

地构叶

1.5mm，先端渐尖，疏被长柔毛，花瓣与雄花相似，具脉纹，花柱 3，各 2 深裂，裂片呈羽状撕裂。蒴果扁球形，长约 4mm，直径约 6mm；种子卵形，长约 2mm，先端急尖，灰褐色。花期 5 ~ 6 月，果期 8 ~ 9 月。

| 生境分布 | 生于沙质草原、沙丘、干坡、草甸或灌丛中。分布于吉林白城（通榆、镇赉、洮南）、松原（长岭、前郭尔罗斯、扶余）、长春（农安）、四平（双辽）、白山（长白）等。

| 资源情况 | 野生资源较少。药材主要来源于野生。

| 采收加工 | 5 ~ 9 月开花结实时采收，除去杂质，鲜用或晒干。

| 药材性状 | 本品茎多分枝，呈圆柱形或微有棱，通常长 10 ~ 30cm，直径 1 ~ 4mm，茎基部有时连有部分根茎；茎表面浅绿色或灰绿色，近基部淡紫色，被灰白色柔毛，具互生叶或叶痕，质脆，易折断，断面黄白色。根茎长短不一，表面土棕色或黄棕色，略粗糙；质稍坚硬，断面黄白色。叶多卷曲而皱缩或破碎，呈灰绿色，两面均被白色细柔毛，下表面近叶脉处较显著。枝梢有时可见总状花序和果序；花型小；蒴果三角状扁圆形。气微，味淡而后微苦。

| 功能主治 | 辛、苦，温；有小毒。归肝、肾经。祛风除湿，舒筋活血，止痛，解毒。用于风湿痹痛，筋骨挛缩，汗湿脚气；外用于疮疡肿毒。

| 用法用量 | 内服煎汤，9 ~ 15g。外用适量，煎汤熏洗；或捣敷。

芸香科 Rutaceae 柑橘属 Citrus

柠檬
Citrus limon (L.) Burm. f.

| **植物别名** | 洋柠檬、西柠檬。

| **药 材 名** | 柠檬（药用部位：果实。别名：黎檬子、宜母子）。

| **形态特征** | 落叶小乔木。枝少刺或近于无刺；嫩叶及花芽暗紫红色，翼叶宽或狭，或仅具痕迹，叶片厚纸质，卵形或椭圆形，长 8 ~ 14cm，宽 4 ~ 6cm，顶部通常短尖，边缘有明显钝裂齿。单花腋生或少花簇生；花萼杯状，4 ~ 5 浅齿裂；花瓣长 1.5 ~ 2cm，外面淡紫红色，内面白色；常有单性花，即雄蕊发育，雌蕊退化；雄蕊 20 ~ 25 或更多；子房近筒状或桶状，顶部略狭，柱头头状。果实椭圆形或卵形，两端狭，顶部通常较狭长并有乳头状突尖，果皮厚，通常粗糙，柠檬黄色，难剥离，富含具柠檬香气的油点，瓤囊 8 ~ 11 瓣，汁胞淡黄色，果汁酸至甚酸；种子小，卵形，端尖，种皮平滑，子叶乳白色，通常单

柠檬

或兼有多胚。花期 4 ~ 5 月，果期 9 ~ 11 月。

| 生境分布 |

生于果园、药用植物园等。吉林无野生分布。吉林庭院有少量栽培。

| 资源情况 |

吉林偶见栽培。药材主要来源于栽培。

| 采收加工 |

春季采收，鲜用或切厚片晒干。

| 药材性状 |

本品呈圆形或类圆形厚片，直径 3 ~ 7cm。外果皮鲜黄色至棕黄色，有颗粒状突起，突起的先端有凹点状油室；有的残存有明显花柱残迹或果梗痕。切面中果皮黄白色而稍隆起，果皮厚 0.2 ~ 0.7cm，边缘散有 1 ~ 2 列油室，瓤囊 7 ~ 12 瓣，汁囊干缩呈棕色至棕褐色，内藏种子。质坚硬，不易折断。气清香，味极酸，微苦。

| 功能主治 |

酸、甘，凉。归肺、胃经。生津止渴，和胃安胎。用于胃热伤津，中暑烦渴，食欲不振，脘腹痞胀，咳嗽，妊娠呕吐。

| 用法用量 |

内服适量，绞汁饮；或生食。

芸香科 Rutaceae 拟芸香属 Haplophyllum

北芸香 *Haplophyllum dauricum* (L.) G. Don

| **植物别名** | 假芸香。

| **药 材 名** | 北芸香（药用部位：全草）。

| **形态特征** | 多年生宿根草本。茎的地下部分颇粗壮，木质，茎的地上部分枝甚多，密集成束状或松散，小枝细长，长 10 ~ 20cm。叶狭披针形至线形，长 5 ~ 20mm，宽 1 ~ 5mm，两端尖，位于枝下部的叶片较小，通常倒披针形或倒卵形，灰绿色，厚纸质，油点甚多，中脉不明显，几无叶柄。伞房状聚伞花序，顶生，通常多花，很少为 3 花的聚伞花序；苞片细小，线形；萼片 5，基部合生，长约 1mm；花瓣 5，黄色，边缘薄膜质，淡黄色或白色，长圆形，长 6 ~ 8mm，散生半透明且颇大的油点；雄蕊 10，与花瓣等长或比花瓣略短，花丝中部以下增宽，花药长椭圆形，药隔先端有大而稍凸起的的油点 1；子房球形而略

北芸香

伸长，3室，稀2室或4室，花柱细长，柱头略增大。成熟果自顶部开裂，在果柄处分离而脱落，每分果瓣有2种子；种子肾形，褐黑色，长2～2.5mm，厚1～15mm。花期6～7月，果期8～9月。

| 生境分布 |

生于沙质草原、沙丘或岩石旁等。分布于吉林白城（通榆、镇赉、洮南、大安）、松原（前郭尔罗斯、长岭）、四平（双辽）等。

| 资源情况 |

野生资源较少。药材主要来源于野生。

| 采收加工 |

夏末秋初采收，除去杂质，晒干。

| 功能主治 |

驱蚊，驱虫。用于蚊虫叮咬，皮肤瘙痒。

苦木科 Simaroubaceae 苦树属 Picrasma

苦树 *Picrasma quassioides* (D. Don) Benn.

| **植物别名** | 熊胆树、黄楝树。

| **药 材 名** | 苦木（药用部位：枝叶、茎皮）。

| **形态特征** | 落叶乔木，高达10余米。树皮紫褐色，平滑，有灰色斑纹，全株有苦味。叶互生，奇数羽状复叶，长15～30cm；小叶9～15，卵状披针形或广卵形，边缘具不整齐的粗锯齿，先端渐尖，基部楔形，除顶生叶外，其余小叶基部均不对称，叶面无毛，背面仅幼时沿中脉和侧脉有柔毛，后变无毛，叶落后留有明显的半圆形或圆形叶痕，托叶披针形，早落。花雌雄异株，组成腋生复聚伞花序，花序轴密被黄褐色微柔毛；萼片小，通常5，偶4，卵形或长卵形，外面被黄褐色微柔毛，覆瓦状排列；花瓣与萼片同数，卵形或阔卵形，两面中脉附近有微柔毛，雄花中雄蕊长为花瓣的2倍，与萼片对生，雌花中雄蕊短于

苦树

花瓣，花盘 4 ~ 5 裂，心皮 2 ~ 5，分离，每心皮有 1 胚珠。核果成熟后蓝绿色，长 6 ~ 8mm，宽 5 ~ 7mm，种皮薄，萼宿存。花期 4 ~ 5 月，果期 6 ~ 9 月。

| 生境分布 | 生于林下、林缘、山坡、砂石地。吉林无野生分布。吉林东部有少量栽培。

| 资源情况 | 吉林偶见栽培。药材主要来源于栽培。

| 采收加工 | 夏、秋季采收枝叶，除去杂质，干燥。春、秋季剥取树干皮，切段，晒干。

| 药材性状 | 本品枝呈圆柱形，长短不一，直径 0.5 ~ 2cm，表面灰绿色或棕绿色，有细密的纵纹和多数点状皮孔，质脆，易折断，断面不平整，淡黄色，嫩枝色较浅且髓部较大。叶为单数羽状复叶，易脱落；小叶卵状长椭圆形或卵状披针形，近无柄，长 4 ~ 16cm，宽 1.5 ~ 6cm；先端锐尖，基部偏斜或稍圆，边缘具钝齿；两面通常绿色，有的下表面淡紫红色，沿中脉有柔毛。气微，味极苦。本品茎皮呈单卷状、槽状或长片状，长 20 ~ 55cm，宽 2 ~ 10cm，大多数已除去栓皮。未去栓皮的幼皮表面棕绿色，皮孔细小，淡棕色，稍凸起；未去栓皮的老皮表面棕褐色，圆形皮孔纵向排列，中央下凹，四周凸起，常附有白色地衣斑纹。内表面黄白色，平滑。质脆，易折断，折断面略粗糙，可见微细的纤维。气微，味苦。

| 功能主治 | 苦，寒；有小毒。清热解毒，祛湿。用于风热感冒，咽喉肿痛，湿热泻痢，湿疹，疮疖，蛇虫咬伤。

| 用法用量 | 外用适量，煎汤洗；或研末撒；或调敷；或鲜品捣敷。

棟科 Meliaceae 香椿属 *Toona*

香椿
Toona sinensis (A. Juss.) Roem.

| **植物别名** | 春阳树、春甜树、椿芽。

| **药 材 名** | 香椿（药用部位：根皮、果实）。

| **形态特征** | 落叶乔木。树皮粗糙，深褐色，片状脱落。叶具长柄，偶数羽状复叶，长 30 ~ 50cm 或更长；小叶 16 ~ 20，对生或互生，纸质，卵状披针形或卵状长椭圆形，长 9 ~ 15cm，宽 2.5 ~ 4cm，先端尾尖，基部一侧圆形，另一侧楔形，不对称，边全缘或有疏离的小锯齿，两面均无毛，无斑点，背面常呈粉绿色，侧脉每边 18 ~ 24，平展，与中脉几成直角开出，背面略凸起；小叶柄长 5 ~ 10mm。圆锥花序与叶等长或更长，被稀疏的锈色短柔毛或有时近无毛，小聚伞花序生于短的小枝上，多花；花长 4 ~ 5mm，具短花梗；花萼 5 齿裂或浅波状，外面被柔毛，且有睫毛；花瓣 5，白色，长圆形，先端钝，

香椿

长4～5mm，宽2～3mm，无毛；雄蕊10，其中5枚能育，5枚退化；花盘无毛，近念珠状；子房圆锥形，有5细沟纹，无毛，每室有胚珠8，花柱比子房长，柱头盘状。蒴果狭椭圆形，长2～3.5cm，深褐色，有小而苍白色的皮孔，果瓣薄；种子基部通常钝，上端有膜质的长翅，下端无翅。花期6～8月，果期10～12月。

| **生境分布** | 生于山地杂木林或疏林中。吉林无野生分布。吉林东部、中部有少量栽培。

| **资源情况** | 吉林偶见栽培。药材主要来源于栽培。

| **采收加工** | 全年均可采收根，剥取根皮，晒干。秋后果实成熟时采收果实，晒干。

| **功能主治** | 根皮，苦、涩，温。用于痢疾，肠炎，尿路感染，便血，血崩，带下，风湿腰腿痛。果实，苦、涩，温。用于胃、十二指肠溃疡，慢性胃炎。

| **用法用量** | 根皮，内服煎汤，9～15g。果实，内服煎汤，6～9g。

| **附　　注** | 本种幼芽芳香可口，可供蔬食。

远志科 Polygalaceae 远志属 *Polygala*

瓜子金 *Polygala japonica* Houtt.

| 植物别名 | 毛柄细辛、细参、烟袋锅花。

| 药 材 名 | 瓜子金（药用部位：全草。别名：辰砂草、金锁匙、瓜子草）。

| 形态特征 | 多年生草本，高 15 ~ 20cm。茎、枝直立或外倾，绿褐色或绿色，具纵棱。单叶互生，叶片厚纸质或亚革质。卵形或卵状披针形，稀狭披针形，长 1 ~ 3cm，宽 3 ~ 9mm，先端钝，具短尖头；叶柄长约 1mm。总状花序与叶对生，或腋外生，最上 1 花序低于茎顶。花梗细，长约 7mm，基部具 1 披针形、早落的苞片；萼片 5，宿存，外面 3 枚披针形，长 4mm，里面 2 枚花瓣状，卵形至长圆形，长约 6.5mm，宽约 3mm；花瓣 3，白色至紫色，基部合生，侧瓣长圆形，长约 6mm，龙骨瓣舟状，具流苏状或鸡冠状附属物；雄蕊 8，花丝长 6mm，全部合生成鞘，鞘 1/2 以下与花瓣贴生，花药无柄，顶孔

瓜子金

开裂；子房倒卵形，直径约 2mm，具翅，柱头 2。蒴果圆形，直径约 6mm，先端凹陷，具喙状突尖；种子 2 粒，卵形，长约 3mm，直径约 1.5mm，黑色。花期 6 ~ 7 月，果期 8 ~ 9 月。

| 生境分布 | 生于山坡、灌丛、林缘草地。以长白山区为主要分布区域，分布于吉林延边、白山、通化、吉林、辽源（东丰）等。

| 资源情况 | 野生资源较少。药材主要来源于野生。

| 采收加工 | 秋季采集，洗净，晒干。

| 药材性状 | 本品根呈圆柱形，稍弯曲，直径可达 4mm，表面黄褐色，有纵皱纹，质硬，断面黄白色。茎少分枝，长 10 ~ 30cm，淡棕色，被细柔毛。叶互生，展平后呈卵形或卵状披针形，长 1 ~ 3cm，宽 0.5 ~ 1cm；侧脉明显，先端短尖，基部圆形或楔形，全缘，灰绿色；叶柄短，有柔毛。总状花序腋生，最上面的花序低于茎的先端；花蝶形。蒴果圆而扁，直径约 5mm，边缘具膜质宽翅，无毛，萼片宿存。种子扁卵形，褐色，密被柔毛。气微，味微辛、苦。以叶多、有根为佳。

| 功能主治 | 辛、苦，平。归肺、胃、心经。祛痰止咳，活血消肿，解毒止痛。用于咳嗽痰多，咽喉肿痛；外用于跌打损伤，疔疮疖肿，蛇虫咬伤。

| 用法用量 | 内服煎汤，6 ~ 15g，鲜品30 ~ 60g；或研末；或浸酒。外用适量，捣敷或研末调敷。

| 附　　注 | 瓜子金销量一般，供求平稳。除镇静安神功效外，吉林部分地方用本种替代远志使用。吉林偶见少量瓜子金药材商品产出，多为自产自销。

远志科 Polygalaceae 远志属 *Polygala*

西伯利亚远志 *Polygala sibirica* Linn.

| 植物别名 | 阔叶远志、田远志。

| 药 材 名 | 小草（药用部位：全草。别名：小丁香、瓜子草、辰砂草）。

| 形态特征 | 多年生草本，高 10 ～ 30cm。根直立或斜生，木质。茎丛生，通常直立，被短柔毛。叶互生，叶片纸质至亚革质，下部叶小卵形，长约 6mm，宽约 4mm，先端钝，上部者大，披针形或椭圆状披针形，长 1 ～ 2cm，宽 3 ～ 6mm，先端钝，具骨质短尖头，基部楔形，全缘，略反卷，绿色，两面被短柔毛，主脉上面凹陷，背面隆起，侧脉不明显，具短柄。总状花序腋外生或假顶生，通常高出茎顶，被短柔毛，具少数花；花长 6 ～ 10mm，具 3 小苞片，钻状披针形，长约 2mm，被短柔毛；萼片 5，宿存，背面被短柔毛，具缘毛，外面 3 枚披针形，长约 3mm，里面 2 枚花瓣状，近镰刀形，长约 7.5mm，

西伯利亚远志

宽约 3mm，先端具突尖，基部具爪，淡绿色，边缘色浅；花瓣 3，蓝紫色，侧瓣倒卵形，长 5 ~ 6mm，2/5 处以下与龙骨瓣合生，先端圆形，微凹，基部内侧被柔毛，龙骨瓣较侧瓣长，背面被柔毛，具流苏状鸡冠状附属物；雄蕊 8，花丝长 5 ~ 6mm，2/3 处以下合生成鞘，且具缘毛，花药卵形，顶孔开裂；子房倒卵形，直径约 2mm，先端具缘毛，花柱肥厚，先端弯曲，长约 5mm，柱头 2，间隔排列。蒴果近倒心形，直径约 5mm，先端微缺，具狭翅及短缘毛；种子长圆形，扁，长约 1.5mm，黑色，密被白色柔毛，具白色种阜。花期 4 ~ 7 月，果期 5 ~ 8 月。

| **生境分布** | 生于草地、山坡、灌丛间或柞树林旁。分布于吉林延边、白山、通化、松原（扶余）等。

| **资源情况** | 野生资源较少。药材主要来源于野生。

| **采收加工** | 春、夏季采收，鲜用或晒干。

| **功能主治** | 辛、苦，平。归心、肾、肺经。清热解毒，安神益智，祛痰，消肿。用于失眠梦多，健忘惊悸，心神不定，神志恍惚，咳痰不爽，劳热咳嗽，小儿肺炎，慢性支气管炎，胃痛，慢性腹泻，痢疾，腰酸，疮疡肿毒，乳房肿痛，风湿疼痛，牙疳烂臭，跌打损伤。

| **用法用量** | 内服煎汤，3 ~ 9g；或浸酒；或入丸、散。外用适量，研末酒调敷。

远志科 Polygalaceae 远志属 Polygala

小扁豆
Polygala tatarinowii Regel

| 植物别名 | 小远志。

| 药 材 名 | 小扁豆（药用部位：根。别名：小扁豆根）。

| 形态特征 | 一年生直立草本，高5～15cm。茎不分枝或多分枝，具纵棱。单叶互生，叶片纸质，卵形或椭圆形至阔椭圆形，长0.8～2.5cm，宽0.6～1.5cm，先端急尖；叶柄长5～10mm，稍具翅。总状花序顶生，花密，花后延长达6cm；花长1.5～2.5mm，具小苞片2，苞片披针形，长约1mm；萼片5，绿色，外面3枚小，卵形或椭圆形，长约1mm，内面2枚花瓣状，长倒卵形，长约2mm，先端钝圆；花瓣3，红色至紫红色，侧生花瓣较龙骨瓣稍长，2/3处以下合生，龙骨瓣先端无鸡冠状附属物，圆形，具乳突；雄蕊8，花丝3/4处以下合生成鞘，花药卵形；子房圆形，直径约0.5mm，花柱长约2mm，弯曲，

小扁豆

向先端呈喇叭状，具倾斜裂片，柱头生于下方的短裂片内。蒴果扁圆形，直径约 2mm，先端具短尖头，具翅；种子近长圆形，直径约 1mm，长约 1.5mm，黑色，种阜小，盔形。花期 7 ~ 8 月，果期 8 ~ 9 月。

| 生境分布 |

生于山坡草地、杂木林下或路旁草丛中。分布于吉林白山、通化等。

| 资源情况 |

野生资源稀少。药材主要来源于野生。

| 采收加工 |

夏、秋季采挖，除去泥沙，切段，晒干。

| 功能主治 |

辛，温。益智安神，散郁，化痰止咳，清热解毒，截疟，补虚弱。用于神经衰弱，心悸，健忘，失眠，支气管炎，痰多咳嗽发热，感冒发热，疟疾。

| 用法用量 |

内服煎汤，9 ~ 15g。外用适量，捣敷；或研末调敷。

远志科 Polygalaceae 远志属 Polygala

远志 *Polygala tenuifolia* Willd.

| **植物别名** | 细叶远志、线茶、光棍茶。

| **药 材 名** | 远志（药用部位：根。别名：细草、小鸡眼、小草根）。

| **形态特征** | 多年生草本，高 15 ~ 50cm。主根粗壮，韧皮部肉质，浅黄色，长达 10 余厘米。茎多数丛生，直立或倾斜，具纵棱槽。单叶互生，叶片纸质，线形至线状披针形，长 1 ~ 3cm，宽 0.5 ~ 3mm，先端渐尖。总状花序呈扁侧状生于小枝先端，细弱，长 5 ~ 7cm，通常略俯垂，少花；苞片 3，披针形，长约 1mm；萼片 5，宿存，外面 3 枚线状披针形，长约 2.5mm，急尖，里面 2 枚花瓣状，倒卵形或长圆形，长约 5mm，宽约 2.5mm，先端圆形，具短尖头，带紫堇色，基部具爪；花瓣 3，紫色，侧瓣斜长圆形，长约 4mm，基部与龙骨瓣合生，龙骨瓣较侧瓣长，具流苏状附属物；雄蕊 8，花丝 3/4 处以下合生成鞘，3/4 处以上两侧各 3 枚合生，花丝丝状，具狭翅，花药长卵形；

远志

子房扁圆形，花柱弯曲。蒴果圆形，直径约 4mm，先端微凹；种子卵形，直径约 2mm，黑色，密被白色柔毛。花期 5 ～ 6 月，果期 8 ～ 9 月。

| 生境分布 | 生于多砾山坡、草地、林下或灌丛中。以长白山区为主要分布区域，分布于吉林延边、白山、通化、长春、吉林、辽源（东丰）等。吉林东部、中部有栽培。

| 资源情况 | 野生资源较少。药材主要来源于野生。

| 采收加工 | 野生品春、秋季采挖，除去须根及泥沙，晒干。栽培品第 3 年、第 4 年秋季返苗后或春季出苗前挖取根部，除去泥土和杂质，用木棒敲打，使其松软，抽出木心，晒干即可。去除木心的远志称"远志肉""远志筒"。采收后不去木心，直接晒干者，称"远志棍"。

| 药材性状 | 本品呈圆柱形，略弯曲，长 3 ～ 15cm，直径 0.3 ～ 0.8cm。表面灰黄色至灰棕色，有较密并深陷的横皱纹、纵皱纹及裂纹，老根的横皱纹较密且更深陷，略呈结节状。质硬而脆，易折断，断面皮部棕黄色，木部黄白色，皮部易与木部剥离。气微，味苦、微辛，嚼之有刺喉感。

| 功能主治 | 苦、辛，温。归心、肾经。安神益智，交通心肾，祛痰，解郁，消肿。用于心肾不交引起的失眠多梦、健忘惊悸、神志恍惚，咳痰不爽，疮疡肿毒，乳房肿痛。

| 用法用量 | 内服煎汤，3 ～ 10g；或入丸、散。外用适量，捣敷。

| 附　注 | （1）远志在吉林药用历史较久。在《吉林志书·吉林分巡道造送会典馆清册》（1902）、《桦甸县志》（1931）、《永吉县志》（1931）等十余部地方志中均有关于远志的记载。

（2）远志的野生资源日趋减少。在吉林西部地区，野生远志药材商品年产量不超过 5t，其他地区虽有野生资源分布，却无远志药材商品产出。

（3）本种为吉林省 Ⅱ 级重点保护野生植物。

漆树科 Anacardiaceae 盐肤木属 *Rhus*

盐肤木 *Rhus chinensis* Mill.

| **植物别名** | 五倍子树、山梧桐、黄瓢树。

| **药 材 名** | 盐肤子（药用部位：果实。别名：盐麸子、叛奴盐、盐梅子）、盐肤木根（药用部位：根。别名：盐麸子根、五倍根、泡木根）、盐肤木根皮（药用部位：根皮。别名：盐麸树白皮）。

| **形态特征** | 落叶小乔木或灌木，高 2 ~ 10m。小枝棕褐色，被锈色柔毛，具圆形小皮孔。奇数羽状复叶有小叶 2 ~ 6 对，叶轴具宽的叶状翅，小叶自下而上逐渐增大；小叶多形，卵形、椭圆状卵形或长圆形，长6 ~ 12cm，宽 3 ~ 7cm，先端急尖，基部圆形，叶背粉绿色，被白粉；小叶无柄。圆锥花序宽大，多分枝，雄花序长 30 ~ 40cm，雌花序较短；苞片披针形，长约 1mm，小苞片极小，花白色，花梗长约 1mm；雄花花萼裂片长卵形，长约 1mm，花瓣倒卵状长圆形，

盐肤木

长约 2mm，开花时外卷，雄蕊伸出，花丝线形，长约 2mm，花药卵形，长约 0.7mm，子房不育；雌花花萼裂片较短，长约 0.6mm，花瓣椭圆状卵形，长约 1.6mm，雄蕊极短，子房卵形，长约 1mm，花柱 3，柱头头状。核果球形，略压扁，直径 4 ~ 5mm，被具节柔毛和腺毛，成熟时红色，果核直径 3 ~ 4mm。花期 7 ~ 8 月，果期 9 ~ 10 月。

| **生境分布** | 生于向阳山坡、沟谷、溪边的疏林或灌丛中，常成片生长。分布于吉林辽源（东丰）、通化（通化、集安）等。

| **资源情况** | 野生资源稀少。药材主要来源于野生。

| **采收加工** | 盐肤子：10 月果实成熟时采收，鲜用或晒干。
盐肤木根：全年均可采挖根，洗净，鲜用或晒干。
盐肤木根皮：秋、冬季或春初采根，剥取根皮，切片晒干。

| **功能主治** | 盐肤子：酸、咸，凉。生津润肺，降火化痰，敛汗止痢。用于喉痹，痰火咳嗽，酒毒黄疸，瘴疟，毒痢，体虚多汗，盗汗，头风白屑，顽癣，痈毒溃烂。

盐肤木根、盐肤木根皮：酸、咸，寒。清热解毒，散瘀止血。用于感冒发热，崩漏，咳嗽咯血，泄泻，黄疸，水肿，便血，痔疮出血，风湿痹痛，跌打损伤。

| **用法用量** | 盐肤子：内服煎汤，9 ~ 15g；或研末。外用适量，煎汤洗；或捣敷；或研末调敷。
盐肤木根、盐肤木根皮：内服煎汤，9 ~ 15g，鲜品 30 ~ 60g。外用适量，研末调敷；或煎汤洗；或鲜品捣敷。

| **附　　注** | 本种为吉林省 Ⅲ 级重点保护野生植物。

漆树科 Anacardiaceae 盐肤木属 Rhus

火炬树 *Rhus typhina* L.

火炬树

| 植物别名 |

鹿角漆树、火炬漆、加拿大盐肤木。

| 药 材 名 |

火炬树（药用部位：树皮、根皮、果实）。

| 形态特征 |

落叶小乔木，高达 12m。小枝密生灰色密绒毛，棕褐色。奇数羽状复叶，小叶 9 ~ 13，长椭圆状至披针形，长 5 ~ 13cm，边缘有细锯齿，先端长渐尖，基部圆形或宽楔形，上面深绿色，下面苍白色，两面有茸毛，老时脱落，叶轴无翅。圆锥花序顶生，长 10 ~ 20cm，密生茸毛，花淡绿色，雌花花柱有红色刺毛。核果深红色，密生绒毛，花柱宿存且密集成火炬形。花期 6 ~ 7 月，果期 8 ~ 9 月。

| 生境分布 |

生于向阳山坡、沟谷或路旁等。以长白山区为主要分布区域，分布于吉林延边、白山、通化、吉林、辽源（东丰）等。

| 资源情况 |

野生资源较少。药材主要来源于野生。

| 采收加工 | 春季剥取树皮，刮去外面粗皮，晒干。夏、秋季采挖根部，洗净，剥取根皮，晒干。秋季果实成熟时采收，晒干。 |
| 功能主治 | 树皮、根皮，止血。用于外伤出血。果实，收敛。 |

漆树科 Anacardiaceae 漆属 Toxicodendron

漆

Toxicodendron vernicifluum (Stokes) F. A. Barkl.

| **植物别名** | 欺树。

| **药 材 名** | 干漆（药用来源：漆树树脂经加工的干燥品）、漆子（药用部位：种子）。

| **形态特征** | 落叶乔木，高达 20m。树皮灰白色，粗糙，呈不规则纵裂，小枝粗壮，具圆形或心形的大叶痕和凸起的皮孔；顶芽大而显著。奇数羽状复叶互生，常螺旋状排列，有小叶 4 ～ 6 对，叶轴圆柱形；叶柄长 7 ～ 14cm；小叶卵形、卵状椭圆形或长圆形，长 6 ～ 13cm，宽 3 ～ 6cm，先端急尖或渐尖。圆锥花序长 15 ～ 30cm，与叶近等长，序轴及分枝纤细，疏花；花黄绿色，雄花花梗纤细，长 1 ～ 3mm，雌花花梗短粗；花萼裂片卵形，长约 0.8mm；花瓣长圆形，长约 2.5mm，宽约 1.2mm；雄蕊长约 2.5mm，花丝线形，在雌花中较短，

漆

花药长圆形，花盘 5 浅裂；子房球形，直径约 1.5mm，花柱 3。果序多少下垂，核果肾形或椭圆形，不偏斜，略压扁，长 5 ~ 6mm，宽 7 ~ 8mm，先端锐尖，外果皮黄色，具光泽，成熟后不裂，中果皮蜡质，果核棕色，长约 3mm，宽约 5mm，坚硬。花期 6 ~ 7 月，果期 8 ~ 9 月。

| 生境分布 | 生于背风向阳的杂木林内、山野或路旁等。分布于吉林通化、白山等。

| 资源情况 | 野生资源较少。药材主要来源于野生。

| 采收加工 | 干漆：割开漆树树皮，收集自行流出的树脂，这些树脂称为生漆，生漆干涸后凝成的团块即为干漆。但商品多收集漆缸壁或底部粘着的干渣。

漆子：秋季采收成熟果实，晒干，除去杂质。

| 药材性状 | 本品呈不规则块状，黑褐色或棕褐色，表面粗糙，有蜂窝状细小孔洞或呈颗粒状。质坚硬，不易折断，断面不平坦。具特殊臭气。以块整、色黑、坚硬、漆臭重者为佳。

| 功能主治 | 干漆：辛，温；有毒。归肝、脾经。破瘀血，消积，杀虫。用于妇女经闭，癥瘕，瘀血，虫积。

漆子：辛，温；有毒。归肝、脾经。活血止血，温经止痛。用于出血夹瘀的便血，尿血，崩漏及瘀滞腹痛、闭经。

| 用法用量 | 干漆：内服入丸、散，2.4 ~ 4.5g。外用烧烟熏。内服宜炒或煅后用。

漆子：内服煎汤，6 ~ 9g；或入丸、散。

槭树科 Aceraceae 槭属 Acer

髭脉槭 *Acer barbinerve* Maxim.

髭脉槭

植物别名

簇毛槭、毛脉槭、辽吉槭树。

药材名

髭脉槭（药用部位：枝叶）。

形态特征

落叶小乔木，高 5 ~ 12m。树皮平滑，淡黄色或淡褐色。小枝细瘦，当年生枝淡绿色，多年生枝淡绿色或黄褐色。冬芽细小。叶纸质，近于圆形或卵形，长 5 ~ 8cm，宽 4 ~ 7cm，基部心形或近心形，5 裂；中裂片与 2 侧裂片锐尖，先端具尾状的尖头，向前直伸；基部的裂片钝尖，向侧面伸展，边缘具粗的钝锯齿，裂片中间的凹缺很狭窄，约成 15°的锐角；叶柄细瘦，长 4 ~ 6cm。花黄绿色，单性，雌雄异株；雌花的花序由当年生具叶的小枝先端生出，成总状花序；花梗长 1 ~ 2cm；雄花成密伞花序，系由二年生无叶的老枝上生出，每花序具 5 ~ 6 花；萼片 4，长圆形，长 4mm；花瓣 4，倒卵状椭圆形，长 4 ~ 5mm，雄花有雄蕊 4，花药黄色，雌花缺雄蕊；花盘 4；雌花花柱长 2mm，2 裂。翅果淡绿色或黄绿色；小坚果近球形，脉纹显著；翅长圆形，张开成钝角。花期 5 月，果期 8 ～ 9 月。

| **生境分布** | 生于山坡针阔混交林中或林缘等。以长白山区为主要分布区域，分布于吉林延边、白山、通化、吉林、辽源（东丰）等。

| **资源情况** | 野生资源较少。药材主要来源于野生。

| **采收加工** | 夏、秋季采收枝叶，除去杂质，晒干。

| **功能主治** | 辛，温。祛风除湿，活血逐瘀。用于风湿骨痛，跌打损伤，骨折。

槭树科 Aceraceae 槭属 *Acer*

茶条槭 *Acer ginnala* Maxim.

| 植物别名 | 茶条、茶条木、茶条子。

| 药 材 名 | 茶条槭（药用部位：嫩叶、芽。别名：茶条牙、茶条子、麻良子）。

| 形态特征 | 落叶灌木或小乔木，高 5 ~ 6m。树皮粗糙、微纵裂，灰色，稀深灰色或灰褐色。小枝细瘦，近圆柱形，当年生枝绿色或紫绿色，多年生枝淡黄色或黄褐色，皮孔椭圆形或近圆形。冬芽细小。叶纸质，基部圆形，截形或略近心形，叶片长圆状卵形或长圆状椭圆形，长 6 ~ 10cm，宽 4 ~ 6cm，较深的常 3 ~ 5 裂；中央裂片锐尖或狭长锐尖，侧裂片通常钝尖，向前伸展，各裂片的边缘均具不整齐的钝尖锯齿；叶柄长 4 ~ 5cm。伞房花序长 6cm，具多数花；花梗细瘦，长 3 ~ 5cm；花杂性，雄花与两性花同株；萼片 5，卵形，黄绿色，长 1.5 ~ 2mm；花瓣 5，长圆状卵形，白色，较萼片长；雄蕊 8，与

茶条槭

花瓣近等长，花药黄色；花柱无毛，长 3～4mm，先端 2 裂。果实黄绿色或黄褐色；小坚果长 8mm；翅连同小坚果长 2.5～3cm，中段较宽或两侧近于平行，张开近于直角或成锐角。花期 5 月，果期 10 月。

| **生境分布** | 生于山坡、灌丛、阔叶林、林缘、路边。以长白山区为主要分布区域，分布于吉林延边、白山、通化、吉林、辽源（东丰）。

| **资源情况** | 野生资源较丰富。药材主要来源于野生。

| **采收加工** | 夏季采收嫩叶、芽，晒干。

| **药材性状** | 本品冬芽细小，淡褐色，具长柔毛。叶多易碎，完整叶片呈长圆状卵形或长圆状椭圆形，上表面深绿色，无毛，下表面淡绿色，近于无毛，叶柄细瘦，绿色或紫绿色。气微，味苦。

| **功能主治** | 苦，寒。清热明目，解毒。用于肝热，目赤昏花，上呼吸道感染，小儿肺炎，烫火伤，细菌性痢疾。

| **用法用量** | 内服适量，白开水冲饮。

槭树科 Aceraceae 槭属 Acer

小楷槭 *Acer komarovii* Pojark.

| **药 材 名** | 小楷槭（药用部位：枝叶）。

| **形态特征** | 落叶小乔木。树皮光滑，灰色。小枝细瘦，无毛；当年生枝紫色或紫红色，多年生枝紫褐色或紫黄色。冬芽紫色，椭圆形。叶纸质，长圆状卵形，基部心形或近心形，边缘具很密的锐尖锯齿，常5裂，稀3裂，每裂片再分裂成小裂片；中裂片卵形，锐尖，先端具尾状尖头；侧裂片三角状卵形，先端锐尖，基部的裂片卵形，通常钝尖；裂片间的凹缺很狭窄，深及叶片长度的2/3；上面深绿色，无毛，下面淡绿色，嫩时脉腋上被红褐色短柔毛；叶柄紫色或红紫色，嫩时近先端被红褐色短柔毛。花黄绿色，单性，雌雄异株，总状花序细瘦，顶生于着叶的小枝上，开花与发叶同时；萼片5，卵状长圆形，先端钝形；花瓣5，长圆状倒卵形，先端钝形；雄蕊8，无毛，与萼

小楷槭

片等长，在雌花中不发育；花盘无毛，微裂成钝锯齿状，位于雄蕊的内侧；子房紫红色，无毛，在雄花中不发育，花柱很短，柱头反卷；花梗细瘦，无毛。翅果嫩时紫红色，成熟后黄褐色，7～10 成总状果序；果梗细瘦，红褐色。花期 5 月，果期 9 月。

｜生境分布｜

生于疏林、阔叶林中。以长白山区为主要分布区域，分布于吉林延边、白山、通化、吉林、辽源（东丰）等。

｜资源情况｜

野生资源较少。药材主要来源于野生。

｜采收加工｜

夏、秋季采收枝叶，除去杂质，晒干。

｜功能主治｜

止痛。用于腰腿痛。

槭树科 Aceraceae 槭属 Acer

东北槭 *Acer mandshuricum* Maxim.

| **植物别名** | 白牛槭、满洲槭、关东槭。

| **药 材 名** | 东北槭（药用部位：枝叶）。

| **形态特征** | 落叶乔木，高20m，稀达30m。树皮灰色，粗糙。小枝圆柱形，无毛；当年生枝紫黄色或紫褐色，多年生枝东色，具显著的长椭圆形皮孔。冬芽很小，鳞片无毛。复叶具3小叶，小叶纸质，披针形或长圆状披针形，长5～10cm，宽1.5～3cm，先端锐尖，边缘具钝锯齿，中小叶的基部楔形，具长1cm的小叶柄，两侧小叶的基部倾斜，近圆形，具长1～2mm的小叶柄；上面深绿色，无毛，下面淡绿色，微被白粉，沿中肋被白色的疏柔毛；中肋在上面微凹下，在下面略凸起；侧脉9～11对，在上下两面均仅微现；叶柄细瘦，长4～7cm，无毛。伞房花序仅具3～5花；花黄绿色，杂性，雄花与两性花异株，

东北槭

叶已长大后花始开放；萼片5，长圆状卵形，长7mm，宽4mm；花瓣5，长圆状倒卵形，与萼片等长；雄蕊8，生于雄花者长1cm，伸出于花外，花丝细瘦，无毛，花药黄色，生于两性花者较短，花盘位于雄蕊的外侧；两性花的子房无毛，紫色，花柱很短，2裂，柱头反卷；花梗长2.5～3cm，细瘦无毛。小坚果凸起，长1～1.5cm，宽8mm，嫩时紫色，成熟后紫褐色，翅宽1～1.2cm，连同小坚果长3～3.5cm，张开呈锐角或近于直角。花期6月，果期9月。

| **生境分布** | 生于山地杂木林、阔叶林。以长白山区为主要分布区域，分布于吉林延边、白山、通化、吉林、辽源（东丰）等。吉林东部山区有栽培。

| **资源情况** | 野生资源较丰富。药材主要来源于野生。

| **采收加工** | 夏、秋季采收枝叶，除去杂质，晒干。

| **功能主治** | 止痛。用于肩臂痛。

槭树科 Aceraceae 槭属 Acer

色木槭 *Acer mono* Maxim.

| **植物别名** | 五角槭、地锦槭、水色树。

| **药 材 名** | 地锦槭（药用部位：枝叶。别名：五角槭、水色树、色木）。

| **形态特征** | 落叶乔木，高 15 ~ 20m。树皮粗糙，常纵裂，灰色，稀深灰色或灰褐色。小枝细瘦，当年生枝绿色或紫绿色，多年生枝灰色或淡灰色，具圆形皮孔。冬芽近球形。叶纸质，基部截形或近心形，叶片近椭圆形，长 6 ~ 8cm，宽 9 ~ 11cm，常 5 裂，有时 3 裂及 7 裂的叶生于同一树上；裂片卵形，先端锐尖或尾状锐尖，全缘；叶柄长 4 ~ 6cm。花多数，杂性，雄花与两性花同株，多数常成无毛的顶生圆锥状伞房花序，长与宽均约 4cm，生于有叶的枝上，花序的总花梗长 1 ~ 2cm，花的开放与叶的生长同时；萼片 5，黄绿色，长圆形；花瓣 5，淡白色，椭圆形或椭圆状倒卵形；雄蕊 8，花药黄

色木槭

色；子房在雄花中不发育，柱头 2 裂，反卷。翅果嫩时紫绿色，成熟时淡黄色；小坚果压扁状，长 1 ～ 1.3cm，宽 5 ～ 8mm；翅长圆形，宽 5 ～ 10mm，张开呈锐角或近于钝角。花期 5 月，果期 9 月。

| 生境分布 |

生于湿润肥沃土壤的杂木林中、林缘或河岸两旁、阔叶林。以长白山区为主要分布区域，分布于吉林延边、白山、通化、长春、吉林、辽源（东丰）、白城（洮南）等。吉林东部山区有栽培。

| 资源情况 |

野生资源较丰富。药材主要来源于野生。

| 采收加工 |

夏、秋季采收枝叶，除去杂质，晒干。

| 功能主治 |

辛，温。祛风除湿，活血逐瘀。用于风湿骨痛，骨折，跌打损伤。

| 用法用量 |

内服煎汤，10 ～ 15g，鲜品加倍。外用适量，煎汤洗。

槭树科 Aceraceae 槭属 Acer

梣叶槭 *Acer negundo* L.

| **植物别名** | 糖槭、白蜡槭、美国槭。

| **药 材 名** | 梣叶槭（药用部位：果实、树皮）。

| **形态特征** | 落叶乔木，高达 20m。树皮黄褐色或灰褐色。小枝圆柱形，无毛，当年生枝绿色，多年生枝黄褐色。冬芽小，鳞片 2，镊合状排列。羽状复叶，长 10 ~ 25cm，有 3 ~ 7（~ 9）小叶；小叶纸质，卵形或椭圆状披针形，长 8 ~ 10cm，宽 2 ~ 4cm，先端渐尖，基部钝形或阔楔形，边缘常有 3 ~ 5 粗锯齿，稀全缘，中小叶的小叶柄长 3 ~ 4cm，侧生小叶的小叶柄长 3 ~ 5mm，上面深绿色，无毛，下面淡绿色，除脉腋有丛毛外其余部分无毛；主脉和 5 ~ 7 对侧脉均在下面显著；叶柄长 5 ~ 7cm，嫩时有稀疏的短柔毛，其后无毛。雄花的花序聚伞状，雌花的花序总状，均由无叶的小枝旁边生出，

梣叶槭

常下垂；花梗长 1.5 ~ 3cm；花小，黄绿色，开于叶前，雌雄异株，无花瓣及花盘；雄蕊 4 ~ 6，花丝很长，子房无毛。小坚果凸起，近长圆形或长圆状卵形，无毛；翅宽 8 ~ 10mm，稍向内弯，连同小坚果长 3 ~ 3.5cm，张开呈锐角或近于直角。花期 4 ~ 5 月，果期 9 月。

| 生境分布 |

生于山坡、林缘、田野或住宅附近。吉林各地均有分布。

| 资源情况 |

野生资源较少。药材主要来源于野生。

| 采收加工 |

秋季果实成熟时采收果实，晒干。春季剥取树皮，刮去粗皮，晒干。

| 功能主治 |

收敛。用于泄泻。

槭树科 Aceraceae 槭属 Acer

紫花槭
Acer pseudosieboldianum (Pax) Komarov

| 植物别名 | 丹枫、假色槭。

| 药 材 名 | 紫花槭（药用部位：枝叶）。

| 形态特征 | 落叶灌木或小乔木，高达 8m。树皮灰色。小枝细瘦，当年生枝绿色或紫绿色，被白色疏柔毛，多年生枝灰色或淡灰褐色，被蜡质白粉。冬芽卵圆形，鳞片6，卵形，外侧密被疏柔毛。叶纸质，近圆形，直径 6 ~ 10cm，基部心形或深心形，常 9 ~ 11 裂；裂片三角形或卵状披针形，先端渐尖，具尖锐的重锯齿；裂片间的凹缺狭窄，深及叶片的 1/3 ~ 1/2，上面深绿色，下面淡绿色，嫩时叶片两面均被白色绒毛，叶脉上更密，渐老时上面近于无毛，下面的叶脉上亦仅被稀疏的毛；叶柄细瘦，长 3 ~ 4cm，嫩时密被白色绒毛，老时绒毛陆续脱落，近于无毛。花紫色，杂性，雄花与两性花同株，常成

紫花槭

被毛的伞房花序，直径 3 ~ 4cm，总花梗长 2 ~ 3cm；萼片 5，紫色或紫绿色，披针形，先端渐尖，长 4 ~ 5mm，宽 1.5mm；花瓣 5，白色或淡黄白色，倒卵形，长 4mm，宽 3mm；雄蕊 8，长约 4mm，花丝紫色，无毛，花药黄色，卵形；花盘无毛，微裂，位于雄蕊的外侧；子房被白色的疏柔毛，在雄花中常不发育，花柱长约 5mm，柱头 2 裂；花梗紫色，细瘦，长 8 ~ 10mm，微被短柔毛。翅果嫩时紫色，成熟时紫黄色；小坚果凸起，脉纹显著，长 5 ~ 7mm，宽 4 ~ 5mm；翅倒卵形，基部狭窄，连同小坚果长 2 ~ 2.5cm，宽 5 ~ 6mm，张开呈钝角，果梗长 1 ~ 2cm，细瘦。花期 5 ~ 6 月，果期 9 月。

| **生境分布** | 生于海拔 700 ~ 900m 的山岳地带、针阔叶混交林中或林边。以长白山区为主要分布区域，分布于吉林延边、白山、通化、吉林、辽源（东丰）等。

| **资源情况** | 野生资源较少。药材主要来源于野生。

| **采收加工** | 夏、秋季采收枝叶，除去杂质，晒干。

| **功能主治** | 止痛。用于腰腿痛。

槭树科 Aceraceae 槭属 Acer

青楷槭 *Acer tegmentosum* Maxim.

青楷槭

植物别名

辽东槭、青楷子。

药材名

青楷槭（药用部位：枝叶）。

形态特征

落叶乔木。树皮灰色或深灰色，平滑，现裂纹。小枝几无毛，当年生小枝紫色或紫绿色，多年生枝黄绿色或灰褐色。冬芽椭圆形；鳞片浅褐色，无毛。叶纸质，近圆形或卵形，边缘有钝尖的重锯齿，基部圆形或近心形，3～7裂，通常5裂；裂片三角形或钝尖形，先端常具短锐尖头；裂片间的凹缺通常钝尖，上面深绿色，无毛，下面淡绿色，脉腋有淡黄色的丛毛；主脉5，由基部生出，侧脉7～8对，均在上面微现，在下面显著；叶柄无毛。花黄绿色，杂性，雄花与两性花同株，常成无毛的总状花序；萼片5，长圆形，先端钝形；花瓣5，倒卵形；雄蕊8，无毛，在两性花中不发育；花盘无毛，位于雄蕊的内侧；子房无毛，在雄花中不发育，花柱短，柱头微被短柔毛，略弯曲。翅果无毛，黄褐色；小坚果微扁平；翅连同小坚果长2.5～3cm，宽1～1.3cm，张开呈钝角或近于水平；果梗细瘦，长约 5mm。花期 4 月，果期 9 月。

| 生境分布 |

生于针阔叶混交林、杂木林内、林缘或灌丛中。以长白山区为主要分布区域，分布于吉林延边、白山、通化、吉林、辽源（东丰）等。

| 资源情况 |

野生资源较少。药材主要来源于野生。

| 采收加工 |

夏、秋季采收，晒干。

| 功能主治 |

活血止痛。用于跌打损伤，关节筋骨疼痛。

槭树科 Aceraceae 槭属 Acer

三花槭 *Acer triflorum* Kom.

| 植物别名 | 拧筋槭、伞花槭。

| 药 材 名 | 三花槭（药用部位：枝叶）。

| 形态特征 | 落叶乔木。树皮褐色，常呈薄片状脱落。小枝圆柱形，有圆形或卵形皮孔；当年生枝紫色或淡紫色，嫩时有稀疏的疏柔毛，多年生枝淡紫褐色。冬芽细小，鳞片边缘纤毛状，覆瓦状排列。覆叶由 3 小叶组成，小叶纸质，长圆状卵形或长圆状披针形，稀长圆状倒卵形，先端锐尖，边缘在中段以上有粗的钝锯齿 2 ~ 3，稀全缘；顶生小叶的基部楔形或阔楔形，小叶柄长 5 ~ 7mm；侧生小叶基部倾斜或钝形，小叶柄长 1 ~ 2mm；上面绿色，嫩时除沿叶脉有很稀疏的疏柔毛外，其余部分无毛，下面淡绿色，略有白粉，沿叶脉有白色疏柔毛；中肋在上面稍凹下，在下面凸起；侧脉 11 ~ 13 对，在下面

三花槭

显著；叶柄细瘦，淡紫色，长 5 ~ 7cm，近于
无毛。花序伞房状，连同长 8mm 的总花梗在内
长约 2cm，密被疏柔毛，具 3 花。小坚果凸起，
近球形，直径 1 ~ 1.3cm，密被淡黄色疏柔毛；
翅黄褐色，中段较宽，连同小坚果长 4 ~ 4.5cm，
张开呈锐角或近于直角。花期 4 月，果期 9 月。

| 生境分布 |

生于海拔 400 ~ 1000m 的针阔叶混交林或阔叶
杂交林中。以长白山区为主要分布区域，分布
于吉林延边、白山、通化、吉林、辽源（东丰）
等。

| 资源情况 |

野生资源较少。药材主要来源于野生。

| 采收加工 |

夏、秋季采收枝叶，除去杂质，晒干。

| 功能主治 |

止痛。用于肩臂痛。

槭树科 Aceraceae 槭属 Acer

元宝槭 *Acer truncatum* Bunge

| 植物别名 | 五角槭、平基槭、五角树。

| 药 材 名 | 元宝槭（药用部位：根皮。别名：五角枫、元宝树）。

| 形态特征 | 落叶乔木，高 8 ~ 10m。树皮灰褐色或深褐色，深纵裂。当年生枝绿色，多年生枝灰褐色，具圆形皮孔。冬芽小，卵圆形。叶纸质，长 5 ~ 10cm，宽 8 ~ 12cm，常 5 裂，稀 7 裂；裂片三角状卵形或披针形，先端锐尖或尾状锐尖，全缘，长 3 ~ 5cm，宽 1.5 ~ 2cm，有时中央裂片的上段再 3 裂；裂片间的凹缺锐尖或钝尖；叶柄长 3 ~ 5cm。花黄绿色，杂性，雄花与两性花同株，常成无毛的伞房花序，长 5cm，直径 8cm；总花梗长 1 ~ 2cm；萼片 5，黄绿色，长圆形；花瓣 5，淡黄色或淡白色，长圆状倒卵形，长 5 ~ 7mm；雄蕊 8，生于雄花者长 2 ~ 3mm，生于两性花者较短，花药黄色；花盘微裂；花柱短，

元宝槭

2 裂，柱头反卷，微弯曲；花梗细瘦，长约 1cm。翅果淡黄色或淡褐色，常成下垂的伞房果序；小坚果压扁状，长 1.3 ~ 1.8cm；翅长圆形，两侧平行，稀稍长，张开呈锐角或钝角。花期 5 月，果期 9 月。

| 生境分布 |

生于针阔叶混交林、杂木林内、林缘、灌丛中。以长白山区为主要分布区域，分布于吉林延边、白山、通化、吉林、辽源（东丰）。

| 资源情况 |

野生资源较少。药材主要来源于野生。

| 采收加工 |

夏季采挖根，洗净，剥取根皮，晒干。

| 功能主治 |

淡，微温。祛风除湿。用于风湿腰背疼痛。

| 用法用量 |

内服煎汤，15 ~ 30g；或浸酒，9 ~ 15g。

槭树科 Aceraceae 槭属 Acer

花楷槭
Acer ukurunduense Trautv. et Mey.

| **药 材 名** | 花楷槭（药用部位：枝叶、树皮）。

| **形态特征** | 落叶乔木。树皮粗糙，灰褐色或深褐色，常裂成薄片脱落。小枝细瘦，当年生枝紫色或紫褐色，常有黄色短柔毛，多年生枝褐色或深褐色，无毛或近于无毛。裂片阔卵形，稀三角状卵形，先端锐尖，边缘有粗锯齿，裂片间的凹缺锐尖，深达叶片全长的2/5；上面深绿色，近于无毛，下面淡绿色或黄绿色，密被淡黄的绒毛，在叶脉上更密；主脉5，在上面显著，在下面凸起，侧脉11 ~ 13对，在上面微显著，在下面显著，小叶脉在上面不显著，在下面显著，叶柄长5 ~ 8cm，微有短柔毛或无毛。花黄绿色，单性，雌雄异株，常成有短柔毛、直立的顶生总状圆锥花序；萼片5，淡黄绿色，披针形，微有短柔毛；花瓣5，白色，微现淡黄色，倒披针形；雄蕊8，无毛，着生于花盘

花楷槭

的中部，伸出花外，花药黄色；花盘无毛，微裂；子房密被绒毛；花梗长 5 ~ 8mm，细瘦，被短柔毛。翅果嫩时淡红色，成熟时黄褐色，常成直立的穗状果序；小坚果卵圆形，微有毛。花期 5 月，果期 9 月。

| 生境分布 |

生于海拔 500 ~ 1500m 的疏林、阔叶林中。以长白山区为主要分布区域，分布于吉林延边、白山、通化、吉林、辽源（东丰）等。

| 资源情况 |

野生资源较丰富。药材主要来源于野生。

| 采收加工 |

夏、秋季采收枝叶，除去杂质，晒干。春季采割树皮，洗净，晒干。

| 功能主治 |

止痛。用于腰腿痛。

文冠果
Xanthoceras sorbifolium Bunge

| 药 材 名 | 文冠果（药用部位：木材、枝叶。别名：文官果、土木瓜、木瓜）。

| 形态特征 | 落叶灌木或小乔木，高 2 ~ 5m。小枝粗壮，褐红色，顶芽和侧芽有覆瓦状排列的芽鳞。叶连柄长 15 ~ 30cm；小叶 4 ~ 8 对，膜质或纸质，披针形或近卵形，两侧稍不对称，长 2.5 ~ 6cm，宽 1.2 ~ 2cm，先端渐尖，基部楔形，边缘有锐利锯齿，顶生小叶通常 3 深裂，腹面深绿色，背面鲜绿色；侧脉纤细，两面略凸起。花序先叶抽出或与叶同时抽出，两性花的花序顶生，雄花序腋生，长 12 ~ 20cm，直立，总花梗短，基部常有残存芽鳞；花梗长 1.2 ~ 2cm；苞片长 0.5 ~ 1cm；萼片长 6 ~ 7mm，两面被灰色绒毛；花瓣白色，基部紫红色或黄色，有清晰的脉纹，长约 2cm，宽 7 ~ 10mm，爪之两侧有须毛；花盘的角状附属体橙黄色，长 4 ~ 5mm；雄蕊长约 1.5cm；子房被灰色

文冠果

绒毛。蒴果长达 6cm；种子长达 1.8cm，黑色
而有光泽。花期 5～6 月，果期 9～10 月。

｜生境分布｜

生于山坡或沟谷间等。吉林无野生分布。吉林
东部、中部有栽培。

｜资源情况｜

吉林偶见栽培。药材主要来源于栽培。

｜采收加工｜

春、夏季采茎干，剥去外皮，取木材晒干。春、
夏季采鲜枝叶，切碎，熬膏用。

｜药材性状｜

本品茎干木部呈不规则的块状，表面红棕色或
黄褐色，横断面红棕色，有同心性环纹，纵剖
面有细皱纹。枝条多为细圆柱形，表面黄白色
或黄绿色，断面有年轮环纹，外侧黄白色，内
部红棕色。质坚硬。气微，味甘、涩、苦。

｜功能主治｜

甘，平。祛风除湿，消肿止痛，收敛。用于风
湿性关节炎，黄水疮。

｜用法用量｜

内服煎汤，3～9g；或熬膏。外用适量，熬膏
敷。

凤仙花科 Balsaminaceae 凤仙花属 Impatiens

凤仙花 *Impatiens balsamina* L.

| **药 材 名** | 急性子（药用部位：种子。别名：金凤花子、凤仙子）、凤仙花（药用部位：花。别名：金凤花、指甲花、海莲花）。

| **形态特征** | 一年生草本。茎粗壮，肉质，直立，不分枝或有分枝，无毛或幼时被疏柔毛，具多数纤维状根，下部节常膨大。叶互生，最下部叶有时对生；叶片披针形、狭椭圆形或倒披针形，先端尖或渐尖，基部楔形，边缘有锐锯齿，向基部常有数对无柄的黑色腺体，两面无毛或被疏柔毛，侧脉 4 ~ 7 对；叶柄上面有浅沟，两侧具数对具柄的腺体。花单生或 2 ~ 3 簇生于叶腋，无总花梗，白色、粉红色或紫色，单瓣或重瓣；花梗密被柔毛；苞片线形，位于花梗的基部；侧生萼片 2，卵形或卵状披针形，唇瓣深舟状，被柔毛，基部急尖成长 1 ~ 2.5cm 内弯的距；旗瓣圆形，兜状，先端微凹，背面中肋具狭龙骨状突起，

凤仙花

先端具小尖，翼瓣具短柄，2 裂，下部裂片小，倒卵状长圆形，上部裂片近圆形，先端 2 浅裂，外缘近基部具小耳；雄蕊 5，花丝线形，花药卵球形，先端钝；子房纺锤形，密被柔毛。蒴果宽纺锤形，两端尖，密被柔毛；种子多数，圆球形，直径 1.5 ～ 3mm，黑褐色。花期 7 ～ 10 月。

| **生境分布** | 生于路边、屋前屋后、沟边，多生于近人环境。分布于吉林延边、白山、通化、长春、吉林、辽源等。吉林各地公园、绿化带有栽培。

| **资源情况** | 野生资源较少。药材主要来源于栽培。

| **采收加工** | 急性子：夏、秋季果实即将成熟时采收，晒干，除去果皮和杂质。
凤仙花：花盛开时择下午采收，拣去杂质，晾干。

| **药材性状** | 急性子：本品呈椭圆形、扁圆形或卵圆形，长 2 ～ 3mm，宽 1.5 ～ 2.5mm。表面棕褐色或灰褐色，粗糙，有稀疏的白色或浅黄棕色小点，种脐位于狭端，稍突出。质坚实，种皮薄，子叶灰白色，半透明，油质。气微，味淡、微苦。以颗粒饱满者为佳。
凤仙花：本品多皱缩成团，花多呈棕色。完整者展开后，萼片 2，卵形或卵状披针形；唇瓣深舟状，被柔毛，基部急尖成长 1 ～ 1.5cm 内弯的距；旗瓣圆形，先端微凹，背面中肋具突起；翼瓣 2 裂，下部裂片小，上部裂片近圆形，先端 2 浅裂；雄蕊 5；子房纺锤形，密被柔毛。体轻。气芳香，味微酸。

| **功能主治** | 急性子：辛、苦，温；有小毒。归肺、肝经。行瘀降气，软坚散结。用于经闭，痛经，难产，产后胞衣不下，噎膈，痞块，骨鲠，龋齿，疮疡肿毒。
凤仙花：甘，温；有小毒。活血通经，祛风止痛，解毒。用于闭经，跌打损伤，瘀血肿痛，风湿性关节炎，痈疽疔疮，蛇咬伤，手癣。

| **用法用量** | 急性子：内服煎汤，3 ～ 4.5g。外用适量，研末或熬膏贴。
凤仙花：内服煎汤，1.5 ～ 3g，鲜品可用 3 ～ 9g；或研末；或浸酒。外用适量，鲜品研烂涂；或煎汤洗。

| **附　注** | 凤仙花在吉林药用历史较久。在《奉化县志》（1885）、《通化县乡土志》（1910）、《抚松县志》（1930）等多部地方志中均有关于凤仙花的记载。

凤仙花科 Balsaminaceae 凤仙花属 Impatiens

东北凤仙花 *Impatiens furcillata* Hemsl.

| **植物别名** | 长距凤仙花。

| **药 材 名** | 东北凤仙花（药用部位：全草）。

| **形态特征** | 一年生草本，高 30 ~ 70cm。茎细弱，直立，有分枝或无，上部疏生褐色腺毛或近无毛。叶互生，菱状卵形或菱状披针形，长 5 ~ 13cm，宽 2.5 ~ 5cm，先端渐尖，基部楔形，边缘有锐锯齿，侧脉 7 ~ 9 对；叶柄长 1 ~ 2.5cm。总花梗腋生，长 3 ~ 5cm，疏生深褐色腺毛；花 3 ~ 9，排成总状花序；花梗细，基部有 1 条形苞片；花小，黄色或淡紫色；侧生萼片 2，卵形，先端突尖；旗瓣圆形，背面中肋有龙骨突，先端有短喙；翼瓣有柄，2 裂，基部裂片近卵形，先端尖，上部裂片较大，斜卵形，尖；唇瓣漏斗状，基部突然延长成螺旋状卷曲的长距；花药钝。蒴果近圆柱形，先端具短喙。花期

东北凤仙花

7～8月，果期8～9月。

| **生境分布** | 生于沟谷溪流边、林中湿地。以长白山区为主要分布区域，分布于吉林延边、白山、通化、吉林、辽源（东丰）等。

| **资源情况** | 野生资源丰富。药材主要来源于野生。

| **采收加工** | 夏、秋季植株生长茂盛、花未开或刚开时采收，晒干。

| **功能主治** | 苦，平。祛风活络，强筋壮骨，消肿，活血散瘀，清热解毒。用于疔疮肿毒，跌打损伤。

凤仙花科 Balsaminaceae 凤仙花属 Impatiens

水金凤 *Impatiens noli-tangere* Linn.

| **植物别名** | 辉菜花。

| **药 材 名** | 水金凤（药用部位：全草。别名：野凤仙、白辣草、水凤仙）。

| **形态特征** | 一年生草本，高 40 ~ 70cm。茎较粗壮，肉质，直立，上部多分枝，下部节常膨大，有多数纤维状根。叶互生；叶片卵形或卵状椭圆形，长 3 ~ 8cm，宽 1.5 ~ 4cm，先端钝，稀急尖，基部圆钝或宽楔形，边缘有粗圆齿状齿，齿端具小尖；叶柄纤细，长 2 ~ 5cm；最上部的叶柄更短或近无柄。总花梗长 1 ~ 1.5cm，具 2 ~ 4 花，排列成总状花序；花梗长 1.5 ~ 2mm，中上部有 1 苞片；苞片草质，披针形，长 3 ~ 5mm，宿存；花黄色；侧生 2 萼片卵形或宽卵形，长 5 ~ 6mm，先端急尖；旗瓣圆形或近圆形，直径约 10mm，先端微凹；翼瓣无柄，长 20 ~ 25mm，2 裂，下部裂片小，长圆形，上部裂片宽斧形，

水金凤

近基部散生橙红色斑点；唇瓣宽漏斗状，喉部散生橙红色斑点，基部渐狭成长
10 ～ 15mm 且内弯的距。雄蕊 5，花丝线形；子房纺锤形。蒴果线状圆柱形，
长 1.5 ～ 2.5cm；种子多数，长圆状球形。花期 7 ～ 8 月，果期 8 ～ 9 月。

| 生境分布 | 生于沟谷溪流边、林中湿地或路旁等，常成片生长。以长白山区为主要分布区域，
分布于吉林延边、白山、通化、吉林、辽源（东丰、东辽）、长春（德惠、九台）
等。

| 资源情况 | 野生资源丰富。药材主要来源于野生。

| 采收加工 | 夏、秋季植株生长茂盛时采收，晒干。

| 药材性状 | 本品茎长 5 ～ 20cm，直径
0.2 ～ 1.5cm，易折断，呈淡
黄色或黄绿色。叶皱缩成团，
易碎，完整的叶展开呈卵形
或卵状椭圆形，上表面深绿
色，下表面灰绿色；叶柄纤
细。蒴果线状圆柱形，长
1.0 ～ 2.0cm。种子多数，长
圆状球形。气微，味甘。

| 功能主治 | 甘，温。活血调经，舒筋活络。
用于月经不调，痛经，跌打
损伤，风湿痛，阴囊湿疹，
肾病，膀胱结石。

| 用法用量 | 内服煎汤，9 ～ 15g。外用适量，
煎汤洗；或鲜品捣敷。

凤仙花科 Balsaminaceae 凤仙花属 Impatiens

野凤仙花 *Impatiens textori* Miq.

| 植物别名 | 霸王七、假凤仙花、假指甲花。

| 药 材 名 | 野凤仙花（药用部位：全草。别名：假凤仙花、假指甲花）、霸王七（药用部位：块根。别名：万年炇、炇七）。

| 形态特征 | 一年生草本，高 40 ~ 90cm。茎直立，多分枝，通常带淡红色。叶互生或在茎顶部近轮生，叶片菱状卵形或卵状披针形，稀宽披针形，长 3 ~ 13cm，宽 3 ~ 7cm，先端渐尖，基部楔形，稀钝圆，边缘具锐锯齿，齿端具小尖，侧脉 7 ~ 8 对；叶柄长 4 ~ 4.5cm。总花梗生于上部叶腋，斜上，长 4 ~ 10cm，具 4 ~ 10 花；花梗细，长 1 ~ 2cm，基部具苞片；苞片卵状披针形至三角状卵形，长 3 ~ 5mm；花大，淡紫色或紫红色，具紫色斑点，长 3 ~ 4cm；侧生萼片 2，宽卵形，暗紫红色，长 7 ~ 10mm；旗瓣卵状方形，直径约 12mm，翼瓣具柄，

野凤仙花

长约 2cm，2 裂，基部裂片卵状长圆形；唇瓣钟状漏斗形，长 2.5 ~ 3cm，口部斜上，宽 15 ~ 18mm，先端渐尖，基部渐狭成长 1.5cm 且向内卷曲的距，内面具暗紫色斑点。花丝线形，花药卵形；子房纺锤形。蒴果纺锤状，长 1 ~ 1.8cm，喙尖；种子少数，椭圆形。花期 8 ~ 9 月，果期 9 ~ 10 月。

| **生境分布** | 生于山沟溪流旁、林缘湿地等。以长白山区为主要分布区域，分布于吉林延边、白山、通化、吉林、辽源（东丰）等。

| **资源情况** | 野生资源较少。药材主要来源于野生。

| **采收加工** | 野凤仙花：花盛开时采收全草，洗净，鲜用或晒干。
霸王七：夏、秋季采挖块根，洗净，鲜用或晒干。

| **药材性状** | 霸王七：本品呈类球形、纺锤形或不规则形，长 1 ~ 4cm，直径 0.5 ~ 2cm，表面灰黄色至灰褐色，有皱纹，常见残留细根及细根痕，两端稍尖，纤维状。质柔软，可折断，断面褐色至灰褐色，颗粒状，边缘黄白色，所切薄片呈半透明状。气微，味微甜，嚼之粘牙，且辛麻刺舌。

| **功能主治** | 野凤仙花：苦，寒。清凉解毒，祛腐敛疮。用于恶疮溃疡。
霸王七：辛、苦，微寒；无毒。归肝经。祛瘀消肿，解毒。用于跌打损伤，痈疮。

| **用法用量** | 野凤仙花：外用适量，捣敷；或煎汤洗。
霸王七：内服煎汤，9 ~ 15g；或研末，每次 3g，每日 2 次；或浸酒。外用适量，鲜品捣敷。

| **附 注** | 本种与东北凤仙花 *Impatiens furcillata* Hemsl. 的形态相似且易混淆，但本种的花大，紫红色，长 3 ~ 4cm，唇瓣具暗紫红色斑点，具粗大卷曲的距，可以此与后者进行区分。

卫矛科 Celastraceae 南蛇藤属 *Celastrus*

刺苞南蛇藤 *Celastrus flagellaris* Rupr.

刺苞南蛇藤

| 植物别名 |

刺叶南蛇藤、爬山虎。

| 药 材 名 |

刺苞南蛇藤（药用部位：根、茎、果实）。

| 形态特征 |

落叶藤本灌木。小枝光滑，冬芽小，钝三角状，最外 1 对芽鳞宿存，并特化成坚硬钩刺，在一年生小枝上芽鳞刺最为明显。叶阔椭圆形或卵状阔椭圆形，稀倒卵状椭圆形，先端较阔，具短尖或极短渐尖，基部渐窄，边缘具纤毛状细锯齿或锯齿，齿端常呈细硬刺状，侧脉 4 ~ 5 对，叶主脉上具细疏短毛或近无毛；叶柄细长，通常为叶片的 1/3 或达 1/2；托叶丝状深裂，早落。聚伞花序腋生，1 ~ 5 花或更多，花序近无梗或梗长 1 ~ 2mm，关节位于中部之下；雄花萼片长方形；花瓣长方状窄倒卵形，花盘浅杯状，先端近平截，雄蕊稍长于花冠，在雌花中退化雄蕊长约 1mm；子房球状。蒴果球状；种子近椭圆状，棕色。花期 5 ~ 6 月，果期 8 ~ 9 月。

| 生境分布 |

生于山谷、林下、河岸低湿地的林缘或灌丛中，多攀缘缠绕于直立树干上。以长白山区为主要分布区域，分布于吉林延边、白山、通化、吉林、辽源（东丰）等。

| 资源情况 |

野生资源较少。药材主要来源于野生。

| 采收加工 |

秋、冬季采挖根，除去杂质，晒干。春、秋季割取茎，除去杂质，晒干。秋季果实成熟时采收，除去杂质，晒干。

| 功能主治 |

甘，平。祛风湿，强筋骨，活血止痛。用于风湿关节痛，跌打损伤，无名肿毒。

| 用法用量 |

内服煎汤，15 ~ 30g。外用适量，研末调涂。

| 附　注 |

本种与南蛇藤 *Celastrus orbiculatus* Thunb. 的形态接近，主要区别在于本种最外 1 对芽鳞特化成钩刺状，叶柄较长，通常为叶片的 1/3 ~ 1/2，叶缘具纤毛状锯齿，齿端具小钩刺，一般无顶生花序。

卫矛科 Celastraceae 南蛇藤属 Celastrus

南蛇藤 *Celastrus orbiculatus* Thunb.

| **植物别名** | 金红树、老牛筋、合欢花。

| **药材名** | 南蛇藤（药用部位：根、藤）、藤合欢（药用部位：果实。别名：北合欢、南蛇藤果）。

| **形态特征** | 落叶藤本灌木。小枝光滑无毛，灰棕色或棕褐色；腋芽小，卵状至卵圆状。叶通常阔倒卵形、近圆形或长方状椭圆形，先端圆阔，具有小尖头或短渐尖，基部阔楔形至近钝圆形，边缘具锯齿，两面光滑无毛或叶背脉上具稀疏短柔毛，侧脉 3 ~ 5 对；叶柄细长。聚伞花序腋生，间有顶生，小花 1 ~ 3，偶仅 1 ~ 2，小花梗关节在中部以下或近基部；雄花萼片钝三角形；花瓣倒卵状椭圆形或长方形；花盘浅杯状，裂片浅，先端圆钝；雄蕊长 2 ~ 3mm，退化雌蕊不发达；雌花花冠较雄花窄小，花盘稍深厚，肉质，退化雄蕊极短小；子房

南蛇藤

近球状，柱头 3 深裂，裂端再 2 浅裂。蒴果近球形；种子椭圆状稍扁，赤褐色。花期 5 ～ 6 月，果期 9 ～ 10 月。

| **生境分布** | 生于林下、沟谷、荒山坡、阔叶林边或灌丛等，多攀缘或缠绕于直立树干上。以长白山区为主要分布区域，分布于吉林延边、白山、通化、吉林、辽源（东丰）等。

| **资源情况** | 野生资源较丰富。药材主要来源于野生。

| **采收加工** | 南蛇藤：全年均可采收，除去枝叶，洗净，趁鲜切片，干燥。
藤合欢：秋季果实成熟时采摘，除去杂质，晒干。

| **药材性状** | 南蛇藤：本品为椭圆形、类圆形或不规则的斜切片，直径 1 ～ 4cm。外表皮灰褐色或灰黄色，粗糙，具不规则纵皱纹及横长的皮孔或裂纹，栓皮呈层片状，易剥落，剥落面呈橙黄色。质硬，切面皮部棕褐色，木部黄白色。射线颜色较深，呈放射状排列。气特异，味涩。
藤合欢：本品呈圆球形，果皮常开裂成三瓣，偶有四瓣，基部相连，易脱落，各果瓣长 6 ～ 9mm，直径 6 ～ 7mm，鲜黄色至橙黄色，卵圆形，顶部有尖突起，内面有一纵隔。每一果实有种子 3 ～ 6，外被红色肉质假种皮，集成球形。剥去

假种皮可见卵形种子，表面灰棕色，光滑。气清香，味苦、甘。

| **功能主治** | 南蛇藤：苦、辛，温。归肝、脾、大肠经。活血祛瘀，祛风除湿。用于跌打损伤，筋骨疼痛，四肢麻木，经闭，瘫痪。

藤合欢：甘、平。归心、脾经。调补心脾，安神解郁。用于心悸，失眠，多梦，健忘，情志抑郁。

| **用法用量** | 南蛇藤：内服煎汤，9 ~ 15g。

藤合欢：内服煎汤，15 ~ 25g。

| **附　　注** | （1）藤合欢已被列入 2019 年版《吉林省中药材标准》第一册。

（2）南蛇藤为我国民间常用的一种植物药，具有较高的药用价值。东北和华北地区习惯将南蛇藤果作为合欢的替代品，并称其为"北合欢"，但其用量不大。吉林的南蛇藤野生资源主要分布在东部山区，年产量约 30t，其他地区虽然也有少量产出，但形不成规模，多自产自销。

卫矛科 Celastraceae 卫矛属 Euonymus

卫矛
Euonymus alatus (Thunb.) Sieb.

| **植物别名** | 鬼箭羽、山鸡条子。

| **药 材 名** | 鬼箭羽（药用部位：枝条或枝条的翅状附属物。别名：麻药、八树、篦梳风）。

| **形态特征** | 落叶灌木。树皮灰白色，枝绿色，小枝常具 2 ～ 4 列宽阔木栓翅，稀无翅；冬芽圆形，芽鳞边缘具不整齐细坚齿。叶卵状椭圆形、窄长椭圆形，偶为倒卵形，边缘具细锯齿，两面光滑无毛。聚伞花序 1 ～ 3 花；花 4，白绿色；萼片半圆形；花瓣近圆形；雄蕊 4，花丝短，着生在花盘上；子房与花盘合生；心皮仅 1 ～ 2 个发育，离生；花盘近四方形，花丝极短，开花后稍增长，花药宽阔长方形，2 室顶裂。蒴果 1 ～ 4 深裂，裂瓣椭圆状；种子椭圆状或阔椭圆状，种皮褐色

卫矛

或浅棕色，假种皮橙红色，全包种子。花期5～6月，果期9～10月。

| 生境分布 | 生于山坡、林缘、灌丛、沟谷、阔叶林及混交林林下或路旁等。以长白山区为主要分布区域，分布于吉林延边、白山、通化、长春、吉林、辽源（东丰）、松原（扶余）等。

| 资源情况 | 野生资源较丰富。药材主要来源于野生。

| 采收加工 | 全年均可采收，割取枝条后，收集其翅状物，晒干。

| 药材性状 | 本品为具翅状物的圆柱形枝条，先端多分枝，长40～60cm，枝条直径2～6mm，表面较粗糙，暗灰绿色至灰黄绿色，有纵纹及皮孔，皮孔纵生，灰白色，略凸

起而微向外反卷。翅状物扁平状，靠近基部处稍厚，向外渐薄，宽 4 ~ 10mm，厚约 2mm，表面深灰棕色至暗棕红色，具细长的纵直纹理或微波状弯曲，翅极易剥落，枝条上常见断痕。枝坚硬而韧，难折断，断面淡黄白色，粗纤维性。气微，味微苦。木翅为破碎扁平的薄片，长短、大小不一，宽 4 ~ 10mm，两边不等厚，靠枝条生长的一边厚可至 2mm，向外渐薄，表面土棕黄色，微有光泽，两面均有微细、密致的纵条纹或微呈波状弯曲，有时可见横向凹陷槽纹，质轻而脆，易折断，断面平整，暗红色。气微，味微涩。

| **功能主治** | 苦，寒。归肝经。行血通经，散瘀止痛。用于月经不调，经闭，癥瘕，产后瘀滞腹痛，虫积腹痛，跌打损伤，漆疮。

| **用法用量** | 内服煎汤，4 ~ 9g；或浸酒；或入丸、散。外用适量，捣敷或煎汤洗；或研末调敷。

| **附　注** | 卫矛药用量不大，但其价格常常居高不下。吉林卫矛资源丰富，但尚未得到开发利用。今后可结合护林青山对卫矛资源进行开发。

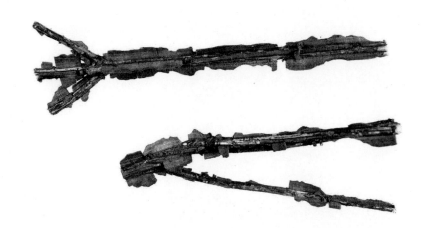

卫矛科 Celastraceae 卫矛属 Euonymus

白杜 *Euonymus maackii* Rupr.

白杜

| 植物别名 |

桃叶卫矛、华北卫矛。

| 药 材 名 |

丝棉木（药用部位：全株或枝叶。别名：白桃树、野杜仲、白樟树）。

| 形态特征 |

落叶小乔木。叶卵状椭圆形、卵圆形或窄椭圆形，先端长渐尖，基部阔楔形或近圆形，边缘具细锯齿，有时极深而锐利；叶柄通常细长，常为叶片的 1/4 ~ 1/3，但有时较短。聚伞花序 3 至多花，花序梗略扁；花 4，淡白绿色或黄绿色，直径约 8mm；雄蕊花药紫红色，花丝细长。蒴果倒圆心状，4 浅裂，成熟后果皮粉红色；种子长椭圆状，种皮棕黄色，假种皮橙红色，全包种子，成熟后先端常有小口。花期 5 ~ 6 月，果期 9 ~ 10 月。

| 生境分布 |

生于山坡林缘、路旁、河旁、灌丛等。分布于吉林延边、白山、通化、长春、吉林、辽源等。吉林各地均有栽培，多用于园林绿化。

| 资源情况 | 野生资源较丰富。药材主要来源于栽培。

| 采收加工 | 全年均可采割全株，晒干。全年均可割取枝叶，晒干。

| 功能主治 | 全株，苦、涩，寒；有小毒。归肝、脾、肾经。祛风湿，活血，止血。用于脱疽，风湿关节痛，腰痛，痔疮，血栓闭塞性脉管炎。枝叶，祛风燥湿，杀虫，止痒。用于熏洗漆疮。

| 用法用量 | 全株，内服煎汤，15 ~ 30g，鲜品加倍；或浸酒，或入散剂。外用适量，捣敷或煎汤熏洗。

卫矛科 Celastraceae 卫矛属 Euonymus

黄心卫矛

Euonymus macropterus Rupr.

| 植物别名 | 翅卫矛。

| 药 材 名 | 黄心卫矛（药用部位：树皮、枝）。

| 形态特征 | 落叶灌木。冬芽长卵状，长达 12mm。叶纸质，倒卵形、长方状倒卵形或近椭圆形，先端宽短渐尖，基部多为窄楔形，边缘具极稀、细密浅锯齿；叶柄长 2 ~ 8mm。聚伞花序 3 ~ 13 花，常具 1 ~ 2 对分枝，2 对分枝时常紧密总状排列或聚生在花序梗先端；花序梗长，分枝稍短；小花梗细弱；花 4，黄色；花瓣近圆形；雄蕊无花丝。蒴果类球形，翅较长，6 ~ 11mm，平展，基部宽，末端渐窄，果序梗长 2 ~ 6cm，小果梗 5 ~ 6mm；种子近卵状，5mm，黑褐色，有光泽，假种皮橙红色。

黄心卫矛

| 生境分布 |

生于针阔叶混交林或阔叶林中。以长白山区为主要分布区域，分布于吉林延边、白山、通化、吉林、辽源（东丰）等。

| 资源情况 |

野生资源较少。药材主要来源于野生。

| 采收加工 |

春、夏季采割树皮，晒干，捆成小把。全年均可割取枝条，晒干。

| 功能主治 |

祛风湿，通经络，止痹痛。用于风湿痹痛。

| 附　注 |

本种为吉林省Ⅲ级重点保护野生植物。

卫矛科 Celastraceae 卫矛属 Euonymus

少花瘤枝卫矛

Euonymus verrucosus Scop. var. *pauciflorus* (Maxim.) Regel

| 药 材 名 | 少花瘤枝卫矛（药用部位：果实、种子、树皮）。

| 形态特征 | 落叶灌木。小枝常被黑褐色、长圆形、木栓质扁瘤突。叶纸质，倒卵形或长方状倒卵形，先端长渐尖，基部阔楔形或近圆形，边缘有细密浅锯齿，侧脉 4 ~ 7 对，纤细，叶片两面被密柔毛；叶近无柄。聚伞花序 1 ~ 3 花，很少有 4 ~ 5 花；花序梗细长，长 2 ~ 3cm，小花梗长约 3mm，中央花常无梗或具长 2mm 以下小花梗；花紫红色或红棕色，直径 6 ~ 8mm；萼片有缘毛；花瓣近圆形；花盘扁平圆形；雄蕊着生花盘近边缘处，无花丝；子房大部生于花盘内，柱头小。蒴果黄色或极浅黄色，倒三角状，上部 4 裂稍深，直径约 8mm；果序梗细长，长 2.5 ~ 6cm，小果梗长 3 ~ 5mm；种子长方椭圆状，长约 6mm，棕红色，假种皮红色，包围种子全部。

少花瘤枝卫矛

|生境分布|

生于河边、山地林中、林缘、山坡灌丛中。以长白山区为主要分布区域，分布于吉林延边、白山、通化、吉林、辽源（东丰）等。

|资源情况|

野生资源较丰富。药材主要来源于野生。

|采收加工|

8～9月果实成熟时采收果实，除去果柄，干燥，或除去果肉、核壳，取出种子，干燥。春、夏季剥取树皮，晒干。

|功能主治|

果实，苦、甘，凉。归肝、肾经。止咳化痰。用于支气管炎，肺气肿，肺热咳嗽，咳痰，痈疖。种子，清热通便，止咳化痰。用于热结便秘，咳嗽咳痰。树皮，用于大便秘结。

|用法用量|

内服煎汤，6～12g；或研末；或熬膏。外用适量，研末，油调敷。

卫矛科 Celastraceae 雷公藤属 Tripterygium

东北雷公藤 *Tripterygium regelii* Sprague et Takeda

| **植物别名** | 东北黑蔓、黑蔓、红藤子。

| **药 材 名** | 东北雷公藤（药用部位：全株或根）。

| **形态特征** | 落叶藤本。小枝除被较疏细突状皮孔外，光滑无毛，具 4 ~ 6 棱或近圆柱状。叶纸质，仅脉上被短毛，椭圆形或长方卵形，先端长渐尖，少为急尖，基部阔楔形或稍近圆形，边缘有明显圆齿或锯齿，侧脉 6 ~ 9 对，直达叶缘，三生脉细，与侧脉多呈垂直排列；叶柄被短毛。聚伞圆锥花序顶生者 7 ~ 9 次单歧分枝，侧生者小，通常 2 ~ 4 次分枝，花序梗、分枝及小花梗均密被短毛；花白绿色或白色；萼片近三角状卵形，边缘膜质；花瓣长方形或长方椭圆形，长 2 ~ 3mm，边缘有细缺蚀；子房 3 棱明显，花柱在果时伸长，柱头 3 浅裂。蒴果翅较薄，近方形，果体窄卵形或线形，长为果翅的 2/3，宽为果

东北雷公藤

翅的 1/6 或 1/4，侧脉 1 ~ 2 对与主脉平行。花期 6 ~ 7 月，果期 9 ~ 10 月。

| **生境分布** | 生于山地林边、路旁、针叶林及针阔叶混交林林缘或林中，多攀缘于树冠。以长白山区为主要分布区域，分布于吉林延边、白山、通化、吉林、辽源（东丰）等。

| **资源情况** | 野生资源较丰富。药材主要来源于野生。

| **采收加工** | 全年均可采收，根切片或剥皮晒干，藤切段晒干。

| **药材性状** | 本品根呈圆柱形，扭曲，常切成长短不一的段块；表面土黄色至黄棕色，粗糙，具细密纵向沟纹及环状或半环状裂隙；栓皮层常剥落，内呈橙黄色。茎枝呈圆柱状，直径 2 ~ 6mm；老枝灰褐色或褐色，节间长 4 ~ 9cm；表面具凸起的圆点状或纵向长圆点状皮孔，有 5 ~ 6 纵向棱线，叶痕隆起，互生，半圆形或近肾形，叶腋常有芽，卵状三角形；当年枝棕色或棕红色，有时可见灰绿色叶。叶常破损，完整者展平后长圆形、卵形或倒卵形，长 6 ~ 15cm，宽 3 ~ 10cm，基部广楔形或圆形，先端急尖或长尾状；叶柄长 1 ~ 2cm。茎质硬，较难折断，断面皮部薄，淡褐色，木部宽厚，黄白色；髓宽大，淡褐色或近白色。气微，味苦。

| **功能主治** | 苦、辛，凉；有毒。消积利水，活血解毒，杀虫。用于风湿性关节炎，皮肤瘙痒，腰带疮，膨胀水肿，痞积，黄疸，疮毒，瘰疬，跌打损伤。

| **用法用量** | 内服煎汤，1 ~ 6g。外用适量，研末调敷；或捣敷；或捣汁涂。

省沽油
Staphylea bumalda DC.

| 植物别名 | 水条、珍珠花、双蝴蝶。

| 药 材 名 | 省沽油（药用部位：果实）、省沽油根（药用部位：根）。

| 形态特征 | 落叶灌木。树皮紫红色或灰褐色，有纵棱；枝条开展，绿白色。复叶对生，有长柄，柄长 2.5 ~ 3cm，具 3 小叶；小叶椭圆形、卵圆形或卵状披针形，先端锐尖，具尖尾，尖尾长约 1cm，基部楔形或圆形，边缘有细锯齿，齿尖具尖头，上面无毛，背面青白色，主脉及侧脉有短毛；中间小叶柄长 5 ~ 10mm，两侧小叶柄长 1 ~ 2mm。圆锥花序顶生，直立；苞叶线状披针形；花白色；花萼 5，萼片长椭圆形，浅黄白色；花瓣 5，白色，倒卵状长圆形，较萼片稍大；雄蕊 5，与花瓣略等长；心皮 2，子房被粗毛，花柱 2。蒴果膀胱状，扁平，2 室，先端 2 裂；果皮膜质，有横纹；种子圆而扁，黄色，

省沽油

有光泽。花期 5 ～ 6 月，果期 8 ～ 9 月。

| 生境分布 |

生于向阳山坡、路旁、山沟杂木林中、林缘溪水边。分布于吉林通化（集安、通化、柳河、辉南）等。

| 资源情况 |

野生资源较少。药材主要来源于野生。

| 采收加工 |

省沽油：秋季果实成熟时采收，晒干。

省沽油根：秋、冬季采挖，除去杂质及泥沙，晒干。

| 功能主治 |

省沽油：辛、苦，凉。润肺，镇咳，祛瘀。用于干咳，妇女产后瘀血不净。

省沽油根：辛、苦，凉。活血化瘀，止血。用于妇女产后恶露不净。

| 用法用量 |

省沽油、省沽油根：内服煎汤，9 ～ 15g。

| 附　注 |

本种为吉林省 Ⅱ 级重点保护野生植物。

鼠李科 Rhamnaceae 鼠李属 Rhamnus

鼠李
Rhamnus davurica Pall.

| 植物别名 | 臭李子、老鸹眼。

| 药 材 名 | 鼠李（药用部位：果实。别名：冻绿）。

| 形态特征 | 落叶灌木或小乔木。幼枝无毛；小枝对生或近对生，褐色或红褐色，稍平滑，枝先端常有大的芽而不形成刺，或有时仅分叉处具短针刺；顶芽及腋芽较大，卵圆形，长 5 ~ 8mm，鳞片淡褐色，有明显的白色缘毛。叶纸质，对生或近对生，或在短枝上簇生，宽椭圆形或卵圆形，稀倒披针状椭圆形，长 4 ~ 13cm，宽 2 ~ 6cm，先端突尖或短渐尖至渐尖，稀钝或圆形，基部楔形或近圆形，有时稀偏斜，边缘具圆齿状细锯齿，齿端常有红色腺体，上面无毛或沿脉被疏柔毛，下面沿脉被白色疏柔毛，侧脉每边 4 ~ 5（~ 6），在两面凸起，网脉明显；叶柄长 1.5 ~ 4cm，无毛或上面被疏柔毛。花单性，雌雄异株，

鼠李

4 基数，有花瓣；雌花 1 ~ 3 生于叶腋或数个至 20 余个簇生短枝端，有退化雄蕊，花柱 2 ~ 3 浅裂或半裂；花梗长 7 ~ 8mm。核果球形，黑色，直径 5 ~ 6mm，具 2 分核，基部有宿存的萼筒；果梗长 1 ~ 1.2cm；种子卵圆形，黄褐色，背侧有与种子等长的狭纵沟。花期 5 ~ 6 月，果期 7 ~ 10 月。

| 生境分布 | 生于海拔 1800m 以下的山坡林下、灌丛或林缘和沟边阴湿处。分布于吉林延边、白山、通化、吉林、辽源、长春、白城（洮南）等。

| 资源情况 | 野生资源较多。药材主要来源于野生。

| 采收加工 | 果实成熟时采收，除去果柄，鲜用或微火烘干。

| 药材性状 | 本品近球形，外表面黑紫色，有皱缩纹。果肉疏松，内层坚硬，通常有 2 果核。果核卵圆形，背面有狭沟。无臭，味甘。

| 功能主治 | 甘，凉。归肝、肾经。清热利湿，消积通便。用于水肿腹胀，疝瘕，瘰疬，疮疡，便秘。

| 用法用量 | 内服煎汤，6 ~ 12g；或研末；或熬膏。外用适量，研末，油调敷。

鼠李科 Rhamnaceae 鼠李属 Rhamnus

金刚鼠李
Rhamnus diamantiaca Nakai

| 药 材 名 | 金刚鼠李（药用部位：树皮、果实）。

| 形态特征 | 灌木，全株近无毛。小枝对生或近对生，暗紫色，平滑而有光泽，枝端具针刺；长枝的腋芽小，鳞片无毛。叶纸质或薄纸质，对生或近对生，偶互生，近圆形、卵圆状菱形或椭圆形，长 3 ~ 7cm，宽 1.5 ~ 3.5（~ 4.5）cm，先端突尖或渐尖，基部楔形或近圆形，边缘具圆齿状锯齿，两面无毛或稀上面沿中脉有疏柔毛，下面脉腋有疏柔毛，侧脉每边 4 ~ 5；叶柄长 1 ~ 2（~ 3）cm，无毛；托叶线状披针形，边缘有缘毛，早落。花单性，雌雄异株，4 基数，有花瓣，通常数个簇生短枝端或长枝下部叶腋；花梗长 3 ~ 4mm。核果近球形或倒卵状球形，长约 6mm，直径 4 ~ 6mm，黑色或紫黑色，具 1 或 2 分核，基部具宿存的萼筒；果梗长 7 ~ 8mm；种子黑褐色，背

金刚鼠李

侧有长为种子 1/4 ~ 1/3 的短沟，上部有沟缝。花期 5 ~ 6 月，果期 7 ~ 9 月。

| **生境分布** |

生于沟边或林中。分布于吉林长春（九台）、吉林（昌邑）、白山（靖宇）等。

| **资源情况** |

野生资源较少。药材主要来源于野生。

| **采收加工** |

春、夏季剥取树皮，晒干。果实成熟时采收果实，除去果柄，烘干。

| **功能主治** |

树皮，清热通便。用于热结便秘。果实，止咳，祛痰。用于痰热咳嗽。

| **用法用量** |

内服煎汤，3 ~ 6g。

鼠李科 Rhamnaceae 鼠李属 Rhamnus

小叶鼠李
Rhamnus parvifolia Bunge

小叶鼠李

| 植物别名 |

叫驴刺、驴子刺。

| 药 材 名 |

琉璃枝（药用部位：果实。别名：挠胡子、黑格令、臭李子）。

| 形态特征 |

落叶灌木。小枝对生或近对生，紫褐色，枝端及分叉处有针刺；芽卵形，鳞片数个，黄褐色。叶纸质，对生或近对生，稀兼互生，或在短枝上簇生，菱状倒卵形或菱状椭圆形，稀倒卵状圆形或近圆形，先端钝尖或近圆形，稀突尖，基部楔形或近圆形，边缘具圆齿状细锯齿，上面深绿色，无毛或被疏短柔毛，下面浅绿色，干时灰白色，无毛或脉腋窝孔内有疏微毛，侧脉每边 2 ~ 4，在两面凸起，网脉不明显；叶柄上面沟内有细柔毛；托叶钻状。花单性，雌雄异株，黄绿色，4 基数，有花瓣，通常数个簇生短枝上；雌花花柱 2 半裂。核果倒卵状球形，成熟时黑色，具 2 分核，基部有宿存的萼筒；种子矩圆状倒卵圆形，褐色，背侧有长为种子 4/5 的纵沟。花期 5 ~ 6 月，果期 8 ~ 9 月。

| 生境分布 | 生于石质山地、向阳山坡、山脊、林中、林缘。分布于吉林通化（集安、通化、柳河）、白山（临江、浑江、抚松）、延边（延吉、安图）等。 |

| 资源情况 | 野生资源较少。药材主要来源于野生。 |

| 采收加工 | 8～9月果实成熟时采收，除去果柄，干燥。 |

| 功能主治 | 苦，凉；有小毒。清热泻下，消肿散结。用于腹满便秘，诸疮，疥癣，瘰疬。 |

| 用法用量 | 内服煎汤，1.5～3g。外用适量，捣敷。 |

鼠李科 Rhamnaceae 鼠李属 Rhamnus

东北鼠李
Rhamnus schneideri Lévl. et Vaniot var. *manshurica* Nakai

| 药 材 名 | 东北鼠李（药用部位：树皮、果实）。

| 形态特征 | 开展多分枝灌木。枝互生，幼枝绿色，无毛或基部被疏短毛；小枝黄褐色或暗紫色，平滑无毛，有光泽，枝端具针刺；芽卵圆形，鳞片数个，边缘有缘毛。叶纸质或近膜质，互生或在短枝上簇生，椭圆形、倒卵形或卵状椭圆形，先端突尖、短渐尖或渐尖，稀锐尖，基部楔形或近圆形，边缘有圆齿状锯齿，上面绿色，被白色短毛，下面无毛，侧脉每边3～4，在两面凸起；叶柄上面有沟，被短柔毛；托叶条形，脱落。花单性，雌雄异株，黄绿色，4基数，有花瓣，通常数个至10余个簇生短枝上；雌花花梗无毛；萼片披针形，常反折；子房倒卵形，花柱2浅裂或半裂。核果倒卵状球形或圆球形，黑色，具2分核，基部有宿存的萼筒；果梗较短，无毛；种子深褐色，

东北鼠李

背面基部有长为种子 1/5 的短沟，上部有沟缝。花期 5 ~ 6 月，果期 7 ~ 10 月。

| **生境分布** | 生于向阳山坡或灌丛中。分布于吉林白山（靖宇）、延边（安图）等。

| **资源情况** | 野生资源较少。药材主要来源于野生。

| **采收加工** | 春季剥取树皮，刮去粗皮，晒干。8 ~ 9 月果实成熟时采收果实，除去果柄，微火烘干。

| **功能主治** | 树皮，清热通便。用于热结便秘。果实，止咳，祛痰。用于痰热咳嗽。

| **用法用量** | 内服煎汤，3 ~ 6g。

鼠李科 Rhamnaceae 鼠李属 Rhamnus

乌苏里鼠李
Rhamnus ussuriensis J. Vass.

| 药 材 名 | 乌苏里鼠李（药用部位：树皮、果实、种子）。

| 形态特征 | 落叶灌木。小枝灰褐色，无光泽，枝端常有刺，对生或近对生；腋芽和顶芽卵形，具数个鳞片。叶纸质，对生或近对生，或在短枝端簇生，狭椭圆形或狭矩圆形，稀披针状椭圆形或椭圆形，侧脉每边4～5，稀6，在两面凸起，具明显的网脉；托叶披针形。花单性，雌雄异株，4基数，有花瓣；雌花数个至20余个簇生长枝下部叶腋或短枝先端，萼片卵状披针形，长于萼筒3～4倍，有退化雄蕊，花柱2浅裂或近半裂。核果球形或倒卵状球形，黑色，具2分核，基部有宿存的萼筒；种子卵圆形，黑褐色，背侧基部有短沟，上部有沟缝。花期5～6月，果期9～10月。

乌苏里鼠李

| 生境分布 |

生于河边、山地林中、林缘、山坡灌丛中。以长白山区为主要分布区域，分布于吉林延边、白山、通化、吉林、辽源（东丰）、白城（洮南）等。

| 资源情况 |

野生资源较丰富。药材主要来源于野生。

| 采收加工 |

春、夏季剥取树皮，晒干。8～9月果实成熟时采收果实，除去果柄，干燥。果实采收后，除去果肉、核壳，取出种子，干燥。

| 功能主治 |

树皮，清热通便。用于大便秘结。果实，止咳化痰。用于支气管炎，肺气肿，肺热咳嗽，咳痰，痈疖。种子，清热通便，止咳化痰。用于热结便秘，咳嗽咳痰。

| 用法用量 |

内服煎汤，3～10g。

鼠李科 Rhamnaceae 枣属 Ziziphus

酸枣
Ziziphus jujuba Mill. var. *spinosa* (Bunge) Hu ex H. F. Chow

酸枣

| 植物别名 |

山枣树、硬枣、角针。

| 药材名 |

酸枣仁（药用部位：种仁。别名：山枣仁、山酸枣）。

| 形态特征 |

落叶灌木。树皮褐色或灰褐色；有长枝，短枝和无芽小枝（即新枝）比长枝光滑，紫红色或灰褐色，呈"之"字形曲折，具2托叶刺，长刺长可达3cm，粗直，短刺下弯，长4～6mm；短枝短粗，矩状，自老枝发出；当年生小枝绿色，下垂，单生或2～7簇生于短枝上。叶纸质，卵形、卵状椭圆形或卵状矩圆形；较小，先端钝或圆形，稀锐尖，具小尖头，基部稍不对称，近圆形，边缘具圆齿状锯齿，上面深绿色，无毛，下面浅绿色，无毛或仅沿脉多少被疏微毛，基生三出脉；叶柄长1～6mm，或在长枝上的长可达1cm，无毛或有疏微毛；托叶刺纤细，后期常脱落。花黄绿色，两性，5基数，无毛，具短总花梗，单生或2～8密集成腋生聚伞花序；花梗长2～3mm；萼片卵状三角形；花瓣倒卵圆形，基部有爪，与雄蕊等长；花

盘厚，肉质，圆形，5裂；子房下部藏于花盘内，与花盘合生，2室，每室有1胚珠，花柱2半裂。核果小，近球形或短矩圆形，直径0.7 ~ 1.2cm，具薄的中果皮，味酸，核两端钝，2室，具1或2种子，果梗长2 ~ 5mm；种子扁椭圆形，长约1cm，宽8mm。花期6 ~ 7月，果期8 ~ 9月。

| **生境分布** | 生于向阳或干燥的山坡、山谷、丘陵、平原、路旁、荒地。吉林无野生分布。吉林西部市县有栽培。

| **资源情况** | 吉林有栽培。药材主要来源于栽培。

| **采收加工** | 秋末冬初采收成熟果实，除去果肉及核壳，收集种仁，晒干。

| **药材性状** | 本品呈扁圆形或扁椭圆形，长5 ~ 9mm，宽5 ~ 7mm，厚约3mm。表面紫红色或紫褐色，平滑有光泽，有的有裂纹。有的两面均呈圆隆状凸起；有的一面较平坦，中间有1隆起的纵线纹，另一面稍凸起。一端凹陷，可见线形种脐；另一端有细小凸起的合点。种皮较脆，胚乳白色，子叶2，浅黄色，富油性。气微，味淡。以粒大、饱满、有光泽、外皮红棕色、种仁色黄白者为佳。

| **功能主治** | 甘、酸，平。归肝、胆、心经。养心补肝，宁心安神，敛汗，生津。用于虚烦不眠，惊悸多梦，体虚多汗，津伤口渴。

| **用法用量** | 内服煎汤，9 ~ 15g；或研末，3 ~ 5g；或入丸、散。

葡萄科 Vitaceae 蛇葡萄属 Ampelopsis

乌头叶蛇葡萄 *Ampelopsis aconitifolia* Bge.

| **植物别名** | 草白蔹。

| **药 材 名** | 乌头叶蛇葡萄（药用部位：根皮。别名：草葡萄、洋葡萄蔓、狗葡萄）。

| **形态特征** | 落叶木质藤本。小枝圆柱形。卷须二至三叉分枝，相隔两节间断与叶对生。叶为掌状 5 小叶，小叶 3 ~ 5 羽裂，披针形或菱状披针形，先端渐尖，基部楔形，中央小叶深裂，或有时外侧小叶浅裂或不裂；小叶有侧脉 3 ~ 6 对，几无柄；托叶膜质，褐色，卵状披针形，先端钝。花序为疏散的伞房状复二歧聚伞花序，通常与叶对生或假顶生；花蕾卵圆形，先端圆形；花萼碟形，波状浅裂或几全缘；花瓣 5，卵圆形；雄蕊 5，花药卵圆形，长、宽近相等；花盘发达，边缘呈波状；子房下部与花盘合生，花柱钻形，柱头扩大不明显。果实近球形，有种子 2 ~ 3；种子倒卵圆形，先端圆形，基部有短喙。花期 5 ~ 6

乌头叶蛇葡萄

月，果期 8 ～ 9 月。

| 生境分布 | 生于路边、沟边、林下、山坡灌丛中、草地上、山坡石砾地或沙地。分布于吉林白城（通榆）、松原（长岭）、四平（双辽、铁东）等。

| 资源情况 | 野生资源较丰富。药材主要来源于野生。

| 采收加工 | 夏、秋季采挖根，洗净，剥取根皮，晒干。

| 功能主治 | 甘，平。归心、肾经。散瘀消肿，接骨止痛，祛腐生肌。用于骨折，跌打损伤，痈肿，风湿关节痛。

| 用法用量 | 内服煎汤，10 ～ 15g；或研末，1.5 ～ 3g。外用适量，捣敷。

葡萄科 Vitaceae 蛇葡萄属 Ampelopsis

东北蛇葡萄

Ampelopsis hetero phylla (Thunb.) Sieb. & Zucc. var. *brevipedunculata* (Regel) C. L. Li

| 植物别名 | 蛇葡萄、蛇白蔹、山葡萄。

| 药 材 名 | 蛇白蔹（药用部位：根皮。别名：山胡烂、见毒消）。

| 形态特征 | 木质藤本。小枝圆柱形，有纵棱纹，被疏柔毛。卷须二至三叉分枝，相隔 2 节间断与叶对生。叶为单叶，心形或卵形，3～5 中裂，常混生有不分裂者，长 3.5～14cm，宽 3～11cm，先端急尖，基部心形，基缺近呈钝角，稀圆形，边缘有粗钝或急尖锯齿，上面无毛，下面脉上被稀疏柔毛，基出脉 5，中央脉有 4～5 对侧脉，网脉不明显凸出；叶柄长 1～7cm，被疏柔毛。花序梗长 1～2.5cm，被疏柔毛；花梗长 1～3mm，疏生短柔毛；花蕾卵圆形，高 1～2mm，先端圆形；花萼碟形，边缘具波状浅齿，外面疏生短柔毛；花瓣 5，卵状椭圆形，高 0.8～1.8mm，外面几无毛；雄蕊 5，花药长椭圆形，长

东北蛇葡萄

甚于宽；花盘明显，边缘浅裂；子房下部与花盘合生，花柱明显，基部略粗，柱头不扩大。果实近球形，直径 0.5 ~ 0.8cm，有种子 2 ~ 4；种子长椭圆形，先端近圆形，基部有短喙，种脐在种子背面下部向上渐狭成卵状椭圆形，背面上部种脊凸出，腹部中棱脊凸出，两侧洼穴呈狭椭圆形，从基部向上斜展达种子先端。花期 7 ~ 8 月，果期 9 ~ 10 月。

| **生境分布** | 生于山坡灌丛、疏林、林缘、路旁或山谷溪流边等，常攀缘在灌木或小乔木上。以长白山区为主要分布区域，分布于吉林延边、白山、通化、吉林、辽源（东丰）等。

| **资源情况** | 野生资源较少。药材主要来源于野生。

| **采收加工** | 春、夏季采挖根，除去地上部分及泥土，剥去根皮，晒干或趁鲜切片后晒干。

| **功能主治** | 甘，平。清热解毒，祛风活络，止血止痛，利尿，消炎。用于风湿关节痛，呕吐，泄泻，溃疡，跌打损伤，疮疡肿毒，慢性肾炎，肝炎，外伤出血，烫火伤。

| **用法用量** | 内服煎汤，5 ~ 10g，鲜品加倍；或研末。外用适量，捣烂或加米醋调敷。

| **附　注** | 在 FOC 中，本种的拉丁学名被修订为 *Ampelopsis glandulosa* (Wallich) Momiyama. var. *brevipedunculata* (Maximowicz) Momiyama。

葡萄科 Vitaceae 蛇葡萄属 *Ampelopsis*

葎叶蛇葡萄 *Ampelopsis humulifolia* Bge.

| **植物别名** | 葎叶白蔹、七角白蔹。

| **药 材 名** | 小接骨丹（药用部位：根皮。别名：活血丹、葎叶白蔹、七角白蔹）。

| **形态特征** | 木质藤本。小枝圆柱形，有纵棱纹，无毛。卷须二叉分枝，相隔2节间断与叶对生。叶为单叶，3～5浅裂或中裂，稀混生不裂者，心状五角形或肾状五角形，先端渐尖，基部心形，基缺先端凹成圆形，边缘有粗锯齿，通常齿尖，上面绿色，无毛，下面粉绿色，无毛或沿脉被疏柔毛；叶柄无毛或有时被疏柔毛；托叶早落。多歧聚伞花序与叶对生；花序梗无毛或被稀疏柔毛；花梗伏生短柔毛；花蕾卵圆形，先端圆形；花萼碟形，边缘呈波状，外面无毛；花瓣5，卵状椭圆形，外面无毛；雄蕊5，花药卵圆形，长、宽近相等，花盘明显，波状浅裂；子房下部与花盘合生，花柱明显，柱头不扩大。

葎叶蛇葡萄

果实近球形，有种子 2 ~ 4；种子倒卵圆形，先端近圆形，基部有短喙，种脐在种子背面中部向上渐狭，呈带状长卵形，顶部种脊凸出，腹部中棱脊凸出，两侧洼穴呈椭圆形，从下部向上斜展达种子上部 1/3 处。花期 5 ~ 7 月，果期 5 ~ 9 月。

| **生境分布** | 生于山沟地边、灌丛林缘或林中，常攀缘在灌木或小乔木上。分布于吉林白山、通化等。

| **资源情况** | 野生资源较丰富。药材主要来源于野生。

| **采收加工** | 秋末采挖根，洗净泥沙，去掉须根，剥取根皮，干燥或鲜用。

| **功能主治** | 甘，平。清热解毒，活血散瘀，生肌长骨，祛风除湿，利尿，消炎，止血。用于跌打损伤，骨折，疮疖肿痛，风湿关节痛。

| **用法用量** | 内服煎汤，9 ~ 15g；或研末冲服。外用适量，捣敷。

葡萄科 Vitaceae 蛇葡萄属 Ampelopsis

白蔹
Ampelopsis japonica (Thunb.) Makino

白蔹

植物别名

山地瓜、野葡萄秧、小老鸹眼。

药材名

白蔹（药用部位：块根。别名：野红薯、山葡萄秧、五爪藤）。

形态特征

落叶木质藤本。小枝圆柱形，有纵棱纹。卷须不分枝或先端有短的分叉，相隔3节以上间断与叶对生。叶为掌状3～5小叶，小叶片羽状深裂或小叶边缘有深锯齿而不分裂，羽状分裂者裂片先端渐尖或急尖，掌状5小叶者中央小叶深裂至基部并有1～3关节，关节间有翅，侧小叶无关节或有1关节，3小叶者中央小叶有1关节或无，基部狭窄，呈翅状。聚伞花序通常集生于花序梗先端，通常与叶对生；花序梗常呈卷须状卷曲；花蕾卵球形，先端圆形；花萼碟形，边缘波状浅裂；花瓣5，卵圆形；雄蕊5，花药卵圆形；子房下部与花盘合生，花柱短棒状。果实球形，成熟后带白色，有种子1～3；种子倒卵形，先端圆形，基部喙短钝。花期6～7月，果期8～9月。

| 生境分布 | 生于林缘、林下、沟边、沙地、山坡灌丛或草地上。吉林各地均有分布。 |

| 资源情况 | 野生资源较丰富。药材主要来源于野生。 |

| 采收加工 | 春、秋季采挖，除泥沙及细根，多纵切成瓣或斜片，切片，晒干。 |

| 药材性状 | 本品纵瓣呈长圆形或近纺锤形，长 4 ~ 10cm，直径 1 ~ 2cm，多纵切成瓣。纵瓣切面周边常向内卷曲，中部有 1 凸起的棱线。外皮红棕色或红褐色，有纵皱纹、细横纹及横长皮孔，易层层脱落，脱落处呈淡红棕色。斜片呈卵圆形，长 2.5 ~ 5cm，宽 2 ~ 3cm。切面类白色或浅红棕色，可见放射状纹理，周边较厚，微翘起或略弯曲。体轻，质硬脆，易折断，折断时，有粉尘飞出。气微，味甘。以肥大、断面粉红色、粉性足者为佳。 |

| 功能主治 | 苦，微寒。归心、胃经。清热解毒，消痈散结，敛疮生肌。用于痈疽发背，疔疮，瘰疬，烫火伤，咳嗽痰喘，带下，妇女阴道肿瘤，跌打损伤。 |

| 用法用量 | 内服煎汤，4.5 ~ 9g。外用适量，研末撒或调涂。 |

| 附　注 | 白蔹在吉林产量大，且药用历史较久。在《海龙府乡土志》(1907)、《西安县乡土志》(1908)、《(民国)海龙县志》(1913)等多部地方志中均有关于"白蔹"的记载。 |

葡萄科 Vitaceae 蛇葡萄属 Ampelopsis

掌裂蛇葡萄

Ampelopsis delavayana Planch. var. *glabra* (Diels & Gilg) C. L. Li

| 药材名 | 金刚散（药用部位：块根。别名：赤木通、野蒲桃根、五爪金）。

| 形态特征 | 落叶木质藤本，植株光滑无毛。卷须分叉，先端不扩大。叶互生，小叶 3 ~ 5，光滑无毛。花两性或杂性，排成与叶对生的聚伞花序；花萼不明显；花瓣 4 ~ 5，分离而扩展，逐片脱落；雄蕊短而与花瓣同数；花盘隆起，与子房合生；子房 2 室，有柔弱的花柱。果实为 1 小浆果，有种子 1 ~ 4。花期 5 ~ 6 月，果期 7 ~ 9 月。

| 生境分布 | 生于海拔 300 ~ 800m 的山地灌丛、林缘、山坡、沟边或荒地。分布于吉林延边、白山、通化等。

| 资源情况 | 野生资源较少。药材主要来源于野生。

掌裂蛇葡萄

| **采收加工** | 秋季采挖，洗净，晒干或烘干。

| **药材性状** | 本品呈圆柱形，略弯曲，长 13 ~ 30cm，直径 0.5 ~ 1.5cm。表面暗褐色，有纵皱纹。质硬而脆，易折断。断面皮部较厚，红褐色，粉性，木部色较淡，纤维性，皮部与木部易脱离。气微，味涩。

| **功能主治** | 辛、淡、涩，平。清热解毒，豁痰。用于结核性脑膜炎，痰多胸闷，疮疡痈肿。

| **用法用量** | 内服煎汤，10 ~ 15g；或浸酒。外用适量，鲜品捣敷或干粉调敷。

葡萄科 Vitaceae 地锦属 Parthenocissus

五叶地锦
Parthenocissus quinquefolia (L.) Planch.

| **植物别名** | 五叶爬山虎、爬墙虎。

| **药 材 名** | 五叶地锦（药用部位：茎及茎皮、幼枝或根）。

| **形态特征** | 落叶木质藤本。小枝圆柱形。卷须总状 5 ~ 9 分枝，相隔 2 节间断与叶对生，卷须先端嫩时尖细，卷曲，后遇附着物扩大成吸盘。叶为掌状 5 小叶，小叶倒卵圆形、倒卵状椭圆形或外侧小叶椭圆形，最宽处在上部或外侧小叶最宽处在近中部，先端短尾尖，基部楔形或阔楔形，边缘有粗锯齿。花序假顶生形成主轴明显的圆锥状多歧聚伞花序；花蕾椭圆形，先端圆形；花萼碟形，全缘；花瓣 5，长椭圆形；雄蕊 5，花药长椭圆形；花盘不明显；子房卵锥形，渐狭至花柱，或后期花柱基部略微缩小，柱头不扩大。果实球形，有种子 1 ~ 4；种子倒卵形，先端圆形，基部急尖成短喙，种脐在种子

五叶地锦

背面中部呈近圆形。花期 7 ~ 8 月，果期 8 ~ 10 月。

| **生境分布** | 生于山坡、多石秃山坡、林缘，常攀缘石壁或树木生长。分布于吉林通化、吉林（蛟河）等。吉林部分地区有栽培。

| **资源情况** | 野生资源较少。吉林有栽培。药材主要来源于栽培。

| **采收加工** | 春、夏季采收茎，剥取茎皮，干燥。夏、秋季采收茎，切片，干燥。春、夏季采收幼枝，洗净，干燥。秋末采挖根，洗净泥沙，去掉须根，干燥。

| **功能主治** | 茎皮、幼枝、根，强壮，利尿，祛痰。用于咳嗽咳痰。茎，祛风除湿。用于风湿痹痛。

葡萄科 Vitaceae 地锦属 *Parthenocissus*

地锦
Parthenocissus tricuspidata (Sieb. & Zucc.) Planch.

| 植物别名 | 地锦草、铺地锦、趴墙虎。

| 药 材 名 | 地锦（药用部位：藤茎、根。别名：爬山虎、地噤、常春藤）。

| 形态特征 | 木质藤本。小枝圆柱形，几无毛或微被疏柔毛。卷须 5 ~ 9 分枝，相隔 2 节间断与叶对生。卷须先端嫩时膨大，呈圆珠形，后遇附着物扩大成吸盘。叶为单叶，通常着生在短枝上者为 3 浅裂，时有着生在长枝上者为小型不裂，叶片通常倒卵圆形，长 4.5 ~ 17cm，宽 4 ~ 16cm，先端裂片急尖，基部心形，边缘有粗锯齿，上面绿色，无毛，下面浅绿色，无毛或中脉上疏生短柔毛，基出脉 5，中央脉有 3 ~ 5 对侧脉，网脉上面不明显，下面微凸出；叶柄长 4 ~ 12cm，无毛或疏生短柔毛。花序着生在短枝上，基部分枝，形成多歧聚伞花序，长 2.5 ~ 12.5cm，主轴不明显；花序梗长 1 ~ 3.5cm，几无毛；花梗

地锦

长 2 ~ 3mm，无毛；花蕾倒卵状椭圆形，高 2 ~ 3mm，先端圆形；花萼碟形，全缘或呈波状，无毛；花瓣 5，长椭圆形，高 1.8 ~ 2.7mm，无毛；雄蕊 5，花丝长 1.5 ~ 2.4mm，花药长椭圆状卵形，长 0.7 ~ 1.4mm，花盘不明显；子房椭圆球形，花柱明显，基部粗，柱头不扩大。果实球形，直径 1 ~ 1.5cm，有种子 1 ~ 3；种子倒卵圆形，先端圆形，基部急尖成短喙，种脐在背面中部呈圆形，腹部中棱脊凸出，两侧洼穴呈沟状，从种子基部向上达种子先端。花期 5 ~ 8 月，果期 9 ~ 10 月。

| 生境分布 | 生于田野、路旁、草地、荒地或住宅附近，为常见农田杂草。分布于吉林延边、白山、通化等。

| 资源情况 | 野生资源较少。药材主要来源于野生。

| 采收加工 | 夏、秋季采收藤茎，除去杂质，晒干。秋季采挖根，除去杂质和泥沙，晒干。

| 药材性状 | 本品藤茎呈圆柱形，灰绿色，光滑。外表有细纵条纹，并有细圆点状凸起的皮孔，呈棕褐色。节略膨大，节上常有叉状分枝的卷须，叶互生，常脱落。断面中央有类白色的髓，木部黄白色，皮部呈纤维片状剥离。气微，味淡。本品根呈圆锥形，表面灰绿色，光滑。藤茎表面棕褐色，具细纵条纹，并有具细圆点状突起的皮孔；节膨大，上有叉状分枝的卷须。叶互生，常脱落。质韧，断面髓部类白色，木部黄白色，皮部纤维性，片状剥离。气微，味淡。

| **功能主治** | 甘，平。归肝经。清热解毒，活血止血，祛风除湿，通乳。用于痢疾，泄泻，咳喘，吐血，便血，崩漏，外伤出血，湿热黄疸，乳汁不通，痈肿疔疮，跌打肿痛。 |

| **用法用量** | 内服煎汤，15～30g；或浸酒。外用适量，煎汤洗；或磨汁涂；或捣敷。 |

葡萄科 Vitaceae 葡萄属 Vitis

山葡萄

Vitis amurensis Rupr.

| 植物别名 | 黑龙江葡萄、阿穆尔葡萄、黑水葡萄。

| 药 材 名 | 山葡萄根（药用部位：根）、山藤藤果（药用部位：果实）、山葡萄藤（药用部位：藤）。

| 形态特征 | 落叶木质藤本。小枝圆柱形。卷须 2 ~ 3 分枝，每隔 2 节间断与叶对生。叶阔卵圆形，3（~ 5）浅裂或中裂，或不分裂，叶片或中裂片先端急尖或渐尖，裂片基部常缢缩或间有宽阔，裂缺凹成圆形，稀呈锐角或钝角，叶基部心形，基缺凹成圆形或钝角，边缘每侧有 28 ~ 36 粗锯齿，齿端急尖，微不整齐；托叶膜质，褐色。圆锥花序疏散，与叶对生，基部分枝发达；花蕾倒卵圆形，先端圆形；花萼碟形；花瓣 5，呈帽状黏合脱落；雄蕊 5，花丝丝状，花药黄色，卵状椭圆形，在雌花内雄蕊显著短而败育；花盘发达，5 裂；雌蕊 1，

山葡萄

子房锥形，花柱明显，基部略粗，柱头微扩大。种子倒卵圆形，先端微凹，基部有短喙。花期 5～6 月，果期 8～9 月。

| **生境分布** | 生于山坡、沟谷、林缘、林中、灌丛等，常攀缘在灌木或小乔木上。以长白山区为主要分布区域，分布于吉林延边、白山、通化、吉林、辽源（东丰）等。吉林通化（柳河、集安）、吉林（永吉）等有栽培。

| **资源情况** | 野生资源较丰富。吉林有栽培。药材主要来源于野生。

| **采收加工** | 山葡萄根：秋末采挖，洗净泥沙，去掉须根，干燥。
山藤藤果：秋季果实成熟时采收，除去杂质，晒干。
山葡萄藤：秋季采收藤茎，去掉叶片，晒干。

| **药材性状** | 山藤藤果：本品呈球形，直径 1～1.5cm。表面黑色，皱缩。种子倒卵圆形，先端微凹，基部具短喙，种脐在种子背面中部呈椭圆形，腹面中棱脊微凸起，两侧洼穴狭窄，呈条形，向上达种子中部或近先端。气微，味淡。
山葡萄藤：本品呈长圆柱形，稍弯曲，具分枝，直径 0.2～2cm。栓皮灰棕色至黑棕色，粗糙，有细纵皱纹，易呈纵向片状剥离，栓皮脱落处显棕色。节部略膨大，有侧枝痕。质坚硬，不易折断。断面皮部窄，棕色，木部浅黄色或淡棕色，导管孔多数，中央有棕色髓。气微，味淡。

| 功能主治 | 山葡萄根、山葡萄藤：酸，凉。归肾、肝、膀胱经。祛风通络，活血止痛。用于风湿热痹，头风，胃脘痛，跌打损伤。
山藤藤果：清热，利尿。

| 用法用量 | 山葡萄根、山葡萄藤：内服煎汤，3 ~ 10g。
山藤藤果：内服煎汤，10 ~ 15g。

| 附 注 | （1）山葡萄藤已被列入 2019 年版《吉林省中药材标准》第一册。
（2）本种为吉林省Ⅲ级重点保护野生植物。
（3）本种为长白山区重要的野生浆果，可生食、酿酒。

葡萄科 Vitaceae 葡萄属 *Vitis*

葡萄 *Vitis vinifera* L.

| 植物别名 | 全球红。

| 药材名 | 葡萄根（药用部位：根）、葡萄藤叶（药用部位：藤叶）、葡萄（药用部位：果实）、葡萄籽（药用部位：种子）。

| 形态特征 | 木质藤本。小枝圆柱形，有纵棱纹，无毛或被稀疏柔毛。卷须二叉分枝，每隔 2 节间断与叶对生。叶卵圆形，显著 3～5 浅裂或中裂，中裂片先端急尖，裂片常靠合，基部常缢缩，裂缺狭窄，间或宽阔，基部深心形，基缺凹成圆形，两侧常靠合，边缘有锯齿，齿深而粗大，不整齐，齿端急尖，上面绿色，下面浅绿色，无毛或被疏柔毛；基生脉 5 出，侧脉 4～5 对，网脉不明显凸出；叶柄几无毛；托叶早落。圆锥花序密集或疏散，多花，与叶对生，基部分枝发达，几无毛或疏生蛛丝状绒毛；花梗无毛；花蕾倒卵圆形，先端近圆形；花萼浅

葡萄

碟形，边缘呈波状，外面无毛；花瓣 5，呈帽状黏合脱落；雄蕊 5；花盘发达，5 浅裂；雌蕊 1，在雄花中完全退化，子房卵圆形，花柱短，柱头扩大。果实球形或椭圆形；种子倒卵状椭圆形，先端近圆形，基部有短喙，种脐在种子背面中部呈椭圆形，种脊微凸出，腹面中棱脊凸起，两侧洼穴宽沟状，向上达种子 1/4 处。花期 4 ~ 5 月，果期 8 ~ 9 月。

| 生境分布 | 生于山坡、沟谷林中或灌丛等，常攀缘在灌木或小乔木上。分布于吉林长春、吉林、辽源等。吉林部分地区有栽培。

| 资源情况 | 野生资源稀少。吉林有栽培。药材主要来源于栽培。

| 采收加工 | 葡萄根：秋末采挖，洗净泥沙，去掉须根，干燥。
葡萄藤叶：夏、秋季采收，切段，晒干。
葡萄：秋季采收成熟果实，干燥。
葡萄籽：秋季采收成熟果实，取出种子，干燥。

| 药材性状 | 葡萄根：本品呈长圆柱形，稍弯曲，具分枝，直径 0.2 ~ 2cm。栓皮灰棕色至黑棕色，粗糙，有细纵皱纹，易呈片状纵向剥离，栓皮脱落处显棕色。节部略膨大，有侧枝痕。质坚硬，不易折断。断面皮部窄，棕色，木部浅黄色或淡棕色。气微，味淡。

葡萄：本品皱缩，长 3 ~ 7mm，直径 2 ~ 6mm，表面淡黄绿色至暗红色。先端有残存柱基，微凸尖，基部有果柄痕，有的残存果柄。质稍柔软，易被撕裂，富糖质，气微，味甜、微酸。

葡萄籽：本品呈倒卵状椭圆形，先端圆，基部具短喙。背面中部可见椭圆形的种脐，腹面具棱脊。质硬。气微，味微酸。

| 功能主治 |　葡萄根：甘，平。归肺、肾、膀胱经。祛风通络，利湿消肿，解毒。用于风湿痹痛，肢体麻木，跌打损伤，水肿，小便不利，痈肿疔毒。

葡萄藤叶：甘，平。归肾、肝、膀胱经。祛风除湿，利水消肿，解毒。用于水肿，小便不利，目赤，痈肿。

葡萄：甘、酸，平。归肺、脾、肾经。补气血，强筋骨，利小便。用于气血虚弱，肺虚咳嗽，心悸盗汗，淋证，浮肿。

葡萄籽：滋养强壮。用于延缓衰老，增强免疫。

| 用法用量 |　葡萄根：外用适量，捣敷；或煎汤洗。

葡萄藤叶：内服煎汤，10 ~ 15g；或捣汁。外用适量，捣敷。

葡萄：内服煎汤，15 ~ 30g；或捣汁；或熬膏；或浸酒。外用适量，浸酒涂擦；或捣汁含咽；或研末撒。

葡萄籽：内服煎汤，15 ~ 30g；或炖肉。

椴树科 Tiliaceae 田麻属 Corchoropsis

田麻 *Corchoropsis tomentosa* (Thunb.) Makino

| 植物别名 | 黄花喉草、白喉草、野络麻。

| 药 材 名 | 田麻（药用部位：全草）。

| 形态特征 | 一年生草本。分枝有星状短柔毛。叶卵形或狭卵形，边缘有钝牙齿，两面均密生星状短柔毛，基出脉3；托叶钻形，长2～4mm，脱落。花有细柄，单生于叶腋；萼片5，狭窄披针形；花瓣5，黄色，倒卵形；发育雄蕊15，每3枚成一束，退化雄蕊5，与萼片对生，匙状条形；子房被短茸毛。蒴果角状圆筒形，有星状柔毛。花期8～9月，果期9～10月。

| 生境分布 | 生于丘陵、山坡或多石处。分布于吉林通化、白山等。

田麻

| **资源情况** | 野生资源稀少。药材主要来源于野生。

| **采收加工** | 夏、秋季采收，切段，鲜用或晒干。

| **功能主治** | 苦，凉。清热解毒，平肝利湿，消积，止血。用于风湿痛，外伤出血，小儿疳积，带下过多，痈疖肿毒，黄疸。

| **用法用量** | 内服煎汤，9 ～ 15g，大剂量可用至 30 ～ 60g。外用适量，鲜品捣敷。

| **附　注** | 在 FOC 中，本种的拉丁学名被修订为 *Corchoropsis crenata* Siebold & Zuccarini。

椴树科 Tiliaceae 椴树属 Tilia

紫椴 *Tilia amurensis* Rupr.

紫椴

| 植物别名 |

籽椴、阿穆尔椴树、椴树。

| 药 材 名 |

紫椴花（药用部位：花。别名：籽椴）。

| 形态特征 |

落叶乔木。树皮暗灰色，片状脱落；嫩枝初时有白丝毛，很快变秃净，顶芽无毛，有鳞苞3。叶阔卵形或卵圆形，先端急尖或渐尖，基部心形，上面无毛，下面浅绿色，脉腋内有毛丛，侧脉4～5对，边缘有锯齿，齿尖凸出1mm；叶柄纤细，无毛。聚伞花序纤细，无毛，有花3～20；基部柄长1～1.5cm；萼片阔披针形，长5～6mm，外面有星状柔毛；退化雄蕊不存在；雄蕊较少，约20；子房有毛。果实卵圆形，被星状茸毛，有棱或有不明显的棱。花期6～7月，果期9～10月。

| 生境分布 |

生于阔叶林及针阔叶混交林、杂木林、山坡或林缘等。以长白山区为主要分布区域，分布于吉林延边、白山、通化、长春、吉林、辽源（东丰）等。

| 资源情况 |

野生资源较少。药材主要来源于野生。

| 采收加工 |

春、夏季花开时采收，除去杂质，阴干或晒干。

| 药材性状 |

本品聚伞花序纤细，无毛，基部柄长 1 ~ 1.5cm，萼片阔披针形，长 5 ~ 6mm，浅绿色。气微，味苦。

| 功能主治 |

苦，温。发汗解表，祛风活血，止痛，抑菌。用于感冒，水肿，口腔破溃，咽喉肿痛，肾盂肾炎。

| 用法用量 |

内服煎汤，3 ~ 10g。

| 附　注 |

（1）本种与华东椴 *Tilia japonica* Simonk. 的形态相似，但本种的叶片及苞片均较小，花序较短，且与花柄均极纤细，可以以此区别。
（2）本种为国家 II 级重点保护野生植物。

椴树科 Tiliaceae 椴树属 Tilia

小叶紫椴
Tilia amurensis Rupr. var. *taquetii* (Schneid.) Liou et Li

| 药 材 名 | 小叶紫椴（药用部位：花）。

| 形态特征 | 落叶乔木。树皮暗灰色；嫩枝被淡红色星状茸毛，顶芽有茸毛。叶卵圆形，较小，先端短尖，基部不呈心形，往往为截形或微凹入，上面无毛，下面密被灰色星状茸毛，侧脉 5 ~ 7 对，边缘有三角形锯齿，齿刻相隔 4 ~ 7mm，锯齿长 1.5 ~ 5mm；叶柄圆柱形，较粗大，初时有茸毛，很快变秃净。聚伞花序有 6 ~ 12 花，花序柄有毛；花柄长 4 ~ 6mm，有毛；苞片窄长圆形或窄倒披针形，上面无毛，下面有淡红色星状柔毛，先端圆，基部钝，下半部 1/3 ~ 1/2 与花序柄合生，基部有柄；萼片外面有星状柔毛，内面有长丝毛；花瓣长 7 ~ 8mm；退化雄蕊花瓣状，稍短小；雄蕊与萼片等长；子房有星状茸毛，花柱无毛。果实球形，有 5 不明显的棱。花期 7 月，果期 9 ~ 10 月。

小叶紫椴

| 生境分布 |

生于柞木林、杂木林、山坡、林缘或沟谷等。
以长白山区为主要分布区域，分布于吉林延边、
白山、通化、吉林、辽源（东丰）等。

| 资源情况 |

野生资源较少。药材主要来源于野生。

| 采收加工 |

春、夏季花开时采收，除去杂质，阴干或晒干。

| 功能主治 |

解毒，解表。用于感冒，肾盂肾炎，口腔破溃，
咽喉肿痛。

椴树科 Tiliaceae 椴树属 Tilia

辽椴
Tilia mandshurica Rupr. et Maxim.

辽椴

植物别名

糠椴、大叶椴、菠萝叶。

药 材 名

辽椴花（药用部位：花蕾）。

形态特征

落叶乔木。树皮暗灰色；嫩枝被灰白色星状茸毛，顶芽有茸毛。叶卵圆形，先端短尖，基部斜心形或截形，上面无毛，下面密被灰色星状茸毛，侧脉 5 ~ 7 对，边缘有三角形锯齿，齿刻相隔 4 ~ 7mm，锯齿长 1.5 ~ 5mm；叶柄长 2 ~ 5cm，圆柱形，较粗大，初时有茸毛，很快变秃净。聚伞花序有 6 ~ 12 花，花序柄有毛；花柄有毛；苞片窄长圆形或窄倒披针形，上面无毛，下面有星状柔毛，先端圆，基部钝，下半部 1/3 ~ 1/2 与花序柄合生，基部有柄；萼片外面有星状柔毛，内面有长丝毛；退化雄蕊花瓣状，稍短小；雄蕊与萼片等长；子房有星状茸毛，花柱无毛。果实球形，长 7 ~ 9mm，有 5 不明显的棱。花期 7 月，果期 9 ~ 10 月。

生境分布

生于柞木林、杂木林、山坡、林缘、阔叶林、针阔叶混交林或沟谷等。以长白山区为主要分布区域，分布于吉林延边、白山、通化、吉林、辽源（东丰）等。

| **资源情况** | 野生资源较丰富。药材主要来源于野生。

| **采收加工** | 夏季花未开前采摘，除去杂质，阴干。

| **药材性状** | 本品聚伞花序纤细，有柄，长 1.5 ～ 4cm；苞片窄长圆形或窄倒披针形，长 5 ～ 6mm，下半部有花序柄合生，基部有柄。黄色或浅黄色。气微，味苦。

| **功能主治** | 发汗，解热，解毒。用于感冒，肾盂肾炎，口腔破溃，咽喉肿痛，子宫肌瘤。

| **附　　注** | （1）本种为吉林省Ⅲ级重点保护野生植物。
（2）本种的树芽可作野菜，萌枝发出的大型叶片可作食物包材。

椴树科 Tiliaceae 椴树属 Tilia

蒙椴
Tilia mongolica Maxim.

| 药 材 名 | 蒙椴（药用部位：花）。

| 形态特征 | 落叶乔木。树皮淡灰色，呈不规则薄片状脱落；嫩枝无毛，顶芽卵形，无毛。叶阔卵形或圆形，先端渐尖，常出现3裂，基部微心形或斜截形，上面无毛，下面仅脉腋内有毛丛，侧脉4～5对，边缘有粗锯齿，齿尖凸出；叶柄无毛，纤细。聚伞花序有6～12花，花序柄无毛；花柄纤细；苞片窄长圆形，两面均无毛，上下两端钝，下半部与花序柄合生，基部柄长约1cm；萼片披针形，外面近无毛；退化雄蕊花瓣状，稍窄小；雄蕊与萼片等长；子房有毛，花柱秃净。果实倒卵形，被毛，有棱或有不明显的棱。花期7月，果期9～10月。

| 生境分布 | 生于向阳山坡或岩石间，常与其他阔叶树种混生。分布于吉林延边、白山、通化等。

蒙椴

| **资源情况** | 野生资源稀少。药材主要来源于野生。

| **采收加工** | 夏、秋季花开时采收，除去杂质，阴干或晒干。

| **功能主治** | 发汗，镇静，解热。用于感冒。

锦葵科 Malvaceae 秋葵属 *Abelmoschus*

黄蜀葵
Abelmoschus manihot (Linn.) Medicus

| **植物别名** | 荞面花、豹子眼睛花、追风药。

| **药材名** | 黄蜀葵（药用部位：根、叶、花、种子。别名：秋葵、霸天伞、棉花蒿）。

| **形态特征** | 一年生或多年生草本，疏被长硬毛。叶掌状 5 ~ 9 深裂，裂片长圆状披针形，具粗钝锯齿，两面疏被长硬毛；叶柄疏被长硬毛；托叶披针形。花单生于枝端叶腋；小苞片 4 ~ 5，卵状披针形，疏被长硬毛；花萼佛焰苞状，5 裂，近全缘，较小苞片长，被柔毛，果时脱落；花大，淡黄色，内面基部紫色，直径约 12cm；花药近无柄；柱头紫黑色，匙状盘形。蒴果卵状椭圆形，被硬毛；种子多数，肾形，具多条柔毛组成的条纹。花期 8 ~ 10 月。

黄蜀葵

| **生境分布** | 生于平原、山谷、溪涧旁或山坡灌丛中。吉林无野生分布。吉林中部地区有栽培。

| **资源情况** | 吉林有栽培。药材主要来源于栽培。

| **采收加工** | 秋季采挖根，晒干。夏、秋季采收叶和花，晒干。秋季采收种子，晒干。

| **功能主治** | 根、叶外用于疔疮，腮腺炎，骨折，刀伤。花、种子，甘，寒。清利湿热，消肿解毒。用于湿热壅遏，淋浊水肿；外用于痈疽肿毒，烫火伤。

| **用法用量** | 根、叶，外用适量，鲜品捣敷。花，内服煎汤，1.5 ～ 3g；或研末冲服。种子，内服煎汤，9 ～ 15g；或研末冲服。

锦葵科 Malvaceae 苘麻属 Abutilon

苘麻
Abutilon theophrasti Medicus

| **植物别名** | 青麻、白麻、孔麻。

| **药 材 名** | 苘麻子（药用部位：种子。别名：青麻子、野棉花子、白麻子）。

| **形态特征** | 一年生亚灌木状草本。茎直立，茎枝被柔毛。单叶互生，圆心形，先端长渐尖，基部心形，边缘具细圆锯齿，两面均密被星状柔毛；叶柄被星状细柔毛；托叶早落。花单生于叶腋，花梗被柔毛，近先端具节；花萼杯状，密被短绒毛，裂片 5，卵形；花黄色，花瓣倒卵形，瓣上有明显的脉，脉纹长约 1cm；雄蕊多数，联合成筒，雄蕊柱平滑无毛；心皮 15 ~ 20，先端平截，具扩展、被毛的 2 长芒，排列成轮状，密被软毛。蒴果半球形，分果片 15 ~ 20，被粗毛，先端具 2 长芒；种子肾形，褐色，被星状柔毛。花期 7 ~ 8 月，果期 9 ~ 10 月。

苘麻

| 生境分布 | 生于荒地、路边、沟边、房前屋后、田间地头。吉林各地均有分布。

| 资源情况 | 野生资源丰富。药材主要来源于野生。

| 采收加工 | 秋季采收成熟果实，晒干，打下种子，除去杂质。

| 药材性状 | 本品呈三角状肾形，长 3.5 ~ 6mm，宽 2.5 ~ 4.5mm，厚 1 ~ 2mm。表面灰黑色或暗褐色，有白色稀疏绒毛，凹陷处有类椭圆状种脐，淡棕色，四周有放射状细纹。种皮坚硬，子叶 2，重叠折曲，富油性。气微，味淡。

| 功能主治 | 苦，平。归大肠、小肠、膀胱经。清热解毒，祛风利湿，退翳。用于赤白痢，淋证涩痛，痈肿疮毒，目生翳膜，中耳炎，关节炎。

| 用法用量 | 内服煎汤，3 ~ 9g；或入散剂。

| 附　注 | （1）本种药材用量不大。但在实际经营中，人们习惯把本种药材当作冬葵子使用，导致其用量增加，但两者的功用不同，应加以区分使用。
（2）吉林本种野生资源丰富，仅在长春、吉林的年产量就达 100t 左右，其他地区少有采收。今后应当充分利用资源，加强对本种药材的开发和利用。

蜀葵 *Althaea rosea* (Linn.) Cavan.

蜀葵

| 植物别名 |

淑气、一丈红。

| 药 材 名 |

蜀葵根（药用部位：根。别名：葵花根、土黄耆、棋盘花根）、蜀葵苗（药用部位：茎叶。别名：葵茎、赤葵茎）、蜀葵花（药用部位：花。别名：棋盘花、蜀其花、蜀季花）、蜀葵子（药用部位：种子。别名：胡葵子）。

| 形态特征 |

二年生直立草本。茎枝密被刺毛。叶近圆心形，掌状 5 ~ 7 浅裂或波状棱角，裂片三角形或圆形，中裂片上面疏被星状柔毛，粗糙，下面被星状长硬毛或绒毛；叶柄被星状长硬毛；托叶卵形，先端具 3 尖。花腋生、单生或近簇生，排列成总状花序式，具叶状苞片，花梗果时延长达 1 ~ 2.5cm，被星状长硬毛；小苞片杯状，常 6 ~ 7 裂，裂片卵状披针形，密被星状粗硬毛，基部合生；花萼钟状，5 齿裂，裂片卵状三角形，密被星状粗硬毛；花大，有红色、紫色、白色、粉红色、黄色和黑紫色等，单瓣或重瓣；花瓣倒卵状三角形，先端凹缺，基部狭，爪被长髯毛；雄蕊柱无毛，花丝纤细，花药黄色；花柱分枝多数，微被细毛。果实盘状，被短柔毛，分果爿近圆形，多数，背部厚达 1mm，具纵槽。花期 2～8 月。

| **生境分布** | 生于村落道路、房前屋后。分布于吉林延边、白山、通化等。吉林部分地区有栽培。

| **资源情况** | 野生资源稀少。吉林有栽培。药材主要来源于野生。

| **采收加工** | 蜀葵根：春、秋季采挖，切片，晒干。
蜀葵苗：花前采摘，晒干。
蜀葵花：夏季采摘，阴干。
蜀葵子：秋季采收，晒干。

| **药材性状** | 蜀葵根：本品呈片状，直径 0.1～2.2cm。表面土黄色，具细纵纹及横向线状略

凸起的皮孔，切面皮部黄白色，木部具放射状的淡棕色纹理，形成层环棕色。质坚脆，气弱而特殊，味微甜而有黏滑感，无豆腥味。

蜀葵花：本品多皱缩、破碎，完整的花瓣呈三角状阔倒卵形，长 7 ~ 10cm，宽 7 ~ 12cm，表面有纵向脉纹，呈放射状，淡棕色，边缘浅波状；内面基部紫褐色。雄蕊多数，联合成管状，长 1.5 ~ 2.5cm，花药近无柄。柱头紫黑色，匙状盘形，5 裂。气微香，味甘淡。

蜀葵子：本品呈肾形，直径 3.5 ~ 4mm。成熟时表面褐色、黄褐色或浅褐色，表皮外被有排成条纹状的短柔毛。柔毛长短不一，以种脐为中心，呈弧形条状排列。种皮薄，子叶乳白色，富油性。气微，味微甘。

| 功能主治 |　蜀葵根：甘，凉。清热凉血，利尿排脓。用于小便淋痛，尿血，吐血，血崩，带下，肠痈；外用于疮肿，丹毒。

蜀葵苗：甘，凉。清热利湿，解毒。用于热毒下痢，淋证，金疮，火疮。

蜀葵花：甘，凉。活血润燥，通利二便。用于痢疾，吐血，血崩，带下，二便不利，疟疾，小儿风疹；外用于痈肿疮疡。

蜀葵子：甘，凉。利水通淋，滑肠，催生。用于水肿，淋证，二便不利，尿路结石。

| **用法用量** | 蜀葵根：内服煎汤，9 ~ 18g。

蜀葵苗：内服煎汤，6 ~ 18g；或煮食；或捣汁。外用适量，捣敷；或烧存性研末调敷。

蜀葵花、蜀葵子：内服煎汤，3 ~ 6g。外用适量，鲜品捣敷；或煎汤洗。

| **附　　注** | 在 FOC 中，本种的拉丁学名被修订为 *Alcea rosea* Linnaeus。

锦葵科 Malvaceae 木槿属 *Hibiscus*

红秋葵
Hibiscus coccineus (Medicus) Walt.

| 药 材 名 | 红秋葵（药用部位：花、种子）。

| 形态特征 | 多年生直立草本，高 1 ~ 3m。茎带白霜，无毛。叶指状 5 裂，裂片狭披针形，长 6 ~ 14cm，宽 0.6 ~ 1.5cm，先端锐尖，基部楔形，边缘具疏齿，两面均平滑无毛；叶柄长 5 ~ 10cm，平滑无毛。花单生于枝端叶腋间，花梗长 5 ~ 8cm，平滑无毛，微带白霜；小苞片 12，线形，长约 2.5cm，宽 0.1 ~ 0.2cm，平滑无毛，基部微合生；花萼大，叶状，钟形，直径 3 ~ 4cm，长约 4cm，裂片 5，卵圆状披针形，平滑无毛，于基部 1/3 处合生；花瓣玫瑰红色至洋红色，倒卵形，长 7 ~ 8cm，宽 3 ~ 4cm，外面疏被柔毛；雄蕊柱长约 7cm；花柱枝 5，被柔毛。蒴果近球形，无毛，直径约 2cm，先端具短喙，果爿 5，无毛；种子球形，直径约 3mm，疏被棕色细毛。花期 8 月。

红秋葵

| **生境分布** | 生于公园、菜园等。吉林无野生分布。吉林部分地区有栽培。 |

| **资源情况** | 吉林有栽培。药材主要来源于栽培。 |

| **采收加工** | 花初开时采摘花朵，晒干或烘干。果实成熟时采摘果实，收集种子，晒干。 |

| **功能主治** | 消食化积。用于胃炎，胃溃疡，保护胃黏膜。 |

锦葵科 Malvaceae 木槿属 Hibiscus

木芙蓉

Hibiscus mutabilis Linn.

木芙蓉

| 药 材 名 |

芙蓉花（药用部位：花。别名：山芙蓉、酒醉芙蓉、九头花）。

| 形态特征 |

落叶灌木或小乔木，高 2 ~ 5m。小枝、叶柄、花梗和花萼均密被星状毛与直毛相混的细绵毛。叶宽卵形至圆卵形或心形，直径 10 ~ 15cm，常 5 ~ 7 裂，裂片三角形，先端渐尖，具钝圆锯齿，上面疏被星状细毛和点，下面密被星状细绒毛，主脉 7 ~ 11；叶柄长 5 ~ 20cm；托叶披针形，长 5 ~ 8mm，常早落。花单生于枝端叶腋间，花梗长 5 ~ 8cm，近端具节；小苞片 8，线形，长 10 ~ 16mm，宽约 2mm，密被星状绵毛，基部合生；花萼钟形，长 2.5 ~ 3cm，裂片 5，卵形，具渐尖头；花初开时白色或淡红色，后变深红色，直径约 8cm，花瓣近圆形，直径 4 ~ 5cm，外面被毛，基部具髯毛；雄蕊柱长 2.5 ~ 3cm，无毛；花柱枝 5，疏被毛。蒴果扁球形，直径约 2.5cm，被淡黄色刚毛和绵毛，果爿 5；种子肾形，背面被长柔毛。花期 8 ~ 10 月。

| **生境分布** | 生于园林、花园等。吉林无野生分布。吉林部分地区有栽培。

| **资源情况** | 吉林偶见栽培。药材主要来源于栽培。

| **采收加工** | 8 ~ 10 月花初开时采摘，晒干或烘干。

| **药材性状** | 本品呈不规则圆柱形，具副萼，10 裂，裂片条形。花冠直径约 9cm，花瓣 5 或为重瓣，淡棕色至棕红色，倒卵圆形，边缘微弯曲，基部与雄蕊柱合生。花药多数，生于柱顶。雌蕊 1，柱头 5 裂。气微香，味微辛。

| **功能主治** | 辛、微苦，凉。归肺、心、肝经。清热解毒，凉血止血，消肿排脓。用于肺热咳嗽，吐血，目赤肿痛，崩漏，带下，腹泻，腹痛。外用于痈肿，疮疖，毒蛇咬伤，水火烫伤，跌打损伤。

| **用法用量** | 内服煎汤，9 ~ 15g，鲜品 30 ~ 60g。外用适量，研末调敷；或捣敷。

锦葵科 Malvaceae 木槿属 *Hibiscus*

朱槿
Hibiscus rosa-sinensis Linn.

| 药 材 名 | 扶桑根（药用部位：根）、扶桑叶（药用部位：叶）、扶桑花（药用部位：花。别名：花上花、大红花、土红花）。

| 形态特征 | 常绿灌木，高 1 ~ 3m。小枝圆柱形，疏被星状柔毛。叶阔卵形或狭卵形，长 4 ~ 9cm，宽 2 ~ 5cm，先端渐尖，基部圆形或楔形，边缘具粗齿或缺刻，两面除背面沿脉上有少许疏毛外均无毛；叶柄长 5 ~ 20mm，上面被长柔毛；托叶线形，长 5 ~ 12mm，被毛。花单生于上部叶腋间，常下垂，花梗长 3 ~ 7cm，疏被星状柔毛或近平滑无毛，近端有节；小苞片 6 ~ 7，线形，长 8 ~ 15mm，疏被星状柔毛，基部合生；花萼钟形，长约 2cm，被星状柔毛，裂片 5，卵形至披针形；花冠漏斗形，直径 6 ~ 10cm，玫瑰红色或淡红色、淡黄色等，花瓣倒卵形，先端圆，外面疏被柔毛；雄蕊柱长 4 ~ 8cm，

朱槿

平滑无毛；花柱枝 5。蒴果卵形，长约 2.5cm，平滑无毛，有喙。花期全年。

| 生境分布 | 生于园林、公园等。吉林无野生分布。吉林部分地区有栽培。

| 资源情况 | 吉林有栽培。药材主要来源于栽培。

| 采收加工 | 扶桑根：秋末采挖，洗净，晒干。

扶桑叶：随用随采。

扶桑花：花半开时采摘，晒干。

| 药材性状 | 扶桑叶：本品宽卵形或狭卵形，除背面沿脉上有少许疏毛外，两面均无毛，托叶线形。气微，味淡。

扶桑花：本品皱缩成长条状，长 5.5 ~ 8cm。小苞片 6 ~ 7，线形，分离，比萼短。花萼黄棕色，长约 1.5cm，有星状毛，5 裂，裂片披针形或尖三角形；花瓣 5，紫色或淡棕红色，有的为重瓣，花瓣先端圆或具粗圆齿，但不分裂。雄蕊管长，凸出花冠外，上部有多数具花药的花丝。子房五棱形，被毛，花柱 5。体轻。气清香，味淡。

| 功能主治 | 扶桑根：甘、涩，平。归肝、脾、肺经。调经，利湿，解毒。用于月经不调，崩漏，带下，白浊，痈疮肿毒，尿路感染，急性结膜炎。

扶桑叶：甘、淡，平。归心、肝经。清热利湿，解毒。用于带下，淋证，疔疮肿毒，腮腺炎，乳腺炎，淋巴结炎。

扶桑花：甘、淡，平。归心、肺、肝、脾经。清肺，凉血，化湿，解毒。用于肺热咳嗽，咯血，鼻衄，崩漏，带下，痢疾，赤白浊，痈肿毒疮。

| 用法用量 | 扶桑根：内服煎汤，15 ~ 30g。

扶桑叶：内服煎汤，15 ~ 30g。外用适量，捣敷。

扶桑花：内服煎汤，15 ~ 30g。外用适量，捣敷。

锦葵科 Malvaceae 木槿属 Hibiscus

木槿 *Hibiscus syriacus* Linn.

| **植物别名** | 喇叭花、朝天暮落花、荆条。

| **药 材 名** | 木槿根（药用部位：根）、木槿皮（药用部位：根皮、茎皮）、木槿叶（药用部位：叶）、木槿花（药用部位：花）、木槿子（药用部位：果实）。

| **形态特征** | 落叶灌木。小枝密被黄色星状绒毛。叶菱形至三角状卵形，具深浅不同的 3 裂或不裂，先端钝，基部楔形，边缘具不整齐齿缺，下面沿叶脉微被毛或近无毛；叶柄上面被星状柔毛；托叶线形，疏被柔毛。花单生于枝端叶腋间，花梗被星状短绒毛；小苞片 6 ～ 8，线形，密被星状疏绒毛；花萼钟形，密被星状短绒毛，裂片 5，三角形；花钟形，淡紫色，花瓣倒卵形，外面疏被纤毛和星状长柔毛；花柱枝无毛。蒴果卵圆形，直径约 12mm，密被黄色星状绒毛；种子肾形，

木槿

背部被黄白色长柔毛。花期 7 ~ 10 月。

| **生境分布** | 生于林缘、路边、村落。吉林无野生分布。吉林部分地区有栽培，室内均可栽培。

| **资源情况** | 吉林有栽培。药材主要来源于栽培。

| **采收加工** | 木槿根：除冬季外，全年均可采挖，洗净，切片，鲜用或晒干。

木槿皮：4 ~ 5 月剥取茎皮，晒干；秋末采挖根，剥取根皮，晒干。

木槿叶：夏、秋季采收，鲜用或晒干。

木槿花：夏、秋季选晴天早晨花半开时采摘，晒干。

木槿子：9 ~ 10 月果实现黄绿色时采收，晒干。

| **药材性状** | 木槿皮：本品呈半圆筒或圆筒状，长 15 ~ 25cm，宽窄及厚薄多不一致，通常宽 0.7 ~ 1cm，厚约 2mm。外皮粗糙，土灰色，有纵向的皱纹及横向的小突起（皮孔）；内表面淡黄绿色，有明显的丝状纤维。质轻，不易折断。气微，味淡。

木槿叶：本品皱缩，卵形或菱状卵形，互生，长 3 ~ 6cm，宽 2 ~ 4cm，不裂或中部以上 3 裂，基部楔形，边缘有钝齿，幼叶两面可见疏生的星状毛。叶背除脉上有毛外，其余平滑无毛。气微，味淡。

木槿花：本品呈卷缩的长圆柱形或不规则形，全体被毛。长 1.5 ~ 3cm，宽 1 ~

2cm。基部钝圆，有短梗；总苞片 5 ～ 8，线形。花萼钟状，表面黄绿色或灰绿色，先端 5 裂，裂片三角形。花冠倒卵形，单瓣 5 片或重瓣 10 余片，类白色或黄白色；雄蕊多数，花丝联合成筒状。气微香，味淡。

| 功能主治 |　木槿根：甘，凉。归肺、肾、大肠经。清热解毒，消痈肿。用于肠风，痢疾，肺痈，肠痈，痔疮肿痛，赤白带下，疥癣，肺结核。

木槿皮：甘，微温。归大肠、肝、脾经。清热利湿，杀虫止痒。用于痢疾，带下；外用于阴囊湿疹，体癣，足癣。

木槿叶：苦，寒。归心、胃、大肠经。清热解毒。用于赤白痢疾，肠风，痈肿疮毒。

木槿花：甘，平。归脾、肺、肝经。清热凉血，解毒消肿。用于痢疾，痔疮出血，带下；外用于疮疖痈肿，烫伤。

木槿子：甘，寒。归肺、心、肝经。清肺化痰，止头痛，解毒。用于痰喘咳嗽，支气管炎，偏正头痛，黄水疮，湿疹。

| 用法用量 |　木槿根：内服煎汤，15 ～ 25g，鲜品 50 ～ 100g。外用适量，煎汤熏洗。

木槿皮：内服煎汤，3 ～ 9g。外用适量，酒浸搽擦；或煎汤熏洗。

木槿叶：内服煎汤，3 ～ 9g，鲜品 30 ～ 60g。外用适量，调敷。

木槿花：内服煎汤，3 ～ 9g，鲜品 30 ～ 60g。外用适量，研末；或鲜品捣敷。

木槿子：内服煎汤，9 ～ 15g。外用适量，煎汤熏洗。

锦葵科　Malvaceae　木槿属　*Hibiscus*

野西瓜苗 *Hibiscus trionum* Linn.

| 植物别名 |

芙蓉花、草芙蓉、香铃草。

| 药 材 名 |

野西瓜苗（药用部位：全草。别名：小秋葵、打瓜花、山西瓜）。

| 形态特征 |

一年生直立或平卧草本。茎柔软，被白色星状粗毛。叶二型，下部的叶圆形，不分裂，上部的叶掌状 3 ~ 5 深裂，中裂片较长，两侧裂片较短，裂片倒卵形至长圆形，通常羽状全裂；叶柄被星状粗硬毛和星状柔毛；托叶线形，被星状粗硬毛。花单生于叶腋，果时延长达 4cm，被星状粗硬毛；小苞片 12，线形，被粗长硬毛，基部合生；花萼钟形，淡绿色，被粗长硬毛或星状粗长硬毛，裂片 5，膜质，三角形，具纵向紫色条纹，中部以上合生；花淡黄色，内面基部紫色，花瓣 5，倒卵形，长约 2cm，外面疏被极细柔毛；花丝纤细，花药黄色；花柱枝 5，无毛。蒴果长圆状球形，被粗硬毛，果爿 5，果皮薄，黑色；种子肾形，黑色，具腺状突起。花期 7 ~ 8 月，果期 9 ~ 10 月。

野西瓜苗

| 生境分布 | 生于草甸、荒地、路边、沟边、田间、田边或住宅附近。吉林各地均有分布。

| 资源情况 | 野生资源丰富。药材主要来源于野生。

| 采收加工 | 夏、秋季采收，除去泥土及杂质，晒干。

| **药材性状** | 本品茎柔软，长 30 ~ 60cm，表面具星状粗毛。单叶互生，叶柄长 2 ~ 4cm；完整叶片掌状 3 ~ 5 全裂，直径 3 ~ 6cm，裂片倒卵形，通常羽状分裂，两面有星状粗刺毛。质脆。气微，味甘、淡。 |

| **功能主治** | 苦，寒。归肺、肝、肾经。清热解毒，祛风除湿，止咳利尿。用于风热感冒咳嗽，风湿痛，急性关节炎，肠炎，痢疾；外用于烫火伤，疮毒。 |

| **用法用量** | 内服煎汤，15 ~ 30g，鲜品 30 ~ 60g。外用适量，鲜品捣敷；或干品研末，油调涂。 |

锦葵科 Malvaceae 锦葵属 Malva

锦葵 *Malva sinensis* Cavan.

| 植物别名 | 大花葵。

| 药 材 名 | 锦葵（药用部位：花、茎叶。别名：大花葵、棋盘花、麦秸花）。

| 形态特征 | 二年生或多年生直立草本，分枝多，疏被粗毛。叶圆心形或肾形，
具 5 ~ 7 圆齿状钝裂片，宽几相等，基部近心形至圆形，边缘具圆
锯齿，两面均无毛或仅脉上疏被短糙伏毛；叶柄近无毛，但上面槽
内被长硬毛；托叶偏斜，卵形，具锯齿，先端渐尖。花 3 ~ 11 簇生，
花梗长 1 ~ 2cm，无毛或疏被粗毛；小苞片 3，长圆形，先端圆形，
疏被柔毛；花萼杯状，萼裂片 5，宽三角形，两面均被星状疏柔毛；
花紫红色或白色，花瓣 5，匙形，长 2cm，先端微缺，爪具髯毛；
雄蕊被刺毛，花丝无毛；花柱分枝 9 ~ 11，被微细毛。果实扁圆形，
分果爿 9 ~ 11，肾形，被柔毛；种子黑褐色，肾形。花期 5 ~ 10 月。

锦葵

生境分布

生于路旁、田间或村屯住宅附近等。分布于吉林白山（抚松、靖宇、长白）等。吉林部分地区有栽培。

资源情况

野生资源较少。吉林有栽培。药材主要来源于栽培。

采收加工

夏、秋季花半开时采摘花，晒干。夏、秋季采收茎叶，晒干。

功能主治

咸，寒。清热利湿，理气通便。用于二便不利，淋巴结结核，带下，脐腹痛。

用法用量

内服煎汤，3～9g；或研末，1～3g，开水送服。

附 注

（1）在 FOC 中，本种的拉丁学名被修订为 *Malva cathayensis* M. G. Gilbert, Y. Tang & Dorr。

（2）本种与欧锦葵 *Malva sylvestris* Linn. 的形态极相似，不同之处在于本种的果实疏被柔毛，而后者平滑无毛。

锦葵科 Malvaceae 锦葵属 *Malva*

野葵 *Malva verticillata* Linn.

野葵

| 植物别名 |

北锦葵、冬葵、冬寒菜。

| 药 材 名 |

冬葵果（药用部位：果实。别名：葵子、葵菜子）、冬葵根（药用部位：根。别名：葵根、土黄芪）。

| 形态特征 |

二年生草本。茎干被星状长柔毛。叶肾形或圆形，通常为掌状 5 ~ 7 裂，裂片三角形，具钝尖头，边缘具钝齿，两面被极疏糙伏毛或近无毛；叶柄近无毛，上面槽内被绒毛；托叶卵状披针形，被星状柔毛。花 3 至多朵簇生于叶腋，具极短柄至近无柄；小苞片 3，线状披针形，被纤毛；花萼杯状，萼裂片 5，广三角形，疏被星状长硬毛；花冠长稍超过萼片，淡白色至淡红色，花瓣 5，先端凹入，爪无毛或具少数细毛；雄蕊被毛；花柱分枝 10 ~ 11。果实扁球形，分果爿 10 ~ 11，背面平滑，两侧具网纹；种子肾形，直径约 1.5mm，无毛，紫褐色。花期 7 ~ 8 月，果期 9 ~ 10 月。

| **生境分布** | 生于山坡、林缘、草地、路旁，常生于平原旷野、村落附近或路旁，呈半野生状态。吉林各地均有分布。 |

| **资源情况** | 野生资源较丰富。药材主要来源于野生。 |

| **采收加工** | 冬葵果：种子成熟时采收，晒干。
冬葵根：夏、秋季采挖，洗净，鲜用或晒干。 |

| **药材性状** | 冬葵果：本品呈扁球状盘形，直径 4 ~ 7mm。外被膜质宿萼，宿萼钟状，黄绿色或黄棕色，有的微带紫色，先端 5 齿裂，裂片内卷，其外有条状披针形的 3 小苞片。果梗细短。果实由 10 ~ 12 分果瓣组成，在圆锥形中轴周围排成 1 轮，分果类扁圆形，直径 1.4 ~ 2.5mm。表面黄白色或黄棕色，具隆起的环向细脉纹。种子肾形，棕黄色或黑褐色。气微，味涩。 |

| **功能主治** | 冬葵果：甘、涩，凉。归大肠、小肠、肝、肺、胃、膀胱经。清热利尿，消肿。用于小便淋痛，尿闭，水肿，口渴。
冬葵根：甘、辛，寒。归脾、膀胱经。清热解毒，利窍，通淋。用于消渴，淋证，二便不利，乳汁少，带下，虫螫伤。 |

| **用法用量** | 冬葵果：内服煎汤，6 ~ 15g；或入散剂。
冬葵根：内服煎汤，15 ~ 30g；或捣汁。外用适量，研末调敷。 |

| **附　注** | 2020 年版《中国药典》记载本种的中文名称为冬葵。 |

瑞香科 Thymelaeaceae 瑞香属 Daphne

东北瑞香
Daphne pseudo-mezereum A. Gray

| 植物别名 | 朝鲜瑞香、辣根草、祖师麻。

| 药 材 名 | 东北瑞香（药用部位：全草）。

| 形态特征 | 落叶灌木。根粗壮，少分枝，棕褐色。枝粗壮，分枝短，呈短枝状，
具不规则的棱，叶迹明显，较大，密集。叶互生，常簇生于当年生
枝顶部，膜质，披针形至长圆状披针形或倒披针形，先端钝形，基
部下延成楔形，全缘，不反卷，上面绿色，下面淡绿色，中脉在上
面扁平或稍隆起，在下面隆起，侧脉 8 ～ 12 对，在近边缘 1/4 处分
叉而互相网结，纤细，不规则分叉，在两面稍隆起，小脉网状，纤细，
两面均明显可见；叶柄短，两侧翼状。花黄绿色，侧生于小枝先端
或当年生小枝下部，通常数花簇生；无苞片；萼筒筒状，裂片长为
萼筒的 1/2 或与之等长；下轮雄蕊着生于萼筒的中部，上轮雄蕊着

东北瑞香

生于萼筒的喉部；花盘环状。果实肉质，卵形，幼时绿色，成熟时红色。花期 4 ~ 5 月，果期 8 ~ 9 月。

| 生境分布 |

生于海拔 800 ~ 1600m 的针阔叶混交林林下阴湿的藓褥上。分布于吉林白山（长白、抚松、临江）、延边（安图、和龙）、松原（扶余）等。

| 资源情况 |

野生资源稀少。药材主要来源于野生。

| 采收加工 |

夏、秋季采收，除去杂质和泥沙，晒干。

| 功能主治 |

苦、涩，凉。清热解毒，利水消肿，养肝明目，止痛。用于痈疽疮毒，肺痈，跌打损伤，刀伤出血。

瑞香科 Thymelaeaceae 草瑞香属 Diarthron

草瑞香 *Diarthron linifolium* Turcz.

草瑞香

| 植物别名 |

粟麻、元棍条。

| 药 材 名 |

草瑞香（药用部位：全草）。

| 形态特征 |

一年生草本，多分枝，扫帚状。小枝纤细，圆柱形，淡绿色，茎下部淡紫色。叶互生，稀近对生，散生于小枝上，草质，线形至线状披针形或狭披针形，先端钝圆形，基部楔形或钝形，全缘，微反卷。花绿色，顶生总状花序；无苞片；花梗短，先端膨大，萼筒细小，筒状，裂片4，卵状椭圆形，渐尖，直立或微开展；雄蕊4，稀5，1轮，着生于萼筒中部以上，不伸出，花药极小，宽卵形；花盘不明显；子房具柄，椭圆形，无毛，花柱纤细，柱头棒状，略膨大。果实卵形或圆锥状，黑色，为横断的宿存萼筒所包围，果实上部的萼筒长约1mm，宿存，基部具关节；果皮膜质，无毛。花期5～7月，果期6～8月。

| 生境分布 |

生于山坡草地、林缘灌丛、河滩地、石砾地、

砂质荒地、灌丛等。分布于吉林白城（通榆、镇赉、洮南、大安）、松原（前郭尔罗斯、长岭）、四平（双辽）、通化（通化、梅河口、二道江）等。

| **资源情况** | 野生资源较少。药材主要来源于野生。

| **采收加工** | 夏、秋季采收，除去杂质和泥沙，晒干。

| **功能主治** | 清热解毒，利水消肿，养肝明目。用于小便不利，水肿，目暗不明。

瑞香科 Thymelaeaceae 狼毒属 Stellera

狼毒 Stellera chamaejasme Linn.

| **植物别名** | 瑞香狼毒、火柴头花。

| **药 材 名** | 瑞香狼毒（药用部位：根。别名：续毒、绵大戟、红狼毒）。

| **形态特征** | 多年生草本，高 20 ~ 50cm。根茎木质，粗壮，圆柱形，不分枝或分枝，表面棕色，内面淡黄色。茎直立，丛生，不分枝，纤细，绿色，有时带紫色，无毛，草质，基部木质化，有时具棕色鳞片。叶散生，稀对生或近轮生，薄纸质，披针形或长圆状披针形，稀长圆形，长 12 ~ 28mm，宽 3 ~ 10mm，先端渐尖或急尖，稀钝形，基部圆形至钝形或楔形，上面绿色，下面淡绿色至灰绿色，全缘，不反卷或微反卷，中脉在上面扁平，在下面隆起，侧脉 4 ~ 6 对，第 2 对伸直达叶片的 2/3，两面均明显；叶柄短，长约 1.1mm，基部具关节，上面扁平或微具浅沟。花白色、黄色至带紫色，芳香，多花

狼毒

的头状花序顶生，圆球形，具绿色叶状总苞片；无花梗；萼筒细瘦，长 9 ~ 11mm，具明显纵脉，基部略膨大，无毛，裂片 5，卵状长圆形，长 2 ~ 4mm，宽约 2mm，先端圆形，稀截形，常具紫红色的网状脉纹；雄蕊 10，2 轮，下轮着生于萼筒的中部以上，上轮着生于萼筒的喉部，花药微伸出，花丝极短，花药黄色，线状椭圆形，长约 1.5mm；花盘一侧发达，线形，长约 1.8mm，宽约 0.2mm，先端微 2 裂；子房椭圆形，几无柄，长约 2mm，直径 1.2mm，上部被淡黄色丝状柔毛，花柱短，柱头头状，先端微被黄色柔毛。果实圆锥形，长 5mm，直径约 2mm，上部或顶部有灰白色柔毛，为宿存的萼筒所包围；种皮膜质，淡紫色。花期 4 ~ 6 月，果期 7 ~ 9 月。

| **生境分布** | 生于草原、干燥而向阳的高山草坡、草坪或河滩台地。分布于吉林白城（通榆、镇赉、大安）、松原（前郭尔罗斯、长岭、乾安）、通化（梅河口）、长春、吉林（磐石）、四平（双辽）等。

| **资源情况** | 野生资源稀少。药材主要来源于野生。

| **采收加工** | 秋季采挖，洗净，鲜用或切片晒干。

| **药材性状** | 本品为类圆形或长圆形块片，直径 1.5 ~ 8cm，厚 0.3 ~ 4cm。外皮棕黄色，切面纹理或环纹显黑褐色。水浸后有黏性，撕开可见黏丝。切面黄白色，有黄色不规则大理石样纹理或环纹。体轻，质脆，易折断，断面有粉性。气微，味微辛。

| **功能主治** | 辛、苦，平。归肺经。泻水逐饮，破积杀虫。用于水肿腹胀，痰食虫积，心腹疼痛，癥瘕积聚，结核，疥癣。

| **用法用量** | 内服煎汤，1 ~ 3g；或入丸、散。外用适量，研末调敷；或醋磨汁涂；或取鲜根去皮捣敷。

沙枣
Elaeagnus angustifolia Linn.

| **植物别名** | 胡颓子、银柳、沙枣子。

| **药 材 名** | 沙枣（药用部位：果实。别名：四味果、红豆、吉格达）。

| **形态特征** | 落叶乔木或小乔木，无刺或具刺，棕红色，发亮。幼枝密被银白色鳞片，老枝鳞片脱落，红棕色，光亮。叶薄纸质，矩圆状披针形至线状披针形，先端钝尖或钝形，基部楔形，全缘；叶柄纤细，银白色。花银白色，直立或近直立，密被银白色鳞片，芳香，常 1 ～ 3 花簇生于新枝基部最初 5 ～ 6 叶的叶腋；萼筒钟形，在裂片下面不收缩或微收缩，在子房上骤缩，裂片宽卵形或卵状矩圆形，先端钝渐尖；雄蕊几无花丝，花药淡黄色，矩圆形；花柱直立，无毛，上端甚弯曲；花盘明显，圆锥形，包围花柱的基部。果实椭圆形，粉红色，密被银白色鳞片；果肉乳白色，粉质；果柄短，粗壮。花期 5 ～ 6 月，

沙枣

果期 9 ～ 10 月。

| **生境分布** | 生于干涸河床地、山坡、多砾石或砂壤土上。分布于吉林白城、松原、四平等。吉林西部地区有栽培。

| **资源情况** | 野生资源稀少。吉林有栽培。药材主要来源于野生。

| **采收加工** | 秋季果实成熟时采收，晒干。

| **药材性状** | 本品呈矩圆形或近球形，长 1 ～ 2.5cm，直径 0.7 ～ 1.5cm。表面黄色、黄棕色或红棕色，具光泽，被稀疏银白色鳞毛。一端具果柄或果柄痕，另一端略凹陷，两端各有放射状短沟纹 8，密被鳞毛。果肉淡黄色，疏松，细颗粒状。果核卵形，表面有灰白色至灰棕色棱线和褐色条纹 8，纵向相间排列，一端有小突尖，质坚硬，剖开后内面有银白色鳞毛及长绢毛。种子 1。气微香，味甜、酸、涩。

| **功能主治** | 酸、微甘，凉。归肺、肝、脾、胃、肾经。健脾止泻，利尿固精，强壮，调经。用于消化不良，胃痛腹泻，月经不调，小便淋痛。

| **用法用量** | 内服煎汤，15 ～ 30g。

| **附　注** | 本种的成熟果实可以食用，用来制作果汁饮料等。

胡颓子科 Elaeagnaceae 沙棘属 Hippophae

沙棘 *Hippophae rhamnoides* Linn.

| **植物别名** | 中国沙棘、醋柳果、酸刺。

| **药 材 名** | 沙棘（药用部位：果实。别名：醋刺柳、酸刺、黑刺）。

| **形态特征** | 落叶灌木或乔木，棘刺较多，粗壮，顶生或侧生。嫩枝褐绿色，密被银白色而带褐色的鳞片或有时具白色星状柔毛，老枝灰黑色，粗糙；芽大，金黄色或锈色。单叶通常近对生，与枝条着生相似，纸质，狭披针形或矩圆状披针形，两端钝形或基部近圆形，基部最宽，上面绿色，初被白色盾形毛或星状柔毛，下面银白色或淡白色，被鳞片，无星状毛；叶柄极短，几无或长 1 ~ 1.5mm。花先叶开放，雌雄异株；短总状花序腋生于头年枝上，花小，淡黄色，花被 2 裂；雄花花序轴常脱落，雄蕊 4；雌花比雄花后开放，具短梗，花被筒囊状，先端 2 裂。果实圆球形，橙黄色或橘红色；种子小，阔椭圆形至卵形，

沙棘

有时稍扁，黑色或紫黑色，具光泽。花期 5 月，果期 9 ~ 10 月。

| **生境分布** | 生于山脊、谷地、干涸河床地或山坡，多生于砾石、砂壤土或黄土上。分布于吉林延边、白山（长白）、吉林（蛟河）等。吉林部分地区有栽培。

| **资源情况** | 野生资源较少。吉林有栽培。药材主要来源于栽培。

| **采收加工** | 秋季果实成熟时采收，除去杂质，干燥或蒸后干燥。

| **药材性状** | 本品呈类球形或扁球形，有的数个粘连，单个直径 5 ~ 8mm。表面橙黄色或棕红色，皱缩，先端有残存花柱，基部具短小果梗或果梗痕。果肉油润，质柔软。种子斜卵形，长约 4mm，宽约 2mm，表面褐色，有光泽，中间有 1 纵沟；种皮较硬，种仁乳白色，有油性。气微，味酸、涩。

| **功能主治** | 酸、涩，温。归脾、胃、肺、心经。健脾消食，止咳祛痰，活血散瘀。用于脾虚食少，食积腹痛，咳嗽痰多，气管炎，肺结核，咽喉肿痛，胸痹心痛，瘀血经闭，跌仆瘀肿。

| **用法用量** | 内服煎汤，3 ~ 9g；或入丸、散。外用适量，捣敷；或研末撒。

| **附 注** | 本种是一种落叶型灌木，其特性是耐旱、抗风沙，可以在盐碱化土地上生存，因此被广泛用于水土保持。本种为药食同源植物，在中国的分布资源最为丰富。本种的根、茎、叶、花、果实，特别是果实含有丰富的营养物质和生物活性物质，具有保护肝脏、健脑益智等作用，可以应用于食品、医药领域，还可广泛应用于轻工业、航天、农牧渔业等许多国民经济领域。本种的果实药用量不大，但作为加工饮料和食品的原料，用量却很大。吉林部分地区有引种栽培，将其用于防风护田和公路美化，由于数量较少，无药材商品产出。

鸡腿董菜 *Viola acuminata* Ledeb.

| **植物别名** | 胡森董菜、鸡腿菜、鸡蹬菜。

| **药材名** | 鸡腿董菜（药用部位：全草。别名：走边疆、红铧头草）。

| **形态特征** | 多年生草本，通常无基生叶。根茎较粗，垂直或倾斜。茎直立，通常 2 ~ 4 丛生。叶片心形、卵状心形或卵形，先端锐尖、短渐尖至长渐尖；叶柄下部者长达 6cm，上部者较短；托叶草质，叶状，通常羽状深裂成流苏状，或浅裂成牙齿状，边缘被缘毛。花淡紫色或近白色，具长梗；花梗细，通常均长于叶；萼片线状披针形，外面 3 较长而宽，先端渐尖；花瓣有褐色腺点，上方花瓣与侧方花瓣近等长，下方花瓣里面常有紫色脉纹；距通常直，呈囊状，末端钝；下方 2 雄蕊之距短而钝；子房圆锥状，花柱基部微向前膝曲，先端具短喙，喙端微向上撅，具较大的柱头孔。蒴果椭圆形，通常有黄

鸡腿董菜

褐色腺点，先端渐尖。花期5～6月，果期7～8月。

| **生境分布** |

生于林下、林缘、灌丛、河谷湿地、山坡草地。以长白山区为主要分布区域，分布于吉林延边、白山、通化、长春、吉林、辽源（东丰）、松原（扶余）等。

| **资源情况** |

野生资源较丰富。药材主要来源于野生。

| **采收加工** |

夏、秋季采收，晒干或鲜用。

| **药材性状** |

本品多皱缩成团。根数条，棕褐色。茎数支丛生，托叶羽状深裂，多卷缩成条状，叶片心形。有时可见椭圆形蒴果。气微，微苦。

| **功能主治** |

淡，寒。清热解毒，消肿止痛。用于肺热咳嗽，跌仆肿痛，疮疖肿毒。

| **用法用量** |

内服煎汤，9～15g，鲜品30～60g。外用适量，捣敷。

额穆尔堇菜 *Viola amurica* W. Beck.

| 药 材 名 | 额穆尔堇菜（药用部位：全草）。

| 形态特征 | 多年生草本，早期无地上茎，始花期时才抽出鞭状上升的地上茎。根茎短，稍粗，垂直或斜生，节间短缩，节上残存褐色的托叶痕。基生叶具细长的叶柄，叶片心形或肾状圆形，果期增大，先端钝或微尖，基部浅心形至深心形，边缘具平圆的锯齿，下面通常淡紫色，散生短毛或无毛；托叶小，近膜质，卵形或披针形，下半部与叶柄合生，上半部边缘疏生流苏状细齿；茎生叶通常着生于茎的上部，具短柄，叶片心状圆形或有时近肾形，先端短尖，托叶大，对生，宽卵形或半圆形，近全缘或具疏圆齿。花小，苍白色或带淡黄色，有长梗；花梗自基生叶叶腋抽出，中部以上有 2 线形小苞片；萼片披针形或卵状披针形，先端稍尖，基部附属物很短，末端截形或圆形，

额穆尔堇菜

具 3 脉，边缘膜质；花瓣长圆状倒卵形，里面无须毛，下方花瓣较短，有紫红色条纹；距短；子房无毛，花柱基部细，微向前膝曲，柱头顶部平，两侧及后方具直立的边缘，前方具稍斜上的短喙。蒴果长圆形，无毛。花期 6 月。

| **生境分布** | 生于山间湿草地、苔草草甸、泥炭藓沼泽地或溪谷旁，稀见于林内。以长白山区为主要分布区域，分布于吉林延边、白山、通化、吉林、辽源（东丰）等。

| **资源情况** | 野生资源较少。药材主要来源于野生。

| **采收加工** | 春、秋季采收，除去杂质，晒干。

| **功能主治** | 清热解毒，凉血止血。用于血热出血，热毒痈肿。

董菜科 Violaceae 董菜属 Viola

双花董菜 *Viola biflora* L.

双花董菜

| 植物别名 |

短距董菜、孪生董菜。

| 药 材 名 |

双花董菜（药用部位：全草。别名：谷穗补、短距董菜）。

| 形态特征 |

多年生草本。根茎细或稍粗壮，垂直或斜生，具结节，有多数细根。地上茎较细弱，2或数条簇生，直立或斜升，具3～5节。基生叶2至数枚，具长柄，叶片肾形、宽卵形或近圆形，先端钝圆，基部深心形或心形，边缘具钝齿；茎生叶具短柄，叶片较小；托叶与叶柄离生，卵形或卵状披针形，先端尖，全缘或疏生细齿。花黄色或淡黄色，在开花末期有时变为淡白色；花梗细弱，上部有2披针形小苞片；萼片线状披针形或披针形，先端急尖，基部附属物极短，具膜质缘；花瓣长圆状倒卵形，具紫色脉纹，下方花瓣连距长约1cm，距短筒状；下方雄蕊之距呈短角状；花柱棍棒状，基部微膝曲，上半部2深裂，裂片斜展。蒴果长圆状卵形。花期6～7月，果期8～9月。

| **生境分布** | 生于高山台地的草甸、灌丛、林缘、岩石缝隙间、暗针叶林或岳桦林的草地、林下、高山冻原带上。分布于吉林白山（长白、抚松）、延边（安图、敦化）、长春（九台）等。 |

| **资源情况** | 野生资源较少。药材主要来源于野生。 |

| **采收加工** | 夏季采收，洗净，鲜用或晒干。 |

| **功能主治** | 辛、微酸，平。归肺、肝经。活血散瘀，止血。用于跌打损伤，吐血，急性肺炎，肺出血。 |

| **用法用量** | 内服煎汤，9 ~ 15g。外用适量，捣敷。 |

| **附　注** | 本种为吉林省Ⅲ级重点保护野生植物。 |

南山董菜 *Viola chaerophylloides* (Regel) W. Beck.

| 植物别名 | 胡董草、胡董菜、细芹叶董。

| 药 材 名 | 冲天伞（药用部位：全草。别名：蜈蚣草、泥鳅草）。

| 形态特征 | 多年生草本，无地上茎，花期较矮小，果期高可达 30cm 或更高。根茎直立，较短粗。基生叶 2 ~ 6，具长柄；叶片 3 全裂，裂片具明显的短柄，侧裂片 2 深裂，中央裂片 2 ~ 3 深裂，最终裂片的形状和大小变异幅度较大，卵状披针形、披针形、长圆形、线状披针形，边缘具不整齐的缺刻状齿或浅裂，有时深裂，先端钝或尖；托叶膜质。花较大，白色、乳白色或淡紫色，有香味；花梗通常呈淡紫色；小苞片线形或线状披针形；萼片长圆状卵形或狭卵形；花瓣宽倒卵形，上方花瓣长 13 ~ 15mm，侧方花瓣长约 15mm，下方花瓣有紫色条纹，连距长 16 ~ 20mm；距长而粗。蒴果大，长椭圆状，先端尖；种子

南山董菜

多数，卵状。花期 5 ～ 6 月，果期 7 ～ 8 月。

| 生境分布 | 生于山地阔叶林林下或林缘、溪谷阴湿处、阳坡灌丛或草坡。以长白山区为主要分布区域，分布于吉林延边、白山、通化、吉林、辽源（东丰）、松原（扶余）等。

| 资源情况 | 野生资源较少。药材主要来源于野生。

| 采收加工 | 夏季采收，鲜用或晒干。

| 功能主治 | 辛，寒。清热止咳，解毒散瘀。用于风热咳嗽，疮痈肿毒，跌打肿痛，外伤出血，蛇咬伤。

| 用法用量 | 内服煎汤，9 ～ 15g。外用适量，捣敷。

| 附　　注 | 本种的叶形变化虽大，但叶片通常 3 全裂，裂片有明显的短柄，侧裂片 2 深裂，中裂片 2 ～ 3 深裂；花较大，白色、乳白色或淡紫色，下方花瓣有紫色条纹，萼片基部的附属物发达，末端具不整齐的齿裂，果期宿存而明显，易与裂叶堇菜 *Viola dissecta* Ledeb. 相区别。

董菜科 Violaceae 董菜属 Viola

球果董菜
Viola collina Bess.

| 植物别名 | 毛果董菜、山葫芦苗、大细辛。

| 药 材 名 | 地核桃（药用部位：全草。别名：山核桃、箭头草、匙头菜）。

| 形态特征 | 多年生草本。根茎粗而肥厚，具结节，长 2 ~ 6cm。叶均基生，呈莲座状；叶片宽卵形或近圆形，先端钝、锐尖或稀渐尖，果期叶片显著增大，基部心形；叶柄具狭翅，被倒生短柔毛，花期长 2 ~ 5cm，果期长达 19cm；托叶膜质，披针形。花淡紫色，具长梗；萼片长圆状披针形或披针形；花瓣基部微带白色，上方花瓣及侧方花瓣先端钝圆，侧方花瓣里面有须毛或近无毛；下方花瓣的距白色，较短，平伸而稍向上方弯曲，末端钝；子房被毛，花柱基部膝曲，向上渐增粗，常疏生乳头状突起，顶部向下方弯曲成钩状喙，喙端具较细的柱头孔。蒴果球形，密被白色柔毛，成熟时果梗通常向下方弯曲，

球果董菜

致使果实接近地面。花期 5 ~ 6 月，果期 7 ~ 8 月。

| **生境分布** | 生于林下、林缘、山坡草地。以长白山区为主要分布区域，分布于吉林延边、白山、通化、长春、吉林、辽源（东丰）、松原（扶余）、白城（洮南）等。

| **资源情况** | 野生资源较丰富。药材主要来源于野生。

| **采收加工** | 夏、秋季采收，洗净，鲜用或晒干。

| **药材性状** | 本品多皱缩成团，深绿色或枯绿色。根茎稍长，主根圆锥形。全株有茸毛，叶基生，湿润展平后，叶片呈心形或近圆形，先端钝或圆，基部稍呈心形，边缘有浅锯齿。花基生，具柄，淡棕紫色，两侧对称。蒴果球形，具毛茸，果梗下弯。气微，味微苦。

| **功能主治** | 苦、涩，凉。归肺经。清热解毒，消肿止痛。用于痈疽疮毒，肺痈，跌打损伤，刀伤出血。

| **用法用量** | 内服煎汤，9 ~ 15g，鲜品15 ~ 30g；或浸酒。外用适量，捣敷。

董菜科 Violaceae 董菜属 Viola

掌叶董菜 *Viola dactyloides* Roem. et Schult.

掌叶董菜

| 药 材 名 |

掌叶董菜（药用部位：全草）。

| 形态特征 |

多年生草本，无地上茎，高 7 ~ 20cm。根茎短，长 6 ~ 20mm，稍斜生，具多数赤褐色根。叶基生，具长柄；叶片掌状 5 全裂，裂片长圆形、长圆状卵形或宽披针形，花期长 3 ~ 4cm，宽 0.5 ~ 1cm（果期稍长），先端稍尖，基部渐狭并具短柄，柄上被白色细毛或无毛，边缘具稀疏钝锯齿或微呈波状或具浅缺刻状齿，有时有的裂片再 2 ~ 3 浅裂至深裂，上面无毛或疏生细毛，下面沿叶脉及边缘毛较多；叶柄长可达 15cm，通常下部有白色细毛，后渐变无毛；托叶干膜质，淡绿色，卵状披针形，约 1/2 以上与叶柄合生，离生部分先端长渐尖，全缘或疏生流苏状细齿。花大，淡紫色，具长梗；花梗通常不长于叶，深绿色，无毛，中部以下有 2 小苞片；小苞片小，线形，长 5 ~ 8mm，全缘或疏生少数细齿；萼片长圆形或披针形，长约 8mm，先端稍钝，基部附属物短，长仅 1 ~ 1.5mm，末端截形，具 3 脉，具狭膜质边缘；上方花瓣宽倒卵形，长约 16mm，宽约 8.5mm，具长约 4.5mm 的爪部，侧方花瓣长圆状倒卵形，长约 15mm，宽约 7mm，里面基部有明显的长须毛，下方花瓣倒卵形，连距长 2 ~ 2.3cm；距长而粗，长 5 ~ 6mm，直径约 2.5mm，微向上方弯，末端钝；花药长约 2mm；药隔先端附属物长约 2mm，下方 2 雄蕊之距细长，长约 4mm，直径 0.2 ~ 0.6mm；子房卵球形，长约 2mm，无毛，花柱基部细并向前方膝曲，上部明显增粗，柱头 2 裂，两侧稍增厚成狭而直立的边缘，中央部分稍凹，前方具斜升而较粗的短喙，喙端具较粗的柱头孔。蒴果椭圆形，长约 7mm，无毛，先端尖，未成熟前带紫色；种子卵球形，长约 2.5mm，直径约 2mm，棕红色。花果期 5 ~ 8 月。

| 生境分布 | 生于山地落叶阔叶林及针阔叶混交林林下或林缘腐殖质层较厚的土壤上，灌丛或岩石阴处缝隙中也有生长。以长白山区为主要分布区域，分布于吉林延边、白山、通化、吉林、辽源（东丰）等。

| 资源情况 | 野生资源较少。药材主要来源于野生。

| 采收加工 | 夏、秋季采收，洗净，阴干或晒干。

| 功能主治 | 解毒疗疮。用于疮痈肿毒。

| 附   注 | 本种为吉林省 II 级重点保护野生植物。

董菜科 Violaceae　董菜属 Viola

大叶董菜
Viola diamantiaca Nakai

| 植物别名 | 寸节草、大铧头草、白铧头草。

| 药 材 名 | 寸节七（药用部位：全草。别名：大铧头草、大叶董菜）。

| 形态特征 | 多年生草本，无地上茎，有细长的匍匐枝。根茎稍粗，斜生或横走，节较密，有多数细长的褐色根。基生叶 1，稀 2 或 3 自根茎的先端发出；叶片绿色，质地较薄，心形或卵状心形，先端尾状渐尖，基部浅或深心形，边缘具钝齿，齿端有明显的腺体，上面绿色无毛，下面苍绿色，脉上被细毛；叶柄细，长可达 20cm 或更长，有翅，通常上部被细毛，下部无毛；托叶离生，淡绿色，干后近膜质，披针形或狭卵状披针形，长约 1cm，先端渐尖，边缘疏生细齿。花大，淡紫董色或苍白色，具长梗；花梗单一，细弱，中部稍上处有 2 较小的披针形小苞片；萼片卵状披针形，无毛，基部附属物短；侧瓣

大叶董菜

长 1.5 ~ 1.7cm，里面无须毛，下瓣连距长 1.8 ~ 2cm；距较短粗，末端钝。蒴果表面具紫红色斑点，长约 1.3cm。花期 5 ~ 6 月，果期 6 ~ 7 月。

| **生境分布** | 生于山地阔叶林林下或林缘腐殖质土层较浅而有一定湿度的岩石上。分布于吉林通化、白山等。

| **资源情况** | 野生资源稀少。药材主要来源于野生。

| **采收加工** | 夏末采收，洗净，阴干或鲜用。

| **功能主治** | 苦、辛，凉。清热解毒，止血。用于疮疖肿毒，睑腺炎，毒蛇咬伤，肺结核，外伤出血，跌打损伤。

| **用法用量** | 内服煎汤，6 ~ 9g。外用适量，捣敷。

菫菜科 | Violaceae | 菫菜属 | *Viola*

裂叶菫菜
Viola dissecta Ledeb.

裂叶菫菜

| 植物别名 |

深裂叶菫菜。

| 药 材 名 |

裂叶菫菜(药用部位:全草。别名:疗毒草)。

| 形态特征 |

多年生草本,无地上茎,植株高度变化大,花期高 3 ~ 17cm,果期高 4 ~ 34cm。根茎垂直,缩短。基生叶叶片呈圆形、肾形或宽卵形,两侧裂片具短柄,常 2 深裂,中裂片 3 深裂,裂片线形、长圆形或狭卵状披针形;托叶近膜质,苍白色至淡绿色,2/3 以上与叶柄合生。花较大,淡紫色至紫菫色;花梗通常与叶等长或稍长于叶,果期通常比叶短;萼片卵形、长圆状卵形或披针形,长 4 ~ 7mm;上方花瓣长倒卵形,长 8 ~ 13mm,侧方花瓣长圆状倒卵形,长 7 ~ 10mm,下方花瓣连距长 1.4 ~ 2.2cm;距明显,圆筒形;花药长 1.5 ~ 2mm,下方雄蕊之距细长,长 3 ~ 5mm;子房卵球形,长约 1.8mm,花柱棍棒状,长 2 ~ 2.5mm,基部稍细并微向前方膝曲。蒴果长圆形或椭圆形,长 7 ~ 18mm,先端尖,果皮坚硬。花期 5 ~ 6月,果期 8 ~ 9月。

| **生境分布** | 生于山坡草地、杂木林缘、灌丛或田边、路旁等。吉林各地均有分布。

| **资源情况** | 野生资源较丰富。药材主要来源于野生。

| **采收加工** | 春、秋季采收，除去杂质，晒干。

| **功能主治** | 苦，凉。清热解毒，消肿散结。用于无名肿毒，疮疖，淋浊，肾炎，带下。

| **用法用量** | 内服煎汤，6 ~ 9g。外用适量，捣敷。

| **附　　注** | 本种生长在低海拔地区的林缘或林下较肥沃而湿润土壤上的植株较高大，叶的裂片较宽，花大；在海拔 1500 ~ 2200m 的山地草原生长的植株通常较低矮，叶的裂片狭而细，花亦小。其高大类型与南山堇菜 *Viola chaerophylloides* (Regel) W. Beck. 的形态相似，但本种高大类型的花较小，呈淡紫色或紫堇色，萼片的附属物极短，叶裂片在果期通常呈厚纸质，深绿色，下面的叶脉明显隆起，可以以此区别。

总裂叶董菜 *Viola fissifolia* Kitag.

药 材 名	总裂叶董菜（药用部位：全草）。
形态特征	多年生草本，无地上茎，全体密被白色短柔毛。根茎短粗，常纵裂，具多条较粗壮而肥厚的灰褐色支根。基生叶 4 ~ 8；叶片卵形，果期增大，长可达 5cm，先端稍尖，基部宽楔形，边缘缺刻状浅裂至中裂，下部裂片通常具 2 ~ 3 不整齐的钝齿，两面密被白色短柔毛；叶柄上部具极狭的翅，密被白色短柔毛；托叶近膜质，1/2 以上与叶柄合生，离生部分线状披针形或线形，全缘。花大，紫董色，具长梗；花梗细，高于叶，密被短柔毛，在中部稍上处有 2 长为 8 ~ 12mm 的线形小苞片；萼片卵状披针形，先端稍尖，边缘狭膜质，具 3 脉，基部附属物较短，边缘具缘毛，末端近截形，通常有不整齐的缺刻状齿裂；花瓣长圆形，先端圆，基部渐狭，侧方花瓣里面

总裂叶董菜

基部有稀疏的须毛，下方花瓣连距长约 2cm，距管状，直或稍弯曲，末端圆；子房无毛。花期 4 ~ 5 月。

| **生境分布** | 生于山地林缘、采伐迹地的草地、山间荒坡草地。分布于吉林延边、白山、通化等。

| **资源情况** | 野生资源较少。药材主要来源于野生。

| **采收加工** | 春、秋季采收，除去杂质，晒干。

| **功能主治** | 清热解毒，凉血止血。用于血热出血，热毒痈肿。

董菜科 | Violaceae 董菜属 | Viola

白花董菜
Viola lactiflora Nakai

| **药 材 名** | 白花董菜（药用部位：全草）。

| **形态特征** | 多年生草本，无地上茎，高 10 ~ 18cm。根茎稍粗，垂直或斜生。叶多数，均基生；叶片长三角形或长圆形，先端钝，基部明显浅心形或截形，有时稍呈戟形，边缘具钝圆齿；叶柄长 1 ~ 6cm；托叶明显，淡绿色或略呈褐色。花白色，中等大小；萼片披针形或宽披针形，先端渐尖，基部附属物短而明显；花瓣倒卵形，下方花瓣较宽，先端无微缺，末端具明显的筒状距；花药与药隔先端附属物近等长；子房无毛，花柱棍棒状，基部细，稍向前膝曲，向上渐增粗，柱头两侧及后方稍增厚成狭的边缘，前方具短喙，喙端有较细的柱头孔。蒴果椭圆形，无毛，先端常有宿存的花柱；种子卵球形，呈淡褐色。花期 5 ~ 6 月，果期 6 ~ 7 月。

白花董菜

| **生境分布** | 生于山坡阴湿草地、草坡、林缘、灌丛等较潮湿的地方。分布于吉林延边（龙井、汪清）、通化（梅河口、辉南）、长春（九台）等。 |

| **资源情况** | 野生资源较少。药材主要来源于野生。 |

| **采收加工** | 春、秋季采收，除去杂质，晒干。 |

| **功能主治** | 养阴润燥，除烦止痛。用于五劳七伤，全身疼痛。 |

| **附　注** | 本种与紫花地丁 *Viola philippica* Cav. 的形态相似，但本种的花呈乳白色，下方花瓣具较短而粗的筒状距，叶片三角形或长三角形，通常无毛，基部浅心形或截形，叶柄无翅，可以以此区别。 |

| 董菜科 | Violaceae | 董菜属 | Viola

东北董菜 *Viola mandshurica* W. Beck.

| **植物别名** | 地丁、地丁草、满洲董菜。

| **药 材 名** | 东北董菜（药用部位：全草。别名：董董菜、紫花地丁）。

| **形态特征** | 多年生草本，无地上茎。根茎缩短，节密生，呈暗褐色。叶3或5以至多数，皆基生；叶片长圆形、舌形、卵状披针形，下部者通常较小，呈狭卵形，花期后叶片渐增大，呈长三角形、椭圆状披针形，稍呈戟形，最宽处位于叶的最下部；叶柄较长，长2.5～8cm，上部具狭翅。花紫董色或淡紫色，较大；花梗细长，通常在中部以下或近中部处具2线形苞片；萼片卵状披针形或披针形；上方花瓣倒卵形，长11～13mm，侧方花瓣长圆状倒卵形，下方花瓣连距长15～23mm，距圆筒形；雄蕊的药隔先端附属物长约1.5mm；子房卵球形，花柱棍棒状，基部细而向前方膝曲。蒴果长圆形，先端尖；

东北董菜

种子多数，卵球形，淡棕红色。花期5～6月，果期8～9月。

| **生境分布** | 生于林缘、灌丛、河谷湿地、山坡草地、荒地或疏林地。以长白山区为主要分布区域，分布于吉林延边、白山、通化、长春、吉林、辽源（东丰）、白城（洮南）等。

| **资源情况** | 野生资源较丰富。药材主要来源于野生。

| **采收加工** | 春、秋季采收，除去杂质，晒干。

| **药材性状** | 本品多皱缩成团。根细长，深褐色或灰白色。基生叶卵状披针形或条形，先端钝圆，边缘波状，基部下延至叶柄。质脆，易碎。气微，味微苦。

| **功能主治** | 苦、辛，寒。清热解毒，凉血消肿。用于结膜炎，咽炎，黄疸性肝炎，淋巴结结核；外用于痈疽疔疮。

| **用法用量** | 内服煎汤，15～30g。外用适量，鲜品捣敷。

菫菜科 Violaceae 菫菜属 Viola

奇异菫菜 *Viola mirabilis* L.

| **植物别名** | 伊吹菫菜、见肿消、地丁。

| **药材名** | 奇异菫菜（药用部位：全草）。

| **形态特征** | 多年生草本。根茎斜升或直立，长可达 4cm。茎直立，中部通常仅生 1 叶片，上部密生叶片。叶片宽心形或肾形，先端圆或具短尖，基部为开展的心形，边缘具浅圆齿，在花期两侧常内卷；基生叶叶柄较长，茎生叶叶柄长短不等，中部的叶柄长约 8cm；托叶大，基部者鳞片状，卵形，长约 1cm，上部者宽披针形，茎生叶者披针形。花较大，淡紫色或紫菫色，生于基生叶叶腋者通常不结实，生于茎生叶叶腋者能结实；萼片长圆状披针形、卵状披针形或披针形；花瓣倒卵形，下花瓣连距长达 2cm；距较粗，通常向上弯，稀直，末端钝；花柱基部近直立或微向前曲，上部稍增粗，先端微弯，具短喙，

奇异菫菜

无乳头状突起，喙端微向上吸，柱头孔较狭。蒴果椭圆形。花期 5 ~ 6 月，果期 7 ~ 8 月。

| **生境分布** | 生于阔叶林或针阔叶混交林林下、林缘、河谷湿地、山坡草地等。以长白山区为主要分布区域，分布于吉林延边、白山、通化、吉林、辽源（东丰）等。

| **资源情况** | 野生资源较少。药材主要来源于野生。

| **采收加工** | 春、秋季采收，除去杂质，晒干。

| **药材性状** | 本品多皱缩成团，深绿色或枯绿色。根茎稍长，易折断。叶多易碎，完整叶呈心形或近圆形。蒴果椭圆形。气微，味微苦。

| **功能主治** | 清热解毒，凉血消肿，散瘀。用于咽喉痛，腮腺炎，目赤黄疸，疔疮痈肿，烫火伤，毒蛇咬伤。

菫菜科 Violaceae 菫菜属 Viola

蒙古菫菜
Viola mongolica Franch.

| **植物别名** | 白花菫菜。

| **药 材 名** | 蒙古菫菜（药用部位：全草）。

| **形态特征** | 多年生草本，无地上茎。根茎稍粗壮，垂直或斜生。叶数枚，基生；叶片卵状心形、心形或椭圆状心形，果期叶片较大，先端钝或急尖，基部浅心形或心形，边缘具钝锯齿；叶柄具狭翅，无毛；托叶 1/2 与叶柄合生，离生部分狭披针形，边缘疏生细齿。花白色；花梗细，通常高于叶，近中部有 2 线形小苞片；萼片椭圆状披针形或狭长圆形，先端钝或尖，基部附属物长 2 ~ 2.5mm，末端浅齿裂，具缘毛；侧方花瓣里面近基部稍有须毛，下方花瓣连距长 1.5 ~ 2cm，中下部有时具紫色条纹，距管状，稍向上弯，末端钝圆；子房无毛，花柱基部稍向前膝曲，向上渐增粗，柱头两侧及后方具较宽的边缘，前

蒙古菫菜

方具短喙，喙端具微向上的柱头孔。蒴果卵形。花期5～6月，果期6～7月。

| **生境分布** | 生于阔叶林林下、针叶林林下、林缘草地、山坡、砂石地。吉林各地均有分布。

| **资源情况** | 野生资源较少。药材主要来源于野生。

| **采收加工** | 春、秋季采收，除去杂质，晒干。

| **功能主治** | 苦，寒。清热解毒，凉血消肿。用于疔疮肿毒，痈疽发背，丹毒，毒蛇咬伤。

大黄花菫菜
Viola muehldorfii Kiss.

| **药 材 名** | 大黄花菫菜（药用部位：全草）。

| **形态特征** | 多年生草本。根茎细长而横走，节间较长，节上有白色干膜质小鳞片，生白色细根。地上茎直立，不分枝，被白色开展的长毛或下部近无毛，基部通常有一卵形的白色膜质小鳞片。基生叶 1 ~ 3，叶片心形或肾形，先端具短尖，基部心形，边缘具稍向内弯的锯齿及缘毛，两面疏被白色细毛，但下面脉上的毛较密；茎生叶通常 3，稀 4，下方的 1 叶片圆心形，先端渐尖，基部宽心形，具叶柄，柄上密生长细毛，上方 2 叶片生于茎顶，近对生，卵形，先端渐尖或急尖，基部浅心形，两面被白色细毛，具短柄或近无柄，托叶 2，对生，与叶柄离生，卵形，先端急尖，全缘或具腺状锯齿。花金黄色，生于茎顶第 2 叶的叶腋内；花梗无毛，在上部弯曲处有 2 宽卵形的小

大黄花菫菜

苞片；萼片长卵形或披针形，全缘，通常无毛，具 3 脉，基部的附属物短。蒴果椭圆形，先端稍尖，通常有宿存的花柱；种子球形，苍白色，有白色附属体。花期 5 月中下旬至 6 月下旬，果期 6 ~ 7 月。

| 生境分布 | 生于针阔叶混交林林下、林缘腐殖质较丰富的湿润土壤、溪边。分布于吉林通化（二道江）、延边（图们、汪清、和龙）等。

| 资源情况 | 野生资源较少。药材主要来源于野生。

| 采收加工 | 春、秋季采收，除去杂质，晒干。

| 功能主治 | 祛风，解毒。用于痈疮肿毒。

| 董菜科 | Violaceae | 董菜属 | *Viola*

东方董菜 *Viola orientalis* (Maxim.) W. Beck.

| **植物别名** | 黄花董菜。

| **药 材 名** | 东方董菜（药用部位：全草）。

| **形态特征** | 多年生草本。根茎粗壮；根多数。地上茎直立。基生叶叶片卵形、宽卵形或椭圆形，先端尖，基部心形；茎生叶 3（~ 4），上方 2 具短柄，呈对生状，下方 1 叶柄较长，与上方叶片疏离，托叶小，仅基部与叶柄合生，分离部分呈卵形，长 1 ~ 2mm，全缘或疏生细锯齿。花黄色，直径约 2mm，通常 1 ~ 3，生于茎生叶叶腋；花梗长 1 ~ 3cm；小苞片 2，小形，位于花梗上部，通常对生，卵形；萼片披针形或长圆状披针形，长 5 ~ 7mm，先端尖；花瓣倒卵形，上方花瓣与侧方花瓣向外翻转，上方花瓣里面有暗紫色纹，下方花瓣较短，连距长 10 ~ 15mm；具囊状短距，距长 1 ~ 2mm；下方雄蕊之距宽

东方董菜

约 0.5mm。蒴果椭圆形或长圆形；种子卵球形。花期 4 ~ 5 月，果期 5 ~ 6 月。

| **生境分布** | 生于林下、林缘草地、灌丛、山坡草地等。以长白山区为主要分布区域，分布于吉林延边、白山、通化、吉林、辽源（东丰）等。

| **资源情况** | 野生资源较少。药材主要来源于野生。

| **采收加工** | 春、秋季采收，除去杂质，晒干。

| **功能主治** | 苦、辛，寒。清热解毒，凉血消肿。用于疔疮肿毒，痈疽发背，丹毒，毒蛇咬伤。

菫菜科 Violaceae 菫菜属 Viola

白花地丁

Viola patrinii DC. ex Ging.

白花地丁

| 药 材 名 |

白花地丁（药用部位：全草）。

| 形态特征 |

多年生草本，无地上茎。根茎短而稍粗，垂直，深褐色或带黑色。根长而较粗，带黑色或深褐色，通常向下直伸或稍横生，常由根茎的一处发出。叶通常 3 ～ 5 或更多，均基生；叶片较薄，长圆形、椭圆形、狭卵形或长圆状披针形，先端圆钝，基部截形、微心形或宽楔形，下延于叶柄，边缘两侧近平行，疏生波状浅圆齿或有时近全缘，两面无毛，或叶脉上有细短毛；叶柄细长，通常比叶片长 2 ～ 3 倍，无毛或疏生细短毛，上部具明显的或狭或稍宽的翅；托叶绿色，约 2/3 与叶柄合生，离生部分线状披针形，先端渐尖，边缘疏生细齿或全缘。花中等大小，白色，带淡紫色脉纹；花梗细弱，通常高于叶或与叶近等长，无毛或疏生细短毛，在中部以下有 2 线形小苞片；萼片卵状披针形或披针形，先端稍尖或微钝，基部具短而钝的附属物（长约 1mm）。蒴果无毛；种子卵球形，黄褐色至暗褐色。花果期 5 ～ 9 月。

| **生境分布** | 生于向阳山坡草地、沼泽化草甸、草甸、河岸湿地、灌丛或林缘较阴湿地带。以长白山区为主要分布区域，分布于吉林延边、白山、通化、吉林、辽源（东丰）等。

| **资源情况** | 野生资源较少。药材主要来源于野生。

| **采收加工** | 夏、秋季采收，洗净，除去杂质，鲜用或晒干。

| **功能主治** | 清热解毒，散瘀消肿。用于肠痈，疔疮，红肿疮毒，黄疸，淋浊，目赤生翳。

| **附　注** | 本种与东北堇菜 *Viola mandshurica* W. Beck. 的形态相似，但本种的花较小，白色，下方花瓣有紫色条纹，距较短而粗，呈囊状，下方2雄蕊的距短而粗，柱头顶部平坦，呈三角形，叶柄较叶片长2～3倍；而后者花较大，呈紫堇色或淡紫色，距较长而粗，呈圆筒状，下方2雄蕊的距细长，柱头两侧略增厚成薄而直伸的边缘，可以以此区别。

茜董菜
Viola phalacrocarpa Maxim.

| **植物别名** | 白果董菜、秃果董菜。

| **药 材 名** | 茜董菜（药用部位：全草）。

| **形态特征** | 多年生草本，无地上茎，花期较低矮，果期显著增高。根茎短粗；根较粗而长。叶均基生，莲座状，最下方叶片常呈圆形，其余叶片呈卵形或卵圆形，先端钝或稍尖，边缘具低而平的圆齿；叶柄长而细；外围托叶呈膜质，苍白色。花紫红色，有深紫色条纹；花梗细弱，通常高于叶或与叶近等长，中部以上有 2 线形小苞片；萼片披针形或卵状披针形，连附属物长 6 ~ 7mm，上方花瓣倒卵形，下方花瓣连距长 1.7 ~ 2.2mm；雄蕊 5，药隔先端附属物长约 1.5mm，花药长约 2mm；子房卵球形，花柱棍棒状，基部膝曲，向上部明显增粗，柱头孔较粗。蒴果椭圆形，幼果密被短粗毛，成熟时毛渐变稀疏；

茜董菜

种子卵球形，红棕色。花期 5 ~ 6 月，果期 6 ~ 7 月。

| **生境分布** | 生于林缘、灌丛、河谷湿地、山坡草地。以长白山区为主要分布区域，分布于吉林延边、白山、通化、吉林、辽源（东丰）等。

| **资源情况** | 野生资源较少。药材主要来源于野生。

| **采收加工** | 春、秋季采收，除去杂质，晒干。

| **药材性状** | 本品多皱缩，黄褐色或浅绿色。根茎黄褐色，表面具众多横纹，多须根。叶基生，莲座状，具细长柄，完整叶常呈圆形、卵形或卵圆形，质脆，易碎。蒴果椭圆形。种子卵球形，红棕色。气微，味微苦。

| **功能主治** | 清热解毒，消肿。用于肠炎，痢疾，湿热黄疸，小儿鼻衄，前列腺炎，疔疮痈肿。

紫花地丁
Viola philippica Cav.

| 植物别名 | 光瓣董菜、辽董菜、地丁草。

| 药 材 名 | 紫花地丁（药用部位：全草。别名：铧头草、光瓣董菜）。

| 形态特征 | 多年生草本，无地上茎。根茎短，垂直，淡褐色，节密生，有数条淡褐色或近白色的细根。叶多数，基生，莲座状；叶片下部者通常较小，呈三角状卵形或狭卵形，上部者较长，呈长圆形、狭卵状披针形或长圆状卵形，先端圆钝，基部截形或楔形，稀微心形，边缘具较平的圆齿，两面无毛或被细短毛，有时仅下面沿叶脉被短毛，果期叶片增大；叶柄在花期通常长于叶片1～2倍，上部具极狭的翅，果期上部具较宽的翅，无毛或被细短毛；托叶膜质，苍白色或淡绿色，2/3～4/5与叶柄合生，离生部分线状披针形，边缘疏生具腺体的流苏状细齿或近全缘。花中等大小，紫董色或淡紫色，稀呈白色，喉部颜色较淡并带有紫色条纹；花梗通常多数，细弱，与叶片等长或

紫花地丁

高于叶片，无毛或有短毛，中部附近有 2 线形小苞片；萼片卵状披针形或披针形，先端渐尖，基部附属物短，末端圆形或截形，边缘具膜质白边，无毛或有短毛。蒴果长圆形，无毛；种子卵球形，淡黄色。花果期 4 月中下旬至 9 月。

| **生境分布** | 生于林下、山坡、草地或林缘等。吉林各地均有分布。

| **资源情况** | 野生资源较丰富。药材主要来源于野生。

| **采收加工** | 春、秋季采收，除去杂质，晒干。

| **药材性状** | 本品多皱缩成团。主根长圆锥形，直径 1～3mm，淡黄棕色，有细纵皱纹。叶基生，灰绿色，展平后叶片呈披针形或卵状披针形，长 1.5～6cm，宽 1～2cm，先端钝，基部截形或稍心形，边缘具钝锯齿，两面有毛；叶柄细，长 2～6cm，上部具明显的狭翅。花茎纤细，花瓣 5，紫堇色或淡棕色，花距细管状。蒴果椭圆形或 3 裂。种子多数，淡棕色。气微，味微苦而稍黏。以色绿、根黄者为佳。

| **功能主治** | 苦、辛，寒。归心、肝经。清热解毒，凉血消肿。用于疔疮，喉痹，乳腺炎，腮腺炎，阑尾炎，痢疾，麻疹热毒，肿毒，痈疽发背，丹毒，毒蛇咬伤。

| **用法用量** | 内服煎汤，15～30g。外用适量，鲜品捣敷。

| **附　注** | （1）本种与早开堇菜 *Viola prionantha* Bunge 的形态相似，但本种叶片较狭长，通常呈长圆形，基部截形，花较小，距较短而细，始花期通常较早开堇菜稍晚，可以以此区别。

（2）本种在吉林产量大，且药用历史较久。在《长白汇征录》（1910）、《桦甸县志未是稿》（1931）等地方志中均有关于"紫花地丁"的记载。

（3）目前国内药材市场流通的地丁商品比较混杂，有甜地丁、苦地丁、紫花地丁等，有的商家也把罂粟科植物紫堇（亦有人称之为苦地丁）当作紫堇地丁进行经营，应加以区别。吉林本种资源丰富，但并无药材商品产出，主要是没有商家收购，今后要加强对本种药材资源的开发与利用。

（4）2020 年版《中国药典》记载本种的拉丁学名为 *Viola yedoensis* Makino。

菫菜科 Violaceae 菫菜属 Viola

早开菫菜
Viola prionantha Bunge

| 植物别名 | 光瓣菫菜、尖瓣菫菜。

| 药 材 名 | 早开菫菜（药用部位：全草）。

| 形态特征 | 多年生草本，无地上茎。叶多数，均基生；叶片在花期呈长圆状卵形、卵状披针形或狭卵形，先端稍尖或钝，基部微心形、截形或宽楔形，稍下延；果期叶片显著增大；叶柄较粗壮；托叶苍白色或淡绿色。花大，紫菫色或淡紫色，喉部色淡并有紫色条纹，直径 1.2 ~ 1.6cm；花梗较粗壮，在近中部处有 2 线形小苞片；萼片披针形或卵状披针形，长 6 ~ 8mm；上方花瓣倒卵形，长 8 ~ 11mm，侧方花瓣长圆状倒卵形，长 8 ~ 12mm，下方花瓣连距长 14 ~ 21mm；药隔先端附属物长约 1.5mm，花药长 1.5 ~ 2mm，下方 2 雄蕊背部的距长约 4.5mm；子房长椭圆形。蒴果长椭圆形，长 5 ~ 12mm；种子多数，

早开菫菜

卵球形。花期 4～5 月，果期 6～7 月。

| **生境分布** | 生于向阳山坡、草地、荒地、沟边、灌丛或林缘。分布于吉林延边、白山、通化等。

| **资源情况** | 野生资源较丰富。药材主要来源于野生。

| **采收加工** | 春、秋季采收，除去杂质，晒干。

| **功能主治** | 清热解毒，凉血消肿。用于痈疖，丹毒，乳腺炎，目赤肿痛，咽炎，黄疸性肝炎，肠炎，毒蛇咬伤。

| **用法用量** | 内服煎汤，15～30g。外用适量，鲜品捣敷。

堇菜科 Violaceae 堇菜属 Viola

库页堇菜 *Viola sacchalinensis* H. de Boiss.

| **植物别名** | 一口血。

| **药 材 名** | 库页堇菜（药用部位：全草）。

| **形态特征** | 多年生草本，开始无地上茎，高 2 ～ 5cm，后逐渐抽出地上茎。根茎细，残存褐色鳞片状托叶。叶片心形、卵状心形或肾形，先端钝圆，基部心形或宽心形，边缘具钝锯齿；叶柄细，上部者较短；托叶卵状披针形或狭卵形，先端渐尖，基部内侧与叶柄合生，边缘密生流苏状细齿。花淡紫色，生于茎上部叶的叶腋，具长梗；花梗高于叶，中部以上靠近花处有 2 线形苞片；萼片披针形，长约 5mm，先端渐尖；侧瓣长圆状，下瓣连距长 1.3 ～ 1.6cm，距较短，平伸或稍向上弯；子房无毛，常有腺点，花柱基部稍向前方膝曲，向上渐增粗，呈棍棒状，由顶部至喙端有乳头状附属物；喙呈钩状，喙端具向上倾斜且

库页堇菜

较大的柱头孔。蒴果椭圆形，先端尖，无毛。花期6～7月，果期8～9月。

| 生境分布 | 生于山地林下、高山苔原带、草甸、河岸湿地、灌丛或林缘较阴湿地带。分布于吉林白山（长白、抚松、临江）、延边（安图、和龙、珲春）等。

| 资源情况 | 野生资源较少。药材主要来源于野生。

| 采收加工 | 春、秋季采收，除去杂质，晒干。

| 功能主治 | 清热解毒。用于咽喉肿痛。

深山堇菜
Viola selkirkii Pursh ex Gold

| **植物别名** | 一口血。

| **药 材 名** | 深山堇菜（药用部位：全草）。

| **形态特征** | 多年生草本，无地上茎和匍匐枝。根茎细。叶基生，通常较多，呈莲座状；叶片薄纸质，心形或卵状心形，果期长约 6cm，宽约 4cm，先端稍急尖或圆钝，基部狭深心形，两侧垂片发达；叶柄长 2 ~ 7cm；托叶淡绿色，1/2 与叶柄合生。花淡紫色，具长梗；花梗通常在中部有 2 小苞片；小苞片线形；萼片卵状披针形；花瓣倒卵形，侧瓣无须毛，下方花瓣连距长 1.5 ~ 2cm；距较粗，末端圆，直或稍向上弯；子房无毛，花柱棍棒状，基部稍向前膝曲，上部明显增粗，柱头顶部平坦，两侧具较窄的边缘，前方具明显的短喙，喙端具向上的柱头孔。蒴果较小，椭圆形，无毛，先端钝；种子多数，卵球形，

深山堇菜

淡褐色。花期 5 ~ 6 月，果期 6 ~ 7 月。

| 生境分布 | 生于针阔叶混交林、落叶阔叶林及灌丛下腐殖质层较厚的土壤、溪谷或沟旁阴湿处、采伐迹地。以长白山区为主要分布区域，分布于吉林延边、白山、通化、吉林、辽源（东丰）等。

| 资源情况 | 野生资源较少。药材主要来源于野生。

| 采收加工 | 春、秋季采收，除去杂质，晒干。

| 功能主治 | 清热解毒，消炎，消肿。用于无名肿毒，暑热。

菫菜科 Violaceae 菫菜属 Viola

细距菫菜
Viola tenuicornis W. Beck.

细距菫菜

药材名

细距菫菜（药用部位：全草）。

形态特征

多年生细弱草本，无地上茎。根茎短，细或稍粗，节间缩短，节密生，通常垂直，有数条淡黄色细根。叶2至多数，均基生；叶片卵形或宽卵形，先端稍伸长，基部微心形或近圆形，边缘具浅圆齿，两面皆为绿色，有的正面具白色斑纹，无毛或沿叶脉及叶缘有微柔毛；叶柄细弱，无翅或仅上部具极狭的翅，通常有细短毛或近无毛；托叶外侧者近膜质，内侧者淡绿色，2/3与叶柄合生，离生部分呈线状披针形或披针形，边缘疏生流苏状短齿。花紫菫色；花梗细弱，稍高于或不高于叶，被细毛或近无毛，在中部或中部稍下处有2线形小苞片；萼片通常绿色或带紫红色，披针形、卵状披针形，无毛，先端尖，边缘狭膜质，具3脉，基部附属物短，末端截形或圆形，稀具浅齿；花瓣倒卵形；子房无毛，花柱棍棒状，基部向前方膝曲，上部明显增粗，柱头两侧及后方增厚成直伸的边缘，中央部分微隆起，前方具稍粗的短喙，喙端具向上开口的柱头孔。蒴果椭圆形，无毛。花果期4～9月。

| **生境分布** | 生于湿润的草地、林缘、林下或灌丛。以长白山区为主要分布区域，分布于吉林延边、白山、通化、吉林、辽源（东丰）等。 |

| **资源情况** | 野生资源较少。药材主要来源于野生。 |

| **采收加工** | 春、秋季采收，除去杂质，晒干。 |

| **功能主治** | 祛风湿，止痹痛。用于风湿痹痛。 |

董菜科 Violaceae 董菜属 *Viola*

斑叶董菜
Viola variegata Fisch ex Link

| 植物别名 | 斑叶地丁。

| 药 材 名 | 斑叶董菜（药用部位：全草。别名：天蹄）。

| 形态特征 | 多年生草本，无地上茎。根茎通常较短而细。叶均基生，呈莲座状，叶片圆形或圆卵形，先端圆形或钝，基部明显呈心形，边缘具平而圆的钝齿，上面暗绿色或绿色，沿叶脉有明显的白色斑纹，下面通常稍带紫红色；叶柄上部有极狭的翅或无翅；托叶淡绿色或苍白色，近膜质。花红紫色或暗紫色，下部通常颜色较淡；花梗长短不等，在中部有2线形小苞片；萼片通常带紫色，长圆状披针形或卵状披针形；花瓣倒卵形，下方花瓣基部白色并有董色条纹，连距长1.2～2.2cm；距筒状，长3～8mm，粗或较细；子房近球形，花柱棍棒状。蒴果椭圆形，无毛或疏生短毛；幼果球形，通常被短粗毛；

斑叶董菜

种子淡褐色，小形，附属物短。花期 5 ~ 6 月，果期 6 ~ 7 月。

| 生境分布 | 生于灌丛、撂荒地、山坡石质地、路旁多石地、林下、山坡草地或阴处岩石缝中。以长白山区为主要分布区域，分布于吉林延边、白山、通化、长春、吉林、辽源（东丰）等。

| 资源情况 | 野生资源较少。药材主要来源于野生。

| 采收加工 | 春、秋季采收，除去杂质，晒干。

| 药材性状 | 本品多皱缩成团。湿润展开后，叶基生，宽卵形，基部下延成叶柄，边缘有圆锯齿，绿色或枯绿色，叶脉有类白色斑纹，基部有披针状托叶。花茎长于叶，淡棕紫色。气微，味微苦。

| 功能主治 | 甘，凉。清热解毒，凉血止血。用于创伤出血。

董菜
Viola verecunda A. Gray

| 植物别名 | 葡董菜、罐嘴茶、董董菜。

| 药 材 名 | 董菜（药用部位：全草）。

| 形态特征 | 多年生草本。根茎短粗。地上茎通常数条丛生，稀单一，直立或斜升。基生叶叶片宽心形、卵状心形或肾形，先端圆或微尖，基部宽心形；茎生叶少，疏列，形状与基生叶相似，但基部的弯缺较深，幼叶的垂片常卷折；基生叶之柄较长，具翅，茎生叶之柄较短，具极狭的翅。花小，白色或淡紫色，生于茎生叶的叶腋；花梗远高于叶片；萼片卵状披针形，先端尖；上方花瓣长倒卵形，侧方花瓣长圆状倒卵形，长约 1cm，下方花瓣连距长约 1cm；距呈浅囊状，长 1.5 ～ 2mm；下方雄蕊的背部具短距，距呈三角形，长约 1mm；子房无毛，花柱棍棒状，基部细且明显向前膝曲，柱头 2 裂，裂片稍肥厚而直立，

董菜

中央部分稍隆起。蒴果长圆形或椭圆形；种子卵球形，淡黄色。花期 6 ~ 7 月，果期 8 ~ 9 月。

| **生境分布** | 生于湿润的草地、山坡草丛、灌丛、林缘、阴湿林下、田野或宅旁等。以长白山区为主要分布区域，分布于吉林延边、白山、通化、长春、吉林、辽源（东丰）、白城（洮南）等。

| **资源情况** | 野生资源较少。药材主要来源于野生。

| **采收加工** | 春、秋季采收，除去杂质，晒干。

| **功能主治** | 微苦，凉。清热解毒，散瘀，止咳，止血。用于疖疮，无名肿毒，肺热咳嗽，扁桃体炎，结膜炎，腹泻，目赤，刀枪伤，毒蛇咬伤。

| **用法用量** | 内服煎汤，15 ~ 30g，鲜品 30 ~ 60g；或捣汁。外用适量，捣敷。

| **附　注** | 本种与如意草 *Viola hamiltoniana* D. Don 的形态相似，但后者常具蔓生的地上匍匐枝，其节处生不定根，叶较大，基部呈宽心形，垂片发达，托叶狭披针形，全缘，先端渐尖，可以以此区别。

董菜科 Violaceae 董菜属 *Viola*

蓼叶董菜
Viola websteri Hemsl.

| **药 材 名** | 蓼叶董菜（药用部位：全草）。

| **形态特征** | 多年生草本。根茎粗壮，密生白色细根。茎直立，通常不分枝，高
30～40cm，被微柔毛，下部无叶，但具托叶。叶片披针形或宽披针形，
先端急尖，基部楔形下延于叶柄，边缘具内曲的疏锯齿，上面和边
缘被疏柔毛，下面近无毛或沿叶脉有毛，叶脉延伸达叶缘，具短柄；
托叶下部者膜质，椭圆状披针形，基部抱茎，边缘通常疏生细锯齿，
上部者披针形，先端尖，基部与叶柄合生，边缘通常羽状深裂。花
较小，紫色，单生于叶腋；花梗较叶短，中部或中上部有 2 小苞片；
萼片狭披针形，先端渐尖，基部附属物短，末端呈截形；花瓣近等
大，倒卵状匙形，先端圆，侧方花瓣里面有须毛，下方花瓣连距长
约 1.3cm，距短，直伸，末端钝；子房无毛，花柱棍棒状，基部略

蓼叶董菜

向前方弯曲，上部呈短钩状，具乳头状突起。蒴果长圆形，光滑无毛，先端锐尖；种子黄色，狭卵形。花果期 5 ~ 8 月。

| **生境分布** | 生于海拔 650 ~ 900m 的山地疏林下。分布于吉林通化、白山等。

| **资源情况** | 野生资源稀少。药材主要来源于野生。

| **采收加工** | 春、秋季采收，除去杂质，晒干。

| **功能主治** | 解毒，止痛。用于无名肿毒，疼痛。

| 董菜科 | Violaceae | 董菜属 | *Viola*

阴地董菜 *Viola yezoensis* Maxim.

| **药材名** | 阴地董菜（药用部位：全草）。

| **形态特征** | 多年生草本，无地上茎，高达 15cm。根茎较粗壮，垂直或斜生，长
0.5 ~ 2cm，直径可达 0.5cm，具多数淡褐色粗根。叶均基生，叶片
卵形或长卵形，长 2 ~ 5cm，宽 3 ~ 4cm，果期长可达 8cm，宽约
4.5cm，先端急尖或钝，基部深心形，有时浅心形，边缘具浅锯齿，
两面被短柔毛；叶柄长 3 ~ 4cm，果期长可达 12cm，被短柔毛，具
狭翅；托叶淡绿色，1/2 与叶柄合生，离生部分呈披针形，先端急
尖，边缘疏生短流苏状齿。花白色，具长梗；花梗较粗，通常高于
叶，长 6 ~ 8cm，被短柔毛，中部或中部以上有 2 小苞片；小苞片
线形，长 1 ~ 1.5cm，边缘疏生流苏状齿；萼片披针形，连附属物
长 1.1 ~ 1.3cm，宽 3 ~ 4mm，先端尖，基部具明显的附属物，附

阴地董菜

属物长 3 ~ 4mm，末端具或深或浅的缺刻；上方花瓣倒卵形，长约 1.2cm，宽约 8mm，基部变狭，呈爪状，侧方花瓣长圆状倒卵形，长 1.3cm，宽约 6mm，里面近基部疏生须毛或几无毛，下方花瓣连距长 1.8 ~ 2cm，距圆筒形，较粗壮，长 5 ~ 7mm，直径约 2.5mm，末端钝圆，通常向上弯或直伸；花药与膜质的药隔先端附属物近等长，长约 2mm，下方雄蕊的距狭条形，长约 5mm，近末端通常屈曲；子房无毛，花柱基部通常直，上部较粗，柱头两侧及后方具狭的边缘，前方具短粗的喙，喙端具较大的柱头孔。蒴果长圆状，长约 1cm。花期 4 ~ 5 月，果期 5 ~ 6 月。

| **生境分布** | 生于阔叶林林下、山地灌丛或山坡草地。分布于吉林延边、白山、通化等。

| **资源情况** | 野生资源较少。药材主要来源于野生。

| **采收加工** | 夏、秋季采收，洗净，除去杂质，晒干。

| **功能主治** | 清热利湿，解毒消肿。用于疔疮，痈肿，瘰疬，黄疸，痢疾，腹泻，目赤，喉痹，毒蛇咬伤。

柽柳科 Tamaricaceae 柽柳属 Tamarix

柽柳 *Tamarix chinensis* Lour.

| 植物别名 | 垂丝柳、西河柳、山川柳。

| 药 材 名 | 西河柳（药用部位：细嫩枝叶。别名：赤柽柳、山川柳、三春柳）。

| 形态特征 | 落叶乔木或灌木。老枝直立，暗褐红色；幼枝稠密细弱，常开展而下垂。叶鲜绿色，从去年生木质化生长枝上生出的绿色营养枝上的叶呈长圆状披针形或长卵形；上部绿色营养枝上的叶呈钻形或卵状披针形，半贴生。每年开花 2 ~ 3 次。春季开花：总状花序侧生于去年生木质化的小枝上，花大而少；花梗纤细，较花萼短；花 5 基数；萼片 5，狭长卵形，具短尖头，外面 2；花瓣 5，粉红色，通常卵状椭圆形或椭圆状倒卵形；花盘 5 裂，紫红色，肉质；雄蕊 5；子房圆锥状瓶形，花柱 3。蒴果圆锥形。夏、秋季开花：总状花序生于当年生幼枝先端，组成顶生大圆锥花序；花 5 基数，密生；

柽柳

花萼三角状卵形；花瓣粉红色；花盘 5 裂；雄蕊 5；花柱棍棒状。花期 5 ～ 9 月，果期 6 ～ 10 月。

| **生境分布** | 生于海滨、滩头、潮湿盐碱地、沙荒地、灌丛等。分布于吉林白城、松原等。吉林西部地区有栽培。

| **资源情况** | 野生资源较少。吉林有栽培。药材主要来源于野生。

| **采收加工** | 4 ～ 5 月花未开时，采收细嫩枝叶，阴干。

| **药材性状** | 本品茎枝呈细圆柱形，直径 0.5 ～ 1.5mm。表面灰绿色，有多数互生的鳞片状小叶。质脆，易折断。稍粗的枝表面红褐色，叶片常脱落而残留凸起的叶基，断面黄白色，中心有髓。气微，味淡。

| **功能主治** | 甘、辛，平。归心、肺、胃经。发表透疹，祛风除湿。用于麻疹不透，风湿痹痛，风热感冒。

| **用法用量** | 内服煎汤，3 ～ 6g。外用适量，煎汤擦洗。

| **附　注** | 作为中药材，柽柳在吉林的商品产量很小，但作为一种防风固沙、改良盐碱地的优良速生植物，其具有生命力强、适应性广、抗干旱、耐盐碱等特点，可作为绿化新能源树种加以推广，其经济价值和发展潜力都十分巨大。

番木瓜科 | Caricaceae | 番木瓜属 | *Carica*

番木瓜 *Carica papaya* Linn.

番木瓜

| 植物别名 |

木瓜、万寿果、番瓜。

| 药 材 名 |

番木瓜（药用部位：果实。别名：木瓜、木冬瓜、万寿果）。

| 形态特征 |

常绿软木质小乔木，高达 8 ~ 10m，具乳汁。茎不分枝或有时于损伤处分枝，具螺旋状排列的托叶痕。叶大，聚生于茎先端，近盾形，直径可达 60cm，通常 5 ~ 9 深裂，每裂片再为羽状分裂；叶柄中空，长达60 ~ 100cm。花单性或两性，有些品种偶在雄株上产生两性花或雌花，并结成果实，亦有时在雌株上出现少数雄花。植株有雄株、雌株和两性株。雄花：排列成圆锥花序，长达 1m，下垂；花无梗；萼片基部联合；花冠乳黄色，花冠管细管状，长 1.6 ~ 2.5cm，花冠裂片 5，披针形，长约 1.8cm，宽 4.5mm；雄蕊 10，5 长 5 短，短者几无花丝，长者花丝为白色，被白色绒毛；子房退化。雌花：单生或数朵排列成伞房花序，着生于叶腋内；具短梗或近无梗；萼片 5，长约 1cm，中部以下合生；花冠裂片 5，分离，乳黄色或黄白色，长圆形或披针形，长 5 ～ 6.2cm，宽 1.2 ～ 2cm；子房上位，卵球形，无柄，花柱 5，柱头数裂，近流苏状。两性花：雄蕊 5，着生于近子房基部极短的花冠管上，或为 10，着生于较长的花冠管上，排成 2 轮，花冠管长 1.9 ～ 2.5cm，花冠裂片长圆形，长约 2.8cm，宽 9mm，子房比雌株子房较小。浆果肉质，成熟时橙黄色或黄色，长圆球形、倒卵状长圆球形、梨形或近圆球形，长 10 ～ 30cm 或更长，果肉柔软多汁，味香甜；种子多数，卵球形，成熟时黑色，外种皮肉质，内种皮木质，具皱纹。花果期全年。

| **生境分布** | 吉林无野生分布。吉林庭院、果园有栽培。

| **资源情况** | 吉林偶见栽培。药材主要来源于栽培。

| **采收加工** | 夏、秋季果实成熟时采收，晒干。

| **药材性状** | 本品呈长椭圆形或瓠形，表面黄棕色或深黄色，有 10 浅纵槽，长 15 ～ 25cm，直径 7 ～ 12cm，果皮肉质，有白色浆汁。种子多数，椭圆形，外包有多浆、淡黄色的假种皮，长 6 ～ 7mm，直径 4 ～ 5mm，种皮棕黄色，具网状突起。气微，味微甘。

| **功能主治** | 甘，平。消食下乳，除湿通络，解毒驱虫。用于消化不良，胃、十二指肠溃疡疼痛，乳汁稀少，风湿痹痛，肢体麻木，湿疹，烂疮，肠道寄生虫病。

| **用法用量** | 内服煎汤，9 ～ 15g；或鲜品适量生食。外用适量，取汁涂；或研末撒。

葫芦科 Cucurbitaceae 盒子草属 Actinostemma

盒子草 *Actinostemma tenerum* Griff.

| **植物别名** | 合子草、汤罐头草。

| **药 材 名** | 盒子草（药用部位：全草或种子。别名：合子草、盒儿藤、天球草）。

| **形态特征** | 一年生柔弱草本。枝纤细。叶柄细；叶形变异大，心状戟形、心状狭卵形或披针状三角形，不分裂或 3 ~ 5 裂，或仅在基部分裂，边缘波状或具小圆齿、疏齿，基部弯缺，呈半圆形、长圆形、深心形，裂片先端狭三角形，先端稍钝或渐尖，有小尖头。卷须细，二歧。雄花总状，有时圆锥状；花序轴细弱；苞片线形；花萼裂片线状披针形，边缘有疏小齿；花冠裂片披针形，先端尾状钻形，长 3 ~ 7mm；雄蕊 5。雌花单生、双生或雌雄同序；雌花梗具关节；花萼和花冠同雄花；子房卵状，有疣状突起。果实绿色，卵形、阔卵形、长圆状椭圆形，疏生暗绿色鳞片状突起，自近中部盖裂，果盖锥形，

盒子草

具种子 2 ~ 4；种子表面有不规则雕纹。花期 7 ~ 8 月，果期 9 ~ 10 月。

| **生境分布** | 生于池塘、河泡水边草丛，常与臭蒲伴生。以长白山区为主要分布区域，分布于吉林延边、白山、通化、吉林、辽源（东丰）等。吉林部分地区有栽培。

| **资源情况** | 野生资源较丰富。吉林有栽培。药材主要来源于野生。

| **采收加工** | 秋季果实成熟时采收全草，晒干。秋季采收成熟果实，收集种子，晒干。

| **药材性状** | 本品常弯曲成团。茎圆柱形，扭曲。嫩茎表面具 5 粗棱线，黄绿色。老茎有多数细纵棱，灰棕色；直径 1 ~ 4mm。质脆，易折断，断面不平坦，黄绿色，纤维性强，木质部占大部分，中心有髓。叶片多卷缩、破碎，上表面棕绿色，下表面灰绿色；完整叶展开后多呈心状戟形或心状狭卵形，先端渐尖或长尖，膜质，边缘波状或具疏齿，叶脉明显，上、下表面被短柔毛。卷须细，单歧或二歧，与叶对生。偶见果实，卵形，疏生暗绿色鳞片状突起，自近中部盖裂。气清香，味微苦。种子呈龟体状，长 1 ~ 1.2cm，宽 0.5 ~ 0.9cm，厚 0.3 ~ 0.4cm，外表面灰褐色，具不规则雕纹。种皮硬而脆，断面类白色，内表面灰棕色，较光滑。种仁白色，瓜子状，外被白色膜，子叶 2，富油性，轻划有油痕，碎后具香气，味苦。

| **功能主治** | 苦，寒。归肾、膀胱经。清热解毒，利尿消肿，祛湿。用于痈疮肿毒，湿疹，肾炎水肿，腹水肿胀，疳积，蛇咬伤。

| **用法用量** | 内服煎汤，15 ~ 30g。外用适量，捣敷；或煎汤熏洗。

葫芦科 Cucurbitaceae 冬瓜属 Benincasa

冬瓜 *Benincasa hispida* (Thunb.) Cogn.

| **植物别名** | 广瓜、枕瓜、白瓜。

| **药材名** | 冬瓜皮（药用部位：外层果皮。别名：白瓜皮、白东瓜皮、水芝）。

| **形态特征** | 一年生蔓生或架生草本。茎被黄褐色硬毛及长柔毛，有棱沟。叶柄粗壮，长5～20cm，被黄褐色的硬毛和长柔毛；叶片肾状近圆形，5～7浅裂或有时中裂，裂片宽三角形或卵形，先端急尖，边缘有小齿，基部深心形，弯缺张开，近圆形，表面深绿色，稍粗糙，有疏柔毛，老后渐脱落，变近无毛；背面粗糙，灰白色，有粗硬毛，叶脉在叶背面稍隆起，密被毛。卷须二至三歧，被粗硬毛和长柔毛。雌雄同株，花单生。雄花梗密被黄褐色短刚毛和长柔毛，常在花梗的基部具1苞片，苞片卵形或宽长圆形，先端急尖，有短柔毛；萼筒宽钟形，密生刚毛状长柔毛，裂片披针形，有锯齿，反折；花冠黄色，

冬瓜

辐状，裂片宽倒卵形，两面有稀疏的柔毛，先端钝圆，具 5 脉。果实长圆柱状或近球状，大型，有硬毛和白霜；种子卵形，白色或淡黄色，压扁，有边缘。

| 生境分布 | 生于菜园、田间等。吉林无野生分布。吉林各地均有栽培。

| 资源情况 | 吉林广泛栽培。药材主要来源于栽培。

| 采收加工 | 夏末秋初果实成熟时采收，洗净，削取外层的果皮，切块或宽丝，晒干。

| 药材性状 | 本品呈不规则的碎片状，常向内卷曲，大小不一。外表面灰绿色或黄白色，被有白霜，有的较光滑不被白霜；内表面较粗糙，有的可见筋脉状维管束。体轻，质脆。气微，味淡。以皮薄、条长、色灰绿、有粉霜、干燥、洁净者为佳。

| 功能主治 | 甘，凉。归肺、脾、小肠经。利尿消肿。用于水肿胀满，小便不利，暑热口渴，小便短赤。

| 用法用量 | 内服煎汤，15 ~ 30g。外用适量，煎汤洗。

葫芦科 Cucurbitaceae 假贝母属 Bolbostemma

假贝母

Bolbostemma paniculatum (Maxim.) Franquet

| 植物别名 | 土贝母、华北盒子草、野西瓜。

| 药 材 名 | 土贝母（药用部位：鳞茎）。

| 形态特征 | 鳞茎肥厚，肉质，乳白色；茎草质，无毛，攀缘状，枝具棱沟，无毛。叶柄纤细，长 1.5 ~ 3.5cm，叶片卵状近圆形，长 4 ~ 11cm，宽 3 ~ 10cm，掌状 5 深裂，每裂片再 3 ~ 5 浅裂，侧裂片卵状长圆形，急尖，中间裂片长圆状披针形，渐尖，基部小裂片先端各有一显著凸出的腺体，叶片两面无毛或仅在脉上有短柔毛。卷须丝状，单一或 2 歧。花雌雄异株。雌、雄花序均为疏散的圆锥状，极稀花单生，花序轴丝状，长 4 ~ 10cm，花梗纤细，长 1.5 ~ 3.5cm；花黄绿色；花萼与花冠相似，裂片卵状披针形，长约 2.5mm，先端具长丝状尾；雄蕊 5，离生；花丝先端不膨大，长 0.3 ~ 0.5mm，花药长 0.5mm，

假贝母

药隔在花药背面不伸出于花药；子房近球形，散生不明显的疣状突起，3室，每室2胚珠，花柱3，柱头2裂。果实圆柱状，长1.5～3cm，直径1～1.2cm，成熟后由先端盖裂，果盖圆锥形，具6种子；种子卵状菱形，暗褐色，表面有雕纹状突起，边缘有不规则的齿，长8～10mm，宽约5mm，厚1.5mm，先端有膜质的翅，翅长8～10mm。花期6～8月，果期8～9月。

| **生境分布** | 生于阴坡。分布于吉林延边、白山、通化等。吉林部分地区有栽培。

| **资源情况** | 野生资源较少。吉林有栽培。药材主要来源于野生。

| **采收加工** | 秋季地上茎叶枯萎、鳞茎已充分成熟后，选晴天采挖，去掉残茎及须根，干燥。

| **药材性状** | 本品呈不规则块状，大小不等。表面淡红棕色或暗棕色，凹凸不平。质坚硬，不易折断，断面角质样，光亮而平滑。气微，味微苦。以个大、色红棕、质坚实、有亮光、半透明者为佳。

| **功能主治** | 苦，微寒。归肺、脾经。清热解毒，散结消肿。用于乳腺炎，肥厚性鼻炎，瘰疬，附骨疽，疮疡肿毒，蛇虫咬伤，外伤出血。

| **用法用量** | 内服煎汤，4.5～9g；或入丸、散。外用适量，研末调敷；或敷膏贴敷。

| 葫芦科 | Cucurbitaceae | 西瓜属 | *Citrullus*

西瓜

Citrullus lanatus (Thunb.) Matsum. et Nakai

| **植物别名** | 寒瓜。

| **药 材 名** | 西瓜（药用部位：果瓤。别名：寒瓜）、西瓜皮（药用部位：果皮。别名：西瓜青、翠衣、西瓜翠）、西瓜霜（药材来源：果实与皮硝经加工制成）、西瓜子（药用部位：种子）。

| **形态特征** | 一年生蔓生藤本。茎、枝粗壮，具明显的棱沟，被长而密的白色或淡黄褐色长柔毛。卷须较粗壮，具短柔毛，二歧。叶柄粗，具不明显的沟纹，密被柔毛；叶片纸质，三角状卵形，带白绿色，两面具短硬毛，脉上和背面较多，3 深裂，中裂片较长，倒卵形、长圆状披针形或披针形，先端急尖或渐尖，裂片又羽状或 2 回羽状浅裂或深裂，边缘波状或有疏齿，末次裂片通常有少数浅锯齿，先端钝圆，叶片基部心形，有时形成半圆形的弯缺。雌雄同株，雌、雄花均单

西瓜

生于叶腋。雄花：花冠淡黄色，外面带绿色，被长柔毛，裂片卵状长圆形，先端钝或稍尖，脉黄褐色，被毛；雄蕊 3，近离生，花药 1 枚 1 室，2 枚 2 室，花丝短，药室折曲。果实大型，近球形或椭圆形，肉质，多汁，果皮光滑，色泽及纹饰多样；种子多数，卵形，黑色、红色，有时为白色、黄色、淡绿色或有斑纹，两面平滑，基部钝圆，通常边缘稍拱起。花果期夏季。

| **生境分布** | 生于菜园、田间等。吉林无野生分布。吉林各地均有栽培。

| **资源情况** | 吉林广泛栽培。药材主要来源于栽培。

| **采收加工** | 西瓜：夏、秋季采收成熟的果实，洗净，鲜用。

西瓜皮：夏季收集，削去内层柔软部分（也有将外面青皮削去，仅取其中间部分者），洗净，晒干。

西瓜霜：将西瓜皮切碎（约 5kg）和皮硝（2.5kg）拌匀，装入砂罐内，盖好，挂于阴凉通风处，待砂罐外面有白霜冒出，用干净毛笔或纸片刷下，装入瓶内备用。

西瓜子：夏、秋季果实成熟，食瓜时收集种子，洗净，晒干。

| **药材性状** | 西瓜皮：本品常卷成管状、纺锤状或不规则形的片块状，大小不一，厚 0.5 ～

1cm。外表面深绿色、黄绿色或淡黄白色，光滑或具深浅不等的皱纹；内表面色稍淡，黄白色至黄棕色，有网状筋脉（维管束），常带有果柄。质脆，易碎。无臭，味淡。

西瓜霜：本品为类白色至黄白色的结晶性粉末。气微，味咸。

西瓜子：本品呈扁平的广卵形或卵形，长 7 ~ 15mm，宽 5 ~ 10mm，厚 2 ~ 3mm。表面黑色、棕红色，光滑，上端略尖，下端钝圆；扇形子叶 2，白色。气微，味微甜而香。

| 功能主治 | 西瓜：甘，寒。归心、胃、膀胱经。清热除烦，解暑生津，利尿。用于暑热烦渴，热盛津伤，小便不利，喉痹，口疮。

西瓜皮：甘、淡，寒。归心、胃经。清热解暑，泻热除烦，利尿。用于暑热烦渴，小便短赤，咽喉肿痛，或口舌生疮，浮肿等。

西瓜霜：咸，寒。归肺、胃、大肠经。清热泻火，消肿止痛。用于咽喉肿痛，喉痹，口疮。

西瓜子：柔润机体，清热利胆，利尿排石。用于中暑，发热，形体消瘦，热性吐血，高血压，结核病，小便不利，尿路结石。

| 用法用量 | 西瓜：内服取汁饮，适量；或作水果食。

西瓜皮：内服煎汤，9 ~ 30g；或焙干研末。外用适量，烧存性研末撒。

西瓜霜：0.5 ~ 1.5g。外用适量，研末吹敷患处。

西瓜子：内服煎汤，15 ~ 30g；或捣碎取汁。

| 附　注 | 西瓜在吉林产量大，且药用历史较久。在《吉林通志》（1891）、《东丰县志》（1917）、《额穆县志》（1939）等多部地方志中均有关于"西瓜"的记载。

■ 葫芦科 ■ Cucurbitaceae ■ 黄瓜属 ■ *Cucumis*

甜瓜
Cucumis melo Linn.

| **植物别名** | 甘瓜、香瓜。

| **药 材 名** | 甜瓜子（药用部位：种子。别名：甘瓜子、甜瓜仁、香瓜子）。

| **形态特征** | 一年生匍匐或攀缘草本。茎、枝有棱，有黄褐色或白色的糙硬毛和疣状突起。卷须纤细，单一，被微柔毛。叶柄具沟槽及短刚毛；叶片厚纸质，近圆形或肾形，上面粗糙，被白色糙硬毛，背面沿脉密被糙硬毛，边缘不分裂或 3 ~ 7 浅裂，裂片先端圆钝，有锯齿，基部截形或具半圆形的弯缺，具掌状脉。花单性，雌雄同株。雄花：数朵簇生于叶腋；花梗纤细，被柔毛；萼筒狭钟形，密被白色长柔毛，裂片近钻形，直立或开展，比筒部短；花冠黄色，裂片卵状长圆形，急尖；雄蕊 3，花丝极短，药室折曲，药隔先端伸长；具退化雌蕊。雌花：单生；花梗粗糙，被柔毛；子房长椭圆形，密被长柔毛和长

甜瓜

糙硬毛，花柱柱头靠合。果实的形状、颜色因品种而异，通常为球形或长椭圆形，果皮平滑，有纵沟纹或斑纹，无刺状突起，果肉白色、黄色或绿色，有香甜味；种子污白色或黄白色，卵形或长圆形，先端尖，基部钝，表面光滑，无边缘。花果期夏季。

| 生境分布 | 生于农田、路边、菜园等。吉林无野生分布。吉林各地均有栽培。

| 资源情况 | 吉林广泛栽培。药材主要来源于栽培。

| 采收加工 | 夏、秋季采摘成熟的果实，收集种子，洗净，晒干。

| 药材性状 | 本品呈长卵形，扁平，长 6 ~ 8mm，宽 3 ~ 4mm，厚约 1mm。一端稍狭，先端平截，有不明显的种脐；另一端圆钝。表面黄白色至淡棕色，平滑，稍具光泽，放大镜下可见细密纵纹理。质较硬而脆，除去种皮后，有白色、膜质的胚乳，包于子叶之外；子叶 2，白色，富油性。气微，味淡。

| 功能主治 | 甘，寒。归肺、胃、大肠经。清肺，润肠，化瘀，排脓，疗伤止痛。用于肺热咳嗽，便秘，肺痈，肠痈，跌打损伤，筋骨折伤。

| 用法用量 | 内服煎汤，10 ~ 15g；或研末，3 ~ 6g。

| **附　注** | （1）在《梨树县志》（1934）记载的本地物产中，有关于"甜瓜"的记载。
（2）甜瓜子药用量较少，市场价格为 23 ~ 25 元 /kg，走势一般。吉林甜瓜种植资源丰富，但甜瓜子商品却少有产出，主要原因是人们在食用甜瓜时习惯将瓜子顺手甩掉，难以收集。

葫芦科 Cucurbitaceae 黄瓜属 Cucumis

黄瓜 *Cucumis sativus* Linn.

黄瓜

| 植物别名 |

青瓜、胡瓜、旱黄瓜。

| 药 材 名 |

黄瓜（药用部位：果实）、黄瓜皮（药用部位：外层果皮）、黄瓜藤（药用部位：藤）、黄瓜叶（药用部位：叶）、黄瓜根（药用部位：根）、黄瓜子（药用部位：种子）。

| 形态特征 |

一年生蔓生或攀缘草本。茎、枝伸长，有棱沟，被白色的糙硬毛。卷须细，不分歧，具白色柔毛。叶柄稍粗糙，有糙硬毛；叶片宽卵状心形，膜质，长、宽均为 7 ~ 20cm，两面甚粗糙，被糙硬毛，具 3 ~ 5 角或浅裂，裂片三角形，有齿，有时边缘有缘毛，先端急尖或渐尖，基部弯缺半圆形，有时基部向后靠合。雌雄同株。雄花：常数朵在叶腋簇生；花梗纤细，被微柔毛；萼筒狭钟状或近圆筒状，密被白色长柔毛，花萼裂片钻形，开展，与萼筒近等长；花冠黄白色，花冠裂片长圆状披针形，急尖；雄蕊 3，花丝近无，药隔伸出，长约 1mm。雌花：单生或稀簇生；花梗粗壮，被柔毛；子房纺锤形，粗糙，有小刺状突起。果实长圆形或圆柱形，熟时黄

绿色，表面粗糙，有具刺尖的瘤状突起，极稀近平滑；种子小，狭卵形，白色，无边缘，两端近急尖。花果期夏季。

| **生境分布** | 生于农田、路边、菜园等。吉林无野生分布。吉林各地均有栽培，主产于舒兰、榆树、敦化等。

| **资源情况** | 吉林广泛栽培。药材主要来源于栽培。

| **采收加工** | 黄瓜：夏、秋季采收，洗净，鲜用或晒干。

黄瓜皮：摘取成熟黄瓜，洗净，削取外层果皮，晒干。

黄瓜藤：夏、秋季采收，晒干。

黄瓜叶：夏、秋季采收，晒干。

黄瓜根：秋季采挖，除去须根及杂质，晒干。

黄瓜子：夏、秋季采收成熟的果实，剖开，取出种子，洗净，晒干。

| **药材性状** | 黄瓜皮：本品呈不规则条状或片状，长短不等，边缘多向内卷曲。外表面棕黄色至棕褐色，具龟裂状花纹或光滑无纹，内表面黄白色至黄棕色。质轻、微韧。气微，味淡。

黄瓜藤：本品常卷扎成束。茎呈长棱柱形，直径 5 ~ 8mm。表面灰黄色或灰绿黄色，有纵棱纹，被短刚毛。切面黄白色，中空。叶互生，多皱缩或破碎，完

整叶展平后呈宽卵状心形，长与宽均为 7 ～ 20cm，掌状 3 ～ 5 浅裂，裂片三角形；先端尖锐，基部心形，边缘具锯齿，两面均被短刚毛。卷须通常脱落。体轻。气清香，味微苦。

黄瓜子：本品呈长椭圆形或狭卵形，两端略小，长 0.8 ～ 1.5cm，宽 0.3 ～ 0.5cm。表面黄白色或白色，光滑，有光泽，边缘整齐。种皮稍厚，子叶 2，乳白色，富油性。质较硬。气微，味淡。

| 功能主治 | 黄瓜：甘，凉。归肺、脾、胃经。清热解毒，利水。用于烦渴，咽喉肿痛，风火眼，烫火伤。

黄瓜皮：甘，凉。归脾、膀胱经。利水消肿，清热。用于水肿，小便不利。

黄瓜藤：苦，寒。归心、肺经。消炎，祛痰，镇痉。用于腹泻，痢疾，癫痫。

黄瓜叶、黄瓜根：苦，寒。清湿热，消毒肿。用于湿热泻痢，无名肿毒，湿脚气。

黄瓜子：续筋接骨，祛风。用于骨折筋伤，风湿痹痛。

| 用法用量 | 黄瓜：内服适量，煮熟或生啖；或绞汁服。外用适量，生擦；或捣汁涂。

黄瓜皮：内服煎汤，15 ～ 25g。

黄瓜藤：内服煎汤，15 ～ 30g，鲜品加倍。外用适量，煎汤洗；或研末撒。

黄瓜叶、黄瓜根：内服煎汤，10 ～ 15g，鲜品加倍；或绞汁饮。外用适量，捣敷；

或绞汁涂。

黄瓜子：内服研末，3 ～ 10g；或入丸、散。外用适量，研末调敷。

| **附　　注** | （1）黄瓜皮已被列入 2019 年版《吉林省中药材标准》第二册。

（2）黄瓜子在民间多打粉用于补钙或接骨，现黄瓜子粉在保健品店、超市或集市均有出售。目前，吉林部分地区已经开始引种专门用于生产黄瓜子的黄瓜品种，效益较好，可年产 10t 黄瓜子药材商品，价格随行就市。

葫芦科 Cucurbitaceae 南瓜属 Cucurbita

南瓜
Cucurbita moschata (Duch. ex Lam.) Duch. ex Poiret

| 药 材 名 | 南瓜根（药用部位：根）、南瓜藤（药用部位：茎）、南瓜叶（药用部位：叶）、南瓜花（药用部位：花）、南瓜须（药用部位：卷须）、南瓜（药用部位：果实）、南瓜瓤（药用部位：果瓤）、南瓜蒂（药用部位：瓜蒂）、南瓜子（药用部位：种子）。

| 形态特征 | 一年生蔓生草本。茎常节部生根，密被白色短刚毛。叶柄粗壮，常被短刚毛；叶片宽卵形或卵圆形，质稍柔软，有5角或5浅裂，稀钝，侧裂片较小，中间裂片较大，三角形，上面密被黄白色刚毛和茸毛，常有白斑，叶脉隆起，各裂片之中脉常延伸至先端，成1小尖头，背面色较淡，毛更明显，边缘有小而密的细齿，先端稍钝。卷须稍粗壮，被短刚毛和茸毛，三至五歧。雌雄同株。雄花花冠黄色，钟状，5中裂，裂片边缘反卷，具折皱，先端急尖。雌花单生；子房1室，

南瓜

花柱短，柱头 3，膨大，先端 2 裂。果梗粗壮，有棱和槽，瓜蒂扩大成喇叭状；瓠果形状多样，因品种而异，外面常有数条纵沟或无；种子多数，长卵形或长圆形，灰白色，边缘薄。

| **生境分布** | 生于农田、路边、菜园等。吉林无野生分布。吉林各地均有栽培。

| **资源情况** | 吉林广泛栽培。药材主要来源于栽培。

| **采收加工** | 南瓜根：秋末采挖，洗净泥沙，去掉须根，干燥。

南瓜藤：夏、秋季采收，切段，晒干。

南瓜叶、南瓜花、南瓜须：夏季采收，除去杂质，分别晒干。

南瓜、南瓜瓤：夏、秋季采收成熟的果实，洗净，晒干或单取果瓤并晒干。

南瓜蒂：秋季采摘老熟的南瓜，切取瓜蒂，晒干。

南瓜子：夏、秋季间收集成熟种子，除去瓤膜，晒干。

| **功能主治** | 南瓜根：甘、淡，平。归肝、膀胱经。清热解毒，渗湿，通乳。用于淋证，黄疸，痢疾，乳汁不通。

南瓜藤：甘、苦，微寒。归肝、胃、肺经。清热，和胃，通络。用于肺痨低热，胃病，月经不调，烫伤。

南瓜叶：甘、微苦，凉。清热，解暑，止血。用于痢疾，疳积，创伤。

南瓜花：甘，凉。清湿热，消肿毒。用于黄疸，痢疾，咳嗽，痈疽肿毒。

南瓜须：凉心肺，消肿毒。用于妇人乳缩。

南瓜：甘，温。归肺、脾、胃经。补中益气，止痛，杀虫，解毒。用于肺痈，哮喘，痈肿，烫伤，毒蜂螫伤。

南瓜瓤：甘，凉。归脾经。解毒，敛疮。用于烫伤。

南瓜蒂：苦、微甘，平。解毒，利水，安胎。用于痈疽肿毒，疔疮，烫伤，疮溃不敛，水肿腹水，胎动不安。

南瓜子：甘，平。驱虫，下乳，利水消肿。用于绦虫、蛔虫、血吸虫、钩虫、蛲虫病，产后缺乳，后手足浮肿，百日咳，痔疮。

| 用法用量 |　南瓜根：内服煎汤，15～30g，鲜品加倍。外用适量，磨汁涂；或研末调敷。

南瓜藤：内服煎汤，15～30g；或切断取汁。外用适量，捣汁涂；或研末调敷。

南瓜叶：内服煎汤，10～15g，鲜品加倍；或入散剂。外用适量，研末撒。

南瓜花：内服煎汤，9～15g。外用适量，捣敷；或研末调敷。

南瓜：内服蒸煮；或生品捣汁。外用适量，捣敷。

南瓜瓤：外用适量，捣敷。

南瓜蒂：内服煎汤，15～30g；或研末冲服。外用适量，研末调敷。

南瓜子：内服煎汤，30～60g。外用适量，煎汤熏洗。

葫芦科 Cucurbitaceae 南瓜属 Cucurbita

西葫芦
Cucurbita pepo Linn.

| 药 材 名 | 西葫芦（药用部位：果实、种子）。

| 形态特征 | 一年生蔓生草本。茎有棱沟，有短刚毛和半透明的糙毛。叶柄粗壮，被短刚毛，长 6 ~ 9cm；叶片质硬，挺立，三角形或卵状三角形，先端锐尖，边缘有不规则的锐齿，基部心形，弯缺半圆形，上面深绿色，下面颜色较浅，叶脉在背面稍凸起，两面均有糙毛。卷须稍粗壮，具柔毛，分多歧。雌雄同株。雄花单生；花梗粗壮，有棱角，被黄褐色短刚毛；萼筒有明显 5 角，花萼裂片线状披针形；花冠黄色，常向基部渐狭成钟状，分裂至近中部，裂片直立或稍扩展，先端锐尖；雄蕊 3，花药靠合。雌花单生，子房卵形，1 室。果梗粗壮，有明显的棱沟，果蒂变粗或稍扩大，但不呈喇叭状。果实形状因品种而异；种子多数，卵形，白色，边缘拱起而钝。

西葫芦

| **生境分布** | 生于农田、路边、菜园等。吉林无野生分布。吉林各地均有栽培。

| **资源情况** | 吉林广泛栽培。药材主要来源于栽培。

| **采收加工** | 夏、秋季采收成熟的果实，洗净，切片，晒干。夏、秋季采收成熟的果实，取出种子，晒干。

| **功能主治** | 果实，消炎止咳。用于咳喘，支气管哮喘；外用于口疮。种子，驱虫。用于肠道寄生虫病。

葫芦科 Cucurbitaceae 葫芦属 Lagenaria

葫芦

Lagenaria siceraria (Molina) Standl.

| **植物别名** | 瓠瓜、大葫芦。

| **药 材 名** | 葫芦（药用部位：种子、果皮）。

| **形态特征** | 一年生攀缘草本。茎、枝具沟纹，被黏质长柔毛，老后渐脱落，变近无毛。叶柄纤细，有和茎、枝一样的毛被，先端有 2 腺体；叶片卵状心形或肾状卵形，不分裂或 3～5 裂，具 5～7 掌状脉，先端锐尖，边缘有不规则的齿，基部心形，弯缺开张，半圆形或近圆形，两面均被微柔毛，叶背及脉上较密。卷须纤细，初时有微柔毛，后渐脱落，变光滑无毛，上部分二歧。雌雄同株，雌、雄花均单生。雄花花冠黄色，裂片皱波状。雌花花梗比叶柄稍短或近等长；花萼和花冠似雄花；子房中间缢细，密生黏质长柔毛，花柱粗短，柱头 3，膨大，2 裂。果实初为绿色，后变白色至带黄色，由于长期栽培，果形变

葫芦

异很大，因不同品种或变种而异，有的呈哑铃状，中间缢细，上部和下部膨大，上部大于下部，长数十厘米，有的呈扁球形、棒状或钩状，成熟后果皮变木质；种子白色，倒卵形或三角形，先端截形或2齿裂，稀圆形。花期夏季，果期秋季。

| **生境分布** | 生于菜田、房前屋后等。吉林无野生分布。吉林各地均有栽培。

| **资源情况** | 吉林广泛栽培。药材主要来源于栽培。

| **采收加工** | 立冬前后，摘下果实，剖开，取出种子，将果皮与种子分别晒干。

| **药材性状** | 本品果皮呈瓢状或多碎成大小不一的块片，厚 0.5 ~ 1.8cm。外表面灰黄色至黄棕色，较光滑，内表面黄白色或灰黄色。体轻，质硬，断面黄白色，呈海绵状。气微，味淡。种子呈扁长方形或卵圆形，长 1.2 ~ 1.8cm，宽约 0.6cm。表面浅棕色或淡白色，较光滑，并有两面对称的4深色花纹，花纹上密被淡黄色绒毛，一端平截或心形凹入，另一端渐尖或钝尖。种皮质硬而脆，子叶2，乳白色，富油性。气微，味微甜。

| **功能主治** | 利尿，消肿，散结。用于水肿，腹水，膀胱病，瘰疬。

| **用法用量** | 内服煎汤，15 ~ 30g。

葫芦科 Cucurbitaceae 葫芦属 Lagenaria

瓠子

Lagenaria siceraria (Molina) Standl. var. *hispida* (Thunb.) Hara

| **植物别名** | 扁蒲。

| **药 材 名** | 瓠子（药用部位：果实。别名：甘瓠、甜瓠、葫芦）。

| **形态特征** | 一年生攀缘草本。茎、枝具沟纹，被黏质长柔毛，老后渐脱落，变近无毛。叶柄纤细，有和茎、枝一样的毛被，先端有 2 腺体；叶片卵状心形或肾状卵形，不分裂或 3 ~ 5 裂，具 5 ~ 7 掌状脉，先端锐尖，边缘有不规则的齿，基部心形，弯缺开张，半圆形或近圆形，两面均被微柔毛，叶背及脉上较密。卷须纤细，初时有微柔毛，后渐脱落，变光滑无毛，上部分二歧。雌雄同株，雌、雄花均单生。雄花花冠黄色，裂片皱波状。雌花花梗比叶柄稍短或近等长；花萼和花冠似雄花；子房中间缢细，圆柱状，密生黏质长柔毛，花柱粗短，柱头 3，膨大，2 裂。果实粗细匀称而呈圆柱状，直或稍弓曲，长可

瓠子

达 60 ~ 80cm，绿白色，果肉白色；种子白色，倒卵形或三角形，先端截形或 2
齿裂，稀圆形。花期夏季，果期秋季。

| **生境分布** | 生于菜田、房前屋后等。吉林无野生分布。吉林各地均有栽培。

| **资源情况** | 吉林有栽培。药材主要来源于栽培。

| **采收加工** | 立冬前后，摘下果实，剖开，晒干。

| **功能主治** | 甘，平。利水，清热，止渴，除烦。用于腹胀，烦热口渴，疮毒。

| **用法用量** | 内服煎汤，鲜品 60 ~ 120g；或烧存性研末。外用适量，烧存性研末调敷。

丝瓜

葫芦科 Cucurbitaceae 丝瓜属 Luffa

丝瓜 *Luffa cylindrica* (Linn.) Roem.

|药 材 名|

丝瓜络（药用部位：成熟果实的维管束。别名：天萝筋、丝瓜网、丝瓜壳）。

|形态特征|

一年生攀缘藤本。茎、枝粗糙，有棱沟，被微柔毛。卷须稍粗壮，被短柔毛，通常二至四歧。叶柄粗糙，具不明显的沟，近无毛；叶片三角形或近圆形，通常掌状 5 ~ 7 裂，裂片三角形，中间的较长，先端急尖或渐尖，边缘有锯齿，基部深心形，上面深绿色，粗糙，有疣点，下面浅绿色，有短柔毛，脉掌状，具白色的短柔毛。雌雄同株。雄花花冠黄色，辐状，开展时直径 5 ~ 9cm，裂片长圆形，里面基部密被黄白色长柔毛，外面具 3 ~ 5 凸起的脉，脉上密被短柔毛，先端钝圆，基部狭窄；雄蕊通常 5，稀 3，花丝基部有白色短柔毛，花初开时稍靠合，最后完全分离，药室多回折曲。果实圆柱状，直或稍弯，表面平滑，通常有深色纵条纹，未成熟时肉质，成熟后干燥，里面具网状纤维，由先端盖裂；种子多数，黑色，卵形，扁，平滑，边缘狭翼状。花果期夏、秋季。

| 生境分布 | 生于菜园、农田边。分布于吉林通化、白山等。吉林无野生分布。吉林各地均有栽培。

| 资源情况 | 吉林广泛栽培。药材主要来源于栽培。

| 采收加工 | 秋季果实成熟、果皮变黄、内部干枯时采摘，除去外皮和果肉，洗净，晒干，除去种子。

| 药材性状 | 本品由丝状维管束交织而成，多呈长菱形或长圆筒形，略弯曲，长 30 ~ 70cm，直径 7 ~ 10cm。表面淡黄白色。体轻，质韧，有弹性，不能折断。横切面可见子房 3 室，呈空洞状。气微，味淡。以筋细、质韧、洁白、无皮者为佳。

| 功能主治 | 甘，平。归肺、胃、肝经。祛风，通络，活血，下乳。用于痹痛拘挛，胸胁胀痛，乳汁不通，乳痈肿痛。

| 用法用量 | 内服煎汤，5 ~ 12g；或烧存性研末，1.5 ~ 3g。外用适量，煅存性研末调敷。

| 附　注 | 在 FOC 中，本种的拉丁学名被修订为 *Luffa aegyptiaca* Miller。

葫芦科 Cucurbitaceae 苦瓜属 Momordica

苦瓜 *Momordica charantia* Linn.

苦瓜

植物别名

癞瓜、癞葡萄、凉瓜。

药材名

苦瓜根（药用部位：根）、苦瓜叶（药用部位：叶）、苦瓜（药用部位：果实）、苦瓜子（药用部位：种子）、苦瓜藤（药用部位：藤茎）。

形态特征

一年生攀缘状柔弱草本，多分枝。茎、枝被柔毛。卷须纤细，具微柔毛，不分歧。叶柄细，初时被白色柔毛，后变近无毛；叶片卵状肾形或近圆形，膜质，上面绿色，背面淡绿色，脉上密被明显的微柔毛，其余毛较稀疏，5～7深裂，裂片卵状长圆形，边缘具粗齿或有不规则小裂片，先端多半钝圆形，稀急尖，基部弯缺半圆形，叶脉掌状。雌雄同株。雄花：单生于叶腋，花梗纤细，被微柔毛，中部或下部具1苞片；苞片绿色，肾形或圆形，全缘，稍有缘毛，两面被疏柔毛；花萼裂片卵状披针形，被白色柔毛，急尖；花冠黄色，裂片倒卵形，先端钝，急尖或微凹，被柔毛；雄蕊3，离生，药室2回折曲。雌花：单生，花梗被微柔毛，基部常具1苞片；子房纺锤形，密生瘤状突起，柱头3，膨大，

2 裂。果实纺锤形或圆柱形，多瘤皱，成熟后橙黄色，由先端 3 瓣裂；种子多数，长圆形，具红色假种皮，两端各具 3 小齿，两面有刻纹。花果期 5 ~ 10 月。

| 生境分布 | 生于菜园、田间等。吉林无野生分布。吉林各地均有栽培。

| 资源情况 | 吉林有栽培。药材主要来源于栽培。

| 采收加工 | 苦瓜根：秋、冬季采挖，除去杂质，洗净，切片，晒干。

苦瓜叶：夏季采摘，晾干。

苦瓜、苦瓜子：夏、秋季采收成熟果实，切片，晒干；或单取种子，晒干。

苦瓜藤：秋季采收，去掉叶片，切段，晒干。

| 药材性状 | 苦瓜：本品干燥的苦瓜片呈椭圆形或矩圆形，厚 2 ~ 8mm，长 3 ~ 15cm，宽 0.4 ~ 2cm，全体皱缩，弯曲，果皮浅灰棕色，粗糙，有纵皱或瘤状突起。中间有时夹有种子或种子脱落后留下的孔洞。质脆，易断。气微，味苦。

| 功能主治 | 苦瓜根、苦瓜叶、苦瓜：苦，凉。归心、脾、肺经。清热解毒，明目。用于中暑发热，牙痛，泄泻，痢疾，便血；外用于痱子，疔疮疖肿。

苦瓜子：苦、甘，温。温补肾阳。用于肾阳不足，小便频数，遗尿，遗精，阳痿。

苦瓜藤：苦，寒。清热解毒。用于痢疾，疮毒，胎毒，牙痛。

| 用法用量 | 苦瓜根、苦瓜叶、苦瓜：内服煎汤，6 ~ 15g，鲜品 30 ~ 60g；或煅存性研末。外用适量，鲜品捣敷；或取汁涂。

苦瓜子：内服煎汤，9 ~ 15g。

苦瓜藤：内服煎汤，3 ~ 12g。外用适量，煎汤洗；或捣敷。

葫芦科 Cucurbitaceae 裂瓜属 Schizopepon

裂瓜
Schizopepon bryoniaefolius Maxim.

| 药 材 名 | 裂瓜（药用部位：全草）。

| 形态特征 | 一年生攀缘草本。枝细弱。卷须丝状，中部以上二歧。叶柄细，与叶片近等长或稍长；叶片卵状圆形或阔卵状心形，膜质，边缘有3～7角或不规则波状浅裂，具稀疏、不等大的小锯齿，有时最下面的2裂片靠合，叶片先端渐尖，基部弯缺半圆形，掌状5～7脉。花极小，两性，在叶腋内单生或3～5聚生于短缩的花序轴的上端，形成一密集的总状花序，花序轴纤细；生于花序上的花梗短；花萼裂片披针形，全缘，亮绿色，长1.5mm；花冠辐状，白色，裂片长椭圆形；雄蕊3，插生于萼筒的基部，花丝线形，花药长圆状椭圆形；子房卵形，3室。果实阔卵形，先端锐尖，成熟后由先端向基部3瓣裂，有1～3种子；种子卵形。花期7～8月，果期8～9月。

裂瓜

| **生境分布** | 生于河边、山坡、林缘、灌丛等，常成片生长。以长白山区为主要分布区域，分布于吉林延边、白山、通化、吉林、辽源（东丰）等。 |

| **资源情况** | 野生资源较丰富。药材主要来源于野生。 |

| **采收加工** | 夏、秋季采收，除去杂质，晒干。 |

| **药材性状** | 本品卷缩，呈淡绿色。枝细弱，近无毛或疏被短柔毛。卷须丝状，中部以上二歧，无毛；叶柄细，有时被短柔毛，与叶片近等长或稍长；叶片破碎不全，完整者可见呈卵状圆形或阔卵状心形，膜质。花极小，花序轴纤细，被微柔毛；花萼裂片披针形，亮绿色；花冠辐状，白色。气微，味淡。 |

| **功能主治** | 祛风湿，止痹痛，清热解毒，利尿。用于风湿痹痛，小便不利，小便淋沥涩痛，尿路感染。 |

葫芦科 Cucurbitaceae 佛手瓜属 Sechium

佛手瓜 Sechium edule (Jacq.) Swartz

| 植物别名 | 洋丝瓜。

| 药 材 名 | 佛手瓜（药用部位：果实）。

| 形态特征 | 具块状根的多年生宿根草质藤本。茎攀缘或人工架生，有棱沟。叶柄纤细，无毛，长 5 ~ 15cm；叶片膜质，近圆形，中间的裂片较大，侧面的较小，先端渐尖，边缘有小细齿，基部心形，弯缺较深，近圆形，深 1 ~ 3cm，宽 1 ~ 2cm；上面深绿色，稍粗糙，背面淡绿色，有短柔毛，以脉上较密。卷须粗壮，有棱沟，无毛，三至五歧。雌雄同株。雄花 10 ~ 30 生于长 8 ~ 30cm 的总花梗上部呈总状花序，花序轴稍粗壮，无毛，花梗长 1 ~ 6mm；萼筒短，裂片展开，近无毛，长 5 ~ 7mm，宽 1 ~ 1.5mm；花冠辐状，宽 12 ~ 17mm，分裂至基部，裂片卵状披针形，5 脉；雄蕊 3，花丝合生，花药分离，药室折曲。

佛手瓜

雌花单生，花梗长 1 ~ 1.5cm；花冠与花萼同雄花；子房倒卵形，具 5 棱，有疏毛，1 室，具一下垂生的胚珠，花柱长 2 ~ 3mm，柱头宽 2mm。果实淡绿色，倒卵形，有稀疏短硬毛，长 8 ~ 12cm，直径 6 ~ 8cm，上部有 5 纵沟，具 1 种子；种子大型，长达 10cm，宽 7cm，卵形，压扁状。花期 7 ~ 9 月，果期 8 ~ 10 月。

| **生境分布** | 生于庭院旁、菜园及房前屋后等。吉林无野生分布。吉林各地均有栽培。

| **资源情况** | 吉林有栽培。药材主要来源于栽培。

| **采收加工** | 果实成熟时采收，切片，晒干。

| **药材性状** | 本品佛手瓜片呈卵形薄片状，多皱缩或卷曲，长 5 ~ 9cm，宽 2 ~ 5cm，厚约 0.2cm。先端有的有裂隙，不具手指状裂瓣，基部略窄，有的残留草质瓜蒂。外皮光滑，浅绿色，果肉白色，经夏季后变为橙黄色，有的果肉中部有种子脱落的空隙及残留种子的硬皮，质柔韧。气微，不具佛手之香气，味甘。

| **功能主治** | 解表清热，健脾利湿。用于头痛，咽干，咳嗽，脾胃湿热。

赤瓟
Thladiantha dubia Bunge

| **植物别名** | 赤雹、气包、山屎瓜。

| **药 材 名** | 赤瓟（药用部位：果实。别名：气包、赤包、赤包子）、赤瓟根（药用部位：根）。

| **形态特征** | 攀缘草质藤本，全株被黄白色的长柔毛状硬毛。根块状。茎稍粗壮，有棱沟。叶柄稍粗；叶片宽卵状心形，边缘浅波状，有大小不等的细齿，先端急尖或短渐尖，基部心形，弯缺深，近圆形或半圆形，两面粗糙，脉上有长硬毛。卷须纤细，单一。雌雄异株。雄花单生或聚生于短枝的上端呈假总状花序，有时 2 ~ 3 花生于总花梗上，花梗细长；萼筒极短；花冠黄色，裂片长圆形；雄蕊 5，着生于萼筒檐部，其中 1 分离，其余 4 两两稍靠合，花丝极短，花药卵形。雌花单生，花梗细；花萼和花冠同雄花；退化雌蕊 5，棒状；子房长圆形，

赤瓟

花柱自 3 ~ 4mm 处分 3 叉，柱头膨大。果实卵状长圆形，表面橙黄色或红棕色；种子卵形，黑色。花期 6 ~ 8 月，果期 8 ~ 10 月。

| 生境分布 | 生于林下、林缘、耕地边缘、农舍附近柴草堆上。以长白山区为主要分布区域，分布于吉林延边、白山、通化、长春、吉林、辽源（东丰）等。

| 资源情况 | 野生资源丰富。药材主要来源于野生。

| 采收加工 | 赤飑：秋季采摘，晒干，除去杂质。

赤飑根：秋季茎叶枯萎时采挖，除去泥土及须根，干燥。

| 药材性状 | 赤飑：本品呈卵圆形、椭圆形至长圆形，常压扁，长 3 ~ 5cm，直径 1.5 ~ 3cm。表面橙黄色、橙红色、红色至红棕色，皱缩，有极稀的茸毛及纵沟纹，先端有残留的花柱基，基部有细而弯曲的果柄。果皮厚约 1mm，内表面粘连多数黄色、长圆形的小颗粒（系不发育的种子），中心有多数扁卵形、棕黑色的成熟种子，新鲜时质软而黏。气特异，味甜。

赤飑根：本品呈纺锤形，微显四棱，长 4 ~ 8cm，直径 1.5 ~ 2.5cm。表面土黄色或灰黄棕色，有纵沟纹及横长的皮孔样疤痕。质坚硬，难折断，断面粉质。无臭，味微苦，有刺喉感。

| 功能主治 | 赤飑：酸、苦，平。降逆，理气，祛痰，利湿，活血，化瘀。用于黄疸，泄泻，痢疾，反胃吐酸，肺结核，咳血胸痛，跌打损伤，腰部扭伤。

赤飑根：苦，寒。清热解毒，活血通乳，祛痰。用于乳汁不下，乳房胀满。

| 用法用量 | 赤飑：内服煎汤，5 ~ 10g；或研末冲服。

赤飑根：内服煎汤，5 ~ 15g；或研末冲服，3 ~ 6g。

蛇瓜
Trichosanthes anguina Linn.

| **植物别名** | 蛇豆、豆角黄瓜。

| **药 材 名** | 蛇瓜（药用部位：种子、根、花、茎叶）。

| **形态特征** | 一年生攀缘藤本。茎纤细，多分枝，具纵棱及槽，被短柔毛及疏被长柔毛状长硬毛。叶片膜质，圆形或肾状圆形，长 8 ~ 16cm，宽 12 ~ 18cm，3 ~ 7 浅裂至中裂，有时深裂，裂片极多变，通常倒卵形，两侧不对称，先端圆钝或阔三角形，具短尖头，边缘具疏离细齿，叶基弯缺深心形，深约 3cm，上面绿色，被短柔毛及散生长柔毛状长硬毛，背面淡绿色，密被短柔毛，主脉 5 ~ 7，直达齿尖，细脉网状；叶柄长 3.5 ~ 8cm，具纵条纹，密被短柔毛及疏被柔毛状长硬毛。卷须二至三歧，具纵条纹，被短柔毛。雌雄同株。雄花组成总状花序，常有 1 单生雌花并生，花序梗长 10 ~ 18cm，疏被短柔毛

蛇瓜

及长硬毛，先端具 8 ~ 10 花，花梗细，长 5 ~ 12mm，密被短柔毛；苞片钻状披针形，长 3 (~ 5) mm；萼筒近圆筒形，长 2.5 ~ 3cm，先端略扩大，直径 4 ~ 5mm，密被短柔毛及疏被长柔毛状硬毛，裂片狭三角形，长约 2mm，基部宽约 1mm，反折；花冠白色，裂片卵状长圆形，长 7 ~ 8mm，宽约 3mm，具 3 脉，流苏与花冠裂片近等长；花药柱卵球形，长约 3mm，花丝纤细，长约 2mm；退化雌蕊具 3 纤细分离的花柱。雌花单生，花梗长不及 1cm，密被长柔毛；花萼及花冠同雄花；子房棒状，长 2.5 ~ 3cm，直径约 3mm，密被极短柔毛及长柔毛状硬毛。果实长圆柱形，长 1 ~ 2m，直径 3 ~ 4cm，通常扭曲，幼时绿色，具苍白色条纹，成熟时橙黄色，具 10 种子或更多；种子长圆形，藏于鲜红色的果瓤内，长 11 ~ 17mm，宽 8 ~ 10mm，灰褐色，种脐端变狭，另端圆形或略截形，边缘具浅波状圆齿，两面均具皱纹。花果期夏末及秋季。

| 生境分布 | 生于植物园、菜园等。吉林无野生分布。吉林各地均有栽培。

| 资源情况 | 吉林有栽培。药材主要来源于栽培。

| 采收加工 | 秋季种子成熟时采收果实，剥开，收集种子，干燥。秋季采挖根，洗净，晒干。花盛开时采收花，晒干。夏季采收茎叶，晒干。

| 功能主治 | 种子、根，止泻，杀虫。用于泄泻。花、茎叶，生津，止渴，排脓，消肿。用于消渴，黄疸。

葫芦科 Cucurbitaceae 栝楼属 Trichosanthes

栝楼
Trichosanthes kirilowii Maxim.

| 植物别名 | 药瓜、瓜楼、瓜蒌。

| 药 材 名 | 天花粉（药用部位：根）、瓜蒌（药用部位：果实）、瓜蒌皮（药用部位：果皮）、瓜蒌子（药用部位：种子）。

| 形态特征 | 攀缘藤本。块根圆柱状，粗大肥厚，富含淀粉，淡黄褐色。茎较粗，多分枝，具纵棱及槽，被白色、伸展的柔毛。叶片纸质，近圆形，常3～5（～7）浅裂至中裂，稀深裂或不分裂而仅有不等大的粗齿，裂片菱状倒卵形、长圆形，先端钝，急尖，边缘常再浅裂，叶基心形，弯缺深2～4cm，上表面深绿色，粗糙，背面淡绿色，两面沿脉被长柔毛状硬毛，基出掌状脉5，细脉网状；叶柄具纵条纹，被长柔毛。卷须三至七歧，被柔毛。雌雄异株。雄总状花序单生，或与1单花并生，或在枝条上部者单生，粗壮，具纵棱与槽，被微柔毛，先端有5～

栝楼

8花；萼筒筒状，先端扩大，被短柔毛，裂片披针形，全缘；花冠白色，裂片倒卵形，先端中央具1绿色尖头，两侧具丝状流苏，被柔毛；花药靠合，花丝分离，粗壮，被长柔毛。雌花单生，花梗被短柔毛；萼筒圆筒形，裂片和花冠同雄花；子房椭圆形，绿色。果梗粗壮；果实椭圆形或圆形，成熟时黄褐色或橙黄色；种子卵状椭圆形，压扁，淡黄褐色，近边缘处具棱线。花期5～8月，果期8～10月。

| **生境分布** | 生于海拔200～1800m的山坡林下、灌丛、草地或村旁田边。分布于吉林通化、白山等。

| **资源情况** | 野生资源稀少。药材主要来源于野生。

| **采收加工** | 天花粉：秋、冬季采挖，洗净，除去外皮，切段或纵剖成瓣，干燥。
瓜蒌：秋季果实成熟时，连果梗剪下，置通风处阴干。
瓜蒌皮：秋季采摘成熟果实，剖开，除去果瓤及种子，阴干。
瓜蒌子：秋季采摘成熟果实，剖开，取出种子，洗净，晒干。

| **药材性状** | 天花粉：本品呈不规则圆柱形、纺锤形或瓣块状，长8～16cm，直径1.5～5.5cm。表面黄白色或淡棕黄色，有纵皱纹、细根痕及略凹陷的横长皮孔，有的有黄棕色外皮残留。质坚实，断面白色或淡黄色，富粉性，横切面可见黄色木部，略

呈放射状排列，纵切面可见黄色条纹状木部。气微，味微苦。

瓜蒌：本品呈类球形或宽椭圆形，长 7 ～ 15cm，直径 6 ～ 10cm。表面橙红色或橙黄色，皱缩或较光滑，先端有圆形的花柱残基，基部略尖，具残存的果梗。轻重不一。质脆，易破开，内表面黄白色，有红黄色丝络，果瓤橙黄色，黏稠，与多数种子黏结成团。具焦糖气，味微酸、甜。

瓜蒌皮：本品常切成 2 至数瓣，边缘向内卷曲，长 6 ～ 12cm。外表面橙红色或橙黄色，皱缩，有的有残存果梗；内表面黄白色。质较脆，易折断。具焦糖气，味淡、微酸。

瓜蒌子：本品呈扁平椭圆形，长 12 ～ 15mm，宽 6 ～ 10mm，厚约 3.5mm。表面浅棕色至棕褐色，平滑，沿边缘有 1 圈沟纹。先端较尖，有种脐，基部钝圆或较狭。种皮坚硬；内种皮膜质，灰绿色，子叶 2，黄白色，富油性。气微，味淡。

| 功能主治 | 天花粉：甘、微苦，微寒。归肺、胃经。清热泻火，生津止渴，消肿排脓。用于热病烦渴，肺热燥咳，内热消渴，疮疡肿毒。

瓜蒌：甘、微苦，寒。归肺、胃、大肠经。清热涤痰，宽胸散结，润燥滑肠。用于肺热咳嗽，痰浊黄稠，胸痹心痛，结胸痞满，乳痈，肺痈，肠痈，大便秘结。

瓜蒌皮：甘，寒。归肺、胃经。清热化痰，利气宽胸。用于痰热咳嗽，胸闷胁痛。

瓜蒌子：甘，寒。归肺、胃、大肠经。润肺化痰，滑肠通便。用于燥咳痰黏，肠燥便秘。

| **用法用量** | 天花粉：内服煎汤，10 ~ 15g。
瓜蒌：内服煎汤，9 ~ 15g。
瓜蒌皮：内服煎汤，6 ~ 10g。
瓜蒌子：内服煎汤，9 ~ 15g。

千屈菜 *Lythrum salicaria* Linn.

| 植物别名 | 对叶莲、蜈蚣草、短瓣千屈菜。

| 药 材 名 | 千屈菜（药用部位：全草。别名：对叶莲、鸡骨草、大钓鱼竿）。

| 形态特征 | 多年生草本。根茎横卧于地下，粗壮。茎直立，多分枝，全株青绿色，略被粗毛或密被绒毛，枝通常具4棱。叶对生或3轮生，披针形或阔披针形，先端钝形或短尖，基部圆形或心形，有时略抱茎，全缘，无柄。花组成小聚伞花序，簇生，因花梗及总花梗极短，因此花枝整体似1大型穗状花序；苞片阔披针形至三角状卵形；萼筒有纵棱12，稍被粗毛，裂片6，三角形；附属体针状，直立；花瓣6，红紫色或淡紫色，倒披针状长椭圆形，基部楔形，着生于萼筒上部，有短爪，稍皱缩；雄蕊12，6长，6短，伸出萼筒之外；子房2室，花柱长短不一。蒴果扁圆形。花期7～8月，果期8～9月。

千屈菜

| 生境分布 | 生于湿地、稻田、水边、沼泽地，常成片生长。以长白山区为主要分布区域，分布于吉林延边、白山、通化、吉林、辽源（东丰）等。 |

| 资源情况 | 野生资源较丰富。药材主要来源于野生。 |

| 采收加工 | 夏、秋季采收，除去泥沙，晒干或鲜用。 |

| 药材性状 | 本品茎呈方柱状，灰绿色至黄绿色，直径 1 ~ 2mm，有分枝，质硬，易折断，断面边缘纤维状，中空。叶片灰绿色，质脆，多皱缩、破碎，完整叶对生或 3 轮生，叶片狭披针形，全缘，无柄。花序穗状，花两性，每 2 ~ 3 小花生于叶状苞片内，花萼灰绿色，筒状，花瓣紫色。蒴果椭圆形，全包于宿存花萼内。气微臭，味微苦。 |

| 功能主治 | 苦，微寒。归大肠、肝经。清热解毒，破瘀通经，凉血止血，收敛。用于肠炎，痢疾，腹泻，便血，吐血，衄血，血崩，高热，月经不调，糖尿病，外伤出血。 |

| 用法用量 | 内服煎汤，10 ~ 30g。外用适量，研末敷；或捣敷；或煎汤洗。 |

菱科 Trapaceae 菱属 Trapa

东北菱 *Trapa manshurica* Flerow

| **植物别名** | 短颈东北菱、菱角。

| **药材名** | 东北菱（药用部位：果实或果皮）。

| **形态特征** | 一年生浮水草本。茎肉质柔弱分枝。叶二型；浮水叶互生，三角状菱圆形至广菱形，叶背面密生淡褐色短毛，脉间有淡棕色斑块，边缘中上部具不整齐的圆齿或牙齿，中下部全缘，广楔形或近半圆形；沉水叶小，早落。花小；萼筒4裂，萼片被短毛；花瓣4，白色；雄蕊4；子房半下位。果实扁三角形，具4刺角，近锚状，果冠方形，微凸起，不向外反卷，果颈短而狭，具4刺角，肩角与腰角近等长，角间端宽4.5～6cm，腰角稍向下或平展，基部稍粗壮，先端渐尖，具倒刺，果喙发达凸出，果冠特大并向外反卷，果颈明显，高5mm；果梗周围的洼陷不明显。花期7～8月，果期9～10月。

东北菱

| **生境分布** | 生于湖泊、河湾河床、水泡。吉林各地均有分布。

| **资源情况** | 野生资源较丰富。药材主要来源于野生。

| **采收加工** | 夏、秋季采收成熟的果实，洗净，鲜用或晒干；或单取果皮，晒干。

| **药材性状** | 本品果实呈三角形，稍扁，宽 4 ~ 4.5cm，高 2 ~ 2.5cm。黑色，果冠非常发达，直径 0.5 ~ 1.2cm。两侧 2 角状刺平展且逐渐狭细。两角间表面具规律、棱角明显的凸凹雕纹或于下部亦对生 2 角状刺。果皮坚硬。种子表面淡棕黄色，膜状。胚乳乳白色，显粉性。无臭，味甘、淡。

| **功能主治** | 果实，甘，凉。补脾，止泻，止渴。用于脾虚泄泻，消渴，痢疾。果皮，收敛，止血，止泻。用于出血，泄泻。

菱科 Trapaceae 菱属 *Trapa*

格菱 *Trapa pseudoincisa* Nakai

| **植物别名** | 菱角。

| **药 材 名** | 格菱（药用部位：果肉）。

| **形态特征** | 多年生浮水水生草本。根二型；着泥根细铁丝状，着生于水底泥中；同化根羽状细裂，裂片丝状。茎细弱，具分枝。叶二型；浮水叶互生，聚生于茎顶部，形成莲座状菱盘，主茎和分枝茎的浮水叶极相似，叶片近三角状菱形或广菱形，叶边缘中上部具较大的缺刻状牙齿，中下部全缘，基部楔形至广楔形，叶柄中上部膨大；沉水叶小，早落。花小，单生于叶腋，花两性，萼筒4裂，裂片长圆状披针形；花瓣4，白色；雄蕊4，花丝纤细，花药"丁"字形着生，背着药，内向；子房半下位，2心皮，2室，每室具1倒生胚珠；花盘鸡冠状。果实三角形，具2圆形肩刺角，高1.5cm（果喙除外），角平伸或稍斜

格菱

上举，角间端宽 3 ~ 4.5cm，刺角先端具倒刺，腰角不存在，其位置上有丘状凸起物，果喙明显，果冠不明显。花期 7 ~ 8 月，果期 9 ~ 10 月。

| 生境分布 |

生于湖泊、河湾河床、水泡，常成片生长。吉林各地均有分布。

| 资源情况 |

野生资源较丰富。药材主要来源于野生。

| 采收加工 |

秋季采收成熟的果实，取果肉，晒干。

| 药材性状 |

本品呈青灰色或类白色，富粉性。气微，味甜而涩。

| 功能主治 |

甘，凉。清热解暑，生津止渴，止痢。用于暑热伤津，口干咽燥，胃溃疡，食管癌，痢疾。

| 用法用量 |

内服煎汤，9 ~ 15g，大剂量可用至 60g；或生食。

桃金娘科 Myrtaceae 红千层属 Callistemon

红千层 *Callistemon rigidus* R. Br.

| **药 材 名** | 红千层（药用部位：枝叶）。

| **形态特征** | 常绿灌木、小乔木，树皮坚硬，灰褐色。嫩枝有棱，初时有长丝毛，不久变无毛。叶片坚革质，线形，长5～9cm，宽3～6mm，先端尖锐，初时有丝毛，不久脱落，油腺点明显，干后凸起，中脉在两面均凸起，侧脉明显，边脉位于边上，凸起；叶柄极短。穗状花序生于枝顶；萼管略被毛，萼齿半圆形，近膜质；花瓣绿色，卵形，长6mm，宽4.5mm，有油腺点；雄蕊长2.5cm，鲜红色，花药暗紫色，椭圆形；花柱比雄蕊稍长，先端绿色，其余红色。蒴果半球形，长5mm，宽7mm，先端平截，萼管口圆，果瓣稍下陷，3爿裂开，果爿脱落；种子条状，长1mm。花期6～8月。

| **生境分布** | 生于药园等。吉林无野生分布。吉林中部地区有栽培。

红千层

| **资源情况** | 吉林偶见栽培。药材主要来源于栽培。

| **采收加工** | 夏、秋季采收，晒干。

| **功能主治** | 辛，平。归肺经。祛风化痰，消肿。用于感冒，咳喘，风湿痹痛，湿疹，跌打肿痛。

| **用法用量** | 内服煎汤，3 ~ 9g。外用适量，捣敷；或研末敷；或煎汤洗。

桃金娘科 Myrtaceae 蒲桃属 Syzygium

洋蒲桃
Syzygium samarangense (Blume) Merr. & Perry

洋蒲桃

| 植物别名 |

莲雾。

| 药 材 名 |

莲雾叶（药用部位：叶）、莲雾皮（药用部位：树皮）、莲雾（药用部位：果实）、莲雾根（药用部位：根）。

| 形态特征 |

落叶乔木，高 12m。嫩枝压扁。叶片薄革质，椭圆形至长圆形，长 10 ~ 22cm，宽 5 ~ 8cm，先端钝或稍尖，基部变狭，圆形或微心形，上面干后变黄褐色，下面多细小腺点，侧脉 14 ~ 19 对，以 45° 开角斜行向上，在距边缘 5mm 处互相结合成明显的边脉，另在靠近边缘 1.5mm 处有 1 附加边脉，侧脉间相隔 6 ~ 10mm，有明显网脉；叶柄极短，长不过 4mm，有时近无柄。聚伞花序顶生或腋生，长 5 ~ 6cm，有花数朵；花白色，花梗长约 5mm；萼管倒圆锥形，长 7 ~ 8mm，宽 6 ~ 7mm，萼齿 4，半圆形，长 4mm，宽加倍；雄蕊极多，长约 1.5cm；花柱长 2.5 ~ 3cm。果实梨形或圆锥形，肉质，洋红色，发亮，长 4 ~ 5cm，顶部凹陷，有宿存的肉质萼片；种子 1。花期 3 ~ 4 月，

果熟期 5 ~ 6 月。

| **生境分布** | 生于药园、植物园等。吉林无野生分布。吉林中部地区有栽培。

| **资源情况** | 吉林偶见栽培。药材主要来源于栽培。

| **采收加工** | 莲雾叶：夏季采收，鲜用或晒干。
莲雾皮：春、夏季剥皮，洗净，晒干。
莲雾：秋季果实成熟时采收，鲜用或晒干。
莲雾根：全年均可采挖，洗净，切片，鲜用或晒干。

| **功能主治** | 莲雾叶、莲雾皮：苦，寒。归心、肝经。泻火解毒，燥湿止痒。用于口舌生疮，鹅口疮，疮疡湿烂，阴痒。
莲雾：润肺止咳，除痰，凉血，收敛。用于肺燥咳嗽，咳痰，血热出血。
莲雾根：利湿，止痒。用于小便不利，皮肤湿痒。

| **用法用量** | 莲雾叶、莲雾皮：内服煎汤，3 ~ 9g；或研末。外用适量，煎汤漱口；或熏洗。
莲雾：内服煎汤，3 ~ 9g。
莲雾根：内服煎汤，3 ~ 9g。外用适量，煎汤洗；或研末调涂。

使君子科 Combretaceae 使君子属 Quisqualis

使君子
Quisqualis indica Linn.

| **植物别名** | 舀求子、史君子、四君子。

| **药 材 名** | 使君子（药用部位：果实。别名：留球子）。

| **形态特征** | 攀缘状灌木，高 2 ~ 8m。小枝被棕黄色短柔毛。叶对生或近对生，叶片膜质，卵形或椭圆形，长 5 ~ 11cm，宽 2.5 ~ 5.5cm，先端短渐尖，基部钝圆，表面无毛，背面有时疏被棕色柔毛，侧脉 7 或 8 对；叶柄长 5 ~ 8mm，无关节，幼时密生锈色柔毛。顶生穗状花序，组成伞房花序式；苞片卵形至线状披针形，被毛；萼管长 5 ~ 9cm，被黄色柔毛，先端具 5 广展、外弯、小形的萼齿；花瓣 5，长 1.8 ~ 2.4cm，宽 4 ~ 10mm，先端钝圆，初为白色，后转淡红色；雄蕊 10，不凸出于冠外，外轮着生于花冠基部，内轮着生于萼管中部，花药长约 1.5mm；子房下位，胚珠 3。果实卵形，短尖，长 2.7 ~ 4cm，

使君子

直径 1.2 ~ 2.3cm，无毛，具明显的锐棱角 5，成熟时外果皮脆薄，呈青黑色或栗色；种子 1，白色，长 2.5cm，直径约 1cm，圆柱状纺锤形。花期初夏，果期秋末。

| **生境分布** | 生于平原灌丛或路旁。吉林无野生分布。吉林中部地区有栽培。

| **资源情况** | 吉林偶见栽培。药材主要来源于栽培。

| **采收加工** | 秋季果皮变紫黑色时采收，除去杂质，干燥。

| **药材性状** | 本品呈椭圆形或卵圆形，具 5 纵棱，偶见 4 ~ 9 棱，长 2.5 ~ 4cm，直径约 2cm。表面黑褐色至紫黑色，平滑，微具光泽。先端狭尖，基部钝圆，有明显、圆形的果梗痕。质坚硬，横切面多呈五角星形，棱角处壳较厚，中间呈类圆形空腔。种子长椭圆形或纺锤形，长约 2cm，直径约 1cm；表面棕褐色或黑褐色，有多数纵皱纹；种皮薄，易剥离；子叶 2，黄白色，有油性，断面有裂纹。气微香，味微甜。以个大、颗粒饱满、种仁色黄、味香甜而带油性者为佳。

| **功能主治** | 甘，温。归脾、胃经。杀虫消积。用于蛔虫、蛲虫病，虫积腹痛，小儿疳积。

| **用法用量** | 内服煎汤，9 ~ 12g，捣碎；使君子仁 6 ~ 9g，多入丸、散或单用，分 1 ~ 2 次服。注意服药时忌饮浓茶。

柳叶菜科 Onagraceae 露珠草属 Circaea

高山露珠草 *Circaea alpina* L.

| 植物别名 | 就就草、蛆儿草。

| 药 材 名 | 高山露珠草（药用部位：全草）。

| 形态特征 | 多年生草本。叶形变异极大，自狭卵状菱形或椭圆形至近圆形，基部狭楔形至心形，先端急尖至短渐尖，近全缘至具尖锯齿。顶生总状花序；花梗与花序轴垂直或花梗上升或直立，基部有时有1刚毛状小苞片；花萼无或短，萼片白色或粉红色，矩圆状椭圆形、卵形、阔卵形或三角状卵形；花瓣白色，狭倒三角形、倒三角形、倒卵形至阔倒卵形，花瓣裂片圆形至截形，稀呈细圆齿状；雄蕊直立或上升，稀伸展，与花柱等长或略长于花柱；蜜腺不明显，藏于花管内。果实棒状至倒卵状，基部平滑地渐狭向果柄，1室，具1种子，表面无纵沟，但果柄延伸部分有浅槽；成熟果实连果柄长3.5～7.8mm。

高山露珠草

花期 7 ~ 8 月，果期 8 ~ 9 月。

| 生境分布 | 生于针叶林、针阔叶混交林林下潮湿处，苔藓覆盖的岩石或木头上，常成片生长。分布于吉林延边、白山、通化等。

| 资源情况 | 野生资源较少。药材主要来源于野生。

| 采收加工 | 7 ~ 8 月采收，除去杂质，晒干。

| 药材性状 | 本品皱缩，呈淡绿色。叶破碎不全，完整叶可见叶对生，叶片卵状三角形或阔卵形，先端短渐尖，基部浅心形或圆截形，边缘疏生锯齿，上面疏被短柔毛，下面常带紫色。花序轴被短柔毛；苞片小；花小；萼筒卵形，裂片 2，紫红色，卵形；花瓣白色，倒卵形，与萼裂片近等长，先端凹缺。气微，味甘、微苦。

| 功能主治 | 甘、苦，微寒。养心安神，消食，止咳，解毒，止痒。用于心悸，失眠，多梦，疳积，咳嗽，疮疡脓肿，湿疣，癣痒。

| 用法用量 | 内服煎汤，6 ~ 15g；或研末冲服。外用适量，捣敷；或煎汤洗。

柳叶菜科 Onagraceae　露珠草属 Circaea

露珠草
Circaea cordata Royle

露珠草

| 植物别名 |

牛泷草、四沟露珠草、谷蓼。

| 药 材 名 |

露珠草（药用部位：全草。别名：牛泷草）。

| 形态特征 |

多年生草本，高 0.2 ~ 1.5m。叶狭卵形至宽卵形，基部常心形，有时阔楔形至阔圆形或截形，先端短渐尖，边缘具锯齿至近全缘。单总状花序顶生，或基部具分枝；花芽或多或少被直或微弯、稀具钩的长毛；萼片卵形至阔卵形，白色或淡绿色，花开时反曲，先端钝圆形；花瓣白色，倒卵形至阔倒卵形，先端倒心形，凹缺深至花瓣长度的 1/2 ~ 2/3，花瓣裂片阔圆形；雄蕊伸展，略短于花柱或与花柱近等长；蜜腺不明显，全部藏于花管之内。果实斜倒卵形至透镜形，2室，具 2 种子，背面压扁，基部斜圆形或斜截形，边缘及子房室之间略显木栓质增厚；成熟果实连果柄长 4.4 ~ 7mm。花期 7 ~ 8 月，果期 8 ~ 9 月。

| 生境分布 |

生于林缘、灌丛及疏林。以长白山区为主要

分布区域，分布于吉林延边、白山、通化、长春、吉林、辽源（东丰）等。

| **资源情况** | 野生资源较丰富。药材主要来源于野生。

| **采收加工** | 7～8月采收，除去杂质，晒干。

| **功能主治** | 辛、苦，凉；有小毒。清热解毒，化瘀止血，生肌。用于疔疮，脓疮，疮疡肿毒，脘腹疼痛，小便淋痛，刀伤，外伤出血。

| **用法用量** | 内服煎汤，6～12g。外用适量，捣敷；或研末调敷。

水珠草

| 柳叶菜科 | Onagraceae | 露珠草属 | Circaea |

水珠草
Circaea lutetiana L.

| 植物别名 |

散积血。

| 药 材 名 |

水珠草（药用部位：全草。别名：谷蓼）。

| 形态特征 |

多年生草本。根茎上不具块茎。茎无毛，稀疏生曲柔毛。叶狭卵形、阔卵形至矩圆状卵形，基部圆形至近心形，稀阔楔形，先端短渐尖至长渐尖，边缘具锯齿。单总状花序或总状花序基部具分枝；花梗与花序轴垂直，被腺毛，基部无小苞片；萼片通常紫红色，反曲；花瓣倒心形，通常粉红色；先端凹缺至花瓣长度的 1/3 或 1/2；蜜腺明显，伸出花管之外。果实梨形至近球形，具明显的纵沟，基部通常不对称地渐狭至果柄；成熟果实连果柄长 5.3 ~ 8.5mm。花期 7 ~ 8 月，果期 8 ~ 9 月。

| 生境分布 |

生于林下阴湿地、灌丛、水边。分布于吉林白山（抚松、靖宇、长白）等。

| **资源情况** | 野生资源较少。药材主要来源于野生。 |

| **采收加工** | 夏、秋季采收，洗净，鲜用或晒干。 |

| **功能主治** | 辛、苦，平。清热解毒，和胃止痛，利小便，调经，止血，敛疮，消肿。用于外感咳嗽，脘腹胀痛，月经不调，经闭，泄泻，水肿，疮肿，癣痒。 |

| **附　注** | 在 FOC 中，本种的拉丁学名被修订为 *Circaea canadensis* subsp. *quadrisulcata* (Maximowicz) Boufford。 |

柳叶菜科 Onagraceae 柳叶菜属 *Epilobium*

毛脉柳叶菜 *Epilobium amurense* Hausskn.

| **植物别名** | 黑龙江柳叶菜。

| **药材名** | 毛脉柳叶菜（药用部位：全草。别名：柳叶菜、兴安柳叶菜、小柳叶菜）。

| **形态特征** | 多年生直立草本。茎高 10 ~ 80cm，不分枝或有少数分枝，上部有曲柔毛与腺毛，中、下部有时甚至上部常有明显的毛棱线。叶对生，花序上的互生，卵形，有时长圆状披针形，先端锐尖，侧脉每侧 4 ~ 6。花序直立，有时初期稍下垂；花蕾椭圆状卵形；花管喉部有 1 环长柔毛；萼片披针状长圆形；花瓣白色、粉红色或玫瑰紫色，倒卵形；花药卵状；柱头近头状。蒴果长 1.5 ~ 7cm，疏被柔毛至变无毛；果梗长 0.3 ~ 1.2cm；种子长圆状倒卵形，深褐色，先端近圆形；种缨污白色，易脱落。花期 7 ~ 8 月，果期 8 ~ 10 月。

毛脉柳叶菜

| **生境分布** | 生于山区溪沟边、沼泽地、草坡、林缘湿润处。分布于吉林通化（通化）、白山（浑江、抚松）、延边（安图）等。 |

| **资源情况** | 野生资源较少。药材主要来源于野生。 |

| **采收加工** | 7 ~ 8 月割取，晒干或鲜用。 |

| **药材性状** | 本品皱缩，呈淡绿色。根茎细，呈棕黄色，密生多数细根。茎具细棱，棱上密生曲柔毛，其余近无毛。叶片长椭圆形或卵形，两面脉上被短柔毛。花通常粉红色，花萼裂片倒卵形，先端凹缺。蒴果细长圆柱形，散生长柔毛；种子多数，黄褐色，近长圆柱形，散生长柔毛。气微，味苦、涩。 |

| **功能主治** | 苦、涩，温。收敛止血，止痢。用于肠炎，痢疾，月经过多，带下。 |

| **用法用量** | 内服煎汤，6 ~ 15g。 |

柳叶菜科 Onagraceae 柳叶菜属 Epilobium

光滑柳叶菜

Epilobium amurense Hausskn. subsp. *cephalostigma* (Hausskn.) C. J. Chen

| **植物别名** | 岩生柳叶菜、水串草。

| **药 材 名** | 光滑柳叶菜（药用部位：全草或花）。

| **形态特征** | 多年生直立草本，秋季自茎基部生出短的肉质多叶的根出条，伸长后有时成莲座状芽，稀成匍匐枝条。茎常多分枝，上部周围只被曲柔毛，无腺毛，中下部具不明显的棱线，但不贯穿节间，棱线上近无毛。叶长圆状披针形至狭卵形，基部楔形；叶柄长 1.5 ~ 6mm；花较小，长 4.5 ~ 7mm；萼片均匀地被稀疏的曲柔毛。花期（5 ~ ）7 ~ 8 月，果期（6 ~ ）8 ~ 10（ ~ 12）月。

| **生境分布** | 生于林缘、水边、沟旁。分布于吉林延边、白山、通化、长春、吉林、辽源等。

光滑柳叶菜

| **资源情况** | 野生资源较丰富。药材主要来源于野生。

| **采收加工** | 7~8月割取全草，摘取花，鲜用或分别晒干。

| **药材性状** | 本品皱缩，呈淡绿色。茎常多分枝，上部周围被曲柔毛，中、下部具不明显的棱线。叶长圆状披针形至狭卵形，基部楔形。花较小；萼片均匀地被稀疏的曲柔毛。气芳香，味微苦。

| **功能主治** | 全草，苦、辛，平。疏风清热，凉血止血，理气活血。用于外感风热所致的声音嘶哑，咽痛，水肿，咯血，便血，月经过多，刀伤出血。花，清热解毒，调经止痛。用于牙痛，目赤，咽喉肿痛，月经不调，带下。此外，带根全草还可用于骨折，跌打损伤。

柳叶菜科 Onagraceae 柳叶菜属 Epilobium

柳兰
Epilobium angustifolium L.

| **植物别名** | 狭叶柳兰、遍山红、山棉花。

| **药材名** | 红筷子（药用部位：全草）、红筷子冠毛（药用部位：种缨）。

| **形态特征** | 多年生粗壮草本，直立，丛生。茎不分枝或上部分枝，圆柱状。叶螺旋状互生，稀近基部对生，茎下部的叶近膜质，披针状长圆形至倒卵形，中、上部的叶近革质，线状披针形或狭披针形，先端渐狭，基部钝圆或有时宽楔形。花序总状，直立，长 5 ～ 40cm；苞片下部者叶状，长 2 ～ 4cm；花管缺，花盘深 0.5 ～ 1mm，直径 2 ～ 4mm；萼片紫红色，长圆状披针形；花瓣粉红色至紫红色，上面 2 较长、大，倒卵形或狭倒卵形；花药长圆形，初期红色，开裂时变紫红色。种子狭倒卵状，先端短渐尖；种缨丰富，长 10 ～ 17mm。花期 7 ～ 8 月，果期 9 ～ 10 月。

柳兰

| **生境分布** | 生于林区火烧迹地、开阔地、林缘、山坡、河岸或山谷的沼泽地等。以长白山区为主要分布区域，分布于吉林延边、白山、通化、长春、吉林、辽源（东丰）等。 |

| **资源情况** | 野生资源较丰富。药材主要来源于野生。 |

| **采收加工** | 红筷子：夏、秋季采收，鲜用或晒干。
红筷子冠毛：秋季果实成熟时采收，鲜用或晒干。 |

| **药材性状** | 红筷子：本品根茎呈圆柱形，长短不等，直径0.5～2cm，表面棕褐色，具纵皱纹，有芽痕和侧芽痕，先端呈疙瘩状，残留数个茎基。茎圆柱形，中空，被柔毛或近无毛，基部和上部带暗紫色。叶多皱缩、破碎，展开后，叶片呈披针形，叶面暗绿色，叶背灰白色。花大，多皱缩，展开后，花瓣4，倒卵形，先端钝圆，基部具爪，暗红紫色；雄蕊8，长短不一；子房下位，被柔毛，花柱先端4裂。 |

气微，味辛、苦。

| 功能主治 | 红筷子：辛、苦，平；有小毒。下乳，润肠，调经活血，止血生肌，消肿止痛，舒筋接骨。用于乳汁不下，肠燥便秘，食积胀满，月经不调，骨折，关节扭伤，跌打损伤，外伤出血。

红筷子冠毛：活血调经，益气消胀，止血。用于月经不调，外伤出血。

| 用法用量 | 红筷子：内服煎汤，15 ~ 30g。外用适量，捣敷。

红筷子冠毛：外用适量，捣敷。

| 附　　注 | 在 FOC 中，本种的拉丁学名被修订为 *Chamerion angustifolium* (Linnaeus) Holub。

柳叶菜科 Onagraceae 柳叶菜属 *Epilobium*

东北柳叶菜 *Epilobium ciliatum* Raf.

东北柳叶菜

| 植物别名 |

密叶柳叶菜、稀花柳叶菜。

| 药 材 名 |

东北柳叶菜（药用部位：全草）。

| 形态特征 |

多年生直立草本。茎多少分枝，周围被曲柔毛与腺毛。叶对生，花序上的互生，革质，披针形或狭卵形，先端锐尖至近渐尖，基部圆形，侧脉每侧 5 ~ 8；叶柄长 1 ~ 3mm，茎上部的叶无柄。花序直立；苞片很小，狭披针形至线形。花直立；花蕾宽卵状至长圆状卵形；花管长 0.8 ~ 1.2mm，喉部有 1 环稀疏的毛；萼片披针状长圆形；花瓣粉红色至玫瑰紫色，稀白色，长圆状倒卵形，先端的凹缺深 0.7 ~ 1.2mm；花药宽卵状；外轮花丝长 2.5 ~ 3.2mm，内轮花丝长 1.5 ~ 2.5mm；花柱直立；柱头棍棒状至圆柱状。蒴果直立；种子狭倒卵状至长圆状椭圆形。花期 7 ~ 9 月，果期 8 ~ 10 月。

| 生境分布 |

生于溪沟旁、河床滩地、泉坑边、草坡湿处等。吉林各地均有分布。

| **资源情况** | 野生资源较丰富。药材主要来源于野生。

| **采收加工** | 同"毛脉柳叶菜"。

| **功能主治** | 收敛止血。用于出血。

柳叶菜科 Onagraceae 柳叶菜属 *Epilobium*

多枝柳叶菜 *Epilobium fastigiatoramosum* Nakai

多枝柳叶菜

药材名

多枝柳叶菜（药用部位：全草）。

形态特征

多年生直立草本，自茎基部生出多叶的根出条。茎多分枝，有时不分枝。叶对生，花序上的互生，无柄或具很短的柄，狭椭圆形至椭圆状披针形，先端锐尖，有时尖头稍钝，基部楔形或近圆形，近全缘，侧脉每侧4～6。花序直立，密被曲柔毛与腺毛；花直立；花管喉部疏生1环白毛或近无毛；萼片狭卵形至披针形；花瓣白色，倒心形或狭倒卵形；花药宽长圆形；外轮花丝长1.5～2mm，内轮花丝长1～1.5mm；花柱直立，无毛；柱头近头状。蒴果被曲柔毛；果柄长0.9～2.1cm；种子狭倒卵状或狭倒披针状；种缨污白色，长7～12mm。花期7～8月，果期8～9月。

生境分布

生于湿地、河谷、溪沟旁或草甸等。分布于吉林延边、白山、通化、长春、吉林、辽源等。

| **资源情况** | 野生资源较少。药材主要来源于野生。

| **采收加工** | 夏、秋季采收，除去杂质，晒干或鲜用。

| **功能主治** | 淡，凉。活血止血，消炎止痛，去腐生肌。用于月经过多，骨折，跌打损伤，疔疮痈肿，外伤出血，烫伤。

柳叶菜科 Onagraceae 柳叶菜属 Epilobium

柳叶菜 *Epilobium hirsutum* L.

柳叶菜

| 植物别名 |

水接骨丹、水朝阳花、鸡脚参。

| 药 材 名 |

柳叶菜（药用部位：全草。别名：通经草、水兰花、菜子灵）、柳叶菜花（药用部位：花。别名：地母怀胎草花、水丁香花）、柳叶菜根（药用部位：根。别名：地母怀胎草根、水丁香根、白带丹根）。

| 形态特征 |

多年生草本。茎常在中上部多分枝，周围密被伸展的长柔毛，常混生较短而直的腺毛。叶草质，对生，茎上部叶互生，无柄，并多少抱茎；茎生叶披针状椭圆形至狭倒卵形或椭圆形，稀狭披针形，先端锐尖至渐尖，基部近楔形，边缘每侧具 20 ~ 50 细锯齿。总状花序直立；苞片叶状；花直立；花管在喉部有 1 圈长白毛；萼片长圆状线形；花瓣常玫瑰红色，或粉红色、紫红色，宽倒心形；花药乳黄色，长圆形；外轮花丝长 5 ~ 10mm，内轮花丝长 3 ~ 6mm；花柱直立，白色或粉红色；柱头白色，4 深裂，裂片长圆形，长 2 ~ 3.5mm。蒴果；种子倒卵状。花期 7 ~ 8 月，果期 8 ~ 9 月。

| **生境分布** | 生于林缘、沟边、湿地、沼泽地，常成片生长。以长白山区为主要分布区域，分布于吉林延边、白山、通化、长春、吉林、辽源（东丰）等。 |

| **资源情况** | 野生资源较丰富。药材主要来源于野生。 |

| **采收加工** | 柳叶菜：秋季采收，洗净，切段，晒干。
柳叶菜花：夏季采收，晾干。
柳叶菜根：秋季采挖，洗净，切段，晒干。 |

| **药材性状** | 柳叶菜：本品茎密生白色长柔毛。下部叶对生，上部叶互生；无柄，有叶延，略抱茎，两面被柔毛；叶片长圆状披针形至披针形，基部楔形，边缘具细齿。花单生于叶腋，浅紫色，长 1 ~ 1.2cm；萼筒圆柱形，外面被毛；花瓣宽倒卵形，先端凹缺，2 裂。蒴果圆柱形，被长柔毛。种子椭圆形，棕色。气微，味淡。 |

| **功能主治** | 柳叶菜：淡，凉。活血止血，消炎止痛，去腐生肌。用于月经过多，骨折，跌打损伤，疔疮痈肿，外伤出血，烫伤。
柳叶菜花：苦、微甘，凉。归肝、胃经。清热解毒，调经止血。用于牙痛，目赤，咽喉肿痛，月经不调，带下。
柳叶菜根：苦，凉。归肝、胃经。理气，活血，止血。用于胃痛，食滞饱胀，经闭。 |

| **用法用量** | 柳叶菜：内服煎汤，6 ~ 15g；或鲜品捣汁。外用适量，捣敷；或捣汁外涂。
柳叶菜花：内服煎汤，9 ~ 15g。
柳叶菜根：内服煎汤，6 ~ 15g。 |

柳叶菜科 | Onagraceae | 柳叶菜属 | *Epilobium*

沼生柳叶菜 *Epilobium palustre* L.

沼生柳叶菜

| 植物别名 |

水湿柳叶菜、沼泽柳叶菜、独木牛。

| 药 材 名 |

沼生柳叶菜（药用部位：全草。别名：独木牛、水湿柳叶菜）。

| 形态特征 |

多年生直立草本。自茎基部底下或地上生出纤细的越冬匍匐枝，成对的叶生于稀疏的节上，顶生肉质鳞芽，次年鳞叶变褐色，生于茎基部。茎不分枝或分枝，有时中部叶腋有退化枝，圆柱状，无棱线，周围被曲柔毛，有时下部近无毛。叶对生，花序上的互生，近线形至狭披针形，先端锐尖或渐尖，有时稍钝，基部近圆形或楔形，全缘或每边有5～9不明显浅齿，侧脉每侧3～5，不明显，下面脉上与边缘疏生曲柔毛或近无毛；叶柄缺或稀长1～3mm。花序花前直立或稍下垂，密被曲柔毛，有时混生腺毛；花近直立；花蕾椭圆状卵形；子房密被曲柔毛与稀疏的腺毛；花管喉部近无毛或有1环稀疏的毛；萼片长圆状披针形，先端锐尖，密被曲柔毛与腺毛；花瓣白色至粉红色或玫瑰紫色，倒心形，先端的凹缺深0.8～1mm；花药长圆

321 __ 吉林卷 4

状；花柱直立，无毛；柱头棍棒状至近圆柱状，花开时稍伸出外轮花药。蒴果被曲柔毛；种子棱形至狭倒卵状，先端具长喙，褐色，表面具细小乳突；种缨灰白色或褐黄色，不易脱落。花期 6～8 月，果期 8～9 月。

| **生境分布** | 生于河岸、水边、湖边湿地、沼泽地、亚高山或高山草地湿润处。分布于吉林白城（通榆、镇赉）、松原（长岭）、吉林（桦甸、蛟河、磐石、舒兰）、延边（安图、敦化、和龙、汪清）、白山（抚松、靖宇、长白）、通化（集安、通化、柳河）、长春（九台）等。

| **资源情况** | 野生资源较丰富。药材主要来源于野生。

| **采收加工** | 7～8 月割取，晒干或鲜用。

| **药材性状** | 本品茎无分枝或少分枝，长短不一，直径 1～2mm。表面黄绿色或黄棕色，被白色长柔毛。质脆，易折断，断面中空。叶多卷曲，破碎，完整者展平后呈线形至狭披针形，上面黄绿色，下面灰绿色。气微，味淡。

| **功能主治** | 淡，平。疏风清热，镇咳，止泻。用于风热咳嗽，声嘶，咽喉肿痛，泄泻，支气管炎，高热泻下。

| **用法用量** | 内服煎汤，9～18g。

柳叶菜科 Onagraceae 倒挂金钟属 Fuchsia

倒挂金钟
Fuchsia hybrida Hort. ex Sieb. et Voss.

倒挂金钟

| 植物别名 |

铃儿花、吊钟海棠、灯笼花。

| 药 材 名 |

倒挂金钟（药用部位：全草）。

| 形态特征 |

落叶半灌木。茎直立，多分枝，被短柔毛与腺毛，老时渐变无毛，幼枝带红色。叶对生，卵形或狭卵形，中部的较大，先端渐尖，基部浅心形或钝圆，边缘具远离的浅齿或齿突，脉常带红色，侧脉 6 ~ 11 对，在近边缘处环结，两面尤下面脉上被短柔毛；叶柄常带红色，被短柔毛与腺毛；托叶狭卵形至钻形，早落。花两性，单一，稀成对生于茎枝顶叶腋，下垂；花梗纤细，淡绿色或带红色；花管红色，筒状，上部较大，连同花梗疏被短柔毛与腺毛；萼片 4，红色，长圆状或三角状披针形，先端渐狭，开放时反折；花瓣颜色多变，紫红色、红色、粉红色、白色，排成覆瓦状，宽倒卵形，先端微凹；子房倒卵状长圆形，疏被柔毛与腺毛，4 室，每室有多数胚珠；花柱红色，基部围以绿色的浅杯状花盘；柱头棍棒状，褐色，先端 4 浅裂。果实紫红色，倒卵状长圆形。花期 4 ~ 12 月。

| **生境分布** |

生于庭院、花园等。吉林无野生分布。吉林部分地区室内有栽培。

| **资源情况** |

吉林偶见栽培。药材主要来源于栽培。

| **采收加工** |

夏、秋季采收，除去杂质，晒干。

| **功能主治** |

活血，利水。用于血瘀，水肿。

柳叶菜科 Onagraceae 丁香蓼属 Ludwigia

丁香蓼 *Ludwigia prostrata* Roxb.

丁香蓼

| 药 材 名 |

丁香蓼（药用部位：全草）。

| 形态特征 |

一年生直立草本。茎下部圆柱状，上部四棱形，常淡红色，多分枝，小枝近水平开展。叶狭椭圆形，先端锐尖或稍钝，基部狭楔形，在下部骤变窄，侧脉每侧 5 ~ 11；叶柄稍具翅；托叶几乎全部退化。萼片 4，三角状卵形至披针形；花瓣黄色，匙形，先端近圆形，基部楔形；雄蕊 4；花药扁圆形；柱头近卵状或球状，直径约 0.6mm；花盘围以花柱基部，稍隆起。蒴果四棱形，淡褐色；种子呈 1 列横卧于每室内，离生，卵状，先端稍偏斜，具小尖头；种脊线形。花期 6 ~ 7 月，果期 8 ~ 9 月。

| 生境分布 |

生于稻田、河滩或溪谷旁湿地等。分布于吉林延边、白山、通化、长春、吉林、辽源等。

| 资源情况 |

野生资源较少。药材主要来源于野生。

| **采收加工** | 夏、秋季采收，除去杂质，切段，鲜用或晒干。

| **功能主治** | 苦，凉。清热解毒，利尿消肿，解表凉血。用于水肿，淋证，急性黄疸性肝炎，感冒，咽喉肿痛，急性肠炎，痢疾，急性阑尾炎，小儿疳积，肾炎水肿，膀胱炎，痔疮；外用于痈疖疔疮，狂犬咬伤，蛇虫咬伤。

| **用法用量** | 内服煎汤，15 ~ 30g；或泡酒。外用适量，捣敷。

| **附　注** | 本种的外形及花、果实的形态酷似假柳叶菜 *Ludwigia epilobioides* Maxim，二者的不同主要在于本种种子游离生，每室 1 列，横卧，种脊明显；萼片 4，较小；花瓣很小，匙形等，可以以此区别。

柳叶菜科 Onagraceae 月见草属 Oenothera

月见草
Oenothera biennis L.

月见草

| 植物别名 |

夜来香、待宵草、山芝麻。

| 药 材 名 |

月见草（药用部位：根。别名：夜来香、山芝麻）、月见草子（药用部位：种子）、月见草油（药材来源：用物理或化学的方法获取的月见草子油）。

| 形态特征 |

直立二年生草本，基生莲座叶丛紧贴地面。茎不分枝或分枝。基生叶倒披针形，先端锐尖，基部楔形，边缘疏生不整齐的浅钝齿；茎生叶椭圆形至倒披针形，先端锐尖至短渐尖，基部楔形，边缘每边有 5 ~ 19 稀疏钝齿，侧脉每侧 6 ~ 12。花序穗状，不分枝，或在主花序下面具次级侧生花序；苞片叶状，花蕾锥状长圆形；萼片绿色，有时带红色，长圆状披针形；花瓣黄色，稀淡黄色，宽倒卵形，长 2.5 ~ 3cm，宽 2 ~ 2.8cm；花丝近等长；子房绿色，圆柱状，具 4 棱；花柱长 3.5 ~ 5cm，伸出花管部分长 0.7 ~ 1.5cm。蒴果锥状圆柱形，向上变狭；种子暗褐色，棱形。花期 6 ~ 8 月，果期 8 ~ 10 月。

| 生境分布 | 生于向阳山坡、沙地、荒地、草地或河岸砂砾地等，常成片生长。吉林各地均有分布。吉林辽源、长春、吉林等有栽培。

| 资源情况 | 野生资源丰富。吉林有栽培。药材主要来源于栽培。

| 采收加工 | 月见草：秋季采收，洗净，晒干。
月见草子：夏末、秋季果实成熟时采收，剪（割）果序，或全株拔起，晒干，压或敲打，收集种子，除去杂质。
月见草油：将月见草子用物理或化学的方法进行加工，以获取月见草油。
CO_2 超临界萃取月见草油的工艺流程：原料→调质→初榨→月见草子初榨饼→干燥→粉碎→装入反应釜→CO_2 超临界萃取→分离→月见草油。

| 药材性状 | 月见草：本品呈锥形或圆锥形，长 11 ~ 25cm，直径 0.5 ~ 1.5cm，多分枝。表面黄褐色、黄色、褐色，表皮易脱落。质韧，不易折断。气微，味淡。
月见草子：本品呈类三角形、半圆形或不规则形，长 1.1 ~ 2mm，宽 0.5 ~ 1.4mm。种皮红褐色、棕褐色至深褐色，表面呈粗颗粒状，不平坦，具锐棱角，各棱角具隆起的细棱线；种脐不明显；胚黄白色，富油性。质较脆，手捻外皮易脱落。种子遇水有黏液。气微，味淡。
月见草油：本品为淡黄色透明液体，有香气。

| 功能主治 | 月见草：甘，温。祛风湿，强筋骨。用于风湿痹证，筋骨疼痛。
月见草子：甘，温。祛风湿，强筋骨，化浊降脂。用于风湿痹证，筋骨疼痛，痰浊湿盛所致的肥胖症。
月见草油：祛风除湿，活血化瘀。用于高胆固醇血症，高脂血症引起的冠状动脉栓塞，动脉硬化性脑梗死，肥胖症，风湿关节痛。

| 用法用量 | 月见草：内服煎汤，5 ~ 15g。
月见草子：内服煎汤，5 ~ 15g。
月见草油：制成胶丸、软胶囊等，2 ~ 6g。

| 附　注 | 月见草子已被列入 2019 年版《吉林省中药材标准》第一册。

小二仙草科 Haloragidaceae 狐尾藻属 Myriophyllum

穗状狐尾藻 *Myriophyllum spicatum* L.

| **植物别名** | 狐尾草、金鱼藻、聚藻。

| **药材名** | 聚藻（药用部位：全草。别名：水藻、水蕴、鳃草）。

| **形态特征** | 多年生沉水草本。根茎发达，在水底泥中蔓延，节部生根。茎圆柱形，分枝极多。叶常5轮生（或3~4轮生，或6轮生），丝状全细裂，叶的裂片约13对，细线形，裂片长1~1.5cm。花两性，单性或杂性，雌雄同株，单生于苞片状叶腋内，常4轮生，由多数花排成近裸颓的顶生或腋生的穗状花序。如为杂性花，则上部为雄花，下部为雌花，中部有时为两性花，基部有1对苞片。雄花：萼筒广钟状，先端4深裂；花瓣4，阔匙形，凹陷，先端圆形，粉红色；雄蕊8，花药长椭圆形，淡黄色。雌花：萼筒管状，4深裂；子房下位，4室，花柱4，很短，偏于一侧，柱头羽毛状，向外反转，具4胚珠；大苞

穗状狐尾藻

片矩圆形，全缘或有细锯齿，较花瓣短，小苞片近圆形，边缘有锯齿。分果广卵形或卵状椭圆形。花期 6 ~ 8 月，果期 8 ~ 9 月。

| 生境分布 | 生于湖泊、池塘、河沟、沼泽中，特别是在含钙的水域中更为常见。以长白山区为主要分布区域，分布于吉林延边、白山、通化、吉林、辽源（东丰）、白城、松原、四平等。

| 资源情况 | 野生资源较丰富。药材主要来源于野生。

| 采收加工 | 4 ~ 10 月期间，隔 2 个月可采收 1 次，每次采收池塘中 1/2 的聚藻，鲜用，晒干或烘干。

| 功能主治 | 甘、淡，寒。清热解毒，活血，通便。用于痢疾，热毒疖肿，丹毒。

| 用法用量 | 内服煎汤，鲜品 15 ~ 30g；或捣汁。外用适量，鲜品捣敷。

小二仙草科 | Haloragidaceae | 狐尾藻属 | *Myriophyllum*

狐尾藻 *Myriophyllum verticillatum* L.

狐尾藻

| 植物别名 |

轮叶狐尾藻。

| 药 材 名 |

狐尾藻（药用部位：全草。别名：轮叶狐尾藻）。

| 形态特征 |

多年生粗壮沉水草本。根茎发达，在水底泥中蔓延，节部生根。茎圆柱形，多分枝。叶通常4轮生，或3、5轮生，水中叶较长，丝状全裂，无叶柄；裂片8～13对，互生；水上叶互生，披针形，较强壮，鲜绿色，长约1.5cm，裂片较宽。秋季于叶腋中生出棍棒状冬芽而越冬。苞片羽状篦齿状分裂。花单性，雌雄同株，或杂性，单生于水上叶叶腋内，每轮具4花，花无柄，比叶片短。雌花：生于水上茎下部叶叶腋中；萼片与子房合生，先端4裂，裂片较小，长不及1mm，卵状三角形；花瓣4，舟状，早落；雌蕊1，子房广卵形，4室，柱头4裂，裂片三角形；花瓣4，椭圆形，早落。雄花：雄蕊8，花药椭圆形，淡黄色，花丝丝状，开花后伸出花冠外。果实广卵形，具4浅槽，先端具残存的萼片及花柱。花期8月，果期9月。

| 生境分布 | 生于湖泊、池塘、河沟、沼泽中，常成片生长。吉林各地均有分布。

| 资源情况 | 野生资源较丰富。药材主要来源于野生。

| 采收加工 | 4～10月期间，隔2个月可采收1次，每次采收池塘中1/2的聚藻，鲜用，晒干或烘干。

| 药材性状 | 本品卷缩，呈深绿色。茎圆柱形，长短不一。叶蜷缩，质柔软。完整叶展开后可见丝状全裂，无叶柄；或叶互生，披针形，深绿色，裂片较宽。花单生于叶腋内，无柄，比叶片短。气微，味淡。

| 功能主治 | 甘、淡，寒。清热解毒。用于痢疾，热毒疖肿，丹毒，烫火伤。

杉叶藻科 | Hippuridaceae | 杉叶藻属 | *Hippuris*

杉叶藻 *Hippuris vulgaris* L.

| 植物别名 | 节骨草。

| 药 材 名 | 杉叶藻（药用部位：全草。别名：节骨草）。

| 形态特征 | 多年生水生草本。茎直立，多节，常带紫红色，上部不分枝，下部合轴分枝。叶条形，二型，4 ~ 12 轮生。沉水中的根茎粗大，圆柱形，直径 3 ~ 5mm，叶线状披针形；露出水面的根茎较沉水中的根茎细小，节间亦短，叶条形或狭长圆形。花细小，两性，稀单性，单生于叶腋；花萼与子房大部分合生成卵状椭圆形，萼全缘，常带紫色；无花盘；雄蕊 1，生于子房上略偏向一侧；花丝细，常短于花柱，花药红色，椭圆形；子房下位，椭圆形，长不及 1mm，1 室，内有 1 倒生胚珠，花柱宿存，针状，稍长于花丝，雌蕊先熟，主要为风媒传粉。果实为小坚果状，卵状椭圆形，外果皮薄，内果皮厚

杉叶藻

而硬，不开裂，内有 1 种子，外种皮具胚乳。花期 7 ~ 8 月，果期 8 ~ 9 月。

| **生境分布** | 生于沼泽湿地或溪水中，常成片生长。吉林各地均有分布。

| **资源情况** | 野生资源较少。药材主要来源于野生。

| **采收加工** | 6 ~ 9 月采收，洗净，晒干。

| **功能主治** | 苦、微甘，凉。润肺止咳，清热除烦，凉血止血，生津养液。用于高热烦渴，肺痨咳嗽，劳热骨蒸，两肋疼痛，胃肠炎，泄泻，外伤出血。

| **用法用量** | 内服煎汤，6 ~ 12g。外用适量，研末撒。

八角枫科　Alangiaceae　八角枫属　Alangium

瓜木

Alangium platanifolium (Sieb. et Zucc.) Harms

瓜木

| 植物别名 |

八角枫、猪耳桐。

| 药 材 名 |

猪耳桐（药用部位：侧根、须根。别名：山茱萸、入筋条、岩桐）。

| 形态特征 |

落叶灌木或小乔木，高 5 ~ 7m。树皮平滑，灰色或深灰色；小枝纤细，近圆柱形，常稍弯曲，略呈"之"字形，当年生枝淡黄褐色或灰色；冬芽圆锥状卵圆形。叶纸质，近圆形，稀阔卵形或倒卵形，先端钝尖，基部近心形或圆形，不分裂或稀分裂；主脉3 ~ 5，侧脉 5 ~ 7 对。聚伞花序生于叶腋，长 3 ~ 3.5cm，通常有 3 ~ 5 花，花梗上有线形小苞片 1，长 5mm；花萼近钟形，裂片5，三角形；花瓣 6 ~ 7，线形，紫红色，长2.5 ~ 3.5cm，宽 1 ~ 2mm，基部黏合，上部花开时反卷；雄蕊 6 ~ 7，花丝略扁；花盘肥厚，近球形。核果长卵圆形或长椭圆形，先端有宿存的花萼裂片，有种子 1。花期 6 ~7 月，果期 9 ~ 10 月。

| **生境分布** | 生于土质比较疏松而肥沃的向阳山坡或疏林。以长白山区为主要分布区域，分布于吉林延边、白山、通化、吉林、辽源（东丰）等。 |

| **资源情况** | 野生资源较少。药材主要来源于野生。 |

| **采收加工** | 春、秋季采挖根，除去泥沙，斩取侧根和须根，晒干。 |

| **药材性状** | 本品侧根直径约5mm，略弯曲，表面浅黄棕色，较平滑，栓皮常有纵纹或剥脱。须根众多，直径约1mm，黄白色。质坚脆，断面呈纤维性，淡黄色。气微，味微甘而辛。 |

| **功能主治** | 辛，微温；有毒。归肝、肾、心经。祛风除湿，舒筋活络，散瘀止痛。用于风湿关节痛，跌打损伤，劳伤腰痛，四肢麻木，瘫痪。 |

| **用法用量** | 内服煎汤，须根1~3g，侧根3~6g；或浸酒。外用适量，捣敷；或煎汤洗。 |

| **附　　注** | 本种为吉林省Ⅲ级重点保护野生植物。 |

山茱萸科 Cornaceae 灯台树属 Bothrocaryum

灯台树 *Bothrocaryum controversum* (Hemsl.) Pojark.

| **植物别名** | 灯台木、狭叶灯台树、女儿木。

| **药 材 名** | 灯台树（药用部位：果实或果皮、树皮、心材）。

| **形态特征** | 落叶乔木。树皮光滑，暗灰色或带黄灰色。枝开展，圆柱形，当年生枝紫红色，二年生枝淡绿色，有半月形的叶痕和圆形皮孔；冬芽顶生或腋生，卵圆形或圆锥形。叶互生，纸质，阔卵形、阔椭圆状卵形或披针状椭圆形，先端突尖，基部圆形或急尖，全缘，上面黄绿色，下面灰绿色。伞房状聚伞花序，顶生；总花梗淡黄绿色；花小，白色，花萼裂片 4，三角形；花瓣 4，长圆状披针形，长 4 ~ 4.5mm；雄蕊 4，着生于花盘外侧，与花瓣互生，花丝线形，花药椭圆形，淡黄色；花盘垫状，厚约 0.3mm；花柱圆柱形；子房下位，花托椭圆形。核果球形，成熟时紫红色至蓝黑色；核骨质，球形。花期

灯台树

6 ～ 7 月，果期 9 ～ 10 月。

| **生境分布** | 生于阴坡、半阴坡土壤肥沃湿润的杂木林。以长白山区为主要分布区域，分布于吉林延边、白山、通化、吉林、辽源（东丰）等。吉林延边、白山、通化等有栽培。

| **资源情况** | 野生资源较少。吉林有栽培。药材主要来源于野生。

| **采收加工** | 秋季采摘成熟果实，剥取果皮，分别晒干。一般定植 10 年以上可收获树皮，5 ～ 6 月剥取，晒干。剥去树皮后，再除去边材，取其心材，晒干。

| **功能主治** | 果实，苦；有毒。清热利湿，止血，驱蛔。用于蛔积，肝炎。果皮，润肠通便。用于肠燥便秘。树皮，祛风止痛，舒筋活络。用于头痛眩晕，咽喉肿痛，关节酸痛，跌打肿痛。心材，接骨疗伤，破血养血，安胎，止痛，生肌。用于跌打骨折，瘀血肿痛，血虚萎黄，胎动不安。

| **附　注** | 在 FOC 中，本种的拉丁学名被修订为 *Cornus controversa* Hemsley。

山茱萸科 Cornaceae 草茱萸属 Chamaepericlymenum

草茱萸
Chamaepericlymenum canadense (Linn.) Aschers. et Graebn.

| 植物别名 | 草四照花。

| 药 材 名 | 草茱萸（药用部位：全草）。

| 形态特征 | 多年生草本。根茎细长，爬生，直立茎纤细，少分枝，基部有 2 对卵形、交互对生的鳞片。叶对生或 6 于枝顶近轮生，纸质，倒卵形至菱形，先端突尖，基部渐窄，全缘，中脉在上面稍凸起，在下面凸出，侧脉 3 对；叶柄短。伞形聚伞花序顶生，宽约 1.2cm；总花梗细圆柱形；总苞片 4，白色，花瓣状，宽卵形，先端钝尖，基部突然收缩成柄状，有 7 弧形的细脉纹；花小，白绿色，直径约 2mm；萼管长倒卵形；花瓣 4，卵状披针形，向外反折；雄蕊 4，花药狭卵形，淡黄白色；花盘墩状；花柱圆柱形，长约 1mm，柱头头状，子房下位，花托长倒卵形，灰绿色；花梗细圆柱形。核果球形，红色。花期 7 ~ 8 月，

草茱萸

果期 8 ~ 9 月。

| **生境分布** | 生于亚高山针叶林林下较荫蔽而腐殖质丰富的地方，常成片生长。分布于吉林延边等。

| **资源情况** | 野生资源较少。药材主要来源于野生。

| **采收加工** | 夏、秋季采收，除去杂质，晒干或晾干。

| **功能主治** | 止血，敛疮，消肿，清热解毒。用于疔疮痈肿。

| **附　注** | （1）在 FOC 中，本种的拉丁学名被修订为 *Cornus canadensis* Linnaeus。
（2）本种为吉林省Ⅲ级重点保护野生植物。

山茱萸科 Cornaceae 山茱萸属 Cornus

山茱萸 *Cornus officinalis* Sieb. et Zucc.

山茱萸

植物别名

枣皮。

药 材 名

山茱萸（药用部位：成熟果肉。别名：鼠矢、鸡足、山萸肉）。

形态特征

落叶乔木或灌木。树皮灰褐色；小枝细圆柱形，无毛或稀被贴生短柔毛；冬芽顶生及腋生，卵形至披针形，被黄褐色短柔毛。叶对生，纸质，卵状披针形或卵状椭圆形，先端渐尖，基部宽楔形或近圆形，全缘，上面绿色，无毛，下面浅绿色，稀被白色贴生短柔毛，脉腋密生淡褐色丛毛，中脉在上面明显，在下面凸起，近无毛，侧脉 6 ~ 7 对，弓形内弯；叶柄细圆柱形，上面有浅沟，下面圆形，稍被贴生疏柔毛。伞形花序生于枝侧，有总苞片 4，卵形，厚纸质至革质，带紫色，两侧略被短柔毛，开花后脱落；总花梗粗壮，微被灰色短柔毛；花小，两性，先叶开放；花萼裂片 4，阔三角形，与花盘等长或稍长，无毛；花瓣 4，舌状披针形，黄色，向外反卷；雄蕊 4，与花瓣互生。核果长椭圆形，红色至紫红色；核骨质，狭椭圆形，有几条不整齐的肋纹。花期3～4月，果期9～10月。

| **生境分布** | 生于海拔400～1500m、稀达2100m的林缘或森林。分布于吉林通化、白山等。吉林东部山区有栽培。

| **资源情况** | 野生资源较少。吉林有栽培。药材主要来源于栽培。

| **采收加工** | 秋末冬初果皮变红时采收，用文火烘或置沸水中略烫后，及时除去果核，干燥。

| **药材性状** | 本品呈不规则的片状或囊状，长1～1.5cm，宽0.5～1cm。表面紫红色至紫黑色，皱缩，有光泽。先端有的有圆形宿萼痕，基部有果柄痕。质柔软。气微，味酸、涩、微苦。以无核、皮肉肥厚、色红、油润者为佳。

| **功能主治** | 酸、涩，微温。归肝、肾经。补益肝肾，收涩固脱。用于眩晕耳鸣，腰膝酸痛，阳痿遗精，遗尿尿频，崩漏带下，大汗虚脱，内热消渴。

| **用法用量** | 内服煎汤，6～12g；或入丸、散。

山茱萸科 Cornaceae 楝木属 Swida

红瑞木 *Swida alba* Opiz

| 植物别名 | 红瑞山茱萸、凉子木。

| 药 材 名 | 红瑞木（药用部位：树皮、叶）。

| 形态特征 | 落叶灌木。树皮紫红色；幼枝有淡白色短柔毛，老枝红白色，散生灰白色圆形皮孔及略为凸起的环形叶痕；冬芽卵状披针形。叶对生，纸质，椭圆形，稀卵圆形，先端突尖，基部楔形或阔楔形，全缘或波状反卷，侧脉 4 ~ 6 对。伞房状聚伞花序顶生，较密，宽 3cm；总花梗圆柱形；花小，白色或淡黄白色，花萼裂片 4，尖三角形；花瓣 4，卵状椭圆形；雄蕊 4，花丝线形，花药淡黄色，2 室，卵状椭圆形；花柱圆柱形，花托倒卵形；花梗纤细。核果长圆形，微扁，成熟时乳白色或蓝白色，花柱宿存；核棱形，侧扁。花期 6 ~ 7 月，果期 8 ~ 10 月。

红瑞木

| 生境分布 |

生于杂木林、针阔叶混交林或溪流边等。以长白山区为主要分布区域,分布于吉林延边、白山、通化、吉林、辽源(东丰)等。

| 资源情况 |

野生资源稀少。药材主要来源于野生。

| 采收加工 |

春季剥取树皮,刮去粗皮,晒干。夏季采收叶,晒干。

| 功能主治 |

苦、微涩,寒。清热解毒,收敛,止泻,止痢,强壮。用于泄泻,痢疾,腹痛,感冒,咳嗽,麻疹不透,胸膜炎,肾病。

| 用法用量 |

内服煎汤,6 ~ 9g。外用适量,煎汤洗;或研末撒。

| 附　注 |

在 FOC 中,本种的拉丁学名被修订为 *Cornus alba* Linnaeus。

无梗五加

Acanthopanax sessiliflorus (Rupr. & Maxim.) Seem.

| **植物别名** | 短梗五加、刺拐棒。

| **药 材 名** | 东五加皮（药用部位：根皮。别名：短梗五加）。

| **形态特征** | 落叶灌木或小乔木。树皮暗灰色或灰黑色，有纵裂纹和粒状裂纹；枝灰色，无刺或疏生刺；刺粗壮，直或弯曲。有小叶 3 ~ 5；叶柄无刺或有小刺；小叶片纸质，倒卵形或长圆状倒卵形至长圆状披针形，稀椭圆形，长 8 ~ 18cm，宽 3 ~ 7cm，先端渐尖，基部楔形，两面均无毛，边缘有不整齐的锯齿，稀重锯齿状，侧脉 5 ~ 7 对，明显，网脉不明显。头状花序紧密，球形，直径 2 ~ 3.5cm，有花多数，5 ~ 6（稀多至 10）组成顶生圆锥花序或复伞形花序；总花梗密生短柔毛；花无梗；花萼密生白色绒毛，边缘有 5 小齿；花瓣 5，卵形，深紫色，外面有短柔毛，后毛脱落；子房 2 室，花柱全部合生成柱状，

无梗五加

柱头离生。果实倒卵状椭圆球形，黑色，稍有棱，具宿存花柱。花期 8 ~ 9 月，果期 9 ~ 10 月。

| **生境分布** | 生于阔叶林林缘、林下、灌丛、溪水边湿甸。以长白山区为主要分布区域，分布于吉林延边、白山、通化、长春、吉林、辽源（东丰）等。吉林东部山区、中部半山区有栽培，在靖宇、梅河口、汪清有规模化种植。

| **资源情况** | 野生资源较丰富。吉林有栽培。药材主要来源于栽培。

| **采收加工** | 春、秋季采挖根，洗净，趁鲜抽去木心，剥取根皮，晒干。

| **药材性状** | 本品呈卷筒状或半卷筒状，少数呈不规则片状，长短不一，厚 1 ~ 2mm。外表面灰棕色至黑棕色，具纵皱纹及横长的皮孔，栓皮较易剥离。内表面淡黄棕色至暗棕色，较平滑，具细密皱纹。质脆，易折断，折断时有粉尘，断面不平坦，可见棕色小点。气特异，味辛。

| **功能主治** | 辛，温。归肝、肾经。祛风湿，补肝肾，强筋骨。用于风寒湿痹，筋骨拘挛，腰膝酸软疼痛。

| **用法用量** | 内服煎汤，5 ~ 15g，鲜品加倍；或浸酒；或入丸、散。外用适量，煎汤熏洗；或研末敷。

| 附 注 | （1）在 FOC 中，本种的拉丁学名被修订为 *Eleutherococcus sessiliflorus* (Ruprecht & Maximowicz) S. Y. Hu。

（2）东五加皮已被列入 2019 年版《吉林省中药材标准》第二册。

（3）本种生长周期较长，每年平茬获取嫩茎，可连续平茬 10 年。10 年后可获取根皮，当年休眠平茬，剪下的枝条可以扦插或药用。随着树龄的增长，嫩茎、嫩叶及鲜果的产量逐步提高，效益也更加显著。目前，本种的系列产品如野蔬、饮料、酒类、茶类和新药等陆续投入市场，颇受青睐。本种以根皮或茎皮入药，国内用量较小，主要作为保健食品原料出口韩国和日本，其价格跟随年产量而上下浮动，且浮动较大。吉林的无梗五加资源比较丰富，但由于采剥费工，其年产量并不大，为 20 ~ 30t。另外，本种的嫩叶作为保健蔬菜出口，用量巨大，发展潜力大，市场竞争力强，开发前景十分广阔。

（4）本种为吉林省Ⅲ级重点保护野生植物。

（5）本种的嫩芽及叶为高档山野菜，果实可酿酒。

五加科 Araliaceae　楤木属 Aralia

东北土当归
Aralia continentalis Kitagawa

| **植物别名** | 长白楤木、牛尾大活、草本刺龙牙。 |

| **药 材 名** | 延边独活（药用部位：根及根皮。别名：长白楤木、牛尾大活）。 |

| **形态特征** | 多年生高大草本。根粗大，短圆柱形，浅褐色。茎直立，基部木质化。叶互生；二至三回奇数羽状复叶，侧小叶长圆形至卵形，有短柄。花序顶生或腋生，由伞形花序排列成大形的圆锥花序；小花20 ~ 35 伞形排列于总状分枝先端；花两性；花萼筒状钟形，上部有 5 尖齿；花瓣 5，卵形，先端尖；雄蕊 5，子房下位，5 室，花柱下部合生，柱头 5 裂，宿存。浆果状核果，球形，熟时紫黑色；种子淡褐色。花期 7 ~ 8 月，果期 8 ~ 10 月。 |

| **生境分布** | 生于阔叶林或针阔叶混交林林缘、林下，是植株个体最大的草本植物。 |

东北土当归

以长白山区为主要分布区域，分布于吉林延边、白山、通化、吉林、辽源（东丰）等。吉林东部地区有栽培。

| 资源情况 | 野生资源较丰富。吉林有栽培。药材主要来源于栽培。

| 采收加工 | 春、秋季采挖，除去泥沙，晒干。

| 药材性状 | 本品根茎呈扁圆柱形，略弯曲扭转，长 4 ~ 15cm，直径 2 ~ 3.5cm；具数个圆形空洞的茎基痕，有的空洞内可见残留茎基；表面灰棕色至棕褐色；质坚硬，不易折断，断面类棕色，不平坦，有裂隙；下侧有数条大小、粗细不一的根。根呈圆柱形，稍弯曲，长 15 ~ 30cm，直径 0.5 ~ 2cm；表面有明显的不规则纵向沟纹、横向微凸的皮孔及粗糙易脱落的小鳞片状栓皮；质坚硬，易折断，断面疏松，形成层环纹明显，皮部黄白色，木部黄白色至浅棕色，有放射状纹理。气微香，味微苦。

| 功能主治 | 辛、微苦，温。归肾、膀胱经。散风寒，祛湿，通经活络，祛痰止痛。用于中风，风寒湿痹，腰膝疼痛，头痛，齿痛，跌打损伤，痈肿。

| 用法用量 | 内服煎汤，6 ~ 15g。

| **附　　注** | （1）延边独活已被列入 2019 年版《吉林省中药材标准》第二册。本种为吉林省Ⅲ级重点保护野生植物。
（2）本种的嫩苗可食用。

五加科 Araliaceae 楤木属 Aralia

辽东楤木
Aralia elata (Miq.) Seem.

| 植物别名 | 龙牙楤木、刺老鸦、刺老牙。

| 药 材 名 | 刺老鸦（药用部位：根皮、树皮）、龙牙楤木（药用部位：茎皮。别名：龙牙楤木、鹊不踏、刺老鸦）。

| 形态特征 | 落叶小乔木。树皮灰色；小枝灰棕色，疏生多数细刺；刺长 1 ~ 3mm，基部膨大；嫩枝上常有长达 1.5cm 的细长直刺。叶为二回或三回羽状复叶；托叶和叶柄基部合生，先端离生部分线形；叶轴和羽片轴基部通常有短刺；羽片有小叶 7 ~ 11，基部有小叶 1 对；小叶片薄纸质或膜质，阔卵形、卵形至椭圆状卵形，先端渐尖，基部圆形至心形，侧脉 6 ~ 8 对；小叶柄长 3 ~ 5mm。圆锥花序长 30 ~ 45cm，伞房状；主轴短，分枝在主轴先端呈指状排列；伞形花序直径 1 ~ 1.5cm，有花多数或少数；苞片和小苞片披针形；花

辽东楤木

黄白色；花瓣 5，卵状三角形；子房 5 室；花柱 5，离生或基部合生。果实球形，黑色。花期 8 ~ 9 月，果期 9 ~ 10 月。

| **生境分布** | 生于阔叶林或针阔叶混交林林缘、林下、阴坡、水边。以长白山区为主要分布区域，分布于吉林延边、白山、通化、长春、吉林、辽源（东丰）等。吉林东部山区开展了不同规模的栽培。

| **资源情况** | 野生资源较丰富。但是由于其幼嫩叶芽可作为野菜食用，连年遭到采摘，故其资源保护情况受到威胁，野生资源也在逐年减少。吉林有栽培。药材主要来源于野生。

| **采收加工** | 刺老鸦：春季采挖根，除去泥土，用刀纵切皮部，除去木心，剥取根皮，洗净，晒干。春季剥取树皮，切段，晒干。
龙牙楤木：春、秋季采收，剥取茎皮，除去杂质，晒干。

| **药材性状** | 刺老鸦：本品根皮呈筒状、单卷筒状或双卷筒状，或中部以下有分歧，微弯曲或不规则扭曲，一般长 15 ~ 36cm，皮厚 1.5 ~ 3mm。外表面浅灰棕色至暗灰棕色，有的外层栓皮呈剥离鳞屑状，栓皮剥落处可见纵皱纹，皮孔呈圆点至椭圆点状凸起或横生，内表面暗棕黄色至黄白色。质脆，易折断，断面不平坦，浅黄白色至类白色。几乎无臭，味先微涩而后苦，咀嚼无纤维渣感。树皮大多呈卷曲

不紧的单卷筒状或双卷筒状,较直,少数弯曲,多数长10~15cm,皮厚1.5~2mm,外表面具叠积状皱裂,粗糙,内表面与根皮相似。质硬脆,易折断,断面呈纤维性。气味同上,咀嚼有粗糙感。

龙牙楤木:本品呈不规则片状、槽状,或单、双卷筒状,长5~35cm,厚0.1~0.5cm。外表面灰色至灰褐色,具纵裂纹,有刺,长1~5mm。有的老皮刺脱落。内表面黄白色或暗棕黄色,有细皱纹。质硬脆,易折断,断面纤维性。气微,味淡。

| **功能主治** | 刺老鸦:辛,平;有小毒。补气安神,健脾利水,祛风除湿,活血止痛。用于气虚无力,神经衰弱,颅外伤后无力综合征,肾虚阳痿,风湿痛,胃痛,肝炎,消渴,肾炎水肿。

龙牙楤木:苦、辛,平。归心、脾、胃、肝、肾经。益气补肾,祛风除湿,活血通络,利水消肿。用于失眠多梦,风湿痹病,消渴,水肿,便秘,阳痿,胁痛。

| **用法用量** | 刺老鸦:内服煎汤,9~15g。

龙牙楤木:内服煎汤,10~25g。

| **附　注** | (1)本种易和白背叶楤木(变种)*Aralia chinensis* Linn. var. *nuda* Nakai 相混,

但本种小叶片较薄，圆锥花序伞房状，分枝指状排列，易与后者区别。

（2）龙牙楤木已被列入 2019 年版《吉林省中药材标准》第一册。

（3）本种年需求量较少，约为 500t。根皮价高，主要用于出口，茎皮价低，用作国内药厂原料。吉林本种的年产量为 30 ~ 50t，以茎皮为主。本种的嫩芽为东北地区著名山野菜，出口和内销数量巨大。在通化、延吉等地，一些农民利用暖棚技术成功地进行了刺嫩芽的反季节生产，在春节前后上市的刺嫩芽可卖到 70 ~ 160 元 /kg，经济效益十分突出，刺嫩芽的生产可作为山区富民产业大力推广。

（4）本种为吉林省Ⅲ级重点保护野生植物。

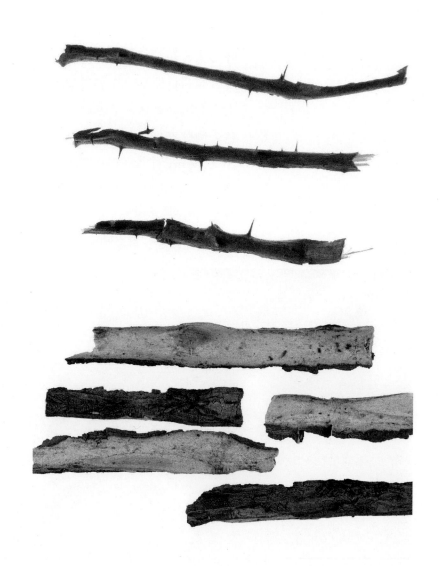

五加科 Araliaceae 八角金盘属 Fatsia

八角金盘 *Fatsia japonica* (Thunb.) Decne. et Planch.

| **植物别名** | 手树。

| **药 材 名** | 八角金盘（药用部位：根、树皮）。

| **形态特征** | 常绿灌木或小乔木，高可达 5m。茎光滑无刺。叶柄长 10 ~ 30cm；叶片大，革质，近圆形，直径 12 ~ 30cm，掌状 7 ~ 9 深裂，裂片长椭圆状卵形，先端短渐尖，基部心形，边缘有疏离粗锯齿，上表面暗亮绿色，下表面色较浅，有粒状突起，边缘有时呈金黄色；侧脉在两面隆起，网脉在下面稍显著。圆锥花序顶生，长 20 ~ 40cm；伞形花序直径 3 ~ 5cm，花序轴被褐色绒毛；花萼近全缘，无毛；花瓣 5，卵状三角形，长 2.5 ~ 3mm，黄白色，无毛；雄蕊 5，花丝与花瓣等长；子房下位，5 室，每室有 1 胚珠；花柱 5，分离；花盘凸起，呈半圆形。果实近球形，直径 5mm，成熟时黑色。

八角金盘

花期 10 ～ 11 月，果熟期翌年 4 月。

｜生境分布｜

生于山坡、林下、林缘、山沟两旁等，多生于排水良好和湿润的砂壤土中。吉林无野生分布。吉林东部地区有栽培。

｜资源情况｜

吉林有栽培。药材主要来源于栽培。

｜采收加工｜

秋季采收根，洗净，鲜用或晒干。春、夏季采集树皮，晒干。

｜功能主治｜

根，祛痰止咳，活血化瘀。用于咳嗽，气管炎，咳痰不爽，脏腑瘀血，跌打损伤，麻风。树皮，祛风湿，清湿热，止痹痛。用于风湿痹证。

常春藤

Hedera nepalensis K. Koch var. *sinensis* (Tobl.) Rehd.

常春藤

| 植物别名 |

爬树藤、爬墙虎、三角枫。

| 药 材 名 |

常春藤（药用部位：茎、叶。别名：风藤草、三角枫）。

| 形态特征 |

常绿攀缘灌木。茎长 3 ~ 20m，灰棕色或黑棕色，有气生根；一年生枝疏生锈色鳞片，鳞片通常有 10 ~ 20 辐射肋。叶片革质，在不育枝上通常为三角状卵形或三角状长圆形，稀三角形或箭形，长 5 ~ 12cm，宽 3 ~ 10cm，先端短渐尖，基部截形，稀心形，全缘或 3 裂，花枝上的叶片通常为椭圆状卵形至椭圆状披针形，略歪斜而带菱形，稀卵形或披针形，极稀为阔卵形、圆卵形或箭形，长 5 ~ 16cm，宽 1.5 ~ 10.5cm，先端渐尖或长渐尖，基部楔形或阔楔形，稀圆形，全缘或有 1 ~ 3 浅裂，上面深绿色，有光泽，下面淡绿色或淡黄绿色，无毛或疏生鳞片，侧脉和网脉两面均明显；叶柄细长，长 2 ~ 9cm，有鳞片，无托叶。伞形花序单个顶生，或 2 ~ 7 排列成总状或伞房状圆锥花序，直径 1.5 ~ 2.5cm，有花 5 ~ 40；总花梗长 1 ~ 3.5cm，通常有鳞片；苞片小，三角形，长 1 ~ 2mm；花梗长 0.4 ~ 1.2cm；花淡黄白色或淡绿白色，芳香；花萼密生棕色鳞片，长 2mm，近全缘；花瓣 5，三角状卵形，长 3 ~ 3.5mm，外面有鳞片；雄蕊 5，花丝长 2 ~ 3mm，花药紫色；子房 5 室；花盘隆起，黄色；花柱全部合生成柱状。果实球形，红色或黄色，直径 7 ~ 13mm；宿存花柱长 1 ~ 1.5mm。花期 9 ~ 11 月，果期翌年 3 ~ 5 月。

| **生境分布** | 附生于阔叶林中树干、沟谷阴湿的岩壁上，常攀缘于林缘树木、林下路旁、岩石和房屋墙壁上，庭园中也常有栽培。垂直分布海拔自数十米至 3500m。吉林无野生分布。吉林部分地区偶见栽培。

| **资源情况** | 吉林偶见栽培。药材主要来源于栽培。

| **采收加工** | 生长茂盛季节采收茎、叶，切段晒干；鲜用时可随采随用。

| **药材性状** | 本品茎呈长圆柱形，弯曲，有分枝，直径 0.2 ~ 1.5cm。表面黄棕色或灰褐色，具纵皱纹和横长皮孔，一侧密生不定根。质坚硬，不易折断，断面裂片状，皮部薄，灰绿色或棕色，木部宽，黄白色或淡棕色，髓部明显。单叶互生，具长柄，长 7 ~ 9cm。表面具灰白色花纹，三角状卵形、长椭圆状卵形或披针形，全缘，少有 3 浅裂，稍卷折。革质。偶见黄绿色小花或黄色圆球形果实。气微，味微苦。

| **功能主治** | 辛、苦，平。归肝、脾、肺经。祛风利湿，平肝解毒。用于风湿痹痛，瘫痪，口眼歪斜，衄血，月经不调，跌打损伤，咽喉肿痛，疔疮痈肿，肝炎，蛇虫咬伤。

| **用法用量** | 内服煎汤，6 ~ 15g；或浸酒；或捣汁。外用适量，捣敷；或煎汤洗。

五加科 Araliaceae 刺楸属 *Kalopanax*

刺楸
Kalopanax septemlobus (Thunb.) Koidz.

| **植物别名** | 海东木、刺儿楸、棘楸。

| **药材名** | 刺楸树皮（药用部位：树皮。别名：鸟不宿、钉木树、丁桐皮）、刺楸树根（药用部位：根及根皮。别名：钉木树根、刺五加、刺楸根）。

| **形态特征** | 落叶乔木。树皮暗灰棕色；小枝淡黄棕色或灰棕色，散生粗刺；刺基部宽阔、扁平，在苗壮枝上的长达 1cm 或更长。叶片纸质，在长枝上互生，在短枝上簇生，圆形或近圆形，直径 9 ～ 35cm，掌状 5 ～ 7 浅裂，裂片阔三角状卵形至长圆状卵形，长不及叶片的 1/2，苗壮枝上的叶片分裂较深，裂片长超过叶片的 1/2；叶柄细长。圆锥花序大；伞形花序有花多数；总花梗细长；花梗细长，无关节；花白色或淡绿黄色；花萼无毛，边缘有 5 小齿；花瓣 5，三角状卵形；雄蕊 5；子房 2 室，花盘隆起；花柱合生成柱状，柱头离生。果实

刺楸

球形，蓝黑色；宿存花柱长 2mm。花期 7 ~ 8 月，果期 9 ~ 10 月。

| **生境分布** | 生于土质湿润肥沃的山谷、坡地、林缘等。以长白山区为主要分布区域，分布于吉林延边、白山、通化、吉林、辽源（东丰）等。吉林部分地区有栽培。

| **资源情况** | 野生资源较少。吉林有栽培。药材主要来源于野生。

| **采收加工** | 刺楸树皮：春季剥取树皮，晒干。
刺楸树根：夏末秋初采挖，洗净，晒干。

| **药材性状** | 刺楸树皮：本品呈卷筒状或条块状，长宽不一，厚 1 ~ 2mm。栓皮粗糙，表面灰白色至灰棕色，有较深的纵裂纹及横向小裂纹，散生黄色圆点状皮孔，并有纵长的钉刺；钉刺长 1 ~ 3cm，宽 0.5 ~ 1cm，灰白色，有黑色斑点，先端尖锐或已磨成钝头，基部长圆形；钉刺脱落，露出黄色内皮。内表面黄色或紫红色，光滑，有纵纹。质坚硬，折断面裂片状。气微，味苦。

| **功能主治** | 刺楸树皮：辛、苦，平。祛风除湿，解毒杀虫。用于风湿关节痛，腰膝痛，急性吐泻，痢疾，痈肿，疥癣，虫牙病。
刺楸树根：苦，凉；有小毒。清热凉血，祛风除湿，排脓生肌。用于肠风，痔血，跌打损伤，风湿骨痛，肾炎水肿。腰膝痛，急性吐泻，痢疾，痈肿，疥癣，虫牙病。

| **用法用量** | 内服煎汤，9 ~ 15g。

| **附　注** | 本种为吉林省 Ⅱ 级重点保护野生植物。

五加科 Araliaceae 刺参属 Oplopanax

刺参
Oplopanax elatus Nakai

| 植物别名 | 刺人参、东北刺人参、刺老鸦幌子。

| 药 材 名 | 刺参（药用部位：根及根茎。别名：刺仙茅、刺续断、东北刺人参）。

| 形态特征 | 多刺落叶灌木。树皮呈灰黄色；髓部大，呈白色；小枝灰色，密生针状直刺，刺长约 1cm。叶片薄纸质，近圆形，掌状 5 ~ 7 浅裂，裂片三角形或阔三角形，上面无毛或疏生刚毛，下面沿脉有短柔毛，边缘有锯齿，齿有短刺和刺毛，侧脉和网脉两面均明显。圆锥花序近顶生，主轴密生短刺和刺毛；伞形花序有花 6 ~ 10，上部者无总花梗，下部者有长至 2.5cm 的总花梗；总花梗密生刺毛；花梗密生刺毛；花萼无毛，边缘有 5 小齿；花瓣 5，长圆状三角形；雄蕊 5；子房 2 室；花柱 2，基部合生或合生至中部。果实球形，黄红色；宿存花柱长 4 ~ 4.5mm。花期 6 ~ 7 月，果期 9 ~ 10 月。

刺参

| 生境分布 | 生于海拔 1400 ~ 1550m 的针叶林、针阔叶混交林、落叶阔叶林带排水良好、腐殖质肥沃处，常成小片群落，有时还在高山石缝中生长。以长白山区为主要分布区域，分布于吉林延边、白山、通化、吉林、辽源（东丰）等。

| 资源情况 | 野生资源稀少。药材主要来源于野生。

| 采收加工 | 秋、冬季采挖，除去杂质，切片晒干或鲜用。

| 药材性状 | 本品根茎呈圆柱形，长短不一，直径 1 ~ 5cm，节部疏生细根。表面棕色，干后有纵褶。断面平坦，分 3 层，外层黄色，质疏松，有金黄色小孔；中层淡黄色，质坚硬；内层白色，松软。根呈长圆柱形，主根粗而长，直径 1 ~ 3cm，分枝少，疏生侧根。表面光滑，黄褐色或土褐色，干后有纵褶。横断面不平坦，质疏松，皮部土黄色或灰绿色，有金黄色或棕黄色小孔，中央为黄白色，有放射状纹理。气清香而特异，味苦。

| 功能主治 | 甘，温。滋补强壮，解热，镇咳。用于肾虚，神经衰弱，精神抑郁，低血压，肾虚阳痿，精神分裂症，糖尿病。

| 用法用量 | 内服煎汤，3 ~ 15g；或制为酊剂，每次 30 ~ 40 滴，每日 2 ~ 3 次，饭前服。

| 附注 | （1）本种为吉林省 I 级重点保护野生植物。
（2）本种资源稀少，要注意保护，有的地方将树芽作为野菜食用，加剧了本种资源的破坏。

东北羊角芹 *Aegopodium alpestre* Ledeb.

| **植物别名** | 小叶芹、山芹菜。

| **药 材 名** | 东北羊角芹（药用部位：茎叶。别名：刺仙茅、刺续断）。

| **形态特征** | 多年生草本。茎直立，圆柱形，具细条纹，中空，下部不分枝，上部稍有分枝。基生叶有柄，叶鞘膜质；叶片呈阔三角形，通常三出式2回羽状分裂；羽片卵形或长卵状披针形，先端渐尖，基部楔形，边缘有不规则的锯齿或缺刻状分裂，齿端尖；最上部的茎生叶小，三出式羽状分裂，羽片卵状披针形，先端渐尖至尾状。复伞形花序顶生或侧生；伞幅9～17；小伞形花序有多数小花，花柄不等长；萼齿退化；花瓣白色，倒卵形，先端微凹；花柱基圆锥形，向外反折。果实长圆形或长圆状卵形，主棱明显，棱槽较阔；分生果横剖面近圆形，胚乳腹面平直；心皮柄先端2浅裂。花期6～7月，果期8～9

东北羊角芹

月。

| **生境分布** | 生于林下、林缘、山坡路边、山顶草地，常成片生长。以长白山区为主要分布区域，分布于吉林延边、白山、通化、吉林、辽源（东丰）等。

| **资源情况** | 野生资源较丰富。药材主要来源于野生。

| **采收加工** | 夏、秋季采收，鲜用或晒干。

| **功能主治** | 苦、辛，平。祛风止痛。用于流行性感冒，风湿痹痛，眩晕。

| **用法用量** | 内服煎汤，6 ~ 15g。外用适量，捣汁搽。

| **附　　注** | 本种的嫩苗为山野菜，俗称小叶芹，适合炒食、做馅。

莳萝

伞形科 Umbelliferae 莳萝属 Anethum

莳萝 *Anethum graveolens* L.

| 植物别名 |

洋茴香、野茴香、土茴香。

| 药 材 名 |

莳萝子（药用部位：果实。别名：莳萝椒、小茴香）、莳萝（药用部位：嫩茎叶）。

| 形态特征 |

一年生草本，稀为二年生，全株无毛，有强烈香味。茎单一，直立，圆柱形，光滑，有纵长细条纹。基生叶有柄，叶柄基部有宽阔叶鞘，边缘膜质；叶片宽卵形，3～4回羽状全裂，末回裂片丝状；茎上部叶较小，分裂次数少，无叶柄，仅有叶鞘。复伞形花序常呈二歧式分枝；伞幅10～25，稍不等长；无总苞片；小伞形花序有花15～25；无小总苞片；花瓣黄色，中脉常呈褐色，长圆形或近方形，小舌片钝，近长方形，内曲；花柱短，先直后弯；萼齿不显；花柱基圆锥形至垫状。分生果卵状椭圆形，成熟时褐色，背部扁压状，背棱细但明显凸起，侧棱狭翅状，灰白色；每棱槽内有油管1，合生面有油管2；胚乳腹面平直。花期5～8月，果期7～9月。

| **生境分布** | 生于菜园、农田等。吉林无野生分布。吉林部分地区有栽培，多作为蔬菜栽培。

| **资源情况** | 吉林有栽培。药材主要来源于栽培。

| **采收加工** | 莳萝子：果实成熟后采收果枝，晒干，打落果实，去除杂质，晒干。
莳萝：夏季采收植株上部的嫩叶，晒干。

| **药材性状** | 莳萝子：本品多数裂成分果，呈扁平广椭圆形，长 3 ～ 4mm，宽 2 ～ 3mm，厚约 1mm。外表棕色，背面有 3 不甚明显的肋线，两侧肋线延伸为翅状，少数未分离的双悬果基部有残存的果柄。气微香，味微辛。

| **功能主治** | 莳萝子：辛，温。归脾、胃、肝、肾经。温脾肾，开胃，散寒，行气，解毒。用于脘腹气胀，两肋痞满，食欲不振，腹中冷痛，寒疝，呕逆食少。
莳萝：辛，温。行气利膈，降逆止呕，化痰止咳。用于胸胁痞满，脘腹胀痛，呕吐呃逆，咳嗽，咳痰。

| **用法用量** | 莳萝子：内服煎汤，1 ～ 5g；或入丸、散。
莳萝：内服煎汤，3 ～ 9g。

| **附　　注** | 本种的茎叶及果实有茴香味，尤以果实的气味较浓。本种的嫩茎叶可作蔬菜以供食用。

伞形科 Umbelliferae 当归属 Angelica

东当归
Angelica acutiloba (Sieb. et Zucc.) Kitagawa

| **植物别名** | 日本当归、东北当归。

| **药 材 名** | 东当归（药用部位：根。别名：东北当归、朝鲜当归）。

| **形态特征** | 多年生草本。根有多数支根，似马尾状，外表皮黄褐色至棕褐色，气味浓香。茎充实，绿色，常带紫色，无毛，有细沟纹。叶 1 ~ 2 回三出羽状分裂，膜质，上表面亮绿色，脉上有疏毛，下表面苍白色，末回裂片披针形至卵状披针形，3 裂，无柄或有短柄，先端渐尖至急尖，基部楔形或截形，边缘有尖锐锯齿；叶柄基部膨大成管状的叶鞘，叶鞘边缘膜质；茎顶部的叶简化成长圆形的叶鞘。复伞形花序的花序梗、伞幅、花柄无毛或有疏毛；总苞片 1 至数个，有时无，线状披针形或线形；小总苞片 5 ~ 8，线状披针形或线形，无毛，常比花长；小伞形花序有花约 30；花白色；萼齿不明显；花瓣倒卵

东当归

形至长圆形；子房无毛；花柱长为花柱基的 3 倍。果实狭长圆形，略扁压，背棱线状，尖锐，侧棱狭翅状，较背棱宽，较果体狭，棱槽内有油管 3 ~ 4，合生面有油管 4 ~ 8。花期 7 ~ 8 月，果期 8 ~ 9 月。

| **生境分布** | 生于林缘、山地林下、湿地、水边。分布于吉林延边（龙井、延吉、汪清、珲春、安图）、通化（梅河口、柳河）等。吉林东部山区有栽培。

| **资源情况** | 野生资源较少。吉林有栽培。药材主要来源于栽培。

| **采收加工** | 9 月末 ~ 10 月初采挖，除净泥土及残茎，晒干或低温干燥。

| **药材性状** | 本品主根较粗短，略呈圆柱形，根头略膨大，带残留叶鞘和茎痕，表面棕褐色，凹凸不平，具多数不规则的纵直皱纹和环状隆起。支根数条至 10 余条，上粗下细，多扭曲，表面棕褐色，具不规则纵直皱纹，有小疙瘩状须根痕。质坚脆，易折断，断面淡黄白色至淡黄棕色，有的有裂隙，木质部黄色，形成层环浅棕色至黄棕色。具特异香味，味甘、微辛。

| **功能主治** | 甘、辛，温。归肝、心、脾经。补血活血，调经止痛，润肠通便。用于血虚诸症，血虚兼有瘀滞引起的月经不调、痛经，血虚、血滞或寒凝以及跌打损伤、风湿痹阻引起的疼痛症，血虚肠燥的便秘。

| **用法用量** | 内服煎汤，5 ~ 15g。

| **附　注** | （1）东当归已被列入 2019 年版《吉林省中药材标准》第二册。

（2）本种在日本和朝鲜被当作当归入药。吉林延边的安图、和龙、龙井和汪清等地曾有引种栽培，后来又在柳河、梅河口等地栽培，均获得成功。所产药材商品大多销往日本，只有少量流入国内药材市场。

伞形科 Umbelliferae 当归属 Angelica

黑水当归 *Angelica amurensis* Schisch k.

| **植物别名** | 朝鲜白芷、阿穆尔独活、走马芹。

| **药 材 名** | 黑水当归（药用部位：根。别名：朝鲜白芷）。

| **形态特征** | 多年生草本。根圆锥形，有数个支根，根头外皮黑褐色。茎中空。
基生叶有长叶柄；茎生叶2～3回羽状分裂，叶片为宽三角状卵形，
有一回裂片2对；叶柄较叶片短，基部膨大成椭圆形的叶鞘，叶鞘
开展，末回裂片卵形至卵状披针形，长3～8cm，宽1.5～4cm，急尖，
基部多为楔形，边缘有不整齐的三角状锯齿，上表面深绿色，下表
面带苍白色，最上部的叶生于简化成管状、膨大的阔椭圆形叶鞘上。
复伞形花序有伞幅20～45；小总苞片5～7，披针形，膜质；小伞
形花序有花30～45；花白色，萼齿不明显；花瓣阔卵形，先端内曲；
花柱基短圆锥状，花柱反卷，比花柱基长1.5～2倍。果实长卵形

黑水当归

至卵形，背棱隆起，线形。花期 7 ~ 8 月，果期 8 ~ 9 月。

| 生境分布 | 生于山地河谷、草甸、湿地、林缘，常成片生长。以长白山区为主要分布区域，分布于吉林延边、白山、通化、吉林、辽源（东丰）等。

| 资源情况 | 野生资源较丰富。药材主要来源于野生。

| 采收加工 | 秋季采挖，除去其茎叶，洗净，晒干。

| 功能主治 | 辛、微苦。祛风燥湿，消肿止痛，抗炎。用于风湿性关节炎，腰腿疼痛，筋骨麻木，疮疡肿毒。

伞形科 Umbelliferae 当归属 Angelica

狭叶当归 *Angelica anomala* Ave-Lall.

| **植物别名** | 白山独活、额水独活、水大活。

| **药 材 名** | 狭叶当归（药用部位：根。别名：水大活、白山独活、额水独活）。

| **形态特征** | 多年生草本。根粗大，纺锤形至圆柱形，表皮黄褐色至灰褐色。茎有细沟纹，带紫色。基生叶开展，几贴伏地面，3回羽状全裂；茎生叶2～3回羽状全裂，叶片为卵状三角形，有一回羽片2～4对；叶柄比叶片短，基部膨大成长椭圆状披针形的叶鞘，抱茎，末回裂片椭圆形至披针形，有时3裂，渐尖至急尖；茎上部叶的叶柄全部下延成长圆筒状的叶鞘，不膨大，贴伏抱茎，带紫色。复伞形花序有伞幅20～45，开展，上举；总苞片1或无，早落；小总苞片3～7，线状锥形，膜质；小伞形花序有花20～40；花白色；萼齿不明显；花瓣倒卵形。果实长圆形至卵形，背棱线形，隆起，侧棱宽翅状；

狭叶当归

棱槽内有油管 1，黑褐色，合生面有油管 2，油管宽而扁。花期 7 ~ 8 月，果期 8 ~ 9 月。

| **生境分布** | 生于山地、河岸、河滩、湿地、阔叶林林下。以长白山区为主要分布区域，分布于吉林延边、白山、通化、吉林、辽源（东丰）等。

| **资源情况** | 野生资源较少。药材主要来源于野生。

| **采收加工** | 秋季采挖，除去茎叶，洗净，晒干。

| **药材性状** | 本品粗大，呈纺锤形至圆柱形，常分枝，长可达 20cm，直径 0.6 ~ 3cm。表皮黄褐色至灰褐色。气特异而强烈，味辛、苦。

| **功能主治** | 辛，温。解表，祛风，除湿，止痛，活血。用于感冒，头痛，寒湿带下，痔瘘便血，疮疡肿毒，牙龈肿痛，眉棱骨痛，鼻窦炎。

伞形科 Umbelliferae 当归属 Angelica

东北长鞘当归

Angelica cartilaginomarginata (Makino) Nakai var. *matsumurae* (de Boiss.) Kitagawa

东北长鞘当归

| 植物别名 |

长鞘当归、骨缘当归。

| 药 材 名 |

东北长鞘当归（药用部位：全草）。

| 形态特征 |

二年生草本。根纺锤形，略分枝。茎直立，常单一，高 0.5 ~ 1.5m，圆柱形，有细条纹，上部叉状分枝。基生叶及下部茎生叶的叶柄略膨大成长鞘状，鞘长至 5cm，基部抱茎；叶片卵形至长卵形，1 回羽状全裂，具羽片 3 ~ 9 对，最下的 1 对羽片有短柄或无柄，有时基部再 2 ~ 3 裂，顶部裂片 3 裂，裂片披针形或卵状披针形，基部极下延成翅状叶轴，先端渐尖或锐尖；上部茎生叶常简化为长叶鞘，仅先端有分裂的小叶片。复伞形花序直径 3 ~ 8cm，伞幅 7 ~ 14，无总苞片；小伞形花序有花 10 ~ 25，小总苞片 2 ~ 4，线状钻形，边缘宽膜质；花白色；无萼齿；花瓣卵圆形，渐尖，先端内卷；花柱基扁圆锥状。果实椭圆形至卵圆形，背棱狭翅状，侧棱具狭翅，比果体狭，棱槽内有油管 1 ~ 2，合生面有油管 4，油管明显，黑褐色。花期 8 ~ 9 月，果期 9 ~ 10 月。

生境分布	生于山坡林下灌丛、溪水边、林缘草地。分布于吉林延边、白山、通化等。
资源情况	野生资源较少。药材主要来源于野生。
采收加工	夏、秋季采收，除去杂质，晒干。
功能主治	辛，温。祛风除湿。用于风寒头痛，巅顶痛，寒湿腹痛，泄泻，疝瘕，疥癣。

伞形科 Umbelliferae 当归属 Angelica

白芷

Angelica dahurica (Fisch. ex Hoffm.) Benth. et Hook. f. ex Franch. et Sav.

白芷

| 植物别名 |

大活、独活、兴安白芷。

| 药 材 名 |

白芷（药用部位：根。别名：大活、走马芹、香白芷）。

| 形态特征 |

多年生高大草本。根圆柱形，有分枝，外表皮黄褐色至褐色，有浓烈气味。茎通常带紫色，中空，有纵长沟纹。基生叶 1 回羽状分裂，有长叶柄，叶柄下部有管状抱茎、边缘膜质的叶鞘；茎上部叶 2 ~ 3 回羽状分裂，叶片为卵形至三角形，叶柄下部为囊状膨大的膜质叶鞘，常带紫色；末回裂片长圆形、卵形或线状披针形，急尖；花序下方的叶简化成无叶、显著膨大的囊状叶鞘。复伞形花序顶生或侧生；伞幅 18 ~ 40，中央主伞有时伞幅多至 70；总苞片通常 1 ~ 2 或无，呈长卵形膨大的鞘；小总苞片 5 ~ 10 或更多，线状披针形，膜质；花白色；无萼齿；花瓣倒卵形。果实长圆形至卵圆形，黄棕色，有时带紫色，背棱扁，厚而钝圆。花期 7 ~ 8 月，果期 8 ~ 9 月。

| **生境分布** | 生于山地、河谷、湿地、草甸、林缘灌丛或林间路旁等。以长白山区为主要分布区域，分布于吉林延边、白山、通化、吉林、辽源（东丰）等。 |

| **资源情况** | 野生资源丰富。药材主要来源于野生。 |

| **采收加工** | 夏、秋季间叶黄时采挖，除去须根，洗净泥土，晒干或烘干。 |

| **药材性状** | 本品呈长圆锥形，长 10 ~ 25cm，直径 1.5 ~ 2.5cm。表面灰棕色或黄棕色，根头部呈钝四棱形或近圆形，具纵皱纹、支根痕及皮孔样的横向突起，有的排列成 4 纵行。先端有凹陷的茎痕。质坚实，断面白色或灰白色，粉性，形成层环棕色，近方形或近圆形，皮部散有多数棕色油点。气芳香，味辛、微苦。 |

| **功能主治** | 辛，温。归胃、大肠、肺经。解表散寒，祛风止痛，宣通鼻窍，燥湿止带，消肿排脓。用于感冒头痛，眉棱骨痛，鼻塞流涕，鼻衄，鼻渊，牙痛，带下，疮疡肿痛。 |

| **用法用量** | 内服煎汤，3 ~ 9g。外用适量，煎汤洗。 |

| **附　注** | 东北地区常称本种为大活，且有把大活当作独活使用的习惯，因此药材上才有 "北独活" 或 "柴独活" 的称谓。吉林大活的野生资源丰富，但用量较少，因此无人收购，多自采自用，而无药材商品产出。 |

伞形科 Umbelliferae 当归属 Angelica

紫花前胡

Angelica decursiva (Miq.) Franch. et Sav.

| **植物别名** | 前胡、土当归、鸭巴芹。

| **药 材 名** | 紫花前胡（药用部位：根。别名：土当归、鸭脚七）。

| **形态特征** | 多年生草本。根圆锥状，外表棕黄色至棕褐色，有强烈气味。茎直立。根生叶和茎生叶有长叶柄，基部膨大成圆形的紫色叶鞘，抱茎；叶片三角形至卵圆形，坚纸质，1回3全裂或1～2回羽状分裂；第一回裂片的小叶柄翅状延长，侧方裂片和先端裂片的基部联合，沿叶轴呈翅状延长，翅边缘有锯齿；末回裂片卵形或长圆状披针形，先端锐尖，主脉常带紫色；上部茎生叶简化成囊状膨大的紫色叶鞘。复伞形花序顶生和侧生；伞幅10～22；总苞片1～3，卵圆形，阔鞘状，宿存，反折，紫色；小总苞片3～8，线形至披针形，绿色或紫色；花深紫色；萼齿明显，线状锥形或三角状锥形；花瓣倒卵

紫花前胡

形或椭圆状披针形；花药暗紫色。果实长圆形至卵状圆形，背棱线形隆起，棱槽内有油管 1 ~ 3。花期 7 ~ 8 月，果期 8 ~ 9 月。

| **生境分布** | 生于林下溪水边、林缘湿地、灌丛等。以长白山区为主要分布区域，分布于吉林延边、白山、通化、吉林、辽源（东丰）等。吉林部分地区有栽培。

| **资源情况** | 野生资源较少。吉林有栽培。药材主要来源于野生。

| **采收加工** | 秋、冬季地上部分枯萎时采挖，除去须根及泥土，晒干。

| **药材性状** | 本品多呈不规则圆柱形、圆锥形或纺锤形，主根较细，有少数支根，长 3 ~ 15cm，直径 0.8 ~ 1.7cm。表面棕色至黑棕色，根头部偶见残留茎基和膜状叶鞘残基，有浅直细纵皱纹，可见灰白色横向皮孔样突起和点状须根痕。质硬，断面类白色，皮部较窄，散有少数黄色油点。气芳香，味微苦、辛。

| **功能主治** | 苦、辛，微寒。降气化痰，散风清热。用于外感风热，痰热喘满，咳痰黄稠，风热咳嗽痰多，呕逆食少，胸膈满闷。

| **附　　注** | 2020 年版《中国药典》记载本种的拉丁学名为 *Peucedanum decursivum* (Miq.) Maxim.。

伞形科 Umbelliferae 当归属 Angelica

鸭巴前胡

Angelica decursiva (Miq.) Franch. et Sav. f. *albiflora* (Maxim.) Nakai

| 植物别名 | 白花前胡、大鸭巴芹、独梗芹。

| 药 材 名 | 鸭巴前胡（药用部位：根）。

| 形态特征 | 多年生草本。根圆锥状，外表棕黄色至棕褐色，有强烈气味。茎直立，茎通常绿色，有时稍带紫色。根生叶和茎生叶有长叶柄，基部膨大成圆形的紫色叶鞘，抱茎；叶片三角形至卵圆形，坚纸质，1回3全裂或1～2回羽状分裂；第一回裂片的小叶柄翅状延长，侧方裂片和先端裂片的基部联合，沿叶轴呈翅状延长，翅边缘有锯齿；末回裂片卵形或长圆状披针形，先端锐尖，主脉常带紫色；上部茎生叶简化成囊状膨大的紫色叶鞘。复伞形花序顶生和侧生；伞幅10～22；总苞片1～3，卵圆形，阔鞘状，宿存，反折，紫色；小总苞片3～8，线形至披针形，绿色或紫色；萼齿明显，线状锥

鸭巴前胡

形或三角状锥形；花瓣白色，倒卵形或椭圆状披针形；花药暗紫色。果实长圆形至卵状圆形，背棱线形隆起，棱槽内有油管 1 ~ 3。花期 7 ~ 8 月，果期 8 ~ 9月。

| **生境分布** | 生于林下溪水边、林缘湿地、灌丛等。以长白山区为主要分布区域，分布于吉林延边、白山、通化、吉林、辽源（东丰）等。

| **资源情况** | 野生资源较少。药材主要来源于野生。

| **采收加工** | 冬季植株枯萎后或早春未抽茎时采挖，除去茎叶、须根及泥土，晒干。

| **功能主治** | 苦、辛，微寒。祛风清热，活血调经，降气化痰，润燥。用于关节肿痛，闪挫疼痛，月经不调，腹痛，风湿痹痛，痈疽疮毒，血虚肠燥，感冒，上呼吸道感染，肺热咳嗽，咳喘痰多，风热头痛，呕逆，胸膈满闷。

伞形科 Umbelliferae 当归属 Angelica

朝鲜当归

Angelica gigas Nakai

朝鲜当归

| 植物别名 |

大当归、东北独活、土当归。

| 药 材 名 |

朝鲜当归（药用部位：根。别名：土当归、当归、大独活）。

| 形态特征 |

多年生高大草本。根颈粗短；根圆锥形，有支根数个，灰褐色。茎粗壮，中空，紫色，有纵深沟纹。叶 2 ~ 3 回三出式羽状分裂，基生叶及茎下部叶的叶柄长达 30cm；叶片近三角形，叶轴不呈翅状下延；茎中部叶的叶柄长近 20cm，叶柄基部渐成抱茎的狭鞘；末回裂片长圆状披针形，基部楔形，有时具缺刻状裂片，先端尖或渐尖，边缘有不整齐的锐尖锯齿或重锯齿；上部的叶简化成囊状膨大的叶鞘，先端有细裂的叶片，外面紫色。复伞形花序近球形；伞幅 20 ~ 45；总苞片1 至数片，膨大成囊状，深紫色；小伞形花序密集成小球形；小总苞片数片，紫色；萼齿不明显；花瓣倒卵形，深紫色；雄蕊暗紫色。果实卵圆形，成熟后黄褐色，背棱隆起，肋状，侧棱翅状。花期 7 ~ 8 月，果期 8 ~ 9月。

| 生境分布 | 生于林缘、山地林下、湿地水边。以长白山区为主要分布区域，分布于吉林延边、白山、通化、吉林、辽源（东丰）等。

| 资源情况 | 野生资源较丰富。药材主要来源于野生。

| 采收加工 | 夏、秋季采挖，除去泥土等杂质，晒干。

| 药材性状 | 本品略呈圆柱形，下部有支根数条，长 7 ~ 20cm，表面灰褐色至棕褐色。头部短粗，具横环纹，直径 2 ~ 3cm。支根长 5 ~ 15cm，直径 0.5 ~ 1.5cm，表面有纵皱纹及多数横向凸起的皮孔状疤痕，并可见渗出的棕褐色、黏稠的树脂样物质。体轻，质脆，断面木部黄白色。气微香，味微甜而后辛、微苦。

| 功能主治 | 甘、辛，温。归肝、心、脾经。补血调经，活血止痛，润肠通便。用于血虚，月经不调，痛经，腹痛，肠燥便秘等。

| 用法用量 | 内服煎汤，5 ~ 25g。外用适量，煎汤洗。

| 附 注 | 朝鲜当归已被列入 2019 年版《吉林省中药材标准》第二册。

伞形科 Umbelliferae 当归属 Angelica

拐芹

Angelica polymorpha Maxim.

拐芹

| 植物别名 |

拐芹当归、白根独活、拐子芹。

| 药 材 名 |

拐芹（药用部位：根。别名：拐芹当归、紫金砂）。

| 形态特征 |

多年生草本，高 0.5 ~ 1.5m。根圆锥形。茎单一，细长，中空，有浅沟纹，节处常为紫色。叶 2 ~ 3 回三出式羽状分裂，叶片为卵形至三角状卵形；茎上部叶简化为无叶或带有小叶、略膨大的叶鞘，叶鞘薄膜质，常带紫色；第一回和第二回裂片有长叶柄，小叶柄通常膝曲或弧形弯曲，末回裂片有短柄或近无柄，卵形或菱状长圆形，纸质，3 裂。复伞形花序，伞幅 11 ~ 20，开展，上举；总苞片 1 ~ 3 或无，狭披针形；小苞片 7 ~ 10，狭线形，紫色；萼齿退化，少为细小的三角状锥形；花瓣匙形至倒卵形，白色，渐尖，先端内曲；花柱短，常反卷。果实长圆形至近长方形，基部凹入，背棱短翅状，侧棱膨大成膜质的翅，与果体等宽或略宽，棱槽内有油管 1，合生面有油管 2。花期 8 ~ 9 月，果期 9 ~ 10 月。

| 生境分布 | 生于山谷溪边湿地、杂木林下、灌丛或阴湿草丛。分布于吉林通化、白山等。

| 资源情况 | 野生资源稀少。药材主要来源于野生。

| 药材性状 | 本品呈圆锥形，直径达 0.8cm，有浅沟纹，光滑无毛，外皮灰棕色。气芳香，味辛。

| 功能主治 | 辛，温。发表祛风，温中散寒，理气止痛，消肿排脓，除湿。用于风湿痹痛，胸胁疼痛，跌打损伤。

| 用法用量 | 内服煎汤，3 ~ 9g；或研末。外用适量，捣敷。

伞形科 Umbelliferae 峨参属 Anthriscus

刺果峨参

Anthriscus nemorosa (M. Bieb.) Spreng.

刺果峨参

| 植物别名 |

山胡萝卜缨子。

| 药 材 名 |

刺果峨参（药用部位：根、叶）。

| 形态特征 |

二年生或多年生草本。茎圆筒形，有沟纹，粗壮，中空，光滑或下部有短柔毛，上部的分枝互生、对生或轮生。叶片呈阔三角形，2～3回羽状分裂，末回裂片披针形或长圆状披针形，边缘有深锯齿，两面或背面脉上有毛或无；最上部的茎生叶叶柄呈鞘状，先端及边缘有白柔毛。复伞形花序顶生，总苞片1或无；伞幅6～12，无毛；小总苞片3～7，卵状披针形至披针形，边缘有白柔毛；小伞形花序有花3～11；花白色，基部窄，先端有内折的小尖头；花柱基圆锥形；花柱长于花柱基。双悬果线状长圆形，表面有疣毛或细刺毛。花期5～6月，果期8～9月。

| 生境分布 |

生于山坡草丛或林下。以长白山区为主要分布区域，分布于吉林延边、白山、通化、吉林、辽源（东丰）等。

| 资源情况 |

野生资源较少。药材主要来源于野生。

| 采收加工 |

8～9月地上部分变黄或春季植株发芽前采挖根，除去地上残茎，洗净，刮去粗皮及尾须，用沸水略烫后，晒干或微火烘干。夏季采收叶，鲜用或晒干。

| 功能主治 |

甘、淡，平。补中益气，祛痰止咳，消肿止痛，祛瘀生新。用于中气不足，食少便溏，肺虚咳嗽，痰中带血，水肿，老年尿频，脾虚腹胀，四肢无力，跌打损伤，腰痛。

| 附　注 |

在 FOC 中，本种的拉丁学名被修订为 *Anthriscus sylvestris* subsp. *nemorosa* (Marschall von Bieberstein) Koso-Poljansky。

伞形科 Umbelliferae 峨参属 Anthriscus

峨参

Anthriscus sylvestris (L.) Hoffm. Gen.

| **植物别名** | 东北峨参、山胡萝卜缨子。

| **药 材 名** | 峨参（药用部位：根。别名：田七、金山田七、土白芷）。

| **形态特征** | 二年生或多年生草本。茎较粗壮，多分枝。基生叶有长柄，基部有鞘，叶片呈卵形，2回羽状分裂，一回羽片有长柄，卵形至宽卵形，二回羽片3～4对，有短柄，卵状披针形，羽状全裂或深裂，末回裂片卵形或椭圆状卵形，有粗锯齿；茎上部叶有短柄或无柄，基部呈鞘状。复伞形花序，伞幅4～15，不等长；小总苞片5～8，卵形至披针形，先端锐尖，反折；花白色，通常带绿色或黄色；花柱较花柱基长2倍。果实长卵形至线状长圆形，光滑或疏生小瘤点，先端渐狭成喙状，合生面明显收缩，果柄先端常有1环白色小刚毛，分生果横剖面近圆形，油管不明显，胚乳有深槽。花期5～6月，

峨参

果期 8 ~ 9 月。

| **生境分布** | 生于林缘、林间草地、山坡林下、路旁或山谷溪边石缝。以长白山区为主要分布区域，分布于吉林延边、白山、通化、长春、吉林、辽源（东丰）、白城（洮北）等。吉林东部地区有栽培。

| **资源情况** | 野生资源较少。吉林有栽培。药材主要来源于野生。

| **采收加工** | 8 ~ 9 月地上部分变黄或春季植株发芽前采挖，除去地上残茎，洗净，刮去粗皮及尾须，用沸水略烫后，晒干或微火烘干。

| **药材性状** | 本品呈圆锥形，略弯曲，多分叉，下部渐细，半透明，长 3 ~ 12cm，中部直径 1 ~ 1.5cm。外表黄棕色或灰褐色，有不规则的纵皱纹，上部有细密环纹，可见凸起的横长皮孔，有的侧面有疔疤。质坚实，沉重，断面黄色或棕色，角质样。气微，味微辛、麻。

| **功能主治** | 甘、辛，微温。补中益气，祛瘀生新，滋补强壮。用于肺虚咳嗽，咳嗽咯血，脾虚腹胀，中气不足，四肢无力，老年尿频，跌打损伤，腰痛，水肿。

| **用法用量** | 内服煎汤，9 ~ 15g；或泡酒。外用适量，研末调敷。

| **附 注** | 本种的幼苗为山野菜，适合做馅。

伞形科 Umbelliferae 芹属 Apium

旱芹
Apium graveolens L.

| **植物别名** | 芹菜。

| **药 材 名** | 旱芹（药用部位：全草。别名：香芹、蒲芹）。

| **形态特征** | 二年生或多年生草本，有强烈香气。根圆锥形，支根多数，褐色。茎直立，光滑，有少数分枝，并有棱角和直槽。根生叶有柄，基部略扩大成膜质叶鞘；叶片长圆形至倒卵形，通常 3 裂达中部或 3 全裂，裂片近菱形，边缘有圆锯齿或锯齿，叶脉两面隆起；较上部的茎生叶有短柄，叶片阔三角形，通常分裂为 3 小叶，小叶倒卵形，中部以上边缘疏生钝锯齿至缺刻。复伞形花序顶生或与叶对生，花序梗长短不一，有时缺少，通常无总苞片和小总苞片；花瓣白色或黄绿色，圆卵形，先端有内折的小舌片；花丝与花瓣等长或稍长于花瓣，花药卵圆形；花柱基扁压，花柱幼时极短，成熟时向外反曲。

旱芹

分生果圆形或长椭圆形，果棱尖锐，合生面略收缩；每棱槽内有油管 1，合生面有油管 2，胚乳腹面平直。花期 4 ~ 7 月。

| **生境分布** | 生于田埂、菜园旁、路边等。分布于吉林白城、松原等。吉林部分地区有栽培。

| **资源情况** | 野生资源较少。吉林有栽培。药材主要来源于野生。

| **采收加工** | 春、夏季采收，洗净，多为鲜用。

| **功能主治** | 甘、微辛，凉。祛风利湿，平肝降压，清热，止血。用于头晕脑涨，高血压，高血压导致的动脉硬化，小便淋痛，尿血，乳糜尿，崩中带下，神经痛，关节痛。

| **用法用量** | 内服煎汤，30 ~ 60g。

伞形科 Umbelliferae 柴胡属 Bupleurum

锥叶柴胡 Bupleurum bicaule Helm

| **药 材 名** | 锥叶柴胡（药用部位：全草）。

| **形态特征** | 多年生丛生草本。直根发达，外皮深褐色或红褐色，表面皱缩，有较明显的横纹和突起，质地坚硬，木质化，断面纤维状，很少分枝，根颈分枝极多，分枝的基部均簇生残叶鞘。茎常多数，细弱，纵棱明显，上端有少数短分枝。叶全部线形，先端渐尖，有锐尖头，基部变狭成叶柄；茎生叶很少，基部不收缩，而半抱茎，具 5 ~ 7 脉，向上渐小，侧枝上的叶更小，如针形。果实广卵形，两侧略扁，两端截形，蓝褐色，棱凸出，细线状，淡棕色；棱槽中有油管 3，合生面有油管 2 ~ 4，很细，成熟后不甚清楚。花期 7 ~ 8 月，果期 8 ~ 9 月。

| **生境分布** | 生于海拔 650 ~ 1550m 的山坡向阳地的草原或干旱多砾石的草地。分布于吉林白城、松原等。

锥叶柴胡

| **资源情况** | 野生资源稀少。药材主要来源于野生。

| **采收加工** | 夏、秋季间采收，晒干。

| **功能主治** | 解表和里，疏风退热，疏肝，升阳。用于感冒发热，寒热往来，疟疾，胸胁胀痛，月经不调，脱肛，胆囊炎，肝炎。

大苞柴胡 *Bupleurum euphorbioides* Nakai

| **药 材 名** | 大苞柴胡（药用部位：根）。

| **形态特征** | 一至二年生草本。根细长。茎上部有 1 ~ 2 分枝，绿色，但有时带紫色。基生叶线形，先端渐尖，下部变狭成叶柄，具 5 ~ 7 脉；茎生叶狭披针形或线形，先端渐尖，基部稍窄，无叶柄，具 7 ~ 9 脉；茎上部叶披针形或卵形，先端尾状长渐尖，下部扩大，基部常近心形抱茎，先端急尖，具 15 ~ 25 脉；茎顶部的叶渐短而呈卵形。伞形花序数个，直径 2 ~ 11cm；总苞片 2 ~ 5，卵形，顶生花序的总苞片最大而显著；伞幅 4 ~ 11，顶生花序的伞幅长而软，弧形弯曲；小总苞片 5 ~ 7，广椭圆形、倒卵形至近圆形，草质，具 5 ~ 9 脉，长超过花；小伞形花序有花 16 ~ 24；花柄较粗；花瓣外面带紫色；花柱基紫色。果实广卵形，紫棕色，棱细线状；每棱槽内有油管 3，

大苞柴胡

少有 4 ~ 5。花期 7 ~ 8 月，果期 8 ~ 9 月。

| 生境分布 | 生于高山苔原带、高山台地的草地、林缘灌丛间。分布于吉林白山（长白、抚松）、延边（安图、敦化）等。

| 资源情况 | 野生资源较少。药材主要来源于野生。

| 采收加工 | 一般以秋季采挖为宜，采挖时应注意勿伤及根部，不得碰破根皮，采挖后除去泥土、残茎，用水冲洗干净，晒至七八成干，捆成小把，晒干或烘干。

| 功能主治 | 苦，平。疏肝解郁，升阳举陷，解表。用于感冒发热，寒热往来，疟疾，胁肋胀痛，月经不调。

| 附　　注 | 本种为吉林省 II 级重点保护野生植物。

长白柴胡

伞形科 Umbelliferae 柴胡属 Bupleurum

长白柴胡 *Bupleurum komarovianum* Lincz.

| 植物别名 |

柞柴胡。

| 药 材 名 |

长白柴胡（药用部位：根。别名：柞柴胡）。

| 形态特征 |

多年生草本。主根不明显，黑褐色。茎单一，自基部分枝，茎上部略呈"之"字形弯曲。基生叶和茎下部的叶披针形或狭椭圆形，近革质，先端渐尖或略圆，有硬尖头；茎中部的叶一般较宽，广披针形或长圆状椭圆形，中部最宽处宽 1.5 ~ 3.5mm；茎上部叶较小，椭圆形，有时稍呈镰形。伞形花序颇多，顶生花序比侧生花序大得多，总苞片 1 ~ 3 或无，披针形或线形，平展；伞幅 4 ~ 13；小总苞片 5，狭披针形；小伞形花序有花 6 ~ 14；花瓣鲜黄色，扁圆形，质厚，舌片先端 2 浅裂；花柱基淡黄色，厚。果实褐色，短椭圆形，上部平截，棱槽中有油管 5，很少 4，合生面有油管 6 ~ 8。花期 7 ~ 8月，果期 8 ~ 9 月。

| 生境分布 |

生于阔叶林灌丛边缘、疏散柞林山坡、草地

或石砾质土壤中。以长白山区为主要分布区域，分布于吉林延边、白山、通化、吉林、辽源（东丰）等。

| **资源情况** | 野生资源较少。药材主要来源于野生。

| **采收加工** | 一般以秋季采挖为宜，采挖时应注意勿伤及根部，不得碰破根皮，采挖后除去泥土、残茎，用水冲洗干净，晒至七八成干，捆成小把，晒干或烘干。

| **功能主治** | 苦、辛，微寒。解热，调经，疏肝，升阳。用于感冒，寒热往来，胸满胁痛，头痛目眩，疟疾，月经不调，脱肛，子宫脱垂。

伞形科 Umbelliferae 柴胡属 Bupleurum

大叶柴胡 *Bupleurum longiradiatum Turcz.*

| **植物别名** | 柴胡。

| **药 材 名** | 大叶柴胡（药用部位：根。别名：柴胡）。

| **形态特征** | 多年生高大草本。根茎弯曲，质坚，黄棕色。茎单生或 2 ～ 3。叶大型，稍稀疏，表面鲜绿色，背面带粉蓝绿色；基生叶广卵形至椭圆形或披针形，先端急尖或渐尖，下部楔形或广楔形，并收缩成宽扁、有翼的长叶柄，至基部又扩大成叶鞘抱茎，有 9 ～ 11 脉；叶柄常带紫色；茎中部叶无叶柄，卵形或狭卵形；茎上部叶渐小。伞形花序宽大，多数，伞幅 3 ～ 9，通常 4 ～ 6，不等长；总苞片 1 ～ 5，开展，黄绿色；小总苞片 5 ～ 6，等大，广披针形或倒卵形；小伞形花序有花 5 ～ 16，花深黄色；花瓣扁圆形，先端内折；花柱基黄色，特别肥厚。果实暗褐色，长圆状椭圆形，分生果横剖面近圆形，每棱

大叶柴胡

槽内有油管 3 ~ 4，合生面有油管 4 ~ 6。花期 8 ~ 9 月，果期 9 ~ 10 月。

| **生境分布** | 生于山地林下、林缘、山坡、林间草地或灌丛。以长白山区为主要分布区域，分布于吉林延边、白山、通化、长春、吉林、辽源（东丰）等。

| **资源情况** | 野生资源较丰富。药材主要来源于野生。

| **采收加工** | 一般以秋季采挖为宜，采挖时应注意勿伤及根部，不得碰破根皮，采挖后除去泥土、残茎，用水冲洗干净，晒至七八成干，捆成小把，晒干或烘干。

| **药材性状** | 本品呈圆锥形或圆柱形，长 2 ~ 7cm，直径 0.1 ~ 0.3cm。外表暗棕色至棕褐色，具皱纹及纹理。质坚韧。气微，味微苦、涩。

| **功能主治** | 苦，微寒；有毒。疏风退热，疏肝，升阳。用于感冒发热，寒热往来，疟疾，胸胁胀痛，月经不调，脱肛，阴挺。

| **附　　注** | 本种的根有毒，不能代替柴胡入药，会出现中毒现象，主要表现为恶心、呕吐等症状，现基本查明其致吐成分存在于挥发油中，故不宜入丸、散。

红柴胡
Bupleurum scorzonerifolium Willd.

| 植物别名 | 线叶柴胡、狭叶柴胡、软苗柴胡。

| 药 材 名 | 红柴胡（药用部位：根。别名：狭叶柴胡）。

| 形态特征 | 多年生草本。主根发达，圆锥形，支根稀少，深红棕色，表面略皱缩，上端有横环纹，下部有纵纹，质疏松而脆。茎单一或 2 ~ 3，基部密覆叶柄残余纤维，细圆形，有细纵槽纹，茎上部有多回分枝，略呈 "之" 字形弯曲，并呈圆锥状。叶细线形，基生叶下部略收缩成叶柄，其他均无柄，叶先端长渐尖，基部稍变窄抱茎，质厚，稍硬挺，常对折或内卷，具 3 ~ 5 脉，向叶背凸出，两脉间有隐约平行的细脉，叶缘白色，骨质，上部叶小，同形。伞形花序自叶腋间抽出，花序多，形成较疏松的圆锥花序；伞幅（3 ~）4 ~ 6（~ 8），很细，弧形弯曲；总苞片 1 ~ 3，极细小，针形，具 1 ~ 3 脉，有时紧贴伞幅，常早

红柴胡

落；小总苞片 5，紧贴小伞形花序，线状披针形，细而尖锐，等于或略超过花时小伞形花序；小伞形花序有花（8～）9～11（～15）；花瓣黄色，舌片几与花瓣的对半等长，先端 2 浅裂；花柱基厚垫状，宽于子房，深黄色，柱头向两侧弯曲；子房主棱明显，表面常有白霜。果实广椭圆形，深褐色，棱浅褐色，粗钝凸出，每棱槽中有油管 5～6，合生面有油管 4～6。花期 7～8 月，果期 8～9 月。

| **生境分布** | 生于干燥的草原、向阳坡上、灌木林边缘。吉林各地均有分布。吉林东部山区、中部半山区有栽培。

| **资源情况** | 野生资源较少。吉林有栽培。药材主要来源于栽培。

| **采收加工** | 野生品春初植株发芽前或秋末落叶后采收，一般以秋季采挖为宜，除去杂质，晒干。栽培品选择晴天时采挖，采挖前割去地上茎，采挖时应注意勿伤及根部，不得碰破根皮，以免影响商品品质。采挖后除去泥土，以备加工。目前为了提高效率、降低成本，产区多利用机械采挖。采挖后要随收获随加工，不要堆积时间过长，以防霉烂。加工时剪掉残茎和须根，用水冲洗干净，晒至七八成干，捆成小把，晒干或烘干。

| **药材性状** | 本品较细，呈圆锥形。先端有多数细毛状枯叶纤维，下部多不分枝或稍分枝。表面红棕色或黑棕色，靠近根头处多具细密环纹。质稍软，易折断，断面略平坦，不显纤维性。具败油气。以根粗长、无茎苗、须根少者为佳。

| **功能主治** | 苦，凉。归肝、胆经。疏风退热，疏肝，升阳。用于感冒发热，寒热往来，疟疾，胸胁胀痛，月经不调。

| **用法用量** | 内服煎汤，3～10g；或入丸、散。外用适量，煎汤洗；或研末调敷。

| **附　　注** | （1）本种与锥叶柴胡 *Bupleurum bicaule* Helm 的形态相似，本种的主要特征为主根发达，挺直，红棕色，根颈不分枝，故不为丛生状，茎基部常覆盖叶柄残余纤维，茎较高，通常单一，或 2～3 分枝，上部多回分枝，略呈"之"字形弯曲，叶窄线形，上下两端等宽，质较硬挺，花序多而小，总苞极细小，果实深褐色，每棱槽内有油管 5～6，合生面有油管 4～6，可以以此区别。

（2）2020 年版《中国药典》中本种的中文名称为狭叶柴胡。

伞形科 Umbelliferae 柴胡属 Bupleurum

兴安柴胡

Bupleurum sibiricum Vest

| 药 材 名 | 兴安柴胡（药用部位：根）。

| 形态特征 | 多年生草本。数茎呈丛生状，表面有纵槽纹，上部稍有分枝，基部
常带紫红色，有纤维状叶鞘。基生叶狭长披针形，先端短渐尖，有
硬尖头；茎中部叶狭披针形，先端短渐尖；茎上部叶狭卵状披针形
或披针形，下部 1/3 处最宽，宽 8 ~ 11mm。复伞形花序少数，直
径 4 ~ 6cm；伞幅 5 ~ 14，粗壮，略呈弧形弯曲，不等长，长 1.5 ~
4.5cm；总苞片 1 ~ 2，不等大，与茎顶部小叶同形，但更小，常早
落；小总苞片 5 ~ 12，椭圆状披针形，先端渐尖或急尖，有小突尖
头，基部楔形，淡黄绿色，具 5 ~ 7 脉，各脉再分枝；小伞形花序，
有花 10 ~ 22；花瓣鲜黄色，小舌片大，近长方形；花柱基深黄色，
宽于子房。果实成熟时暗褐色，广卵状椭圆形，长 3 ~ 4mm；果棱

兴安柴胡

狭翼状。花期 7 ~ 8 月，果期 8 ~ 9 月。

| **生境分布** | 生于山坡草地、林缘荒地、山谷或山顶阴湿地等。分布于吉林白城、松原等。

| **资源情况** | 野生资源较少。药材主要来源于野生。

| **采收加工** | 一般以秋季采挖为宜，采挖时应注意勿伤及根部，不得碰破根皮，采挖后除去泥土、残茎，用水冲洗干净，晒至七八成干，捆成小把，晒干或烘干。

| **药材性状** | 本品较细，呈圆锥形。表面棕色或黑棕色，靠近根头处多具细密环纹。质稍软，易折断，断面略平坦，不显纤维性。具败油气。

| **功能主治** | 疏风退热，疏肝，升阳。用于感冒发热，寒热往来，疟疾，胸胁胀痛，月经不调，脱肛，阴挺。

伞形科 Umbelliferae 葛缕子属 Carum

田葛缕子 *Carum buriaticum* Turcz.

| 植物别名 | 田贡蒿、前胡。

| 药 材 名 | 狗缨子（药用部位：根。别名：前胡）。

| 形态特征 | 多年生草本。根圆柱形。茎通常单生，稀 2 ~ 5，基部有叶鞘纤维残留物，自茎中、下部以上分枝。基生叶及茎下部叶有柄，叶片长圆状卵形或披针形，3 ~ 4 回羽状分裂，末回裂片线形；茎上部叶通常 2 回羽状分裂，末回裂片细线形。总苞片 2 ~ 4，线形或线状披针形；伞幅 10 ~ 15，长 2 ~ 5cm；小总苞片 5 ~ 8，披针形；小伞形花序有花 10 ~ 30，无萼齿；花瓣白色。果实长卵形，每棱槽内有油管 1，合生面有油管 2。花果期 5 ~ 10 月。

| 生境分布 | 生于田边、路旁、河岸、林下或草丛。分布于吉林白城、松原等。

田葛缕子

| **资源情况** | 野生资源较少。药材主要来源于野生。 |

| **采收加工** | 9 ～ 10 月果实成熟时采挖，洗净，晒干，切段。 |

| **药材性状** | 本品呈圆锥形或圆柱形，长 5 ～ 10cm，直径 0.5 ～ 1.5cm。表面棕灰色，栓皮易碎、脱落，具多数疣状突起及横向皱纹。质松脆，易折断，断面平坦，皮部浅棕色，木部黄色。气微，味辛。 |

| **功能主治** | 苦、辛，微寒。归肝经。散风清热，降气化痰，消食健胃，镇吐，驱虫。用于感冒头痛，肺热咳嗽，痰多色黄，饮食积滞。 |

| **用法用量** | 内服煎汤，3 ～ 9g。 |

| **附　　注** | 本种与葛缕子 *Carum carvi* L. 的形态相似，但本种茎基部有叶鞘纤维残留物，基生叶 3 ～ 4 回羽状分裂，末回裂片较细，宽不及 1mm，有总苞片和小总苞片，可以以此区别。 |

伞形科 Umbelliferae 毒芹属 Cicuta

毒芹

Cicuta virosa L.

毒芹

| 植物别名 |

走马芹、野芹菜花、芹叶钩吻。

| 药 材 名 |

毒芹根（药用部位：根及根茎）。

| 形态特征 |

多年生粗壮草本。主根短缩，支根多数，肉质或纤维状，根茎有节，内有横隔膜。茎单生，直立，圆筒形。基生叶叶鞘膜质，抱茎，叶片呈三角形或三角状披针形，2～3回羽状分裂，最下部的 1 对羽片有长 1～3.5cm 的柄，羽片 3 裂至羽裂，裂片线状披针形或窄披针形，长 1.5～6cm，宽 0.3～1cm，较上部的茎生叶有短柄，叶片的分裂形状同基生叶；最上部的茎生叶 1～2 回羽状分裂。复伞形花序顶生或腋生；总苞片通常无或有 1 线形的苞片；伞幅 6～25，近等长；小总苞片多数，线状披针形；小伞形花序有花 15～35；萼齿明显，卵状三角形；花瓣白色，倒卵形或近圆形；花丝长约 2.5mm，花药近卵圆形。分生果近卵圆形，每棱槽内有油管 1，合生面有油管 2。花期 7～8 月，果期 8～9 月。

| 生境分布 | 生于河谷、湿地、水边、湿草甸、林下湿地等，常成片生长。以长白山区为主要分布区域，分布于吉林延边、白山、通化、长春、吉林、辽源（东丰）等。 |

| 资源情况 | 野生资源较少。药材主要来源于野生。 |

| 采收加工 | 春、夏、秋季采挖，除去地上部分，洗净，鲜用或晒干。 |

| 药材性状 | 本品根茎粗大，短柱状或块状，长 2 ~ 4（~ 5）cm，直径 2 ~ 3.5cm。表面棕黄色或枯草黄色，纵切面观可见髓部中空并具若干横隔。条状须根多数，生于块茎上者簇生，生于茎基上者于节部轮生，长 8 ~ 15cm，直径 2 ~ 4mm。表面黄棕色，具纵皱纹，并见支根或支根痕。质松，易折断，断面黄白色，皮部多见裂隙及多数棕色油点，木部圆形，亦可见径向裂隙。气特异，味微辛。 |

| 功能主治 | 辛、微甘，温；有大毒。拔毒，散瘀。外用于化脓性骨髓炎。 |

| 用法用量 | 外用适量，捣敷；或研末调敷。有剧毒，禁止内服。 |

| 附　注 | 本种为吉林省Ⅱ级重点保护野生植物。 |

伞形科 Umbelliferae 蛇床属 Cnidium

兴安蛇床

Cnidium dahuricum (Jacq.) Turcz. ex Fisch. et Mey.

| 药 材 名 | 兴安蛇床子（药用部位：果实）。

| 形态特征 | 多年生草本。根较粗，直径可达 1cm。茎直立。基生叶及茎下部叶具长柄，柄长达 15cm，基部扩大成宽 1.5cm 的短鞘，叶片卵状三角形，2～3 回三出式羽状全裂，基部羽片具柄，柄长 2～6cm，羽片卵形，边缘羽状深裂，末回裂片披针形至卵状披针形，先端具短尖；茎上部叶叶柄全部鞘状。复伞形花序顶生或腋生；总苞片 6～8，披针形；伞幅 10～16，不等长；小总苞片 4～7，长卵形至倒卵形，先端具尖头；小伞形花序有花 10～20；萼齿无；花瓣白色，倒卵形，先端具内折小舌片；花柱基略隆起，花柱 2，向下反曲。分生果长圆状卵形，主棱 5；每棱槽内有油管 1，合生面有油管 2；胚乳腹面平直。花期 7～8 月，果期 8～9 月。

兴安蛇床

| **生境分布** | 生于草甸、草原、沟边、盐碱地。分布于吉林白城、松原等。 |

| **资源情况** | 野生资源较少。药材主要来源于野生。 |

| **采收加工** | 夏、秋季果实成熟时采收，除去杂质，晒干。 |

| **药材性状** | 本品分果呈长圆状卵形，长 3～5mm，宽 2～3mm，纵棱 5，扩大为近等宽的翅，接合面平坦。果皮松脆，揉搓易脱落。种子细小，灰棕色，显油性。气香，味辛凉，有麻舌感。 |

| **功能主治** | 温肾壮阳，燥湿，祛风杀虫，止痒。用于阳痿，胞宫虚冷，不孕症，寒湿带下，阴道毛滴虫病，湿痹腰痛。 |

蛇床 *Cnidium monnieri* (L.) Cuss.

蛇床

| 植物别名 |

野茴香、野胡萝卜、野胡萝卜子。

| 药 材 名 |

蛇床子（药用部位：果实。别名：野茴香、蛇床仁、蛇床实）。

| 形态特征 |

一年生草本。根圆锥状，较细长。茎直立或斜上，多分枝，中空，表面具深条棱，粗糙。茎下部叶具短柄，叶鞘短宽，边缘膜质，上部叶叶柄全部鞘状；叶片卵形至三角状卵形，2～3回三出式羽状全裂，羽片卵形至卵状披针形，先端常略呈尾状，末回裂片线形至线状披针形，具小尖头，边缘及脉上粗糙。复伞形花序；总苞片6～10，线形至线状披针形，边缘膜质；伞幅8～20，不等长，棱上粗糙；小总苞片多数，线形；小伞形花序具花15～20，萼齿无；花瓣白色，先端具内折小舌片；花柱基略隆起，花柱长1～1.5mm，向下反曲。分生果长圆状，横剖面近五角形，主棱5；每棱槽内有油管1，合生面有油管2。花期6～7月，果期8～9月。

| **生境分布** | 生于山地、河谷、湿地、草甸、林缘灌丛。吉林各地均有分布。

| **资源情况** | 野生资源丰富。药材主要来源于野生。

| **采收加工** | 夏、秋季果实成熟时采收，割取地上部分，晒干，然后打落果实，筛净或者簸去杂质，晒干。

| **药材性状** | 本品为双悬果，呈椭圆形，长 2 ~ 4mm，直径约 2mm。表面灰黄色或灰褐色，先端有 2 向外弯曲的柱基，基部偶见细梗。分果的背面有薄而凸起的纵棱 5 条，接合面平坦，有 2 条棕色、略凸起的纵棱线。果皮松脆，揉搓易脱落。种子细小，灰棕色，显油性。气香，味辛凉，有麻舌感。以颗粒饱满、色灰黄、气味浓厚者为佳。

| **功能主治** | 辛、苦，温；有小毒。归肾经。燥湿祛风，杀虫止痒，温肾壮阳。用于阴痒带下，湿疹瘙痒，湿痹腰痛，肾虚阳痿，宫冷不孕。

| **用法用量** | 内服煎汤，3 ~ 10g；或入丸、散。外用适量，煎汤熏洗；或制成栓剂；或研细末调敷。

伞形科 Umbelliferae 高山芹属 Coelopleurum

长白高山芹

Coelopleurum nakaianum (Kitagawa) Kitagawa

| **植物别名** | 白山芹。

| **药 材 名** | 长白高山芹（药用部位：根）。

| **形态特征** | 二年生草本。根圆柱形，棕褐色。茎单一，直立，由基部分枝，有浅纵沟纹，中空。基生叶与茎生叶均为 2 ~ 3 回羽状分裂，叶柄下部膨大成宽阔膜质的叶鞘，叶片阔三角形，末回裂片长圆形至阔卵形，先端急尖或渐尖，基部楔形，无柄，边缘有缺刻状锯齿，齿端有芒状尖头，下部裂片常深裂或为 3 小叶；茎上部叶简化成阔鞘，先端叶片羽状深裂。复伞形花序；总苞片 1 或无，长披针形；伞幅12 ~ 25；小伞形花序有多数花；小总苞片 6 ~ 10，长线形，先端尖，远较花柄为长；花白色，萼齿不明显；花瓣宽倒卵形；花药暗紫色，花柱基扁压，边缘略呈波状，花柱短。分生果卵圆形，背棱及侧棱

长白高山芹

近等长，均为薄翅状。花期7~8月，果期8~9月。

| **生境分布** | 生于岳桦林林缘或高山苔原带上。分布于吉林白山（抚松、长白）、延边（安图）等。

| **资源情况** | 野生资源稀少。药材主要来源于野生。

| **采收加工** | 夏、秋季间采挖，去其茎叶，洗净，晒干。

| **功能主治** | 理气健胃，驱虫逐水。用于腹胀食少，消化不良，鞘膜积液。

伞形科 Umbelliferae 高山芹属 Coelopleurum

高山芹

Coelopleurum saxatile (Turcz.) Drude

高山芹

| 药 材 名 |

高山芹根（药用部位：根）。

| 形态特征 |

二年生草本。根圆柱形，褐色。茎单生，上部稀疏分枝，中空，有浅沟纹。基生叶及下部茎生叶有长柄，花期枯萎，中部茎生叶有短柄，叶柄下半部具宽阔的叶鞘，边缘薄膜质，叶为 2 ~ 3 回三出式分裂，末回裂片菱状卵形或斜卵形，有或无柄，基部楔形或近圆形，先端渐尖，边缘密生粗大的近缺刻状单齿或重锯齿，上部叶简化为阔鞘，先端 2 回三出式分裂。主伞的复伞形花序通常无总苞片，伞幅 20 ~ 27，斜上；小伞形花序直径达 2cm，有花 20 ~ 30；小总苞片 7 ~ 8，长锥形，通常远比花柄长；花柄被短糙毛；萼齿不明显；花瓣白色，倒卵形；花柱基扁平。分生果椭圆形，果棱为较厚的三角形翅状，侧棱翅较宽，棱槽内有油管 1，合生面有油管 2；胚乳腹面微凹。花期 7 ~ 8 月，果期 8 ~ 9 月。

| 生境分布 |

生于海拔 1900m 以上的针叶林林下、山坡地湿润处、高山石砬子下、溪水湿润处、林

边草地或高山苔原上。以长白山区为主要分布区域，分布于吉林延边、白山、通化、吉林、辽源（东丰）等。

| **资源情况** | 野生资源较少。药材主要来源于野生。

| **采收加工** | 秋季采挖，除去杂质，鲜用或晒干。

| **功能主治** | 理气健胃。用于腹胀食少，消化不良。

| **用法用量** | 内服煎汤，3 ~ 9g。

伞形科 Umbelliferae 鸭儿芹属 Cryptotaenia

鸭儿芹
Cryptotaenia japonica Hassk.

| 植物别名 | 鸭脚板、鸭脚板草、野芹菜。

| 药 材 名 | 鸭儿芹（药用部位：全草。别名：野蜀葵、大鸭脚板、鸭脚板草）、鸭儿芹果（药用部位：果实）、鸭儿芹根（药用部位：根）。

| 形态特征 | 多年生草本。主根短，侧根多数。茎直立，有分枝。基生叶或上部叶有柄，叶柄长 5 ~ 20cm，叶鞘边缘膜质，叶片三角形至广卵形，通常为 3 小叶，中间小叶片呈菱状倒卵形或心形，先端短尖，基部楔形，两侧小叶片斜倒卵形至长卵形；最上部的茎生叶近无柄，小叶片呈卵状披针形至窄披针形，边缘有锯齿。复伞形花序呈圆锥状，花序梗不等长，总苞片 1，呈线形或钻形；伞幅 2 ~ 3，不等长；小总苞片 1 ~ 3；小伞形花序有花 2 ~ 4；萼齿细小，呈三角形；花瓣白色，倒卵形；花丝短于花瓣，花药卵圆形，长约 0.3mm；花柱基

鸭儿芹

圆锥形，花柱短，直立。分生果线状长圆形。花期 7 ~ 8 月，果期 9 ~ 10 月。

| 生境分布 | 生于山地、山沟、林下较阴湿处或溪流旁等。分布于吉林白山、通化等。

| 资源情况 | 野生资源稀少。药材主要来源于野生。

| 采收加工 | 鸭儿芹：夏、秋季采收，除去杂质，鲜用或晒干。

鸭儿芹果：9 ~ 10 月果实成熟时采收，除去杂质，晒干。

鸭儿芹根：夏、秋季采挖，除去杂质，鲜用或晒干。

| 功能主治 | 鸭儿芹：辛、苦，温。清热解毒，消炎，活血消肿。用于肺热咳喘，肺痈，淋证，疝气，风火牙痛，痈疽，疔肿，蛇串疮，皮肤瘙痒。

鸭儿芹果：辛，温。消积顺气。用于消化不良。

鸭儿芹根：辛，温。发表散寒，止咳化痰。用于风寒感冒，呛咳，跌打损伤。

| 用法用量 | 鸭儿芹：内服煎汤，15 ~ 30g。外用适量，捣敷；或研末撒；或煎汤洗。

鸭儿芹果：内服煎汤，3 ~ 9g。

鸭儿芹根：内服煎汤，3 ~ 9g。

伞形科 Umbelliferae 柳叶芹属 Czernaevia

柳叶芹
Czernaevia laevigata Turcz.

| 植物别名 | 小叶独活、鸡爪芹、叉子芹。

| 药 材 名 | 柳叶芹（药用部位：全草）。

| 形态特征 | 二年生草本。根圆柱形，有数个支根。茎直立，单一或上部略分枝，中空，有浅细沟纹，光滑无毛。叶片2回羽状全裂，三角状卵形或长圆状卵形，基部膨大为半圆柱状的叶鞘，下部抱茎，边缘膜质，背面无毛，二回羽片的第1对小叶常3裂，末回裂片披针形或长卵状披针形，有小叶柄或无，先端渐尖，基部略偏斜，边缘有不整齐的粗锯齿，先端锐尖，稍具白色软骨质边缘，两面无毛或下面脉上有短糙毛，有时末回裂片的基部再具1～2缺刻；茎上部叶简化为带小叶、半抱茎的狭鞘状。复伞形花序；总苞片1，鞘状，早落；小总苞片3～5，线形；小伞形花序有花15～30；花白色，萼齿不

柳叶芹

明显，有时可见小形、尖锐的萼齿；花瓣倒卵形，先端内卷，凹入，或深 2 裂成二叉状圆裂，花序外缘的花瓣较内侧花瓣显著增大；花柱基垫状。果实近圆形或阔卵圆形，成熟时略内弯，背棱尖而凸出，狭翅状，侧棱翅状，较果体狭，棱槽中有油管 3 ~ 5，合生面有油管 4 ~ 8 (~ 10)。花期 7 ~ 8 月，果期 9 ~ 10月。

| **生境分布** | 生于河岸、沿河的牧场、草地、林下、阔叶林林缘、灌丛。以长白山区为主要分布区域，分布于吉林延边、白山、通化、吉林、辽源（东丰）等。

| **资源情况** | 野生资源较少。药材主要来源于野生。

| **采收加工** | 夏、秋季采收，除去杂质，鲜用或晒干。

| **功能主治** | 清热解毒，利水消肿，养肝明目。用于咽喉肿痛，水肿，疔肿，目昏。

胡萝卜
Daucus carota L. var. *sativa* Hoffm.

| **植物别名** | 赛人参。

| **药 材 名** | 胡萝卜（药用部位：根）、胡萝卜子（药用部位：果实）。

| **形态特征** | 二年生草本。根肉质，长圆锥形，粗肥，呈红色或黄色。茎单生，全体有白色粗硬毛。基生叶薄膜质，长圆形，2 ~ 3 回羽状全裂，末回裂片线形或披针形，先端尖锐，有小尖头，光滑或有糙硬毛，叶柄长 3 ~ 12cm；茎生叶近无柄，有叶鞘，末回裂片小或细长。复伞形花序，花序梗有糙硬毛；总苞有多数苞片，呈叶状，羽状分裂，少有不裂的，裂片线形；伞幅多数，长 2 ~ 7.5cm，结果时外缘的伞幅向内弯曲；小总苞片 5 ~ 7，线形，不分裂或 2 ~ 3 裂，边缘膜质，具纤毛；花通常白色，有时带淡红色；花柄不等长。果实圆卵形，棱上有白色刺毛。花期 5 ~ 7 月。

胡萝卜

| **生境分布** | 生于田间、菜园等。吉林各地均有栽培。

| **资源情况** | 吉林广泛栽培。药材来源于栽培。

| **采收加工** | 胡萝卜：秋季地上部分枯萎时采挖，除去茎叶、须根，洗净，鲜用或晒干。
胡萝卜子：秋季果实成熟时采收，除去杂质，晒干。

| **药材性状** | 胡萝卜：本品呈长圆锥形，较粗壮，长 5 ~ 15cm。表面橙红色或黄色，可见皮孔。质脆，易折断，断面皮部红棕色，木部黄色。气微，味甜。
胡萝卜子：本品双悬果呈长卵圆形，商品多已裂为分果。分果长椭圆形，半球状体，长约 4mm，宽约 1.5mm；表面淡黄棕色，先端留有柱头痕迹。脊面隆起，具 4 条凸起的肋线，沿肋线密生横向排列的刺毛，长约 0.5mm，肋线间的凹下处也散有短柔毛，分果的结合面平坦，有 3 脉纹，两侧的 2 条均作弧形，脉纹上也有柔毛。气微，味微辛。

| **功能主治** | 胡萝卜：甘，平。归肺、脾经。健脾和中，滋肝明目，化痰止咳，清热解毒。用于脾虚食少，体虚乏力，脘腹痛，泻痢，视物昏花，雀目，咳喘，百日咳，咽喉肿痛，麻疹，水痘，疖肿，烫火伤，痔漏。
胡萝卜子：苦、辛，温。归脾、肾经。化痰平喘，解毒止痢，燥湿散寒，利水杀虫。用于久痢，久泻，水肿，宫冷腹痛，咳喘，时痢，蛔虫病，虫积腹痛。

| **用法用量** | 胡萝卜：内服煎汤，30 ~ 120g；或生食；或捣汁；或煮食。外用适量，煮熟捣敷；或切片烧热敷。
胡萝卜子：内服煎汤，3 ~ 9g；或入丸、散。

伞形科 Umbelliferae 阿魏属 Ferula

硬阿魏

Ferula bungeana Kitagawa

| 植物别名 | 砂茴香、野茴香、沙茴香。

| 药 材 名 | 沙前胡（药用部位：根。别名：沙茴香、野茴香）、沙前胡子（药用部位：种子）。

| 形态特征 | 多年生草本。根圆柱形，直径达 8mm。茎细，单一，从下部向上分枝成伞房状，2 ~ 3 回分枝，下部枝互生，上部枝对生或轮生，枝上的小枝互生或对生。基生叶莲座状，有短柄，柄的基部扩展成鞘，叶片广卵形至三角形，2 ~ 3 回羽状全裂，末回裂片长椭圆形或广椭圆形，再羽状深裂，小裂片楔形至倒卵形，常 3 裂，形似角状齿；茎生叶少，向上简化，叶片 1 ~ 2 回羽状全裂，裂片细长，至上部无叶片。复伞形花序生于茎、枝和小枝先端，总苞片 1 ~ 3 或无，锥形；伞幅 4 ~ 15，开展，不等长；无侧生花序；小伞形花序有花

硬阿魏

5 ~ 12，小总苞片 3 ~ 5，线状披针形，不等长；萼齿卵形；花瓣黄色，椭圆形或广椭圆形，先端渐尖；花柱基扁圆锥形，花柱延长。分生果广椭圆形。花期 5 ~ 6 月，果期 6 ~ 7 月。

| **生境分布** | 生于沙丘硬质沙地、戈壁滩冲沟、旱田、路边或砾石质山坡等。分布于吉林白城、松原等。

| **资源情况** | 野生资源稀少。药材主要来源于野生。

| **采收加工** | 沙前胡：夏、秋季采挖，除去杂质，晒干。

沙前胡子：8 ~ 9 月种子成熟时采收，除去杂质，晒干。

| **药材性状** | 沙前胡：本品根呈圆锥形，下部较细，多已折断，长短不一，直径 3 ~ 8mm。根头有多数灰褐色的纤维状叶基残存，表面黄棕色或淡灰褐色。质松脆，易折断，断面皮部色较深，断面可见放射状纹理及多数油点。气特异，味微甜。

| **功能主治** | 沙前胡：甘、辛，凉。清热解毒，消肿，祛痰，止痛，祛风除湿。用于瘰疬，乳蛾，胸胁痛，脓疮，感冒，发热，头痛，气管炎，咳嗽，喘息，胸闷。

沙前胡子：理气健胃。用于消化不良，急、慢性肠炎。

茴香
Foeniculum vulgare Mill.

茴香

| 植物别名 |

小茴香、怀香、西小茴。

| 药 材 名 |

小茴香（药用部位：果实。别名：谷茴香、怀香、怀香子）。

| 形态特征 |

多年生草本。茎直立，光滑，灰绿色或苍白色，多分枝。中部或上部的茎生叶叶柄部分或全部呈鞘状，叶鞘边缘膜质；叶片阔三角形，4～5回羽状全裂，末回裂片线形。复伞形花序顶生与侧生；伞幅6～29，不等长；小伞形花序有花14～39；花柄纤细，不等长；无萼齿；花瓣黄色，倒卵形或近倒卵圆形，先端有内折的小舌片，中脉1；花丝略长于花瓣，花药卵圆形，淡黄色；花柱基圆锥形，花柱极短，向外叉开或贴伏在花柱基上。果实长圆形，主棱5，尖锐；每棱槽内有油管1，合生面有油管2；胚乳腹面近平直或微凹。花期5～6月，果期7～9月。

| 生境分布 |

生于路边、沟旁等。分布于吉林通化、白山等。吉林各地均有栽培。

| **资源情况** | 野生资源较少。吉林广泛栽培。药材主要来源于栽培。 |

| **采收加工** | 秋季果实初熟时采割植株，晒干，打下果实，除去杂质。 |

| **药材性状** | 本品为双悬果，呈圆柱形，有的稍弯曲，长 4 ~ 8mm，直径 1.5 ~ 2.5mm。表面黄绿色或淡黄色，两端略尖，先端残留有黄棕色、凸起的柱基，基部有时有细小的果柄。分果呈长椭圆形，背面有纵棱 5，接合面平坦而较宽。横切面略呈五边形，背面的 4 边约等长。有特异香气，味微甜、辛。以粒大饱满、色黄绿、气味浓者为佳。 |

| **功能主治** | 辛，温。归肝、肾、脾、胃经。散寒止痛，理气和胃。用于寒疝腹痛，睾丸偏坠，痛经，少腹冷痛，脘腹胀痛，食少吐泻。此外，盐小茴香暖肾散寒止痛。用于寒疝腹痛，睾丸偏坠，经寒腹痛。 |

| **用法用量** | 内服煎汤，3 ~ 6g；或入丸、散。外用适量，研末调敷；或炒热温熨。 |

| **附　注** | 本种在吉林的药用历史较久。在《通化县乡土志》（1910）、《东丰县志》（1917）、《（伪康德）通化县志》（1935）等地方志中均有关于"茴香"的记载。 |

伞形科 Umbelliferae 珊瑚菜属 Glehnia

珊瑚菜
Glehnia littoralis Fr. Schmidt ex Miq.

| **植物别名** | 北沙参、海沙参、辽沙参。

| **药 材 名** | 北沙参（药用部位：根。别名：海沙参、辽沙参、条沙参）。

| **形态特征** | 多年生草本，全株被白色柔毛。根细长，圆柱形或纺锤形，表面黄白色。茎露于地面的部分较短，分枝，地下部分伸长。叶多数基生，厚质，有长柄，叶片呈圆卵形至长圆状卵形，三出式分裂至三出式2回羽状分裂，末回裂片倒卵形至卵圆形，先端圆形至尖锐，基部楔形至截形，边缘有缺刻状锯齿；茎生叶与基生叶相似，叶柄基部逐渐膨大成鞘状，有时茎生叶退化成鞘状。复伞形花序顶生，花序梗有时分枝；伞幅8～16，不等长；无总苞片；小总苞片数片，线状披针形；小伞形花序有花15～20，白色；萼齿5，卵状披针形；花瓣白色或带堇色；花柱基短圆锥形。果实近圆球形或倒广卵形，果

珊瑚菜

棱有木栓质翅；分生果的横剖面呈半圆形。花期 6 ～ 7 月，果期 7 ～ 8 月。

| **生境分布** | 生于水边沙地、海边沙滩或栽培于肥沃疏松的砂壤土。分布于吉林白山、通化等。吉林东部地区有栽培。

| **资源情况** | 野生资源稀少。吉林有栽培。药材主要来源于野生。

| **采收加工** | 秋季地上部分将枯萎时，用长齿叉或用机械采挖，除去地上残茎、须根，洗净，稍晾，置沸水中烫 2 ～ 3min，除去外皮，去皮时，手上垫一层纱布，直接撸去外皮，干燥；或洗净直接干燥。

| **药材性状** | 本品呈细长圆柱形，偶见分枝，长 15 ～ 45cm，直径 0.4 ～ 1.2cm。表面淡黄白色，略粗糙，偶见残存外皮，不去外皮的表面黄棕色。全体有细纵皱纹和纵沟，并有棕黄色点状细根痕；先端常留有黄棕色根茎残基；上端稍细，中部略粗，下部渐细。质脆，易折断，断面皮部浅黄白色，木部黄色。气特异，味微甘。以粗细均匀、长短一致、去净栓皮、色黄白者为佳。

| **功能主治** | 甘、微苦，微寒。归肺、胃经。养阴清肺，益胃生津。用于肺热燥咳，劳嗽痰血，胃阴不足，热病津伤，咽干口渴。

| **用法用量** | 内服煎汤，5 ～ 10g；或入丸、散、膏。

| **附　　注** | 本种为国家 II 级重点保护野生植物。

伞形科 Umbelliferae 独活属 *Heracleum*

兴安独活 *Heracleum dissectum* Ledeb.

兴安独活

药材名

兴安独活（药用部位：根。别名：牛防风）。

形态特征

多年生草本，高 0.5 ~ 1.5m。根纺锤形，分歧，棕黄色。茎直立，被有粗毛，具棱槽。基生叶有长柄，被粗毛，基部呈鞘状，叶片三出羽状分裂，有 3 ~ 5 小叶，小叶广卵形、卵状长圆形，通常顶生小叶较宽，近圆形，小叶有柄，基部心形、楔形或不整齐，多少呈羽状深裂或缺刻，小裂片卵状长圆形，常呈羽状缺刻，边缘有锯齿，表面被稀疏的微细伏毛，背面密生灰白色毛；茎上部叶渐简化，叶柄全部呈宽鞘状。复伞形花序顶生和侧生，花序梗长 10 ~ 17cm，无总苞；伞幅 20 ~ 30，不等长，无毛，长 8 ~ 10cm；小总苞片数片，线状披针形，长 4 ~ 6mm；萼齿三角形；花瓣白色，二型；花柱基短圆锥形。果实椭圆形或倒卵形，长 8 ~ 10mm，宽 5 ~ 7mm，无毛或有稀疏的细毛，背部每棱槽中有油管 1，其长度为分生果的 2/3，合生面有油管 2。花期 7 ~ 8 月，果期 8 ~ 9 月。

| **生境分布** | 生于湿草地、草甸子、山坡林下或林缘。分布于吉林延边、白山、通化、长春、吉林、辽源等。 |

| **资源情况** | 野生资源较少。药材主要来源于野生。 |

| **采收加工** | 春末秋初采挖，去其茎叶，洗净，晒干。 |

| **功能主治** | 辛、苦，温。祛风除湿，止痛。用于风寒湿痹，腰膝酸痛，头痛。 |

| **用法用量** | 内服煎汤，3 ~ 9g；或泡酒。 |

伞形科 Umbelliferae 独活属 Heracleum

短毛独活

Heracleum moellendorffii Hance

| **植物别名** | 东北牛防风、短毛白芷、老山芹。

| **药 材 名** | 短毛独活（药用部位：根。别名：东北牛防风、牛尾独活）。

| **形态特征** | 多年生草本。根圆锥形，粗大，多分歧，灰棕色。茎直立，有棱槽，上部开展分枝。叶有柄；叶片广卵形，薄膜质，三出式分裂，裂片广卵形至圆形、心形，不规则的 3 ～ 5 裂，裂片边缘具粗大的锯齿，尖锐至长尖；茎上部叶有显著宽展的叶鞘。复伞形花序顶生和侧生；总苞片少数，线状披针形；伞幅 12 ～ 30，不等长；小总苞片 5 ～ 10，披针形；花柄细长；萼齿不显著；花瓣白色，二型；花柱基短圆锥形，花柱叉开。分生果圆状倒卵形，先端凹陷，背部扁平，有稀疏的柔毛或近光滑，背棱和中棱线状凸起，侧棱宽阔；每棱槽内有油管 1，合生面有油管 2，棒形，其长度为分生果的一半；胚乳腹面平

短毛独活

直。花期 7 ~ 8 月，果期 8 ~ 9 月。

| **生境分布** | 生于林下、林缘、湿草甸或溪水边。分布于吉林延边、白山、通化、长春、吉林、辽源等。吉林部分地区有栽培。

| **资源情况** | 野生资源较少。吉林偶见栽培。药材主要来源于野生。

| **采收加工** | 秋季采挖，除去茎叶和细根，洗净，晒干。

| **药材性状** | 本品呈长圆锥形，长 30 ~ 80cm，多分歧或单一，稍弯曲，直径可达 2cm，表面灰白色、浅灰棕色或灰棕色，有时上部有密集的细环纹，中、下部具不规则皱缩沟纹。质坚韧，折断面不平整，皮部黄白色，略显粉性，散在深黄色油点，有裂隙，具棕色环（形成层），木部淡黄色，显菊花纹理。气芳香特异，味微苦、麻。

| **功能主治** | 辛、苦，微温。归肺、肝经。祛风除湿，发表散寒，止痛。用于风湿关节痛，伤风头痛，腰腿酸痛。

| **用法用量** | 内服煎汤，9 ~ 12g。外用适量，捣敷。

| **附　注** | 本种的幼苗为山野菜。

伞形科 Umbelliferae 独活属 *Heracleum*

狭叶短毛独活

Heracleum moellendorffii Hance var. *subbipinnatum* (Franch.) Kitagawa

狭叶短毛独活

| 植物别名 |

狭叶东北牛防风。

| 药 材 名 |

短毛独活（药用部位：根）。

| 形态特征 |

多年生草本。根圆锥形，粗大，多分歧，灰棕色。茎直立，有棱槽，上部开展分枝。叶有柄；叶片广卵形，薄膜质，三出式分裂，叶2回羽状全裂，末回裂片狭卵状披针形；茎上部叶有显著宽展的叶鞘。复伞形花序顶生和侧生；总苞片少数，线状披针形；伞幅 12 ~ 30，不等长；小总苞片 5 ~ 10，披针形；花柄细长；萼齿不显著；花瓣白色，二型；花柱基短圆锥形，花柱叉开。分生果圆状倒卵形，先端凹陷，背部扁平，直径约 8mm，有稀疏的柔毛或近光滑，背棱和中棱线状凸起，侧棱宽阔；每棱槽内有油管 1，合生面有油管 2，棒形，其长度为分生果的一半；胚乳腹面平直。花期 7 ~ 8 月，果期 8 ~ 9 月。

| 生境分布 |

生于阴坡山沟旁、林下、林缘、灌丛或草甸

子等。以长白山区为主要分布区域，分布于吉林延边、白山、通化、吉林、辽源（东丰）等。

| **资源情况** | 野生资源较少。药材主要来源于野生。

| **采收加工** | 秋季采挖，除去茎叶和细根，洗净，晒干。

| **药材性状** | 本品呈长圆锥形，长 30 ~ 80cm，多分歧或单一，稍弯曲，直径可达 2cm，表面灰白色、浅灰棕色或灰棕色，有时上部有密集的细环纹，中、下部具不规则皱缩沟纹。质坚韧，折断面不平整，皮部黄白色，略显粉性，散在深黄色油点，有裂隙，具棕色环（形成层），木部淡黄色，显菊花纹理。气芳香特异，味微苦、麻。

| **功能主治** | 祛风除湿。用于风寒湿痹，腰膝酸痛，头痛，齿痛，疮疡漫肿。

香芹 *Libanotis seseloides* (Fisch. et Mey. ex Turcz.) Turcz.

香芹

植物别名

洋芫荽、荷兰芹、旱芹菜。

药材名

邪蒿（药用部位：全草。别名：野胡萝卜）。

形态特征

多年生草本。根颈粗短，有环纹，上端存留枯鞘纤维；根圆柱状。茎直立或稍曲折，单一或自基部抽出 2 ~ 3 茎，粗壮，基部近圆柱形，下部以上有显著的条棱。基生叶有长柄，叶柄基部有叶鞘，叶片椭圆形或宽椭圆形，长 5 ~ 18cm，宽 4 ~ 10cm，3 回羽状全裂，一回羽片无柄，最下面的 1 对二回羽片紧靠叶轴着生，末回裂片线形或线状披针形，先端有小尖头；茎生叶叶柄较短，至顶部叶无柄，仅有叶鞘，叶片与基生叶相似，2 回羽状全裂，逐渐变短小。伞形花序多分枝，伞梗上端有短硬毛，复伞形花序直径 2 ~ 7cm；通常无总苞片，偶有 1 ~ 5，线形或锥形，长 2 ~ 4mm，宽 0.5 ~ 1mm；伞幅 8 ~ 20，稍不等长，内侧和基部有粗硬毛；小伞形花序有花 15 ~ 30，花柄短；小总苞片 8 ~ 14，线形或线状披针形；花瓣白色，宽椭圆形，花柱长，开展。分生果卵形，背腹略扁压，5 棱显著。花期 7 ~ 8 月，果期 8 ~ 9 月。

| 生境分布 | 生于林下、林缘、湿草甸、草原内湿地。以长白山区为主要分布区域，分布于吉林延边、白山、通化、吉林、辽源（东丰）等。

| 资源情况 | 野生资源较丰富。药材主要来源于野生。

| 采收加工 | 春、夏季采收，洗净，多为鲜用。

| 药材性状 | 本品根茎粗短，有环纹，上端存留枯鞘纤维；根圆柱状，通常有少数侧根，主根直径 0.5 ~ 1.5cm，灰色或灰褐色，木质化，质地坚实。茎平直或稍曲折，单一或自基部抽出 2 ~ 3 茎，粗壮，直径 0.3 ~ 1.2cm，基部近圆柱形，上有显著条棱，上部分枝较多，下部光滑无毛，或于茎节处有短柔毛。叶片椭圆形或宽椭圆形，质脆。气芳香特异，味辛。

| 功能主治 | 辛，温。利肠胃，通血脉。用于饮食积滞，嗳腐吞酸，痢疾，恶疮。

伞形科 Umbelliferae 藁本属 Ligusticum

岩茴香

Ligusticum tachiroei (Franch. et Sav.) Hiroe et Constance

| 植物别名 |　山茴香。

| 药 材 名 |　岩茴香（药用部位：根。别名：细叶藁本、桂花三七、柏子三七）。

| 形态特征 |　多年生草本，高 15 ~ 30cm。根颈粗短；根常分叉。茎单一或数条簇生，较纤细，常呈"之"字形弯曲，上部分枝，基部被叶鞘残迹。基生叶具长柄，柄长 6 ~ 7cm，基部略扩大成鞘，叶片卵形，3 回羽状全裂，末回裂片线形，具 1 脉；茎生叶少数，向上渐简化。复伞形花序少数，直径 2 ~ 4cm；总苞片 2 ~ 4，线状披针形，中下部边缘白色膜质，常早落；伞幅 6 ~ 10，长 1 ~ 1.5cm；小总苞片 5 ~ 8，线状披针形，长 5 ~ 7mm，边缘白色膜质；萼齿显著，钻形；花瓣白色，长卵形至卵形，先端具内折小舌片，基部具爪；花柱基

岩茴香

圆锥形；花柱较长，后期向下反曲。分生果卵状长圆形，主棱凸出；每棱槽内有油管 1，合生面有油管 2；胚乳腹面平直。花期 7 ~ 8 月，果期 8 ~ 9 月。

| 生境分布 | 生于河岸湿地、石砾荒原、岩石缝间、亚高山岳桦林林下或高山苔原带上。分布于吉林白山（抚松、靖宇、长白）、吉林等。

| 资源情况 | 野生资源较少。药材主要来源于野生。

| 采收加工 | 秋季采挖，除去茎叶，洗净，晒干。

| 药材性状 | 本品呈圆锥形，粗大。表面棕褐色，先端有残留茎痕，有多数支根痕。质坚实，不易折断，断面黄白色，有形成层环。气香，味微苦而辛。

| 功能主治 | 辛，微温。祛风解表，活血行气，消肿止痛，温中散寒，健胃止痢。用于风寒感冒，血瘀气滞，痈肿疼痛，寒疝疼痛，跌打损伤。

| 用法用量 | 内服煎汤，6 ~ 15g；或研粉。

伞形科 Umbelliferae 藁本属 Ligusticum

细叶藁本
Ligusticum tenuissimum (Nakai) Kitagawa

| **植物别名** | 藁本。

| **药 材 名** | 细叶藁本（药用部位：根茎）。

| **形态特征** | 多年生草本。根分叉，深褐色，有浓烈香气；根颈短。茎直立，圆柱形，中空，具纵条纹，带紫色，上部常分枝并呈 "之" 字形弯曲。基生叶具长柄，早枯；茎下部叶叶柄长可达 20cm，基部稍扩大成鞘状，上部叶叶柄渐短，以至全部成鞘；叶片 3 ~ 4 回三出式羽状全裂，末回裂片宽线形，先端具小尖头。复伞形花序顶生或侧生；总苞片 1 ~ 2，线形；伞幅 10 ~ 18，略不等长，内侧粗糙；小总苞片 5 ~ 8，披针形，边缘白色膜质；花柄不等长；萼齿不明显；花瓣白色，倒卵形，先端微凹，具内折小尖头；花柱基短圆锥状，花柱细长。分生果椭圆形，背棱凸起，侧棱扩大成翅；每棱槽内有油管 1，

细叶藁本

合生面有油管 2。花期 8 ~ 9 月，果期 9 ~ 10 月。

| 生境分布 | 生于多石质山坡林下。吉林无野生分布。吉林东部地区有栽培。

| 资源情况 | 吉林有栽培。药材主要来源于栽培。

| 采收加工 | 秋季采挖，除去茎叶，洗净，晒干。

| 药材性状 | 本品呈不规则圆柱状或团块状，罕见分枝，长 2 ~ 4cm，直径 1 ~ 1.5cm。表面灰棕褐色，有不规则瘤状突起，常显著肥大，先端有茎残基和叶柄残基，下端有少数根痕。质轻，松软，粉性强，横切面皮部和髓部类白色，木质部淡棕黄色，皮部具较多裂隙。气浓烈芳香，味辛、苦、微甘，稍有麻舌感。

| 功能主治 | 祛风散寒，镇痛，镇痉。用于风寒表证，头痛，胸痛。

| 用法用量 | 内服煎汤，3 ~ 9g；或入丸、散。外用适量，煎汤洗；或研细粉调涂。

伞形科 Umbelliferae 水芹属 *Oenanthe*

水芹 *Oenanthe javanica* (Bl.) DC.

| **植物别名** | 水芹菜、河芹、野芹。

| **药 材 名** | 水芹（药用部位：全草。别名：芹菜、水芹菜、野芹菜）。

| **形态特征** | 多年生草本，高 15 ～ 80cm。茎直立或基部匍匐。基生叶有柄，基部有叶鞘，叶片三角形，1 ～ 2 回羽状分裂，末回裂片卵形至菱状披针形，边缘有牙齿或圆齿状锯齿；茎上部叶无柄，裂片和基生叶的裂片相似，较小。复伞形花序顶生；无总苞片；伞幅 6 ～ 16，不等长，直立和开展；小总苞片 2 ～ 8，线形；小伞形花序有花 20 或更多；萼齿线状披针形，长与花柱基相等；花瓣白色，倒卵形，有一长而内折的小舌片；花柱基圆锥形，花柱直立或两侧分开。果实近四角状椭圆形或筒状长圆形，侧棱较背棱和中棱隆起，木栓质，分生果横剖面近五边状的半圆形；每棱槽内有油管 1，合生面有油

水芹

管 2。花期 6 ~ 7 月，果期 8 ~ 9 月。

| **生境分布** | 生于河岸湿地、沟边湿地、池塘湿地，常成片生长。以长白山区为主要分布区域，分布于吉林延边、白山、通化、长春、吉林、辽源（东丰）等。

| **资源情况** | 野生资源较丰富。药材主要来源于野生。

| **采收加工** | 夏、秋季采挖，鲜用或晒干。

| **药材性状** | 本品根茎呈圆柱形，节上着生多数须根。茎呈扁圆柱形，表面淡绿色至黄棕色，具纵棱；节明显，稍膨大；茎下端节上有多数细长的须状不定根；质脆，易折断，断面具海绵状髓或中空。叶多皱缩或破碎，完整者展平后 1 ~ 2 回羽状分裂，小叶呈披针形或近披针形，边缘锯齿状，长 1.5 ~ 4cm，宽 0.5 ~ 2cm，先端渐尖，基部楔形。气微香，味特异而淡。

| **功能主治** | 甘、辛，凉。归肺、肝、膀胱经。清热解毒，利尿，止血。用于烦渴，浮肿，黄疸，脉溢，尿血，便血，吐血，衄血，崩漏，目赤，咽痛，口疮，牙疳，乳痈，瘰疬，麻疹不透，痔疮，跌打伤肿。

| **用法用量** | 内服煎汤，15 ~ 30g；或捣汁。外用适量，捣蛋清或捣汁涂。

| **附　注** | （1）水芹已被列入 2019 年版《吉林省中药材标准》第二册。
（2）本种的幼苗是常见野菜，民间常采摘其鲜嫩茎叶食用，称之为"水芹菜"。本种易与毒芹混用，水芹叶为二回羽状，毒芹叶为三回羽状，可以以此区别。

伞形科 Umbelliferae 香根芹属 Osmorhiza

香根芹
Osmorhiza aristata (Thunb.) Makino et Yabe Bot.

香根芹

| 植物别名 |

野胡萝卜、东北香根芹。

| 药 材 名 |

香根芹（药用部位：根）。

| 形态特征 |

多年生草本。主根圆锥形，有香气。茎圆柱形，有分枝，草绿色或稍带紫红色。基生叶呈阔三角形或近圆形，通常 2 ~ 3 回羽状分裂或二回三出式羽状复叶，羽片 2 ~ 4 对，下部第二回羽片卵状长圆形或三角状卵形，边缘有缺刻，羽状浅裂至羽状深裂，有短柄，末回裂片卵形、长卵形至卵状披针形，先端钝或渐尖；茎生叶的分裂形状同基生叶。复伞形花序顶生或腋生，花序梗上升而开展；总苞片 1 ~ 4，钻形至阔线形；伞幅 3 ~ 5；小总苞片 4 ~ 5；小伞形花序有孕育花 1 ~ 6，不孕花的花柄丝状，短小；花瓣倒卵圆形；花丝短于花瓣，花药卵圆形。果实线形或棍棒状，果棱有刺毛。花期 7 月，果期 8 ~ 9 月。

| 生境分布 |

生于林中坡地、林缘阴湿处。以长白山区为主要分布区域，分布于吉林延边、白山、通

化、长春、吉林、辽源（东丰）等。

| **资源情况** | 野生资源较少。药材主要来源于野生。

| **采收加工** | 8 ~ 9 月采挖，除去须根，洗净，晒干。

| **药材性状** | 本品主根呈圆锥形，长 2 ~ 5cm，具不整齐的纵皱纹及点状须根痕，近根头处可见横环纹。根头部膨大，常见茎残基及基生叶叶柄残基。质硬脆，折断面皮部淡棕色或黄棕色，较疏松，多裂隙；木部白色或黄白色。气微香，味淡。

| **功能主治** | 辛，温。散寒，发汗，解表，祛风除湿，宣通筋络。用于巅顶痛，风寒感冒，周身疼痛，恶寒无汗发热，风湿关节痛，痈肿疮毒，跌打损伤。

| **用法用量** | 内服煎汤，15 ~ 30g。

伞形科 Umbelliferae 山芹属 Ostericum

大齿山芹

Ostericum grosseserratum (Maxim.) Yuan et Shan

大齿山芹

| 植物别名 |

碎叶山芹、大齿当归、朝鲜独活。

| 药 材 名 |

山水芹菜（药用部位：根。别名：碎叶山芹）。

| 形态特征 |

多年生草本，高达 1m。根圆锥状或纺锤形。茎直立，有浅纵沟纹。叶有柄，基部有狭长而膨大的鞘，边缘白色，透明；叶片广三角形，2 ～ 3 回三出式分裂，第一回和第二回裂片有短柄，末回裂片无柄或下延成短柄，阔卵形至菱状卵形，基部楔形，先端锐尖，长尖或尾尖状，中部以下常 2 深裂，边缘有粗大的缺刻状锯齿，上部叶有短柄，3 裂，小裂片披针形至长圆形；最上部叶简化为带小叶的线状披针形叶鞘。复伞形花序直径 2 ～ 10cm；伞幅 6 ～ 14；总苞片 4 ～ 6，线状披针形，较伞幅短 2 ～ 4 倍；小总苞片 5 ～ 10，钻形；花白色；萼齿三角状卵形；花瓣倒卵形；花柱基圆垫状，花柱短。分生果广椭圆形，基部凹入，背棱凸出，尖锐，侧棱为薄翅状，与果体近等宽，棱槽内有油管 1，合生面有油管 2 ～ 4。花期 7 ～ 8 月，果期 8 ~ 9 月。

| 生境分布 |

生于山坡、草地、溪沟旁、林缘灌丛。以长白山区为主要分布区域，分布于吉林延边、白山、通化、长春、吉林、辽源（东丰）等。

| 资源情况 |

野生资源较少。药材主要来源于野生。

| 采收加工 |

秋季采挖，除去茎叶，洗净，晒干。

| 功能主治 |

辛、微甘，温。补中益气，温脾散寒，祛风，除湿止痛。用于脾胃虚寒，虚寒咳嗽，泄泻。

| 用法用量 |

内服煎汤，3 ~ 9g。

伞形科 Umbelliferae 山芹属 Ostericum

全叶山芹

Ostericum maximowiczii (Fr. Schmidt ex Maxim.) Kitagawa

| 植物别名 | 山芹、全叶独活。

| 药 材 名 | 全叶山芹（药用部位：全草）。

| 形态特征 | 多年生草本。有细长的地下匍匐枝，节上生根。茎直立，多单一或上部略有分枝，圆形，中空，有浅细沟纹，光滑无毛或上部有稀疏的短糙毛。基生叶及茎下部叶 2 回羽状分裂；茎上部叶 1 回羽状分裂，叶柄基部膨大成长圆形的鞘，抱茎，边缘膜质，透明；叶片三角状卵形，第一回裂片有短叶柄，第二回裂片无柄或少有柄，阔卵形，分裂几达主脉，末回裂片线形或线状披针形，渐尖，通常全缘或有 1 ～ 2 大齿，叶两面均无毛，或沿叶脉及叶缘有短糙毛；最上部叶简化为羽状分裂或 3 裂，着生于椭圆形、膨大的红紫色叶鞘上。果实宽卵形，扁平，金黄色，基部凹入，背棱狭，稍凸起，侧棱宽

全叶山芹

翅状，薄膜质，透明，宽超过果体，棱槽内有油管 1，合生面有油管 2 ~ 3。花期 8 ~ 9 月，果期 9 ~ 10 月。

| **生境分布** | 生于路旁、湿草甸子、林缘或混交林林下。以长白山区为主要分布区域，分布于吉林延边、白山、通化、吉林、辽源（东丰）等。

| **资源情况** | 野生资源较少。药材主要来源于野生。

| **采收加工** | 夏、秋季采收，洗净，多鲜用。

| **功能主治** | 解毒消肿。用于毒蛇咬伤。

| **用法用量** | 外用适量，捣敷。

伞形科 Umbelliferae 山芹属 *Ostericum*

大全叶山芹
Ostericum maximowiczii (Fr. Schmidt ex Maxim.) Kitagawa var. *australe* (Komarov) Kitagawa

| **药 材 名** | 大全叶山芹（药用部位：全草）。

| **形态特征** | 多年生草本，高 1.5m。有细长的地下匍匐枝，节上生根。茎直立，多单一或上部略有分枝，圆形，中空，有浅细沟纹，光滑无毛或上部有稀疏的短糙毛。基生叶及茎下部叶 2 回羽状分裂；茎上部叶 1 回羽状分裂，叶柄基部膨大成长圆形的鞘，抱茎，边缘膜质、透明，叶片三角状卵形，第一回裂片有短叶柄，第二回裂片无柄或少有柄，阔卵形，分裂几达主脉，叶的末回裂片较短而宽，阔披针形至卵状披针形，宽 5 ~ 9mm，叶两面均无毛，或沿叶脉及叶缘有短糙毛；最上部叶简化为羽状分裂或 3 裂，着生于椭圆形、膨大的红紫色叶鞘上。复伞形花序；伞幅 10 ~ 17，有短糙毛；总苞片 1 ~ 3，宽披针形，边缘膜质，早落；小伞形花序有花 10 ~ 30，花柄无毛；小

大全叶山芹

总苞片 5 ～ 7，线状披针形，先端长尖，常反卷；萼齿圆三角形，有短糙毛；花瓣白色，近圆形，先端内折，基部渐狭或具明显的爪。果实宽卵形，扁平，金黄色，基部凹入，背棱狭，稍凸起，侧棱宽翅状，薄膜质，透明，宽超过果体，棱槽内有油管 1，合生面有油管 2 ～ 3。花期 8 ～ 9 月，果期 9 ～ 10 月。

| **生境分布** | 生于路旁、湿草甸子、林缘或混交林林下。分布于吉林白城、松原等。

| **资源情况** | 野生资源较少。药材主要来源于野生。

| **采收加工** | 夏、秋季采收，鲜用或晒干。

| **功能主治** | 清热解毒。用于毒蛇咬伤。

伞形科 Umbelliferae 山芹属 Ostericum

山芹

Ostericum sieboldii (Miq.) Nakai

| **植物别名** | 山芹独活、小芹当归、山芹菜。

| **药 材 名** | 山芹（药用部位：全草）、山芹根（药用部位：根）。

| **形态特征** | 多年生草本。主根粗短，黄褐色至棕褐色。茎直立，中空。基生叶及茎上部叶均为 2 ~ 3 回三出式羽状分裂，叶片三角形，基部膨大成扁而抱茎的叶鞘，末回裂片菱状卵形至卵状披针形，急尖至渐尖，边缘有内曲的圆钝齿或缺刻状齿 5 ~ 8 对，通常齿端有锐尖头，基部截形，有时中部深裂；最上部的叶常简化成无叶的叶鞘。复伞形花序；伞幅 5 ~ 14；总苞片 1 ~ 3，线状披针形，先端近钻形，边缘膜质；小伞形花序有花 8 ~ 20；小总苞片 5 ~ 10，线形至钻形；萼齿卵状三角形；花瓣白色，长圆形，基部渐狭成短爪，先端内曲。果实长圆形至卵形，成熟时金黄色，透明，有光泽，基部凹入，棱

山芹

槽内有油管 1 ~ 3，合生面有油管 4 ~ 8。花期 8 ~ 9 月，果期 9 ~ 10 月。

| **生境分布** | 生于林下、林缘的湿草甸。分布于吉林延边、白山、通化、长春、吉林、辽源等。

| **资源情况** | 野生资源较少。药材主要来源于野生。

| **采收加工** | 山芹：夏、秋季采收，鲜用或晒干。
山芹根：春、秋季采挖，除去茎叶，洗净，晒干。

| **功能主治** | 山芹：解毒消肿。用于急性乳腺炎。
山芹根：发表散风，祛湿止痛。用于风湿热痹，关节肿胀，灼热疼痛。

| **用法用量** | 山芹：外用适量，捣敷。
山芹根：内服煎汤，3 ~ 9g。

伞形科 Umbelliferae 山芹属 Ostericum

狭叶山芹

Ostericum sieboldii (Miq.) Nakai var. *praeteritum* (Kitagawa) Huang

狭叶山芹

| 药 材 名 |

狭叶山芹（药用部位：全草）。

| 形态特征 |

多年生草本。主根粗短，有 2 ~ 3 分枝，黄褐色至棕褐色。茎直立，中空，有较深的沟纹，光滑或基部稍有短柔毛，上部分枝，开展。叶通常排列较紧密，大部分较狭；最下部的羽片显著地短；末回裂片通常无柄或有短柄，椭圆形、长卵形或近菱形，先端尖或渐尖，基部通常楔形。复伞形花序的花序梗、伞幅和花柄均有短糙毛；萼齿卵状三角形；花瓣白色，长圆形，基部渐狭成短爪，先端内曲，花柱较扁平的花柱基长 2 倍。果实长圆形至卵形，成熟时金黄色，透明，有光泽，基部凹入，背棱细狭，侧棱宽翅状，与果体近相等，棱槽内有油管 1 ~ 3，合生面有油管 4 ~ 6，少为 8。花期 8 ~ 9 月，果期 9 ~ 10 月。

| 生境分布 |

生于林下、林缘的湿草甸。分布于吉林延边、白山、通化、长春、吉林、辽源等。

| **资源情况** | 野生资源较少。药材主要来源于野生。

| **采收加工** | 夏、秋季采收，鲜用或晒干。

| **功能主治** | 清热解毒，芳香化湿，截疟杀虫。用于湿浊中阻，疟疾，虫积腹痛。

伞形科 Umbelliferae 山芹属 Ostericum

绿花山芹

Ostericum viridiflorum (Turcz.) Kitagawa

绿花山芹

| 植物别名 |

绿花独活、二角芹。

| 药 材 名 |

绿花山芹（药用部位：根）。

| 形态特征 |

多年生草本。根圆锥形，有分枝，黄褐色。茎直立，中空，表皮常带紫红色，有纵深沟纹，条棱呈角状凸起，下部常有短毛。叶柄基部膨大成扁平鞘状；叶片近三角形，2～3回羽状分裂，第一回裂片有叶柄，末回裂片卵圆形至长圆形，无柄或有短柄，先端渐尖，基部截形或不对称，边缘有粗锯齿或缺刻。总苞片2～3，常早落，披针形；小总苞片3～9，线状披针形，常短于花柄；萼齿卵形，先端尖；花瓣绿色，卵形，先端内曲，基部渐尖成长爪。分生果倒卵形至长圆形，基部凹入，金黄色，薄膜质，透明，有光泽，背棱线形，凸出，侧棱翅状，与果体近等宽，棱槽内有油管1，合生面有油管2。花期7～8月，果期8～9月。

| 生境分布 |

生于林缘、路旁或草地。分布于吉林延边、

白山、通化、长春、吉林、辽源等。

| **资源情况** | 野生资源较少。药材主要来源于野生。

| **采收加工** | 秋季采挖，除去杂质，晒干。

| **功能主治** | 辛，温。祛风胜湿，散寒止痛。用于风寒感冒，头痛，风寒湿痹。

| **用法用量** | 内服煎汤，3 ~ 9g。

伞形科 Umbelliferae 前胡属 Peucedanum

刺尖前胡 *Peucedanum elegans* Komarov

刺尖前胡

| 植物别名 |

刺尖石防风、雅致前胡。

| 药 材 名 |

刺尖前胡（药用部位：根）。

| 形态特征 |

多年生草本。根近纺锤形。茎单一，圆柱形，有细条纹，较光滑，下部直径约5mm。基生叶有长柄，叶柄基部具狭长叶鞘；叶片卵状长圆形，3回羽状全裂，第一回羽片6～9对，第二回羽片4～5对，末回裂片线状长圆形，全缘，先端具长1～1.5mm的刺状小尖头。复伞形花序略呈伞房状分枝，托叶鞘状，先端不分裂或3浅裂；总苞片多数，披针形，先端尾尖；伞幅20～25，有棱，内侧多糙毛；小伞形花序有花20或更多；小总苞片7～9，线状披针形，先端长渐尖；花瓣白色或淡紫色，倒卵状圆形，小舌片内折；花柱基圆锥形。分生果长圆形，侧棱呈翅状，翅宽0.5～1mm；棱槽内有油管1，合生面有油管2。花期7～8月，果期8～9月。

| **生境分布** |

生于高山石砬子处、林下碎石地或河岸旁等。分布于吉林通化（通化、集安）、延边（和龙、珲春）等。

| **资源情况** |

野生资源较少。药材主要来源于野生。

| **采收加工** |

秋季茎叶枯萎或早春植株萌芽前采挖，除去泥土及须根，干燥。

| **功能主治** |

发散风热，降气化痰，止血。用于感冒，咳喘，妊娠咳嗽。

伞形科 Umbelliferae 前胡属 Peucedanum

石防风

Peucedanum terebinthaceum (Fisch.) Fisch. ex Turcz.

石防风

| 植物别名 |

硬苗前胡、山芹菜。

| 药 材 名 |

石防风（药用部位：根。别名：前胡、珊瑚菜、山芹菜）。

| 形态特征 |

多年生草本。根长圆锥形。茎直立。基生叶有长柄，叶片椭圆形至三角状卵形，2回羽状全裂，第一回羽片3～5对，下部羽片具短柄，上部羽片无柄，末回裂片披针形或卵状披针形，基部楔形，边缘浅裂或具2～3锯齿，长0.8～3cm，宽0.5～1.2cm；茎生叶与基生叶同形，但较小，无叶柄，仅有宽阔叶鞘抱茎，边缘膜质。复伞形花序多分枝，伞幅不等长，带棱角，近方形，内侧多有糙毛；总苞片有1～2或无，线状披针形，先端尾尖状；小总苞片6～10，线形；花瓣白色，具淡黄色中脉，倒心形；萼齿细长锥形，很显著；花柱基圆锥形，花柱向下弯曲，比花柱基长。分生果椭圆形或卵状椭圆形，背部扁压，背棱和中棱线形凸起；每棱槽内有油管1，合生面有油管2。花期7～8月，果期9～10月。

| 生境分布 | 生于干旱石坡、林缘、路边、林中、山坡草甸。以长白山区为主要分布区域，分布于吉林延边、白山、通化、吉林、辽源（东丰）等。 |

| 资源情况 | 野生资源较丰富。药材主要来源于野生。 |

| 采收加工 | 秋、冬季采挖，洗净，晒干。 |

| 药材性状 | 本品呈圆柱状或类纺锤形，有的具分枝。外表面灰黄色或黑褐色，近头部有环状横纹，下部具纵纹及横向皮孔，顶部有茎基残留。断面类白色，纤维性强，有放射状的纹理。气微香，味苦。 |

| 功能主治 | 苦、辛，微寒。发散风热，降气化痰。用于感冒，支气管炎，咳喘，胸肋胀满，头风眩痛。 |

| 用法用量 | 内服煎汤，3～9g；或研末。 |

| 附　注 | 本种为吉林省Ⅲ级重点保护野生植物。 |

伞形科 Umbelliferae 前胡属 Peucedanum

宽叶石防风

Peucedanum terebinthaceum (Fisch.) Fisch. ex Turcz. var. *deltoideum* (Makino ex Yabe) Makino

宽叶石防风

| 植物别名 |

风芹。

| 药 材 名 |

宽叶石防风（药用部位：根）。

| 形态特征 |

多年生草本，植株高大。根颈稍粗，其上存留棕色叶鞘纤维；根长圆锥形，直生，老株常多根，坚硬，木质化，表皮灰褐色。通常为单茎，直立，圆柱形，具纵条纹，稍凸起，下部光滑无毛，上部有时有极短的柔毛，从基部开始分枝。基生叶有长柄，叶柄长 8 ~ 20cm，叶片较宽，阔三角状卵形，末回裂片也较宽，边缘锯齿粗大，叶质较硬而厚，基部楔形，边缘浅裂或具 2 ~ 3 锯齿，通常两面无毛，有时仅叶脉基部有糙毛；茎生叶与基生叶同形，但较小，无叶柄，仅有宽阔叶鞘抱茎，边缘膜质。复伞形花序多分枝，花序梗先端有短绒毛或糙毛，花序伞幅 8 ~ 20，不等长，带棱角，近方形，内侧多有糙毛；总苞片有 1 ~ 2 或无，线状披针形，先端尾尖状；小总苞片 6 ~ 10，线形，比花梗长或稍短；花瓣白色，具淡黄色中脉，倒心形；萼齿细长锥形，很显著；花柱基圆锥

形，花柱向下弯曲，比花柱基长。分生果椭圆形或卵状椭圆形，背部扁压，背棱和中棱线形凸起，侧棱翅状，厚实；每棱槽内有油管1，合生面有油管2。花期7～9月，果期9～10月。

| 生境分布 |

生于林下灌丛。分布于吉林白城、松原等。

| 资源情况 |

野生资源较少。药材主要来源于野生。

| 采收加工 |

春、秋季采挖，晒至半干，除去须毛，再晒干或烘干。

| 功能主治 |

苦、辛，微寒。解表散寒，祛风除湿。用于感冒，风湿痹痛。

| 用法用量 |

内服煎汤，3～9g；或研末。

伞形科 Umbelliferae 茴芹属 Pimpinella

短果茴芹 *Pimpinella brachycarpa* (Komar.) Nakai

短果茴芹

| 植物别名 |

大叶芹、山芹菜。

| 药 材 名 |

短果茴芹（药用部位：全草。别名：地梭罗、大叶芹）。

| 形态特征 |

多年生草本。有须根。茎圆管状，有条纹，上部 2 ~ 3 分枝，无毛。基生叶及茎中、下部叶有柄，叶鞘长圆形，叶片三出分裂成 3 小叶，稀 2 回三出分裂，裂片有短柄，两侧的裂片卵形，长 3 ~ 8cm，宽 4 ~ 6.5cm，偶 2 裂，先端的裂片宽卵形，基部楔形，先端短尖，边缘有钝齿或锯齿，叶脉上有毛；茎上部叶无柄，叶片 3 裂，裂片披针形。通常无总苞片，稀 1 ~ 3，线形；伞幅 7 ~ 15；小总苞片 2 ~ 5，线形，短于花柄；小伞形花序有花 15 ~ 20；萼齿较大，披针形；花瓣阔倒卵形或近圆形，白色，基部楔形，先端微凹，有内折的小舌片，中脉和侧脉都比较明显；花柱基圆锥形；花柱长为花柱基的 2 ~ 3 倍，向两侧弯曲。果实卵球形，无毛，果棱线形；每棱槽内有油管 2 ~ 3，合生面有油管 6；胚乳腹面平直。花期 7 ~ 8 月，

果期 8 ~ 9 月。

| **生境分布** | 生于针阔叶混交林林下、林缘或土壤肥沃、较阴湿的地上等。以长白山区为主要分布区域，分布于吉林延边、白山、通化、吉林、辽源（东丰、东辽）等。

| **资源情况** | 野生资源较丰富。药材主要来源于野生。

| **采收加工** | 夏、秋季采收，鲜用或晒干。

| **功能主治** | 辛，温。清热解毒，祛风散寒，理气止痛。用于胃寒冷痛，痢疾，腹泻。

| **附　　注** | （1）本种为吉林省Ⅲ级重点保护野生植物。
（2）本种的幼苗为长白山区重要的山野菜，产量大，采收期长，口感好。民间大量采摘幼嫩茎叶食用，称其为"山芹菜""大叶芹"。

伞形科 Umbelliferae 茴芹属 Pimpinella

羊红膻
Pimpinella thellungiana Wolff

| **植物别名** | 东北茴芹。

| **药 材 名** | 羊红膻（药用部位：全草。别名：东北茴芹、羊洪膻、六月寒）。

| **形态特征** | 多年生草本。根长圆锥形。茎直立，有细条纹，密被短柔毛，基部有残留的叶鞘纤维束，上部有少数分枝。基生叶和茎下部叶有柄，被短柔毛，叶片卵状长圆形，1回羽状分裂，小羽片3～5对，有短柄至近无柄，卵形或卵状披针形，基部楔形或钝圆，边缘有缺刻状齿或近羽状条裂，表面有稀疏的柔毛，背面和叶轴上密被柔毛；茎中部叶较基生叶小，叶柄稍短，叶片与基生叶相似，或为2回羽状分裂，末回裂片线形；茎上部叶较小，无柄，叶鞘长卵形或卵形，边缘膜质，叶片羽状分裂，羽片2～3对，或3裂，裂片线形。无总苞片和小总苞片；小伞形花序有花10～25；无萼齿；花瓣卵形

羊红膻

或倒卵形，白色，基部楔形，先端凹陷，有内折的小舌片；花柱基圆锥形，花柱长为花柱基的 2 倍或更长。果实长卵形，果棱线形，无毛；每棱槽内有油管 3，合生面有油管 4 ~ 6；胚乳腹面平直。花果期 6 ~ 9 月。

| **生境分布** | 生于海拔 600 ~ 1700m 的河边、林下、草坡或灌丛。分布于吉林白城、松原等。

| **资源情况** | 野生资源较少。药材主要来源于野生。

| **采收加工** | 夏、秋季采收，除去泥土，洗净，晒干。

| **功能主治** | 甘、辛，温。健脾益气，养心安神，止咳祛痰。用于哮喘咳嗽，心悸，克山病，痔疮，冠心病，心绞痛，高血脂，高血压。

| **用法用量** | 内服煎汤，3 ~ 9g。

伞形科 Umbelliferae 棱子芹属 *Pleurospermum*

棱子芹

Pleurospermum camtschaticum Hoffm.

棱子芹

| 植物别名 |

黑瞎子芹。

| 药 材 名 |

棱子芹根（药用部位：根）。

| 形态特征 |

多年生草本。根粗壮，有分枝，直径 2 ~ 3cm。茎分枝或不分枝，中空，表面有细条棱。基生叶或茎下部的叶有较长的柄，叶片宽卵状三角形，三出式 2 回羽状全裂，末回裂片狭卵形或狭披针形，边缘有缺刻状牙齿，叶柄长 15 ~ 30cm；茎上部的叶有短柄。顶生复伞形花序大；总苞片多数，线形或披针形，羽状分裂或全缘，外折，脱落；伞幅 20 ~ 60，不等长，有粗糙长毛；侧生复伞形花序较小；小总苞片 6 ~ 9，线状披针形，全缘或分裂；花多数，白色，花瓣宽卵形；花药黄色。果实卵形，果棱狭翅状，边缘有小钝齿，表面密生水泡状微突起，每棱槽有油管 1，合生面有油管 2。花期 7 月，果期 8 ~ 9 月。

| 生境分布 |

生于林缘草甸、石地、河谷、林下、林中、

山坡杂木林、山谷溪边或针阔叶混交林中。以长白山区为主要分布区域，分布于吉林延边、白山、通化、长春、吉林、辽源（东丰）等。

| **资源情况** | 野生资源较少。药材主要来源于野生。

| **采收加工** | 夏季采挖，除去茎叶，洗净，晒干。

| **功能主治** | 温中，化湿，止带。用于药物、食物中毒，发热，梅毒。

| **用法用量** | 内服煎汤，3 ～ 9g；或入丸、散。

伞形科 Umbelliferae 变豆菜属 Sanicula

变豆菜 *Sanicula chinensis* Bunge

变豆菜

| 植物别名 |

山芹菜、鸡爪芹、鸭巴芹。

| 药 材 名 |

变豆菜（药用部位：全草。别名：山芹菜、山芹、五指疳）。

| 形态特征 |

多年生草本。根茎粗而短，斜生或近直立。茎粗壮或细弱，直立，有纵沟纹，下部不分枝，上部重覆叉式分枝。基生叶少数，近圆形、圆肾形至圆心形，通常3裂，少至5裂，中间裂片倒卵形，基部近楔形，主脉1，叶柄长7～30cm，基部有透明的膜质鞘；茎生叶逐渐变小，通常3裂，裂片边缘有大小不等的重锯齿。花序2～3回叉式分枝，侧枝向两边开展而伸长，中间的分枝较短，总苞片叶状，通常3深裂；伞形花序二至三出；小总苞片8～10，卵状披针形或线形；小伞形花序有花6～10，雄花3～7，稍短于两性花，萼齿窄线形，长约1.2mm，花瓣白色或绿白色，倒卵形至长倒卵形；两性花3～4，萼齿和花瓣的形状、大小同雄花。果实圆卵形，先端萼齿呈喙状凸出，皮刺直立。花期5～6月，果期6～7月。

| 生境分布 | 生于阴山坡、潮湿林下、路边溪水边。以长白山区为主要分布区域，分布于吉林延边、白山、通化、长春、吉林、辽源（东丰）等。 |

| 资源情况 | 野生资源较少。药材主要来源于野生。 |

| 采收加工 | 夏、秋季采收，鲜用或晒干。 |

| 功能主治 | 甘、辛，凉。清热解毒，散寒止咳，行血通经，杀虫。用于风寒咳嗽，百日咳，月经不调，经闭，腰痛，痈肿疮毒，蛔虫病，血尿，外伤出血。 |

| 用法用量 | 内服煎汤，6 ~ 15g。外用适量，捣敷。 |

伞形科 Umbelliferae 变豆菜属 *Sanicula*

红花变豆菜 *Sanicula rubriflora* Fr. Schmidt

| **植物别名** | 紫花变豆菜、碗儿芹、紫花芹。

| **药 材 名** | 鸡爪芹（药用部位：根）。

| **形态特征** | 多年生草本，高可达 1m。根茎短，近直立或斜生，有许多细长的侧根。茎直立，无毛，下部不分枝。基生叶多数，基部有宽膜质鞘；叶片通常圆心形或肾状圆形，掌状 3 裂，中间裂片倒卵形，基部楔形，侧裂片宽倒卵形，通常 2 裂至中部或中部以下，所有裂片表面深绿色，背面淡绿色，上部 2 ~ 3 浅裂，边缘有锯齿，齿端尖，呈刺毛状。伞形花序三出，中间的伞幅长于两侧的伞幅；总苞片 2，叶状，无柄，每片 3 深裂，裂片倒卵形至倒披针形，边缘有锯齿；花瓣淡红色至紫红色，先端内凹，基部渐窄。果实卵形或卵圆形，基部有瘤状突起，上部有淡黄色和金黄色的钩状皮刺，分生果横剖面卵形，有油管 5。

红花变豆菜

花果期 6 ~ 9 月。

| 生境分布 |

生于阴山坡、潮湿阔叶林林下或腐殖质较多的地方。以长白山区为主要分布区域，分布于吉林延边、白山、通化、吉林、辽源（东丰）等。

| 资源情况 |

野生资源较丰富。药材主要来源于野生。

| 采收加工 |

夏季采挖，洗净，晒干。

| 功能主治 |

淡，平。利尿。用于小便不利。

| 用法用量 |

内服煎汤，6 ~ 15g。

泽芹
Sium suave Walt.

| **植物别名** | 细叶泽芹、狭叶泽芹、野蒲芹。

| **药 材 名** | 泽芹（药用部位：全草。别名：狭叶泽芹）。

| **形态特征** | 多年生草本。有成束的纺锤状根和须根。茎直立，粗大，有条纹，有少数分枝，通常在近基部的节上生根。叶片呈长圆形至卵形，1回羽状分裂，有羽片3～9对，羽片无柄，疏离，披针形至线形，基部圆楔形，先端尖，边缘有细锯齿或粗锯齿；上部的茎生叶较小，有3～5对羽片，形状与基生叶相似。复伞形花序顶生和侧生，花序梗粗壮，总苞片6～10，披针形或线形，尖锐，全缘或有锯齿，反折；小总苞片线状披针形，尖锐，全缘；伞幅10～20，细长；花白色；萼齿细小；花柱基短圆锥形。果实卵形，分生果的果棱肥厚，近翅状；每棱槽内有油管1～3，合生面有油管2～6；心皮柄的分

泽芹

枝贴近合生面。花期 8 ～ 9 月，果期 9 ～ 10 月。

| **生境分布** | 生于湿地、水边、沟渠边、沼泽地、池塘附近。分布于吉林白山（抚松、靖宇、长白）等。

| **资源情况** | 野生资源较丰富。药材主要来源于野生。

| **采收加工** | 春、秋季采收，除去杂质，晒干。

| **药材性状** | 本品根呈纺锤状。茎呈圆柱形，长 0.6 ～ 1m，直径 0.3 ～ 1.5cm，节明显。表面绿色或棕绿色，有多数纵直纹理及纵脊；质脆，易折断，断面较平坦，白色或黄白色；上部茎中间为大型空洞。叶大多脱落，残留的小叶片呈披针形，叶缘有锯齿；叶柄呈管状，基部呈鞘状抱茎。复伞形花序，花白色。双悬果卵形。气清香，味甜。

| **功能主治** | 甘，平；有毒。散风寒，止头痛，降血压。用于风寒头痛，巅顶痛，寒湿腹痛，泄泻，癥瘕，疥癣。

| **用法用量** | 内服煎汤，12 ～ 15g。

伞形科 Umbelliferae 迷果芹属 Sphallerocarpus

迷果芹 *Sphallerocarpus gracilis* (Bess.) K.-Pol.

迷果芹

| 植物别名 |

东北迷果芹、小叶山红萝卜。

| 药 材 名 |

迷果芹（药用部位：根及根茎、果实）。

| 形态特征 |

多年生草本。根块状或圆锥形。茎圆形。基生叶早落或凋存；茎生叶 2 ~ 3 回羽状分裂，二回羽片卵形或卵状披针形，先端长尖，基部有短柄或近无柄，末回裂片边缘羽状缺刻或齿裂；叶柄基部有阔叶鞘，鞘棕褐色，边缘膜质，脉 7 ~ 11；序托叶的柄呈鞘状，裂片细小。复伞形花序顶生和侧生；伞幅 6 ~ 13，不等长；小总苞片通常 5，长卵形以至广披针形，常向下反曲，边缘膜质；小伞形花序有花 15 ~ 25；花柄不等长；萼齿细小；花瓣倒卵形，先端有内折的小舌片；花丝与花瓣等长或稍超出，花药卵圆形。果实椭圆状长圆形，两侧微扁，背部有 5 条凸起的棱，棱略呈波状，棱槽内有油管 2 ~ 3，合生面有油管 4 ~ 6；胚乳腹面内凹。花期 7 ~ 8 月，果期 8 ~ 9 月。

| **生境分布** | 生于菜园地旁、山坡路旁、湖滨山坡、河岸、草甸村庄附近或荒草地。分布于吉林长春（农安）、四平（双辽、铁东）等。

| **资源情况** | 野生资源较少。药材主要来源于野生。

| **采收加工** | 夏、秋季采挖根及根茎，除去茎叶及杂质，晒干。8～9月采收成熟果实，除去杂质，晒干。

| **药材性状** | 本品主根短，长约1cm，下有支根，表面棕黄色，具横向棕色皮孔样疤痕及支根痕，断面黄白色，纤维状。根茎呈圆柱状，先端常带有茎基残基，表面棕褐色，具纵向细纹理及横向环节，断面黄色，细腻，中空。果实椭圆状长圆形，两侧微扁，背部有凸起的棱，棱略呈波状，棱槽内、合生面有油管，胚乳腹面内凹。

| **功能主治** | 根及根茎，祛肾寒，敛黄水。用于痹证肿痛，肾痛，腰痛，黄水病，感冒，胃病，消化不良。果实，辛、苦，温。益肾，壮阳，祛风燥湿。用于肾虚阳痿，风寒湿痹。

伞形科 Umbelliferae 窃衣属 Torilis

小窃衣

Torilis japonica (Houtt.) DC.

小窃衣

| 植物别名 |

窃衣、草粘子、华南鹤虱。

| 药 材 名 |

窃衣（药用部位：果实。别名：鹤虱、粘粘草、破子衣）。

| 形态特征 |

一年生或多年生草本，高 20 ～ 120cm。主根细长，圆锥形，棕黄色。茎有纵条纹及刺毛。叶柄长 2 ～ 7cm，下部有窄膜质的叶鞘；叶片长卵形，1 ～ 2 回羽状分裂，两面疏生紧贴的粗毛，第一回羽片卵状披针形，长 2 ～ 6cm，宽 1 ～ 2.5cm，末回裂片披针形至长圆形，边缘有条裂状的粗齿至缺刻或分裂。复伞形花序顶生或腋生，花序梗长 3 ～ 25cm，有倒生的刺毛；总苞片 3 ～ 6，长 0.5 ～ 2cm；伞幅 4 ～ 12，长 1 ～ 3cm，开展；小总苞片 5 ～ 8，线形或钻形，长 1.5 ～ 7mm；小伞形花序有花 4 ～ 12；萼齿细小；花瓣白色、紫红色或蓝紫色，倒圆卵形；花丝长约 1mm，花药圆卵形，长约 0.2mm。果实圆卵形，长 1.5 ～ 4mm，通常有内弯或呈钩状的皮刺。花期 7 ～ 8 月，果期 8 ～ 9 月。

| **生境分布** | 生于海拔 150～3060m 的杂木林下、林缘、路旁、河沟边、溪边草丛、山坡、河边、荒地或草丛。分布于吉林长春、吉林、辽源等。 |

| **资源情况** | 野生资源较少。药材主要来源于野生。 |

| **采收加工** | 夏末秋初果实成熟时采收，晒干或鲜用。 |

| **药材性状** | 本品双悬果呈长圆形，多裂为分果。分果长 3～4mm，宽 1.5～2mm。表面棕绿色或棕黄色，先端有微凸的残留花柱，基部圆形，常残留小果柄。背面隆起，密生钩刺，刺的长短与排列均不整齐，状似刺猬。接合面凹陷成槽状，中央有 1 脉纹。体轻。搓碎时有特异香气，味微辛、苦。 |

| **功能主治** | 苦、辛，微温；有小毒。归脾、大肠经。活血消肿，收敛杀虫。用于慢性腹泻，蛔虫病；外用于痈疮溃疡久不收口，阴道毛滴虫病。 |

| **用法用量** | 内服煎汤，6～9g。外用适量，捣汁涂；或煎汤洗。 |

鹿蹄草科 Pyrolaceae 喜冬草属 Chimaphila

喜冬草
Chimaphila japonica Miq.

植物别名	梅笠草、罗汉草。
药 材 名	喜冬草（药用部位：全草或叶）。
形态特征	常绿草本状小半灌木。根茎长而较粗，斜升。叶对生或 3 ~ 4 轮生，革质，阔披针形，先端急尖，基部圆楔形或近圆形，边缘有锯齿；鳞片状叶互生，褐色，卵状长圆形或卵状披针形，先端急尖。花葶有细小疣，有 1 ~ 2 长圆状卵形苞片，先端急尖或短渐尖，边缘有不规则齿。花单一，有时 2，顶生或腋生，半下垂，白色；萼片膜质，卵状长圆形或长圆状卵形，先端急尖，边缘有不整齐的锯齿；花瓣倒卵圆形，先端圆形；雄蕊 10，花丝短，花药有小角，顶孔开裂，黄色；花柱极短，倒圆锥形，柱头大，圆盾形，5 圆浅裂。蒴果扁球形。花期 7 ~ 8 月，果期 8 ~ 9 月。

喜冬草

| **生境分布** | 生于针阔叶混交林林下、阔叶林或灌丛。以长白山区为主要分布区域，分布于吉林延边、白山、通化、长春、吉林、辽源（东丰）等。

| **资源情况** | 野生资源较少。药材主要来源于野生。

| **采收加工** | 夏季采收全草，除去杂质，晒干；或取叶分别晒干。

| **功能主治** | 全草，活血调经。用于月经不调。叶，利尿，镇痛。用于肾炎，膀胱炎，尿路结石。

伞形喜冬草 *Chimaphila umbellata* (Linn.) W. Barton

| **植物别名** | 伞形梅笠草。

| **药 材 名** | 伞形喜冬草（药用部位：全草。别名：伞形梅笠草）。

| **形态特征** | 常绿草本状小半灌木。根茎长而粗，斜升。叶近对生或多数轮生，厚革质，倒卵状长楔形或匙状倒披针形，先端圆钝，基部狭楔形，下延至叶柄，中部以上边缘有疏粗锯齿，下部全缘，上面暗绿色，有皱纹，中脉及侧脉凹入，下面苍白色；叶柄短。花葶有细小疣，2～10花聚成伞形花序；花倾斜，白色，偶带红色；花梗直立，有细小疣；苞片宽线形，早落；萼片圆卵形，先端圆钝，边缘有细齿；花瓣倒卵形，先端圆钝；雄蕊10，花丝下半部膨大并有缘毛，花药有小角，顶孔开裂，黄色；近无花柱，柱头圆盾状，5圆浅裂。蒴果扁球形。花期6～7月，果期8～9月。

伞形喜冬草

| **生境分布** | 生于干燥的阔叶林或针阔叶混交林林下。分布于吉林白山（抚松、长白、临江）、延边（安图）等。 |

| **资源情况** | 野生资源较少。药材主要来源于野生。 |

| **采收加工** | 夏、秋季采收，除去杂质，洗净，晒干或阴干。 |

| **功能主治** | 苦，平。消炎，利尿，消食，镇痛，滋补，消癥。用于癥瘕积聚，疼痛，小便不利，饮食积滞，五脏俱虚俱损。 |

鹿蹄草科 Pyrolaceae 水晶兰属 Monotropa

松下兰

Monotropa hypopitys Linn.

| **植物别名** | 地花、土花、兔子拐棍。

| **药材名** | 松下兰（药用部位：全草。别名：地花）。

| **形态特征** | 多年生草本，腐生，全株无叶绿素，白色或淡黄色，肉质，干后变黑褐色。根细而分枝密。叶鳞片状，直立，互生，上部较稀疏，下部较紧密，卵状长圆形或卵状披针形，先端钝，近全缘，上部叶常有不整齐的锯齿。总状花序有 3 ~ 8 花；花初下垂，后渐直立，花冠筒状钟形；苞片卵状长圆形或卵状披针形；萼片长圆状卵形，先端急尖，早落；花瓣 4 ~ 5，长圆形或倒卵状长圆形，先端钝，上部有不整齐的锯齿，早落；雄蕊 8 ~ 10，短于花冠，花药橙黄色，花丝无毛；子房无毛，中轴胎座，4 ~ 5 室；花柱直立，柱头膨大成漏斗状，4 ~ 5 圆裂。蒴果椭圆状球形。花期 7 ~ 8 月，果期 8 ~ 9

松下兰

月。

| **生境分布** | 生于针阔叶混交林林下、腐殖土、朽木根上，常成片生长。以长白山区为主要分布区域，分布于吉林延边、白山、通化、吉林、辽源（东丰）等。

| **资源情况** | 野生资源稀少。药材主要来源于野生。

| **采收加工** | 6 ~ 8 月采收，多为鲜用。

| **功能主治** | 苦，平。归肺、脾经。利尿，催吐，镇静，止咳，解痉，补虚祛邪。用于痉挛性咳嗽，哮喘，气虚欲脱，汗出肢冷，食欲不振，气短乏力，倦怠无力。

| **用法用量** | 内服煎汤，9 ~ 15g。

单侧花
Orthilia secunda (Linn.) House

| **药 材 名** | 单侧花（药用部位：全草）。

| **形态特征** | 常绿草本状小半灌木。根茎细长，有分枝。叶 3 ~ 5，轮生或近轮生于地上茎下部，一般有 1 ~ 2 轮，薄革质，长圆状卵形，先端急尖，基部近圆形，边缘有圆齿；叶柄较短。花葶细，有 1 ~ 3 小形鳞片状叶，卵状披针形；总状花序有 8 ~ 15 花，密生，偏向一侧；花水平倾斜，或下部花半下垂，花冠卵圆形或近钟形，较小，淡绿白色；萼片卵圆形或阔三角形，先端圆钝，边缘有小齿；花瓣长圆形，基部有 2 小突起，边缘有小齿；雄蕊 10，花丝细长，花药黄色；花柱直立，长 5 ~ 5.5mm，伸出花冠，柱头肥大，5 浅裂。蒴果近扁球形。花期 7 月，果期 7 ~ 8 月。

| **生境分布** | 生于高山湿地附近的混交林下潮湿地或暗针叶林林下。以长白山区

单侧花

为主要分布区域，分布于吉林延边、白山、通化、吉林、辽源（东丰）等。

| **资源情况** | 野生资源稀少。药材主要来源于野生。

| **采收加工** | 夏、秋季采收，除去杂质，晒干。

| **药材性状** | 本品根茎细，有分枝。叶轮生于茎下部，多已脱落或皱缩、破碎，完整叶片卵形或椭圆形，上面黄绿色或深绿色，下面灰绿色，无毛。质脆，易碎。花葶细长，具细的乳头状突起，先端可见偏向一侧的总状花序。气微，味淡。

| **功能主治** | 镇静安神，解痉止咳。用于心神不宁，失眠，咳嗽。

鹿蹄草科 Pyrolaceae 鹿蹄草属 Pyrola

兴安鹿蹄草 *Pyrola dahurica* (H. Andr.) Kom.

兴安鹿蹄草

| 植物别名 |

圆叶鹿蹄草、鹿含草、鹿蹄草。

| 药 材 名 |

兴安鹿蹄草（药用部位：全草）。

| 形态特征 |

常绿草本状小半灌木。根茎细长，横生，斜升，有分枝。叶基生，革质，近圆形或广卵形，先端圆形或钝圆形，基部圆形或圆楔形，近全缘或有不明显的疏圆齿，上面绿色，下面淡绿色，两面脉明显；叶柄常短于叶片或与叶片近等长，稀长于叶片。花葶有 1 ~ 2 鳞片状叶，相距甚远，卵状披针形或卵状长圆形，先端急尖，基部稍抱花葶；萼片舌形，稀卵状披针形，先端急尖或短渐尖，边缘有疏细齿；花瓣广倒卵形，质地较厚，先端圆钝；雄蕊 10，花丝较短，无毛；花柱长 6 ~ 7mm，果期长达 9 ~ 10mm，倾斜，上部向上弯曲，稍伸出花冠，先端增粗，无环状突起或有不明显环状突起，果期有明显的环状突起，柱头 5 圆裂。蒴果扁球形。花期 7 月，果期 8 月。

| **生境分布** | 生于海拔 700～1800m 的针叶林、针阔叶混交林或阔叶林林下。分布于吉林延边、白山、通化等。

| **资源情况** | 野生资源较少。药材主要来源于野生。

| **采收加工** | 夏、秋季采收，连根挖出，洗净泥土，晒至叶片较软、略抽缩时，堆压发热，使叶片两面变成紫红色或紫褐色，再晒干。

| **功能主治** | 祛风除湿，强筋壮骨，止血。用于风湿痹痛，腰膝无力，月经过多，久咳劳嗽。

| **附　注** | 本种为吉林省 II 级重点保护野生植物。

鹿蹄草科 Pyrolaceae 鹿蹄草属 Pyrola

红花鹿蹄草
Pyrola incarnata Fisch. ex DC.

| 植物别名 | 鹿衔草、鹿寿草、鹿含草。

| 药 材 名 | 鹿衔草（药用部位：全草。别名：破血丹、鹿安茶、鹿含草）。

| 形态特征 | 常绿草本状小半灌木。根茎细长，横生，斜升，有分枝。叶 3 ~ 7，基生，薄革质，稍有光泽，近圆形或圆卵形或卵状椭圆形，先端圆钝，基部近圆形或圆楔形，近全缘或有不明显的浅齿，两面有时带紫色，脉稍隆起；叶柄较叶片长达 1 倍，稀近等长，有时带紫色。花葶常带紫色，有 2(~ 3)褐色的鳞片状叶，较大，狭长圆形或长圆状卵形，先端急尖或具短尖头；萼片三角状宽披针形，先端渐尖；花瓣倒圆卵形；雄蕊 10，花丝无毛，花药有小角，成熟时为紫色；花柱倾斜，上部向上弯曲，先端有环状突起，伸出花冠；柱头 5 圆裂。蒴果扁球形，带紫红色。花期 6 ~ 7 月，果期 8 ~ 9 月。

红花鹿蹄草

| **生境分布** | 生于海拔 1000 ~ 2500m 的针叶林、针阔叶混交林或阔叶林林下的潮湿地。以长白山区为主要分布区域，分布于吉林延边、白山、通化、吉林、辽源（东丰）等。吉林部分地区有栽培。 |

| **资源情况** | 野生资源较少。吉林有栽培。药材主要来源于野生。 |

| **采收加工** | 全年均可采收，除去杂质，晒至叶片较软时，堆置至叶片变紫褐色，晒干。 |

| **功能主治** | 甘、苦，温。归肝、肾经。舒筋活络，祛风除湿，补肾强骨，收敛止血。用于风湿痹痛，虚劳腰痛，腰膝无力，子宫出血，月经过多，腹泻，胃炎，痔疮出血，多种皮肤病。 |

| **用法用量** | 内服煎汤，15 ~ 30g；或研末，6 ~ 9g。外用适量，捣敷；或研末撒；或煎汤洗。 |

| **附　注** | 在 FOC 中，本种的拉丁学名被修订为 *Pyrola asarifolia* subsp. *incarnata* (de Candolle) E. Haber & H. Takahashi。 |

鹿蹄草科 Pyrolaceae 鹿蹄草属 Pyrola

日本鹿蹄草 *Pyrola japonica* Klenze ex Alef.

| **植物别名** | 鹿衔草、鹿寿茶、鹿含草。

| **药材名** | 鹿寿草（药用部位：全草）。

| **形态特征** | 常绿草本状小半灌木。叶3～8，基生，近革质，椭圆形或卵状椭圆形，稀广椭圆形，先端圆钝，基部近圆形或圆楔形，上面深绿色，叶脉处色较淡；叶柄有狭翼。花葶有1～2膜状鳞片状叶或缺如，披针形；总状花序长6～10cm，有3～12花，花倾斜，半下垂，花冠碗形，白色；花梗腋间有苞片，线状披针形，长5～8mm；萼片披针状三角形；花瓣倒卵状椭圆形或卵状椭圆形，长5～6.5mm，宽3.5～4.5mm，先端圆钝；雄蕊10，花药上端有小角，末端有短尾尖；花柱倾斜，上部向上弯曲，先端增粗，无环状突起，伸出花冠。蒴果扁球形。花期6～7月，果期8～9月。

日本鹿蹄草

| **生境分布** | 生于混交林林下或阔叶林林内、沟谷，常成片生长。以长白山区为主要分布区域，分布于吉林延边、白山、通化、吉林、辽源（东丰）等。 |

| **资源情况** | 野生资源较少。药材主要来源于野生。 |

| **采收加工** | 夏末采收，晒干。 |

| **药材性状** | 本品长 10 ~ 30cm。根茎细长，干燥茎淡棕色，近圆形，有纵纹。叶 3 ~ 5，多皱缩，卷曲或破碎不全，完整的叶呈广卵圆形，边缘有不明显的细齿，上面暗绿色，下面及叶柄紫绿色。总状花序有花 3 ~ 12，萼片宽披针形，花葶上有 1 苞片或无。蒴果深棕色，扁球形。气微，味微苦。 |

| **功能主治** | 苦，温。补肾壮阳，补肺定喘，收敛止血。用于肾虚腰痛，虚劳咳嗽，风寒湿痹，半身不遂，足膝无力，吐血、咯血、衄血、便血、尿血、崩漏、外伤出血等各种出血证。 |

| **用法用量** | 内服煎汤，9 ~ 15g；或浸酒。 |

鹿蹄草科 Pyrolaceae　鹿蹄草属 *Pyrola*

肾叶鹿蹄草 *Pyrola renifolia* Maxim.

| 植物别名 |　鹿衔草、鹿蹄草。

| 药 材 名 |　肾叶鹿蹄草（药用部位：全草。别名：鹿蹄草）。

| 形态特征 |　常绿草本状小半灌木。叶 2 ~ 6，基生，薄革质，肾形或圆肾形，先端圆钝，基部深心形。总状花序有 2 ~ 5 花，疏生，花倾斜，稍下垂，花冠宽碗状，白色微带淡绿色；花梗腋间有膜质苞片，狭披针形；花萼细长，具棱，近膜质，披针形，先端急尖或渐尖，基部稍抱花萼；萼片较小，半圆形或三角状半圆形；花瓣倒卵圆形，先端圆钝；雄蕊 10，花药黄色；花柱倾斜，上部稍向上弯曲，伸出花冠，果期更明显，先端稍加粗成环状突起；柱头 5 圆裂。蒴果扁球形。花期 6 ~ 7 月，果期 7 ~ 8 月。

肾叶鹿蹄草

| **生境分布** | 生于针叶林林下潮湿地。分布于吉林延边、白山、通化等。 |

| **资源情况** | 野生资源较少。药材主要来源于野生。 |

| **采收加工** | 夏末采收，晒干。 |

| **功能主治** | 甘、微苦，温。祛风除湿，补肾壮骨，收敛止血，温肺止咳，解蛇虫毒。用于风湿痹痛，虚劳腰痛，腰膝无力，神经痛，肺结核咯血，支气管炎咳嗽，衄血，子宫出血，创伤出血，蛇、虫、犬咬伤，稻田性皮炎。 |

| **附　注** | 本种与紫背鹿蹄草 *Pyrola atropurpurea* Franch. 的形态相近，但本种的主要特征为叶肾形或圆肾形，上面为深绿色，下面为淡绿色，边缘有不整齐的疏细锯齿，萼片半圆形或三角状半圆形，苞片狭披针形，同时二者在地理分布上也不相同，本种主要产于我国东北地区，可以以此区别。 |

杜鹃花科 Ericaceae 北极果属 Arctous

红北极果

Arctous ruber (Rehd. et Wils.) Nakai

| **植物别名** | 红果天栌。

| **药 材 名** | 红北极果（药用部位：全草。别名：红果天栌）。

| **形态特征** | 落叶矮小灌木。茎匍匐于地面；枝暗褐色，茎皮呈薄片状剥离，具
残留的叶柄。叶簇生于枝顶，纸质，倒披针形或倒狭卵形，先端钝
或突尖，向基部渐变狭，下延于叶柄，边缘具粗钝锯齿，疏被缘毛，
表面亮绿色，背面色较淡，中脉、侧脉、网脉在表面下凹，在背面
明显隆起；叶柄长约 1cm，疏被白色长毛。花少数，常 1 ~ 3 组成
总状花序，自叶丛抽出；苞片披针形，有微毛；花萼小，5 裂，花
冠卵状坛形，淡黄绿色；口部 5 浅裂；雄蕊 10，花丝被微毛，花药
背面具 2 小突起；子房无毛，花柱长约 1.5mm，无毛。浆果球形，
无毛，有光泽，成熟时鲜红色、多汁。花期 7 月，果期 8 月。

红北极果

| **生境分布** | 生于高山台地之上。分布于吉林白山（抚松、长白）、延边（安图）等。 |

| **资源情况** | 野生资源极为稀少。药材主要来源于野生。 |

| **采收加工** | 夏、秋季采收，除去杂质，晒干。 |

| **功能主治** | 祛风湿。用于风湿痹证。 |

| **附　　注** | 本种为吉林省Ⅱ级重点保护野生植物。 |

杜鹃花科 Ericaceae 杜香属 Ledum

杜香 *Ledum palustre* L.

| **植物别名** | 细叶杜香、狭叶杜香、白山茶。

| **药 材 名** | 杜香（药用部位：叶、枝。别名：细叶杜香、喇叭茶）。

| **形态特征** | 半常绿灌木，直立或平卧，高 40 ~ 50cm。枝纤细，幼枝密被锈色绵毛，顶芽显著，卵形，芽鳞密生锈色茸毛。叶线形，长 1 ~ 3cm，宽 1 ~ 3mm，边缘强烈反卷，上面暗绿色，多皱，下面密被锈色茸毛，中脉隆起。花多数，小型，乳白色；花梗细长，长 0.5 ~ 2.5cm，密生锈色茸毛；萼片 5，卵圆形，长 0.5 ~ 0.8mm，宿存；雄蕊 10，花丝基部有毛；花柱宿存。蒴果卵形，长 3.5 ~ 4mm，宿存花柱长 2 ~ 4mm。花期 6 ~ 7 月，果期 7 ~ 8 月。

| **生境分布** | 生于泥炭藓类沼泽中或落叶松林缘、林下、湿润山坡等。分布于吉

杜香

林延边（安图、敦化）、白山（抚松、长白、临江、靖宇）、通化（柳河）等。

| **资源情况** | 野生资源较丰富。药材主要来源于野生。

| **采收加工** | 夏、秋季采收叶、枝，分别阴干。

| **药材性状** | 本品叶呈矩圆状披针形，长2～8cm，宽0.4～1.5cm，边缘略反卷，下面有黄褐色厚绒毛，沿中脉尤多。叶革质。茎枝呈圆柱形，长短不一，表面黄褐色，具细条纹及疏生的皮孔。气微，味微苦。

| **功能主治** | 叶，辛，寒。解热，止咳平喘，祛痰，利尿，调经，催乳，止痒。用于感冒咳嗽，糖尿病，结肠炎，月经不调，不孕症，皮肤瘙痒，头癣，脚气。枝，滋补强壮，养血调经，祛风止痒。用于皮肤病，血液病，功能失调性子宫出血，月经不调。

| **附　注** | 本种为吉林省Ⅲ级重点保护野生植物。

杜鹃花科 Ericaceae 杜香属 Ledum

宽叶杜香

Ledum palustre L. var. *dilatatum* Wahl.

| **植物别名** | 杜香、白山茶。

| **药 材 名** | 宽叶杜香（药用部位：叶。别名：杜香、喇叭茶）。

| **形态特征** | 常绿小灌木，直立或平卧。枝纤细，幼枝密被锈色绵毛，顶芽显著，卵形，芽鳞密生锈色茸毛。叶为线状披针形或狭长圆形，叶缘稍反卷，下面被锈色毛和白色短柔毛，锈色毛脱落后呈白色。花多数，小形，乳白色；花梗细长，密生锈色茸毛；萼片5，卵圆形，宿存；雄蕊10，花丝基部有毛；花柱宿存。蒴果卵形，宿存花柱长2～4mm。花期6～7月，果期7～8月。

| **生境分布** | 生于针叶林林下、乱石岗地、潮湿山坡、苔藓湿甸。分布于吉林白山（抚松、长白、浑江）、延边（安图）等。

宽叶杜香

资源情况

野生资源较少。药材主要来源于野生。

采收加工

夏、秋季采摘，阴干备用。

药材性状

本品叶片矩圆状披针形，长 2.5 ~ 4.5cm，宽 0.5 ~ 1.5cm，边缘略反卷，下面有黄褐色厚绒毛，沿中脉尤多。叶革质。气香，味微苦。

功能主治

辛，寒。止咳平喘，解热化痰，利尿调经，催乳止痒。用于咳嗽痰喘，慢性支气管炎。

用法用量

内服煎汤，5 ~ 10g。现多用叶来提取挥发油，将其制成胶丸使用。

附　注

本种为吉林省Ⅲ级重点保护野生植物。

杜鹃花科 Ericaceae 杜鹃属 Rhododendron

牛皮杜鹃
Rhododendron aureum Georgi

| **植物别名** | 牛皮茶、黄花万病草、高山茶。

| **药 材 名** | 牛皮杜鹃（药用部位：叶。别名：牛皮茶）。

| **形态特征** | 常绿矮小灌木，高 10 ~ 50cm。茎横生，侧枝斜升，具宿存的芽鳞。叶革质，常 4 ~ 5 集生于小枝先端，倒披针形或倒卵状长圆形，先端钝或圆形，具短小凸尖头，基部楔形，边缘略反卷；叶柄长 5 ~ 10mm。顶生伞房花序有花 5 ~ 8，总花序轴长约 1cm；花梗直立，位于宿存的芽鳞和苞片内；花萼小，长约 2mm，具 5 小齿裂；花冠钟形，淡黄色，5 裂，裂片近圆形，稍不等大，上方 1 具红色斑点，先端微缺；雄蕊 10，不等长，花丝基部被白色微柔毛，花药椭圆形，淡褐色；子房卵球形，花柱长 2.5cm，柱头小，浅 5 裂。果序直立，果梗疏被柔毛，蒴果长圆柱形，5 裂，多少被绒毛。花期 6 ~ 7

牛皮杜鹃

月，果期 8 ~ 9 月。

| **生境分布** | 生于高山苔原带、高山草甸、高山湿地、林下或林缘等。分布于吉林延边（珲春、安图、敦化）、通化（集安）、白山（抚松、长白、临江）等。

| **资源情况** | 野生资源较少，局部资源较丰富。药材主要来源于野生。

| **采收加工** | 夏、秋季采收，阴干。

| **功能主治** | 收敛，止痢，解毒。用于痢疾，痛风，痔疮。

| **附　　注** | 本种为吉林省 II 级重点保护野生植物。

杜鹃花科 Ericaceae 杜鹃属 Rhododendron

兴安杜鹃 *Rhododendron dauricum* L.

| **植物别名** | 满山红、金达莱、映山红。

| **药 材 名** | 满山红（药用部位：叶。别名：映山红、靠山红、达子香）。

| **形态特征** | 半常绿灌木，高 0.5 ～ 2m，分枝多。幼枝细而弯曲，被柔毛和鳞片。叶片近革质，椭圆形或长圆形，两端钝，有时基部宽楔形，全缘或有细钝齿，上面深绿色，散生鳞片，下面淡绿色，密被鳞片，鳞片不等大，褐色，覆瓦状或彼此邻接，或相距其直径的 1/2 或 1.5 倍；叶柄被微柔毛。花序腋生于枝顶或假顶生，具 1 ～ 4 花，先叶开放，伞形着生；花芽鳞早落或宿存；花萼长不及 1mm，5 裂，密被鳞片；花冠宽漏斗状，粉红色或紫红色，外面无鳞片，通常有柔毛；雄蕊 10，短于花冠，花药紫红色，花丝下部有柔毛；子房 5 室，密被鳞片，花柱紫红色，光滑，长于花冠。蒴果长圆形。花期 5 ～ 6 月，果期 7 月。

兴安杜鹃

| **生境分布** | 生于山岗、路边、碎石地、山顶砬子、干燥石质山坡、火山迹地、山地落叶松林、排水良好的山坡或陡坡蒙古栎林下。以长白山区为主要分布区域，分布于吉林延边、白山、通化、吉林、辽源（东丰）等。 |

| **资源情况** | 野生资源较丰富。药材主要来源于野生。 |

| **采收加工** | 夏、秋季采摘，阴干。 |

| **药材性状** | 本品多反卷成筒状，有的皱缩、破碎，完整叶片展平后呈椭圆形或长倒卵形，长 2 ~ 7.5cm，宽 1 ~ 3cm。先端钝，基部近圆形或宽楔形，全缘；上表面暗绿色至褐绿色，下表面灰绿色；叶柄长 3 ~ 10mm。近革质。气芳香而特异，味较苦、微辛。以叶片完整、色暗绿者为佳。 |

| **功能主治** | 辛、苦，平。归肺、脾经。止咳祛痰，解表，平喘，利尿。用于咳嗽气喘痰多，小便不利。 |

| **用法用量** | 内服煎汤，25 ~ 50g；或浸酒，6 ~ 12g。 |

| **附　　注** | 本种可用于止咳消痰，治疗慢性支气管炎有良好的功效，是生产"芩暴红"等止咳类中成药的主要原料，且用量较大。本种药材在吉林的年产量大约在 70t，产地大部分集中在东部山区各地。 |

杜鹃花科 Ericaceae 杜鹃属 Rhododendron

高山杜鹃
Rhododendron lapponicum (L.) Wahl.

| 植物别名 | 小叶杜鹃、毛毡杜鹃、黑香柴。

| 药 材 名 | 高山杜鹃（药用部位：枝叶。别名：小叶杜鹃）。

| 形态特征 | 常绿小灌木，高 0.2 ~ 1m，分枝繁密，短或细长，伏地或挺直。叶常散生于枝条顶部，革质，长圆状椭圆形至卵状椭圆形，或长圆状倒卵形，先端圆钝，有短突尖头，基部宽楔形，边缘稍反卷；叶柄被鳞片。伞形花序顶生，有花 2 ~ 6；花萼小，带红色或紫色，裂片 5，卵状三角形或近圆形，被疏或密的鳞片，边缘被长缘毛或偶见鳞片；花冠宽漏斗状，淡紫蔷薇色至紫色，罕为白色，花管内面喉部被柔毛，裂片 5，开展，长于花管；雄蕊 5 ~ 10，约与花冠等长，花丝基部被绵毛；子房 5 室，密被鳞片，花柱较雄蕊长，光滑。蒴果长圆状卵形，长 3 ~ 6mm，密被鳞片。花期 6 月，果期 9 ~ 10 月。

高山杜鹃

| 生境分布 |

生于草原水边、湿草甸、石质山地、林间沼泽地带、高山草地、亚高山灌丛或高山苔原带上，可成片生长。分布于吉林延边（安图、和龙）、白山（抚松、长白、临江、靖宇）、通化（柳河）等。

| 资源情况 |

野生资源较丰富。药材主要来源于野生。

| 采收加工 |

夏、秋季采收，阴干。

| 药材性状 |

本品分枝多，短且细长。叶革质，长椭圆形至卵状椭圆形，先端圆钝，有短突尖头，基部宽楔形，边缘稍反卷；叶柄被鳞片。气芳香，味苦。

| 功能主治 |

辛，温。祛痰止咳，暖胃止痛，平喘，收敛，抗菌，发汗，强心。用于慢性支气管炎，痢疾，咳喘痰多，胃寒腹痛。

杜鹃花科 Ericaceae 杜鹃属 Rhododendron

照山白

Rhododendron micranthum Turcz.

| **植物别名** | 照白杜鹃、小花杜鹃、药芦。

| **药 材 名** | 照山白（药用部位：枝叶、花）。

| **形态特征** | 常绿灌木，高可达 2.5m。茎灰棕褐色；枝条细瘦；幼枝被鳞片及细柔毛。叶近革质，倒披针形、长圆状椭圆形至披针形，先端钝，急尖或圆，具小突尖，基部狭楔形，上面深绿色，有光泽，常被疏鳞片，下面黄绿色，被淡棕色或深棕色、有宽边的鳞片，鳞片相互重叠、邻接或相距其直径的 1/2。花萼裂片狭三角状披针形或披针状线形，外面被鳞片及缘毛；花冠钟状，外面被鳞片，内面无毛，花裂片 5，较花管稍长；雄蕊 10，花丝无毛；子房密被鳞片，花柱与雄蕊等长或较短，无鳞片。蒴果长圆形，被疏鳞片。花期 6～7 月，果期 8～9月。

照山白

| **生境分布** | 生于山坡灌丛、山谷、峭壁或岩石上，常形成单优势种的大面积群落。分布于吉林延边、白山、通化等。吉林东部山区有栽培。 |

| **资源情况** | 野生资源较少。吉林有栽培。药材主要来源于野生。 |

| **采收加工** | 夏、秋季采收枝叶，鲜用或晒干。6～7月采摘花，鲜用或阴干。 |

| **药材性状** | 本品茎枝呈圆柱形，灰棕褐色，枝条细，幼枝被鳞片及细柔毛。叶多反卷，有的破碎，完整者呈长椭圆形或倒披针形，长2～5cm，宽0.5～1.5cm，先端钝尖，基部楔形，全缘，上面灰绿色，有灰白色茸毛，下面淡黄绿色，有密集的棕红色小点，主脉于下表面凸起，侧脉4～7对；叶柄长约3mm。近革质，易碎。 |

| **功能主治** | 酸、辛，温；有小毒。清热解毒，祛风通络，调经止痛，止血，止咳祛痰。用于咳嗽痰喘，老年慢性支气管炎，痢疾，风湿痹痛，腰痛，痛经，月经不调，产后周身关节痛，高血压，疮疖肿痛，跌打损伤，骨折。 |

| **用法用量** | 内服煎汤，3～4.5g。外用适量，捣敷。 |

| 杜鹃花科 | Ericaceae | 杜鹃属 | *Rhododendron*

迎红杜鹃
Rhododendron mucronulatum Turcz.

| **植物别名** | 尖叶杜鹃、金达莱、映山红。

| **药 材 名** | 迎红杜鹃（药用部位：叶。别名：迎山红、尖叶杜鹃、映山红）。

| **形态特征** | 落叶灌木，高 1 ~ 2m，分枝多。幼枝细长，疏生鳞片。叶片质薄，椭圆形或椭圆状披针形，先端锐尖、渐尖或钝，全缘或有细圆齿，基部楔形或钝，上面疏生鳞片，下面鳞片大小不等，褐色，相距其直径的 2 ~ 4 倍。花序腋生于枝顶或假顶生，有 1 ~ 3 花，先叶开放，伞形着生；花芽鳞宿存；花梗长 5 ~ 10mm，疏生鳞片；花萼长 0.5 ~ 1mm，5 裂，被鳞片，无毛或疏生刚毛；花冠宽漏斗状，淡红紫色，外面被短柔毛，无鳞片；雄蕊 10，不等长，稍短于花冠，花丝下部被短柔毛；子房 5 室，密被鳞片，花柱光滑，长于花冠。蒴果长圆形，先端 5 瓣开裂。花期 4 ~ 6 月，果期 5 ~ 7 月。

迎红杜鹃

| **生境分布** | 生于山地灌丛、乱石岗地、山地、石砬子峭壁附近。以长白山区为主要分布区域，分布于吉林延边、白山、通化、吉林、辽源（东丰）等。 |

| **资源情况** | 野生资源较丰富。药材主要来源于野生。 |

| **采收加工** | 夏、秋季采收，晒干或鲜用。 |

| **药材性状** | 本品叶片多反卷成筒状，有的皱缩、破碎。完整叶片展平后呈长椭圆形或长倒卵形，长 2 ~ 7.5cm，宽 1 ~ 3cm，先端钝，基部近圆形或宽楔形，全缘，上表面暗绿色至褐绿色，下表面灰绿色，主脉于下面凸起，侧脉 4 ~ 6 对。叶柄长 3 ~ 10mm。近革质。气芳香而特异，味稍苦、微辛。 |

| **功能主治** | 苦，平。清热解表，清肺止咳，祛痰平喘。用于感冒头痛，咳嗽痰喘，急、慢性支气管炎。 |

| **用法用量** | 内服煎汤，3 ~ 15g。 |

小果红莓苔子

Vaccinium microcarpum (Turcz. ex Rupr.) Schmalh.

| 植物别名 | 红莓苔子、毛蒿豆。

| 药 材 名 | 小果红莓苔子（药用部位：果实及果汁）。

| 形态特征 | 常绿半灌木。茎纤细，有细长、匍匐的走茎；分枝少，直立上升，直径约 0.5mm，幼枝淡褐色，老枝暗褐色，茎皮呈条状剥离。叶散生，叶片革质，卵形或椭圆形，通常至基部变宽，先端锐尖，基部钝圆，边缘反卷，全缘，表面深绿色，背面带灰白色；叶柄极短，幼时被微柔毛。花 1 ~ 2 生于枝顶；花梗细弱，近无毛，先端稍下弯；苞片着生于花梗基部，卵形，无毛，小苞片 2，着生于花梗中部，线形，无毛；萼筒无毛，萼齿 4，半圆形，无毛；花冠粉红色，4 深裂，裂片长圆形，向外反折，长约 5mm；雄蕊 8，花丝扁平，无毛，药室背部无距，药管与药室近等长；子房 4 室，花柱细长，超出雄蕊。

小果红莓苔子

浆果球形，红色。花期 6 ~ 7 月，果期 8 ~ 9 月。

| **生境分布** | 生于落叶松林下或有苔藓植物生长的水湿台地。分布于吉林延边（安图、和龙）、白山（抚松、长白、临江）等。

| **资源情况** | 野生资源较少。药材主要来源于野生。

| **采收加工** | 秋季果实成熟时采摘，晒干或鲜用，取果汁用。

| **功能主治** | 果实，酸，凉。止血，解毒，利尿。用于伤口化脓、汗液分泌过多、皮肤瘙痒、糠疹、瘰疬等各种皮肤病，泌尿系统感染，肾结石。果汁，活血通络。用于血栓性静脉炎，血管栓塞，动脉粥样硬化。

杜鹃花科 Ericaceae 越桔属 *Vaccinium*

红莓苔子

Vaccinium oxycoccos Linn.

| **植物别名** | 大果毛蒿豆、酸尔蔓、甸虎。

| **药 材 名** | 红莓苔子（药用部位：果实）。

| **形态特征** | 常绿半灌木。茎纤细，有细长、匍匐的走茎；茎分枝，直立上升，幼枝淡褐色，被微柔毛，老枝赤褐色，无毛，茎皮呈条状剥离。叶散生，叶片革质，长圆形或卵形，先端锐尖，基部钝圆，边缘反卷，全缘，表面深绿色，背面带灰白色，两面无毛，中脉在表面下陷，在背面隆起，侧脉和网脉在两面不显，或有时在背面略显；叶柄长约1mm，近无毛。花（1～）2～4生于枝顶，近伞形着生；花梗细长，被短柔毛，先端下弯；苞片着生于花梗基部，卵形，无毛，小苞片2，着生于花梗中部，线形，无毛；萼筒无毛，萼裂片4，半圆形，无毛；花冠淡红色，4深裂，裂片长圆形，反折；雄蕊8，花丝扁平，两侧

红莓苔子

被微柔毛，药室背部无距，药管比药室短；子房 4 室，花柱细长，超出雄蕊。浆果球形，红色。花期 6 ～ 7 月，果期 7 ～ 8 月。

| 生境分布 |

生于有苔藓植物的水湿台地、沼泽地，植株下部埋在苔藓中。分布于吉林白山（长白、抚松、靖宇、临江）、延边（安图、和龙）、通化（柳河）等。

| 资源情况 |

野生资源较少。药材主要来源于野生。

| 采收加工 |

秋季果实成熟时采摘，晒干或鲜用。

| 功能主治 |

清热解毒，止血。用于糠疹、瘰疬等各种皮肤病。鲜品用于坏血病。

| 附　注 |

本种的果实可食用。

杜鹃花科 Ericaceae 越桔属 Vaccinium

笃斯越桔 *Vaccinium uliginosum* Linn.

| 植物别名 | 蓝莓、笃斯、黑豆树。

| 药 材 名 | 笃斯越桔（药用部位：叶、果实）。

| 形态特征 | 落叶灌木；多分枝。茎短而细瘦，幼枝有微柔毛，老枝无毛。叶多数，散生，叶片纸质，倒卵形、椭圆形至长圆形，先端圆形，有时微凹，基部宽楔形或楔形，全缘，表面近无毛，背面微被柔毛，中脉、侧脉和网脉均纤细，在表面平坦，在背面凸起；叶柄短，被微毛。花下垂，1～3 着生于去年生枝的枝顶叶腋；花梗先端与萼筒之间无关节，下部有 2 小苞片，小苞片着生处有关节；萼筒无毛，萼齿 4～5，三角状卵形；花冠绿白色，宽坛状，4～5 浅裂；雄蕊 10，比花冠略短，花丝无毛，药室背部有 2 距。浆果近球形或椭圆形，直径约 1cm，成熟时蓝紫色，被白粉。花期 6 月，果期 7～8 月。

笃斯越桔

| 生境分布 |

生于山坡落叶松林下、林缘、高山草原、湿甸灌丛、苔藓沼泽地。以长白山区为主要分布区域，分布于吉林延边、白山、通化、吉林、辽源（东丰）等。吉林部分地区有栽培。

| 资源情况 |

野生资源较少。吉林有栽培。药材主要来源于栽培。

| 采收加工 |

夏季采摘叶，晒干。秋季采摘成熟果实，晒干或鲜用。

| 功能主治 |

甘，温。清热解毒，收敛，消炎，利尿。用于腹泻，痢疾，胃炎，膀胱炎。

| 附　注 |

（1）本种为吉林省Ⅲ级重点保护野生植物。
（2）本种的果实为优质浆果，可生食、制成饮料、酿酒。

越桔
Vaccinium vitis-idaea Linn.

| **植物别名** | 越橘、牙疙瘩、小苹果。

| **药 材 名** | 越橘叶（药用部位：叶。别名：熊果叶）、越橘果（药用部位：果实）。

| **形态特征** | 常绿矮小灌木，地下部分有细长、匍匐的根茎，地上部分植株高10 ~ 30cm。茎纤细，直立或下部平卧。叶密生，叶片革质，椭圆形或倒卵形，先端圆，有凸尖或微凹缺，基部宽楔形，边缘反卷，有浅波状小钝齿，中脉、侧脉在表面微下陷，在背面稍微凸起，网脉在两面不显；叶柄短。花序短总状，生于去年生枝枝顶，稍下垂，有 2 ~ 8 花，花序轴纤细，有微毛；苞片红色，宽卵形；小苞片 2，卵形；花梗被微毛；萼筒无毛，萼片 4，宽三角形，长约 1mm；花冠白色或淡红色，钟状，长约 5mm，4 裂，裂至上部 1/3 处，裂片三角状卵形，直立；雄蕊 8，比花冠短，长约 3mm，花丝很短，药

越桔

室背部无距，药管与药室近等长；花柱稍超出花冠。浆果球形，紫红色。花期6~7月，果期8~9月。

| **生境分布** | 生于高山沼地、针叶林稍干燥的生境，但也生于相当潮湿的泥炭土中，常见于落叶松林下、白桦林下、高山草原或水湿台地，常成片生长。以长白山区为主要分布区域，分布于吉林延边、白山、通化、吉林、辽源（东丰）等。

| **资源情况** | 野生资源较少。药材主要来源于野生。

| **采收加工** | 越橘叶：夏、秋季采收，阴干。
越橘果：8~9月果实成熟时采收，晒干。

| **药材性状** | 越橘叶：本品叶片多反卷，有的皱缩、破碎，完整者展开后呈椭圆形或倒卵形，长1~2cm，宽0.5~1cm。先端圆钝或微缺，基部楔形，边缘有细绒毛。上面暗绿色，有光泽，下面浅绿色，叶柄短，长0.5~3mm，有白毛。革质，质脆。气微，味微酸、涩。

越橘果：本品呈球形，直径5~10mm，紫红色。气微，味微甘。

| **功能主治** | 越橘叶：苦，温；有小毒。利尿，解毒。用于淋菌性尿道炎，膀胱炎。

越橘果：酸、甘，平；有毒。止痢，止痛。用于痢疾，肠炎。

| **用法用量** | 越橘叶：内服煎汤，3~9g。
越橘果：内服煎汤，3~9g。

| **附　注** | （1）本种为吉林省Ⅲ级重点保护野生植物。
（2）本种的果实可食用。

紫金牛科 Myrsinaceae 紫金牛属 *Ardisia*

硃砂根
Ardisia crenata Sims

硃砂根

| 植物别名 |

凉伞遮金珠、平地木、朱砂根。

| 药 材 名 |

朱砂根（药用部位：根）。

| 形态特征 |

落叶灌木，高 1 ~ 2m，稀达 3m。茎粗壮，无毛，除侧生特殊花枝外，无分枝。叶片革质或坚纸质，椭圆形、椭圆状披针形至倒披针形，先端急尖或渐尖，基部楔形，长 7 ~ 15cm，宽 2 ~ 4cm，边缘具皱波状或波状齿，具明显的边缘腺点，两面无毛，有时背面具极小的鳞片，侧脉 12 ~ 18 对，构成不规则的边缘脉；叶柄长约 1cm。伞形花序或聚伞形花序，着生于侧生特殊花枝的先端；花枝近先端处常具 2 ~ 3 叶或更多，或无叶，长 4 ~ 16cm；花梗长 7 ~ 10mm，几无毛；花长 4 ~ 6mm，花萼仅基部联合，萼片长圆状卵形，先端圆形或钝，长 1.5mm 或略短，稀达 2.5mm，全缘，两面无毛，具腺点；花瓣白色，稀略带粉红色，盛开时反卷，卵形，先端急尖，具腺点，外面无毛，里面有时近基部具乳头状突起；雄蕊较花瓣短，花药三角状披针形，背面常具腺点；雌

蕊与花瓣近等长或略长于花瓣，子房卵球形，无毛，具腺点；胚珠 5，1 轮。果实球形，直径 6 ~ 8mm，鲜红色，具腺点。花期 5 ~ 6 月，果期 10 ~ 12 月，有时翌年 2 ~ 4 月。

| **生境分布** | 生于海拔 90 ~ 2400m 的疏林下、阴湿的灌丛中。吉林无野生分布。吉林部分地区的庭院、药园内有栽培。

| **资源情况** | 吉林偶见栽培。药材主要来源于栽培。

| **采收加工** | 秋季采挖，晒干或鲜用。

| **药材性状** | 本品簇生于略膨大的根茎上，呈圆柱形，略弯曲，长 5 ~ 25cm，直径 2 ~ 10mm。表面棕褐色或灰棕色，具多数纵皱纹及横向或环状断裂痕，皮部与木部易分离。质硬而脆，易折断，折断面不平坦，皮部厚，约占断面的一半，类白色或浅紫红色，木部淡黄色。气微，味微苦、辛，有刺舌感。以条粗、皮厚者为佳。

| **功能主治** | 苦、辛，凉。清热解毒，活血止痛。用于咽喉肿痛，风湿热痹，黄疸，痢疾，跌打损伤，流火，乳腺炎，睾丸炎。

| **用法用量** | 内服煎汤，15 ~ 30g。外用适量，捣敷。

| **附　　注** | 本种的果实可食用，亦可榨油，土榨出油率为 20% ~ 25%，油可供制作肥皂。

报春花科 Primulaceae 点地梅属 Androsace

东北点地梅 *Androsace filiformis* Retz.

| **植物别名** | 丝点地梅、点地梅、喉咙草。

| **药 材 名** | 丝点地梅(药用部位：全草。别名：点地梅、喉咙草、报春花)。

| **形态特征** | 一年生草本，主根不发达，具多数纤维状须根。莲座状叶丛单生；叶长圆形至卵状长圆形，长 6 ~ 25mm，先端钝或稍锐尖，基部短渐狭，边缘具稀疏小牙齿，无毛；叶柄纤细，与叶片等长或稍长于叶片。花葶通常 3 至多枚自叶丛中抽出，高 2.5 ~ 15cm，无毛或仅上部被稀疏短腺毛；伞形花序多花；苞片线状披针形，长约 2mm；花梗丝状，长短不等；花萼杯状，分裂约达中部，裂片三角形，先端锐尖，具极狭的膜质边缘，无毛或有时疏被腺毛；花冠白色，筒部比花萼稍短，裂片长圆形。蒴果近球形，直径约 2mm，果皮近膜质，带白色。花期 5 ~ 6 月，果期 6 ~ 7 月。

东北点地梅

| **生境分布** | 生于湿甸、林下、地头，常成片生长。以长白山区为主要分布区域，分布于吉林延边、白山、通化、长春、吉林、辽源（东丰）、松原（前郭尔罗斯）等。 |

| **资源情况** | 野生资源较丰富。药材主要来源于野生。 |

| **采收加工** | 5～6 月采收，洗净，晒干。 |

| **药材性状** | 本品须根簇状，叶莲座状丛生，多皱缩，完整叶片展平后呈长圆形至卵状长圆形，先端钝或稍锐尖，基部渐狭，边缘具稀疏小牙齿，无毛，淡黄色。叶柄纤细，与叶片等长或稍长于叶片。花葶纤细，黄色至红色；伞形花序，小花淡黄色。气微，味淡。 |

| **功能主治** | 苦、辛，寒。清热解毒，消炎止痛。用于咽喉肿痛，乳蛾，口腔溃烂，急性结膜炎，目赤，偏正头痛，牙痛，跌打损伤。 |

| **用法用量** | 内服煎汤，9～30g。 |

報春花科 Primulaceae 点地梅属 Androsace

点地梅 *Androsace umbellata* (Lour.) Merr.

点地梅

| 植物别名 |

喉咙草。

| 药 材 名 |

点地梅（药用部位：全草。别名：喉咙草、白花珍珠草、天星草）。

| 形态特征 |

一年生或二年生草本。主根不明显，具多数须根。叶全部基生，叶片近圆形或卵圆形，直径 5 ~ 20mm，先端钝圆，基部浅心形至近圆形，边缘具三角状钝牙齿，两面均被贴伏的短柔毛；叶柄被开展的柔毛。花葶通常数枚自叶丛中抽出，被白色短柔毛；伞形花序具 4 ~ 15 花；苞片卵形至披针形；花梗纤细，果时伸长可达 6cm，被柔毛并杂生短柄腺体；花萼杯状，密被短柔毛，分裂近达基部，裂片菱状卵圆形，具 3 ~ 6 纵脉，果期增大，呈星状展开；花冠白色，筒部长约 2mm，短于花萼，喉部黄色，裂片倒卵状长圆形。蒴果近球形，直径 2.5 ~ 3mm，果皮白色，近膜质。花期 5 ~ 6 月，果期 6 ~ 7 月。

| 生境分布 |

生于草地、荒坡、林下、地头。吉林各地均

有分布。

| 资源情况 | 野生资源较丰富。药材主要来源于野生。

| 采收加工 | 春季花开时采收，除去泥土，晒干。

| 药材性状 | 本品全体密被白色柔毛，长 8 ～ 15cm，须根褐色。叶呈莲座状基生，叶片多皱缩卷曲、破碎；完整者呈圆形至浅心形，边缘齿裂，叶柄长 1 ～ 2cm，向下两侧有膜质翅。花梗 6 ～ 10 自底座伸出，下部淡褐色，向上呈淡黄色；伞形花序小花梗长 1 ～ 2cm，花萼草质，开展，直径 0.5cm。蒴果近球形，果皮 5 开裂。种子多数，黑色。气微，味微苦。

| 功能主治 | 苦、辛、甘，微寒。归肺、肝、脾经。祛风清热，消肿解毒。用于咽喉肿痛，口疮，目赤，目翳，头痛，牙痛，风湿热痛，哮喘，淋浊，带下，疔疮肿毒，跌打损伤，烫伤。

| 用法用量 | 内服煎汤，9 ～ 15g；或研末；或泡酒；或开水泡代茶饮。外用适量，鲜品捣敷；或煎汤洗；或煎汤含漱。

| 附　　注 | 长白山区的本属植物尚有东北点地梅 *Androsace filiformis* Retz.，其全草常混同本种入药。

海乳草 *Glaux maritima* L.

| **植物别名** | 西尚。

| **药 材 名** | 海乳草（药用部位：全草）。

| **形态特征** | 多年生草本。茎高 3 ~ 25cm，直立或下部匍匐，节间短，通常有分枝。叶近无柄，交互对生或有时互生，间距极短，或有时稍疏离，相距可达 1cm，近茎基部的 3 ~ 4 对鳞片状，膜质，上部叶肉质，线形、线状长圆形或近匙形，先端钝或稍锐尖，基部楔形，全缘。花单生于茎中、上部叶腋；花梗长可达 1.5mm，有时极短，不明显；花萼钟形，白色或粉红色，宽钟状，分裂达中部，裂片倒卵状长圆形，先端圆形；雄蕊 5，稍短于花萼；子房卵珠形，上半部密被小腺点，花柱与雄蕊等长或稍短。蒴果卵球形，先端稍尖，略呈喙状。花期 6月，果期 7 ~ 8 月。

海乳草

| **生境分布** | 生于盐碱地、湿地、沼泽草甸或海岸等，常成片生长。分布于吉林白城、松原等。

| **资源情况** | 野生资源较丰富。药材主要来源于野生。

| **采收加工** | 夏、秋季采收，除去杂质，晒干。

| **功能主治** | 清热解毒，散气止痛。用于咽喉肿痛，口疮，气滞疼痛。

报春花科 | Primulaceae | 珍珠菜属 | *Lysimachia*

矮桃
Lysimachia clethroides Duby

矮桃

| 植物别名 |

珍珠菜、虎尾珍珠菜、山柳珍珠。

| 药 材 名 |

矮桃（药用部位：全草。别名：活血莲、红根草、红梗草）。

| 形态特征 |

多年生草本，全株多少被黄褐色卷曲柔毛。根茎横走，淡红色。茎直立，圆柱形，基部带红色，不分枝。叶互生，长椭圆形或阔披针形，先端渐尖，基部渐狭，两面散生黑色粒状腺点，近无柄或具长 2 ~ 10mm 的柄。总状花序顶生，盛花期长约 6cm，花密集，常转向一侧，后渐伸长，果时长 20 ~ 40cm；苞片线状钻形，比花梗稍长；花萼分裂近达基部，裂片卵状椭圆形，先端圆钝，周边膜质，有腺状缘毛；花冠白色，基部合生部分长约 1.5mm，裂片狭长圆形，先端圆钝；雄蕊内藏，花丝基部约 1mm 联合并贴生于花冠基部，分离部分长约 2mm，被腺毛；花药长圆形，长约 1mm；花粉粒具 3 孔沟，长球形，表面近平滑；子房卵珠形，花柱稍粗。蒴果近球形。花期 6 ~ 7 月，果期 8 ~ 9 月。

| **生境分布** | 生于荒坡、草地、林缘、灌丛。以长白山区为主要分布区域，分布于吉林延边、白山、通化、长春、吉林、辽源（东丰）等。 |

| **资源情况** | 野生资源较丰富。药材主要来源于野生。 |

| **采收加工** | 夏、秋季采收，洗净，鲜用或晒干。 |

| **药材性状** | 本品茎圆柱形，表面微带红色，质脆，易折断。叶互生，常皱缩或破碎；完整叶片展平后呈卵状椭圆形或阔披针形；黄绿色或淡黄棕色，疏生黄色卷柔毛，水浸后透光可见黑色腺点。总状花序顶生，花常脱落。果穗长，蒴果球形。气微，味淡。 |

| **功能主治** | 辛、涩，平。归肝、脾经。清热解毒，活血调经，利水消肿，健脾和胃。用于月经不调，带下，小儿疳积，水肿，痢疾，风湿性关节炎，跌打损伤，咽喉肿痛，乳痈，石淋，胆囊炎，毒蛇咬伤，疖肿。 |

| **用法用量** | 内服煎汤，15 ~ 30g；或泡酒；或鲜品捣汁。外用适量，煎汤洗；或鲜品捣敷。 |

黄连花
Lysimachia davurica Ledeb.

| **植物别名** | 黄花珍珠菜、狗尾巴梢。

| **药材名** | 黄连花（药用部位：全草。别名：黄莲花）。

| **形态特征** | 多年生草本。具横走的根茎。茎直立，粗壮，不分枝或有少数分枝。叶对生或 3 ~ 4 轮生，椭圆状披针形至线状披针形，长 4 ~ 12cm，宽 5 ~ 40mm，先端锐尖至渐尖，基部钝至近圆形，上面绿色，下面常带粉绿色，两面均散生黑色腺点，侧脉通常超过 10 对，网脉明显，无柄或具极短的柄。总状花序顶生，通常复出而成圆锥花序；苞片线形，密被小腺毛；花萼分裂近达基部，裂片狭卵状三角形，沿边缘有 1 圈黑色线条；花冠深黄色，分裂近达基部，裂片长圆形，先端圆钝，有明显的脉纹，内面密布淡黄色小腺体；雄蕊比花冠短，花丝基部合生成高约 1.5mm 的筒，分离部分密被小腺体；花药卵状

黄连花

长圆形；花粉粒具 3 孔沟，近长圆形，表面具网状纹饰；子房无毛，花柱长 4 ~ 5mm。蒴果褐色，直径 2 ~ 4mm。花期 7 ~ 8 月，果期 8 ~ 9 月。

| 生境分布 | 生于河岸、林缘、林间草地或灌丛。吉林各地均有分布。

| 资源情况 | 野生资源较丰富。药材主要来源于野生。

| 采收加工 | 7 ~ 8 月采收，洗净，切段，晒干。

| 药材性状 | 本品根茎较长；茎上有细毛。叶对生或 3 ~ 4 轮生，披针形至狭卵形，先端锐尖，基部钝至近圆形，上面绿色，下面粉绿色，近无毛，可见黑色腺点，侧脉通常超过 10 对，网脉明显。气微，味酸。

| 功能主治 | 酸、涩，微寒。镇静降压，平肝潜阳。用于肝阳上亢导致的眩晕耳鸣，头目胀痛，烦躁失眠，跌打损伤。

| 用法用量 | 内服煎汤，9 ~ 15g。

| 附　　注 | 本种的幼苗可以生食。

报春花科 Primulaceae 珍珠菜属 Lysimachia

球尾花 *Lysimachia thyrsiflora* L.

| **植物别名** | 腋花珍珠菜。

| **药 材 名** | 球尾花（药用部位：全草）。

| **形态特征** | 多年生草本。具横走的根茎。茎直立，下部无毛，上部被褐色柔毛，散生黑色腺点，通常不分枝。叶对生，近茎基部的数对鳞片状，上部叶披针形至长圆状披针形，先端锐尖或渐尖，基部耳状半抱茎或钝，无柄，极少具短柄，上面深绿色，无毛，下面淡绿色，沿中肋被稀疏柔毛，两面均有黑色粒状腺点，中肋在下面隆起，侧脉不明显。总状花序生于茎中部和上部叶腋，具密花，呈圆球状或短穗状；苞片线状钻形，有黑色腺点；花冠黄色，通常6深裂，裂片近分离，线形，宽 0.5 ~ 1mm，先端钝，有黑色腺点和短腺条；雄蕊伸出花冠外，花丝基部联合成极浅的环，贴生于花冠基部，分离部分长 4 ~ 5mm；

球尾花

花药长圆形；花粉粒具 3 孔沟，近长球形，表面具网状纹饰；子房被柔毛，有黑色腺点。蒴果近球形。花期 5 ~ 6 月，果期 7 ~ 8 月。

| 生境分布 | 生于水甸子和湿草地上，常成小片生长。以长白山区为主要分布区域，分布于吉林延边、白山、通化、长春、吉林、辽源（东丰）等。

| 资源情况 | 野生资源较丰富。药材主要来源于野生。

| 采收加工 | 夏季采收，除去杂质，晒干。

| 药材性状 | 本品根茎较粗。茎下部无毛，上部具褐色柔毛，散生黑色腺点，通常不分枝。叶近基部鳞片状，上部叶披针形至长圆状披针形，基部叶耳状半抱茎或钝，无柄或具短柄，上面深绿色，无毛，下面淡绿色，沿中肋被稀疏柔毛，两面均有黑色粒状腺点，中肋在下面隆起，侧脉不明显。总状花序呈圆球状或短穗状。花冠黄色，线形，有黑色腺点和短腺条。子房被柔毛，有黑色腺点。蒴果近球形。气微，味淡。

| 功能主治 | 消癥。用于癥瘕积聚。

箭报春 *Primula fistulosa* Turkev.

箭报春

| 药 材 名 |

箭报春（药用部位：全草）。

| 形态特征 |

多年生草本。根茎极短，具多数须根。叶丛稍紧密，叶片矩圆形至矩圆状倒披针形，先端渐尖或稍钝，基部渐狭窄，边缘具不整齐的浅齿。花葶粗壮，中空，呈管状，果期可伸长至 28 ~ 49cm，顶部（花序下）缢缩，具细棱；伞形花序通常多花，密集成球状；苞片多数，矩圆状卵形或卵状披针形，长 3 ~ 6.5mm，先端多少锐尖，基部增宽并稍膨胀；花梗等长，被腺毛；花萼钟状或杯状，自基部向上渐增宽，分裂达全长的 1/3 ~ 1/2，裂片矩圆状披针形，先端锐尖；花冠玫瑰红色或红紫色，花冠筒长 6 ~ 7mm，冠檐直径 8 ~ 14mm，裂片倒卵形，先端 2 深裂；长花柱花的雄蕊着生于花冠筒中部，花柱长达冠筒口；短花柱花的雄蕊着生于花冠筒中上部。蒴果球形，与花萼近等长。花期 5 ~ 6 月，果期 6 ~ 7 月。

| 生境分布 |

生于低湿草甸及富含腐殖质的砂质草地上。以长白山区为主要分布区域，分布于吉林延边、白山、通化、长春、吉林、辽源（东丰）等。

| **资源情况** | 野生资源较少。药材主要来源于野生。

| **采收加工** | 夏季采收，除去杂质，晒干。

| **功能主治** | 清热解毒。用于咽喉肿痛。

报春花科 Primulaceae 报春花属 Primula

樱草
Primula sieboldii E. Morren

| **植物别名** | 翠南报春、翠蓝草、翠兰花。

| **药 材 名** | 樱草根（药用部位：根及根茎。别名：翠南报春、翠兰草、野白菜）。

| **形态特征** | 多年生草本。根茎倾斜或平卧。叶3～8丛生，叶片卵状矩圆形至矩圆形，先端钝圆，基部心形，边缘圆齿状浅裂，侧脉6～8对，在下面显著。花葶被毛；伞形花序顶生，具5～15花；苞片线状披针形，微被毛或近无毛；花梗长4～30mm，被毛同苞片；花萼钟状，果时增大，长可达15mm，分裂达全长的1/2～2/3，裂片披针形至卵状披针形，稍开展，外面疏被短柔毛或无毛，边缘具小睫毛；花冠紫红色至淡红色，稀白色，花冠筒长9～13mm，冠檐直径1～3cm，裂片倒卵形，先端2深裂，小裂片全缘或具小圆齿；长花柱花的雄蕊着生处稍低于花冠筒中部，花柱长近达冠筒口；短花柱花的雄蕊

樱草

先端接近冠筒口，花柱略超过花冠筒中部。蒴果近球形，长约为花萼的一半。花期 5 月，果期 6 月。

| 生境分布 | 生于林下或林缘湿润处、溪边、河边，形成小群落。以长白山区为主要分布区域，分布于吉林延边、白山、通化、长春、吉林、辽源（东丰）等。

| 资源情况 | 野生资源较少。药材主要来源于野生。

| 采收加工 | 8 ~ 9 月采挖，洗净，晒干。

| 药材性状 | 本品根茎短，呈不规则块状，表面黑褐色。质硬，难折断。细根丛生于根茎上，长短不一，表面黄棕色或棕色，有纵皱纹及支根痕。体轻，质脆，易折断，断面黄白色或浅黄色。气微，味淡。

| 功能主治 | 甘，平。止咳化痰，平喘。用于咽喉肿痛，痰喘咳嗽，咽炎，支气管炎。

| 用法用量 | 内服煎汤，6 ~ 12g。

报春花科 Primulaceae 报春花属 Primula

粉报春 *Primula farinosa* L.

| **药 材 名** | 粉报春（药用部位：全草。别名：红花粉叶报春）。

| **形态特征** | 多年生草本。具极短的根茎和多数须根。叶多数，形成较密的莲座丛，叶片矩圆状倒卵形、窄椭圆形或矩圆状披针形，长 1 ~ 7cm，宽 0.3 ~ 4mm，先端近圆形或钝，基部渐狭窄，边缘具稀疏小牙齿或近全缘，下面被青白色或黄色粉；叶柄甚短或与叶片近等长。花葶稍纤细，高 3 ~ 15（~ 30）cm，无毛，近先端通常被青白色粉；伞形花序顶生，通常多花；苞片多数，狭披针形或先端渐尖成钻形，长 3 ~ 8mm，基部增宽并稍膨大成浅囊状；花梗长 3 ~ 15mm，长短不等，花后伸长，可达 2.5cm；花萼钟状，长 4 ~ 6mm，具 5 棱，内面通常被粉，分裂达全长的 1/3 ~ 1/2，裂片卵状矩圆形或三角形，有时带紫黑色，边缘具短腺毛；花冠淡紫红色，冠筒口周围黄色，

粉报春

花冠筒长 5 ~ 6mm，冠檐直径 8 ~ 10mm，裂片楔状倒卵形，先端 2 深裂；长花柱花的雄蕊着生于花冠筒中部，花柱长约 3mm；短花柱花的雄蕊着生于花冠筒中上部，花柱长约 1.2mm。蒴果筒状，长 7 ~ 8mm，长于花萼。花期 5 ~ 6 月。

| 生境分布 | 生于低湿草地、沼泽化草甸或沟谷灌丛。以长白山区为主要分布区域，分布于吉林延边、白山、通化、吉林、辽源（东丰）等。

| 资源情况 | 野生资源较少。药材主要来源于野生。

| 采收加工 | 夏、秋季采收，除去杂质，晒干。

| 功能主治 | 消肿愈疮，解毒。用于痈疖，创伤。

| 附　　注 | 本种为吉林省Ⅲ级重点保护野生植物。

报春花科 Primulaceae 七瓣莲属 Trientalis

七瓣莲 *Trientalis europaea* L.

| 植物别名 | 七瓣花。

| 药 材 名 | 七瓣莲（药用部位：全草）。

| 形态特征 | 多年生草本。根茎纤细，横走，末端常膨大成块状，具多数纤维状须根。茎直立。叶 5 ～ 10 聚生于茎先端，呈轮生状，叶片披针形至倒卵状椭圆形，先端锐尖或稍钝，基部楔形至阔楔形，具短柄或近无柄，全缘或具不明显的微细圆齿；茎下部叶极稀疏，通常仅 1 ～ 3，甚小，或呈鳞片状。花 1 ～ 3，生于茎先端叶腋；花梗纤细；花萼分裂近达基部，裂片线状披针形；花冠白色，比花萼长约 1 倍，裂片椭圆状披针形，先端锐尖或具骤尖头；雄蕊比花冠稍短；子房球形，花柱约与雄蕊等长。蒴果比宿存花萼短。花期 5 ～ 6 月，果期 7 月。

七瓣莲

| **生境分布** | 生于落叶松林下、针阔叶混交林林下或次生阔叶林林下较密的灌丛。以长白山区为主要分布区域，分布于吉林延边、白山、通化、吉林、辽源（东丰）等。 |

| **资源情况** | 野生资源较少。药材主要来源于野生。 |

| **采收加工** | 夏季采收，除去杂质，晒干。 |

| **药材性状** | 本品根茎纤细，末端常膨大成块状，具纤维状须根。茎细长。叶片披针形至倒卵状椭圆形，全缘或具不明显的微细圆齿。花梗纤细，花萼裂片线状披针形，花冠白色，裂片椭圆状披针形。蒴果直径 2.5 ~ 3mm，比宿存花萼短。气微，味淡。 |

| **功能主治** | 祛风湿，止痹痛，清热解毒。用于咽喉肿痛，风湿痹痛。 |

白花丹科 Plumbaginaceae 蓝雪花属 Ceratostigma

蓝雪花
Ceratostigma plumbaginoides Bunge

| **植物别名** | 山灰柴、假靛、角柱花。

| **药材名** | 搬倒甑（药用部位：根）。

| **形态特征** | 多年生直立草本，通常高 20 ~ 30（~ 60）cm。每年由地下茎上端接近地面的几个节上生出数条更新枝成为地上茎；地下茎分枝多，直径 2 ~ 3mm，节上有一红褐色至褐色的鳞片，鳞片卵形而基部抱茎；地上茎细弱（常较地下茎为细），不分枝或分枝，茎枝基部无芽鳞，沿节多少呈"之"字形曲折，略有棱或在上部节间兼有较为明显的沟，枝上部的棱上有稀少硬毛，被细小钙质颗粒。叶宽卵形或倒卵形，长（2 ~）4 ~ 6（~ 10）cm，宽（0.8 ~）2 ~ 3（~ 3.5）cm，枝两端者较小，先端渐尖或偶钝圆，基部骤窄而后渐狭或仅为渐狭，除边缘外两面无毛或近无毛，常有细小钙质颗粒。

蓝雪花

花序生于枝端和上部 1 ~ 3 节叶腋的短柄上，基部紧托有一披针形至长圆形的叶，含（1 ~ 5）15 ~ 30 或更多的花，花期中经常有 1 ~ 5 花开放；苞片长 6.5 ~ 8mm，宽 3 ~ 3.5mm，长卵形，先端渐尖成 1 短细尖，小苞长 8 ~ 9.5mm，宽 3 ~ 3.5mm，狭长圆形至狭长卵形，先端有细尖；花萼长（12 ~）13 ~ 15（~ 18）mm，中部直径 1.5 ~ 2mm，沿脉有稀少长硬毛，裂片长约 2mm；花冠长 25 ~ 28mm，筒部紫红色，裂片蓝色，倒三角形，长 8mm，先端宽达 8mm，顶缘浅凹而沿中脉伸出一窄三角形的短尖；花丝略伸出花冠喉部之外，花药长约 2mm，蓝色；子房椭圆形，花柱异长，短柱型的柱头不外露，长柱型的柱头伸出花药之上。蒴果椭圆状卵形，淡黄褐色，长约 6mm；种子红褐色，粗糙，有棱，先端约 1/3 渐细成喙。花期 7 ~ 9 月，果期 8 ~ 10 月。

| **生境分布** | 生于浅山山麓或平地上。吉林无野生分布。吉林部分地区有栽培。

| **资源情况** | 吉林偶见栽培。药材主要来源于栽培。

| **采收加工** | 夏、秋季采挖，晒干。

| **功能主治** | 甘、辛，温。解痉镇痛，祛痰，止血。用于咳嗽咳痰，胃痛，胆道蛔虫病，胆囊炎及蛔虫病引起的疼痛，跌打损伤，骨折。

| **用法用量** | 内服煎汤，3 ~ 4.5g；或研粉服。

| 白花丹科 | Plumbaginaceae | 补血草属 | *Limonium* |

黄花补血草
Limonium aureum (Linn.) Hill

| 植物别名 | 黄花矶松、金匙叶草。

| 药 材 名 | 黄花补血草（药用部位：花或花萼。别名：黄花矶松、金匙叶草）。

| 形态特征 | 多年生草本。茎基往往被有残存的叶柄和红褐色芽鳞。叶基生（偶尔花序轴下部 1 ~ 2 节上也有叶），常早凋，通常呈长圆状匙形至倒披针形，先端圆或钝；有时急尖，下部渐狭成平扁的柄。花序圆锥状，花序轴 2 至多数，绿色，密被疣状突起（有时仅上部嫩枝具疣），由下部作数回叉状分枝，往往呈"之"字形曲折，下部的多数分枝成为不育枝，末级的不育枝短而常略弯；穗状花序位于上部分枝先端，由 3 ~ 7 小穗组成；小穗含 2 ~ 3 花；外苞片宽卵形，先端钝或急尖，第一内苞片长 5.5 ~ 6mm；花萼长 5.5 ~ 7.5mm，漏斗状，萼筒基部偏斜，全部沿脉和脉间密被长毛，萼檐金黄色（干后有时

黄花补血草

变橙黄色），裂片正三角形，脉伸出裂片先端成 1 芒尖或短尖，沿脉常疏被微柔毛，间生裂片常不明显；花冠橙黄色。花期 6～8 月，果期 7～8 月。

| **生境分布** | 生于土质含盐的砾石滩、黄土坡或沙地上，常见于平原和山坡下部。分布于吉林白城、松原等。

| **资源情况** | 野生资源较少。药材主要来源于野生。

| **采收加工** | 6～8 月花开时采摘，鲜用或晒干。

| **药材性状** | 本品多皱缩，黄色或淡黄色。外苞片宽卵形，先端钝，边缘窄膜质；第一内苞片倒宽卵圆形，边缘宽膜质。花萼漏斗状，密被细硬毛，萼檐金黄色或黄色，花冠黄色。气微，味微咸。

| **功能主治** | 淡，凉。止痛，消炎，补血。用于神经痛，月经量少，耳鸣，乳汁不足，感冒；外用于牙痛，疮疖痈肿。

| **用法用量** | 内服煎汤，3～4.5g，每日 2 次。外用适量，煎汤含漱；或外洗。

白花丹科 Plumbaginaceae 补血草属 Limonium

二色补血草 *Limonium bicolor* (Bunge) Kuntze

| **植物别名** | 二色矾松、二色匙叶草、苍蝇花。

| **药 材 名** | 二色补血草（药用部位：全草。别名：蝎子花菜、屹蚤花、野菠菜）。

| **形态特征** | 多年生草本，高20～50cm。叶基生，匙形至长圆状匙形，先端通常圆或钝，基部渐狭成平扁的柄。花序圆锥状；花序轴单生，或2～5各由不同的叶丛中生出，通常有3～4棱角，有时具沟槽，偶主轴圆柱状，末级小枝二棱形；不育枝少，通常简单，位于分枝下部或单生于分叉处；穗状花序有柄至无柄，排列在花序分枝的上部至先端，由3～9小穗组成；小穗含2～5花；外苞片长2.5～3.5mm，长圆状宽卵形，第一内苞片长6～6.5mm；花萼漏斗状，萼筒直径约1mm，全部或下半部分沿脉密被长毛，萼檐初时淡紫红色或粉红色，后来变白色，宽为花萼全长的一半，开张幅径与萼的长度相等，

二色补血草

裂片宽短而先端通常圆，偶可有一易落的软尖，间生裂片明显，脉不达于裂片顶缘（向上变为无色），沿脉被微柔毛或变无毛；花冠黄色。花期 5 ～ 7 月，果期 6 ～ 8 月。

| **生境分布** | 生于含盐的钙质土上、沙地、海滨、山坡、草甸或沙丘等。分布于吉林白城、松原等。

| **资源情况** | 野生资源较少。药材主要来源于野生。

| **采收加工** | 夏、秋季采收，洗净，晒干。

| **药材性状** | 本品根呈圆柱形，棕褐色。茎丛生，细圆柱形，呈"之"字形弯曲，长 30 ～ 60cm，光滑无毛，断面中空。叶多脱落，基生叶匙形或长倒卵形，长约 20cm，宽 1 ～ 4cm，近全缘，基部渐窄成翅状。外苞片长圆状宽卵形，边缘狭膜质，第一内苞片与外苞片相似，边缘宽膜质。花萼漏斗状，沿脉密生细硬毛，萼檐紫色、粉红色或白色，花冠黄色。气微，味微苦。

| **功能主治** | 甘、微苦，微温。补血，止血活血，散瘀，调经，益脾健胃，滋补强壮。用于崩漏，尿血，痔疮出血，胃溃疡，脾虚浮肿。

| **用法用量** | 内服煎汤，15 ～ 30g，鲜品或用至 60g。外用适量，捣敷；或水煎坐浴。

安息香科 Styracaceae 安息香属 Styrax

玉铃花
Styrax obassia Sieb. et Zucc.

| **植物别名** | 老开皮、山榛子。

| **药 材 名** | 玉铃花（药用部位：果实。别名：老开皮、老丹皮、山榛子）。

| **形态特征** | 落叶乔木或灌木；树皮灰褐色。叶纸质，生于小枝最上部的互生，宽椭圆形或近圆形，先端急尖或渐尖，基部近圆形或宽楔形，侧脉每边 5 ~ 8；生于小枝最下部的两叶近对生，椭圆形或卵形，先端急尖，基部圆形。花白色或粉红色，芳香，总状花序顶生或腋生，下部的花常生于叶腋，有花 10 ~ 20 或更多，基部常 2 ~ 3 分枝；花梗常稍向下弯；小苞片线形，早落；花萼杯状；萼齿三角形或披针形；花冠裂片膜质，椭圆形，花冠管长约 4mm；雄蕊较花冠裂片短，花丝扁平；花柱与花冠裂片近等长。果实卵形或近卵形，先端具短尖头；种子长圆形，暗褐色。花期 6 ~ 7 月，果期 8 ~ 9 月。

玉铃花

| 生境分布 |

生于阔叶林或针阔叶混交林中。分布于吉林通化（集安）等。

| 资源情况 |

野生资源较少。药材主要来源于野生。

| 采收加工 |

8 ~ 9 月果实成熟时采收，晒干。

| 药材性状 |

本品呈卵形或近卵形，直径 10 ~ 15mm，先端具短尖头，密被黄褐色星状短绒毛；种子长圆形，暗褐色，近平滑，无毛。气香，味辛。

| 功能主治 |

辛，微温。消肿止痛，驱虫。用于痈肿疼痛，蛲虫病。

| 用法用量 |

内服煎汤，3 ~ 10g。

山矾科 Symplocaceae 山矾属 Symplocos

白檀 *Symplocos paniculata* (Thunb.) Miq.

| **植物别名** | 白檀山矾、山指甲、乌子树。

| **药 材 名** | 白檀（药用部位：根、叶、花、种子）。

| **形态特征** | 落叶灌木或小乔木。嫩枝有灰白色柔毛，老枝无毛。叶膜质或薄纸质，阔倒卵形、椭圆状倒卵形或卵形，先端急尖或渐尖，基部阔楔形或近圆形，边缘有细尖锯齿，叶面无毛或有柔毛，叶背通常有柔毛或仅脉上有柔毛；中脉在叶面凹下，侧脉在叶面平坦或微凸起，每边 4 ~ 8。圆锥花序通常有柔毛；苞片早落，通常条形，有褐色腺点；萼筒褐色，无毛或有疏柔毛，裂片半圆形或卵形，稍长于萼筒，淡黄色，有纵脉纹，边缘有毛；花冠白色，5 深裂几达基部；雄蕊40 ~ 60，子房 2 室，花盘具 5 凸起的腺点。核果成熟时蓝色，卵球形，稍偏斜，先端宿萼裂片直立。花期 5 ~ 6 月，果期 8 ~ 9 月。

白檀

| 生境分布 | 生于山坡、路边、疏林或密林中、溪水岸边。分布于吉林延边、白山、通化等。

| 资源情况 | 野生资源较少。药材主要来源于野生。

| 采收加工 | 秋、冬季采挖根。春、夏季采摘叶。5～7月花果期采收花、种子，晒干。

| 药材性状 | 本品叶多皱缩，破碎，草绿色至淡黄色。完整叶片呈椭圆形，两侧向内稍卷曲，先端急尖，基部楔形；中脉明显，向背凸起，侧脉对称，边缘具细锐齿。气微，味苦。

| 功能主治 | 苦，微寒。清热解毒，调气散结，祛风止痒。用于乳腺炎，淋巴结炎，肠痈，疮疖，疝气，荨麻疹，皮肤瘙痒。

| 用法用量 | 内服煎汤，一般9～24g，单用根可至30～45g。外用适量，煎汤洗；或研末调敷。

| 附　　注 | 本种为吉林省Ⅲ级重点保护野生植物。

木犀科 Oleaceae 流苏树属 Chionanthus

流苏树 *Chionanthus retusus* Lindl. et Paxt.

流苏树

| 植物别名 |

茶叶树。

| 药 材 名 |

流苏树（药用部位：花、嫩叶）。

| 形态特征 |

落叶灌木或乔木，高可达 20m。小枝灰褐色
或黑灰色，圆柱形，开展，无毛，幼枝淡黄
色或褐色，疏被或密被短柔毛。叶片革质或
薄革质，长圆形、椭圆形或圆形，有时卵形
或倒卵形至倒卵状披针形，长 3 ~ 12cm，
宽 2 ~ 6.5cm，先端圆钝，有时凹入或锐尖，
基部圆形或宽楔形至楔形，稀浅心形，全缘
或有小锯齿，叶缘稍反卷，幼时上面沿脉被
长柔毛，下面密被或疏被长柔毛，叶缘具睫
毛，老时上面沿脉被柔毛，下面沿脉密被长
柔毛，稀被疏柔毛，其余部分疏被长柔毛或
近无毛，中脉在上面凹入，在下面凸起，侧
脉 3 ~ 5 对，两面微凸起或上面微凹入，细
脉在两面常明显微凸起；叶柄长 0.5 ~ 2cm，
密被黄色卷曲柔毛。聚伞状圆锥花序，长
3 ~ 12cm，顶生于枝端，近无毛；苞片线
形，长 2 ~ 10mm，疏被或密被柔毛；花长
1.2 ~ 2.5cm，单性而雌雄异株或为两性花；

花梗长 0.5 ~ 2cm，纤细，无毛；花萼长 1 ~ 3mm，4 深裂，裂片尖三角形或披针形，长 0.5 ~ 2.5mm；花冠白色，4 深裂，裂片线状倒披针形，长（1 ~）1.5 ~ 2.5cm，宽 0.5 ~ 3.5mm，花冠管短，长 1.5 ~ 4mm；雄蕊藏于管内或稍伸出，花丝长不及 0.5mm，花药长卵形，长 1.5 ~ 2mm，药隔凸出；子房卵形，长 1.5 ~ 2mm，柱头球形，稍 2 裂。果实椭圆形，被白粉，长 1 ~ 1.5cm，直径 6 ~ 10mm，呈蓝黑色或黑色。花期 3 ~ 6 月，果期 6 ~ 11 月。

| 生境分布 | 生于海拔 3000m 以下的稀疏混交林或灌丛中，或山坡、河边。吉林无野生分布。吉林长春等地有栽培。

| 资源情况 | 吉林有栽培。药材主要来源于栽培。

| 采收加工 | 花盛开时采收花，阴干或晒干。夏季采收嫩叶，阴干。

| 功能主治 | 清热解毒。用于小儿腹泻，胃病。

| 用法用量 | 内服适量，泡茶（糯米茶）饮。

| 附　注 | 本种果实可榨芳香油。

木犀科 Oleaceae 连翘属 Forsythia

连翘 *Forsythia suspensa* (Thunb.) Vahl

| **植物别名** | 毛连翘。

| **药 材 名** | 连翘（药用部位：果实。别名：连壳、黄花条、黄奇丹）。

| **形态特征** | 落叶灌木。枝开展或下垂，棕色、棕褐色或淡黄褐色，小枝土黄色或灰褐色，略呈四棱形，疏生皮孔，节间中空，节部具实心髓。叶通常为单叶，或 3 裂至三出复叶，叶片卵形、宽卵形或椭圆状卵形至椭圆形，先端锐尖，基部圆形、宽楔形至楔形，叶缘除基部外具锐锯齿或粗锯齿，上面深绿色，下面淡黄绿色，两面无毛；叶柄无毛。花通常单生或 2 至数朵着生于叶腋，先于叶开放；花萼绿色，裂片长圆形或长圆状椭圆形，先端钝或锐尖，边缘具睫毛，与花冠管近等长；花冠黄色，裂片倒卵状长圆形或长圆形；在雌蕊长为 5 ~ 7mm 的花中，雄蕊长 3 ~ 5mm，在雄蕊长为 6 ~ 7mm 的花中，雌蕊长

连翘

约 3mm。果实卵球形、卵状椭圆形或长椭圆形，先端喙状渐尖，表面疏生皮孔。花期 3 ~ 4 月，果期 7 ~ 9 月。

| **生境分布** | 生于山坡灌丛、林下或草丛中，或山谷、山沟疏林中。分布于吉林白山（浑江）。吉林东部地区有栽培。

| **资源情况** | 野生资源稀少。吉林有栽培。药材主要来源于栽培。

| **采收加工** | 秋季果实初熟尚带绿色时，摘下青色果实，除去杂质，蒸熟，晒干，习称"青翘"；果实熟透时采收，色黄，除去杂质，晒干，习称"黄翘"或"老翘"。

| **药材性状** | 本品呈长卵形至卵形，稍扁，长 1.5 ~ 2.5cm，直径 0.5 ~ 1.3cm。表面有不规则的纵皱纹及多数凸起的小斑点，两面各有一明显的纵沟。先端锐尖，基部有小果柄或已脱落。青翘多不开裂，表面绿褐色，凸起的灰白色小斑点较少，质硬；种子多数，黄绿色，细长，一侧有翅。老翘自先端开裂或裂成 2 瓣，外表面黄棕色或红棕色，内表面多为浅黄棕色，平滑，具 1 纵隔，质脆；种子棕色，多已脱落。气微香，味苦。青翘以色青绿、无枝梗者为佳；老翘以色黄、壳厚、无种子、纯净者为佳。

| **功能主治** | 苦，微寒。归肺、心、小肠经。清热解毒，消肿散结，疏散风热。用于痈疽，瘰疬，乳痈，丹毒，风热感冒，温病初起，温热入营，高热烦渴，神昏发斑，小便热淋涩痛。

| **用法用量** | 内服煎汤，6 ~ 15g；或入丸、散。

木犀科 Oleaceae 梣属 Fraxinus

小叶梣
Fraxinus bungeana DC.

小叶梣

| 植物别名 |

小叶白蜡树。

| 药 材 名 |

小叶梣（药用部位：树皮）。

| 形态特征 |

落叶小乔木或灌木。树皮暗灰色，浅裂。顶芽黑色，圆锥形。当年生枝淡黄色，密被短绒毛，去年生枝灰白色，皮孔细小，椭圆形。羽状复叶有小叶 5 ~ 7，硬纸质，阔卵形、菱形至卵状披针形，顶生小叶与侧生小叶几等大，先端尾尖，基部阔楔形。圆锥花序顶生或腋生于枝梢；花序梗扁平；花梗细；雄花花萼小，杯状，萼齿尖三角形，花冠白色至淡黄色，裂片线形，雄蕊与裂片近等长，花药小，椭圆形，花丝细；两性花花萼较大，萼齿锥尖，花冠裂片长达 8mm，雄蕊明显短，雌蕊具短花柱，柱头 2 浅裂。翅果匙状长圆形，上中部最宽，先端急尖、钝圆或微凹，翅下延至坚果中下部，坚果长约 1cm，略扁；花萼宿存。花期 5 月，果期 8 ~ 9 月。

| 生境分布 |

生于较干燥、向阳的砂壤土或岩石缝隙中。

分布于吉林通化（集安、通化）、延边（和龙、敦化）、白山（抚松、靖宇、临江）等。

| 资源情况 | 野生资源稀少。药材主要来源于野生。

| 采收加工 | 春、秋季剥取，除去杂质，晒干。

| 药材性状 | 本品呈暗灰色，浅裂。当年生枝淡黄色，密被短绒毛，渐秃净，去年生枝灰白色，被稀疏毛或无毛，皮孔细小，椭圆形，褐色。质硬而脆，断面具纤维性，黄白色。气微，味苦。

| 功能主治 | 清热解毒，收敛止痢，燥湿，明目。用于细菌性痢疾，肠炎，带下，慢性支气管炎，目赤肿痛，迎风流泪，牛皮癣。

木犀科 Oleaceae 梣属 Fraxinus

水曲柳

Fraxinus mandschurica Rupr.

水曲柳

| 植物别名 |

东北梣、曲柳。

| 药 材 名 |

水曲柳（药用部位：树皮。别名：曲柳）。

| 形态特征 |

落叶大乔木，高达 30m 或更高，胸径达 2m。树皮厚，灰褐色，纵裂。冬芽大，圆锥形。小枝粗壮，黄褐色至灰褐色，四棱形，节膨大，散生圆形、明显凸起的小皮孔；叶痕节状隆起，半圆形。羽状复叶有小叶 7 ~ 13，纸质，长圆形至卵状长圆形，先端渐尖或尾尖，基部楔形至钝圆，稍歪斜，叶缘具细锯齿。圆锥花序生于去年生枝上，先叶开放；花序梗与分枝具窄翅状锐棱；雄花与两性花异株，均无花冠、花萼；雄花序紧密，花梗细而短，雄蕊 2，花药椭圆形，花丝甚短；两性花序稍松散，花梗细而长，两侧常着生 2 甚小的雄蕊，子房扁而宽，花柱短，柱头 2 裂。翅果大而扁，长圆形至倒卵状披针形，中部最宽，先端钝圆、截形或微凹，翅下延至坚果基部。花期 4 ~ 5 月，果期 8 ~ 9 月。

| **生境分布** | 生海拔 700 ~ 2100m 的山坡疏林中或河谷平缓山地。以长白山区为主要分布区域，分布于吉林延边、白山、通化、长春、吉林、辽源（东丰）等。 |

| **资源情况** | 野生资源较丰富。药材主要来源于野生。 |

| **采收加工** | 春、夏季剥取，晒干。 |

| **药材性状** | 本品呈卷筒状或槽状，厚约 2mm。外表面灰褐色，有浅裂纹及皮孔。内表面灰棕色，较平滑。质坚硬。断面具纤维性。气微，味苦。 |

| **功能主治** | 苦、涩，寒。清热燥湿，清胆明目，收敛止血。用于痢疾，肠炎，疟疾，带下，月经不调，急性结膜炎，目生翳膜，慢性支气管炎。 |

| **附 注** | （1）在 FOC 中，本种的拉丁学名被修订为 *Fraxinus mandschurica* Ruprecht。
（2）本种的形态特征与引进的国外种欧梣 *Fraxinus excelsior* Linn. 颇为相似，但后者嫩枝呈圆柱形，干时呈青灰色，叶轴关节处无密集的曲柔毛，可以以此区别。
（3）本种为国家 II 级重点保护野生植物。 |

木犀科 Oleaceae 梣属 Fraxinus

花曲柳
Fraxinus rhynchophylla Hance

| **植物别名** | 大叶梣、大叶白蜡树、苦枥白蜡树。

| **药材名** | 秦皮（药用部位：枝皮或干皮。别名：梣皮、蜡树皮、苦榴皮）。

| **形态特征** | 落叶大乔木。树皮灰褐色，光滑，老时浅裂。冬芽阔卵形。当年生枝淡黄色，去年生枝暗褐色。羽状复叶；叶柄基部膨大；小叶 5 ~ 7，革质，阔卵形、倒卵形或卵状披针形，营养枝的小叶较宽大，顶生小叶显著大于侧生小叶，下方 1 对最小，先端渐尖、骤尖或尾尖，基部钝圆、阔楔形至心形，两侧略歪斜或下延至小叶柄，叶缘具不规则粗锯齿。圆锥花序顶生或腋生于当年生枝枝梢；花序梗细而扁；苞片长披针形，先端渐尖，长约 5mm；花梗长约 5mm；雄花与两性花异株；花萼浅杯状；无花冠；两性花具雄蕊 2，花药椭圆形，雌蕊具短花柱，柱头二叉深裂；雄花花萼小，花丝细。翅果线形。

花曲柳

花期 4 ~ 5 月，果期 9 ~ 10 月。

| **生境分布** | 生于山地阔叶林中、杂木林下，为阔叶林、针阔叶混交林的主要树种。以长白山区为主要分布区域，分布于吉林延边、白山、通化、吉林、辽源（东丰）等。吉林东部地区有栽培。

| **资源情况** | 野生资源较丰富。吉林有栽培。药材主要来源于野生。

| **采收加工** | 春、秋季剥取枝皮或干皮，除去杂质，晒干。

| **药材性状** | 本品枝皮呈卷筒状或槽状，长 10 ~ 60cm，厚 1.5 ~ 3mm。外表面灰白色、灰棕色至黑棕色或相间成斑状，平坦或稍粗糙，并有灰白色圆点状皮孔及细斜皱纹，有的具分枝痕，内表面黄白色或棕色，平滑。质硬而脆，断面具纤维性，黄白色。无臭，味苦。干皮为长条状块片，厚 3 ~ 6mm。外表面灰棕色，有红棕色、圆形或横长的皮孔及龟裂状沟纹。质坚硬，断面纤维性较强。以整齐、长条呈筒状者为佳。

| **功能主治** | 苦、涩，寒。归肝、胆、大肠经。清热燥湿，收涩止痢，止带，明目。用于湿热泻痢，赤白带下，目赤肿痛，目生翳膜。

| **用法用量** | 内服煎汤，6 ~ 12g。外用适量，煎汤洗眼；或取汁点眼。

| **附　　注** | （1）在 FOC 中，本种的拉丁学名被修订为 *Fraxinus chinensis* subsp. *rhynchophylla* (Hance) E. Murray。
（2）本种为吉林省 II 级重点保护野生植物。

茉莉花 *Jasminum sambac* (L.) Ait.

| **植物别名** | 茉莉。

| **药 材 名** | 茉莉花（药用部位：花。别名：白末利、小南强、奈花）、茉莉叶（药
用部位：叶。别名：末利花叶）、茉莉根（药用部位：根）。

| **形态特征** | 直立或攀缘灌木，高达 3m。小枝圆柱形或稍压扁状，有时中空，疏
被柔毛。叶对生，单叶，叶片纸质，圆形、椭圆形、卵状椭圆形或
倒卵形，长 4 ~ 12.5cm，宽 2 ~ 7.5cm，两端圆或钝，基部有时微心形，
侧脉 4 ~ 6 对，在上面稍凹入或凸起，下面凸起，细脉在两面常明显，
微凸起，除下面脉腋间常具簇毛外，其余无毛；叶柄长 2 ~ 6mm，
被短柔毛，具关节。聚伞花序顶生，通常有 3 花，有时单花或多达
5；花序梗长 1 ~ 4.5cm，被短柔毛；苞片微小，锥形，长 4 ~ 8mm；
花梗长 0.3 ~ 2cm；花极芳香；花萼无毛或疏被短柔毛，裂片线形，

茉莉花

长 5 ~ 7mm；花冠白色，花冠管长 0.7 ~ 1.5cm，裂片长圆形至近圆形，宽 5 ~ 9mm，先端圆或钝。果实球形，直径约 1cm，呈紫黑色。花期 5 ~ 8 月，果期 7 ~ 9 月。

| 生境分布 | 生于公园、植物园、庭院等。吉林无野生分布。吉林植物园、庭院有栽培。

| 资源情况 | 吉林偶见栽培。药材主要来源于栽培。

| 采收加工 | 茉莉花：夏季花初开时采收，立即晒干或烘干。
茉莉叶：夏、秋季采收，洗净，鲜用或晒干。
茉莉根：秋、冬季采挖，洗净，切片，鲜用或晒干。

| 药材性状 | 茉莉花：本品多呈扁缩团状，长 1.5 ~ 2cm，直径约 1cm。花萼管状，有细长的裂齿 8 ~ 10。花瓣展平后呈椭圆形，长约 1cm，宽约 5mm，黄棕色至棕褐色，表面光滑无毛，基部联合成管状。质脆。气芳香，味涩。以朵大、色黄白、气香浓者为佳。
茉莉叶：本品多卷曲、皱缩，展平后呈阔卵形或椭圆形，长 4 ~ 12cm，宽 2 ~ 7cm，两端较钝，下面脉腋有黄色簇生毛；叶柄短，长 2 ~ 6mm，微有柔毛。气微香，味微涩。
茉莉根：本品呈纺锤形或圆锥形，直径 2 ~ 7cm，外表面棕褐色至黑褐色，皱缩，质硬，不易折断，断面灰白色至灰褐色，颗粒性，具数个明显的同心环。气香，味甘。

| 功能主治 | 茉莉花：辛、微甘，温。归脾、胃、肝经。理气止痛，辟秽开郁。用于湿浊中阻，胸膈不舒，泻痢腹痛，头晕头痛，目赤，疮毒。
茉莉叶：辛、微苦，温。归肺、胃经。疏风解表，消肿止痛。用于外感发热，泻痢腹胀，脚气肿痛，毒虫螫伤。
茉莉根：麻醉止痛。用于跌打损伤，龋齿疼痛，头痛，失眠。

| 用法用量 | 茉莉花：内服煎汤，3 ~ 10g；或代茶饮。外用适量，煎汤洗目；或菜油浸滴耳。
茉莉叶：内服煎汤，6 ~ 10g。外用适量，煎汤洗；或捣敷。
茉莉根：内服研末，1 ~ 1.5g；或磨汁。外用适量，捣敷；或塞龋洞。

紫丁香
Syringa oblata Lindl.

| **植物别名** | 白丁香、毛紫丁香。

| **药 材 名** | 紫丁香（药用部位：树皮。别名：紫花丁香、华北紫丁香、紫丁白）、
紫丁香叶（药用部位：叶）。

| **形态特征** | 落叶灌木或小乔木。树皮灰褐色或灰色。小枝较粗，疏生皮孔。叶
片革质或厚纸质，卵圆形至肾形，宽常大于长，先端短凸尖至长渐
尖或锐尖，基部心形、截形至近圆形，或宽楔形，上面深绿色，下
面淡绿色；萌枝上叶片常呈长卵形，先端渐尖，基部截形至宽楔形。
圆锥花序直立，由侧芽抽生，近球形或长圆形；萼齿渐尖、锐尖或
钝；花冠紫色，花冠管圆柱形，裂片呈直角开展，卵圆形、椭圆形
至倒卵圆形，先端内弯，略呈兜状，或不内弯；花药黄色，位于距
花冠管喉部 0 ~ 4mm 处。果实倒卵状椭圆形、卵形至长椭圆形，先

紫丁香

端长渐尖，光滑。花期 5 ~ 6 月，果期 9 ~ 10 月。

| 生境分布 | 生于山坡丛林、山沟溪边或山谷路旁等。以长白山区为主要分布区域，分布于吉林延边、白山、通化、吉林、辽源（东丰）等。吉林中部地区有栽培。

| 资源情况 | 野生资源较丰富。吉林有栽培。药材主要来源于栽培。

| 采收加工 | 紫丁香：春、秋季剥取，除去杂质，晒干。
紫丁香叶：夏、秋季采收，洗净，干燥。

| 药材性状 | 紫丁香：本品灰褐色。表面疏生皮孔。质硬而脆，断面具纤维性，黄白色。无臭，味苦。

紫丁香叶：本品多皱缩，有的破碎，完整叶片展平后呈宽卵形，长 5 ~ 12cm，宽 6 ~ 15cm。表面暗绿色或灰绿色。先端渐尖或锐尖，基部近心形，全缘，无毛，沿柄常下延，叶柄长 1 ~ 2.5cm。质脆，易碎。气微，味苦。

| 功能主治 | 紫丁香：苦，寒。归胃、肝、胆经。清热燥湿，止咳定喘。用于湿热痞满，泻痢，黄疸，肺热咳嗽。

紫丁香叶：苦，寒。归肝、肺、大肠经。清热解毒，利湿退黄。用于湿热泄泻，湿热黄疸，肝火目赤肿痛。

| 用法用量 | 紫丁香：内服煎汤，2 ~ 6g。
紫丁香叶：内服煎汤，5 ~ 10g。

| 附　注 | 紫丁香叶已被列入 2019 年版《吉林省中药材标准》第一册。

木犀科 Oleaceae 丁香属 Syringa

关东巧玲花
Syringa pubescens Turcz. subsp. *patula* (Palibin) M. C. Chang et X. L. Chen

关东巧玲花

| 植物别名 |

关东丁香。

| 药 材 名 |

关东丁香（药用部位：叶、树皮）。

| 形态特征 |

落叶灌木，高 1 ~ 4m。树皮灰褐色。小枝带四棱形，被微柔毛、短柔毛或近无毛，疏生皮孔。叶片卵状椭圆形、椭圆形、长椭圆形至披针形，或倒卵形至近圆形，先端尾状渐尖，常歪斜，或近凸尖，叶缘具睫毛，上面深绿色，无毛，稀疏被短柔毛，下面淡绿色，被短柔毛、柔毛至无毛，常沿叶脉或叶脉基部密被或疏被柔毛，或为须状柔毛；叶柄细弱，无毛或被柔毛。圆锥花序直立，通常由侧芽抽生，稀顶生；花序轴、花梗、花萼均被微柔毛、短柔毛或近无毛；花序轴明显四棱形；花梗短；花萼截形，或萼齿锐尖、渐尖或钝；花冠淡紫色、粉红色或白色带蔷薇色，略呈漏斗状，花冠管长 0.7 ~ 1.1cm；花药淡紫色或紫色，着生于距花冠管喉部 0 ~ 1mm 处。果实通常为长椭圆形，先端锐尖或具小尖头。花期 5 ~ 6 月，果期 6 ~ 8 月。

| **生境分布** | 生于山坡灌丛或石砬子上。吉林无野生分布。吉林植物园、公园等有栽培。

| **资源情况** | 吉林有栽培。药材主要来源于栽培。

| **采收加工** | 夏季采摘叶，除去杂质，晒干。春、秋季采剥树皮，晒干。

| **功能主治** | 叶，清热解毒，利湿退黄。用于湿热黄疸，胆胀胁痛。树皮，清肺化痰，止咳平喘，利尿。用于咳嗽咳痰，小便不利。

| **用法用量** | 内服煎汤，2 ~ 6g。

木犀科 Oleaceae 丁香属 Syringa

暴马丁香

Syringa reticulata (Blume) Hara var. *amurensis* (Rupr.) Pringle

暴马丁香

植物别名

白丁香、暴马子。

药材名

暴马子皮（药用部位：干皮或枝皮。别名：暴马子）。

形态特征

落叶小乔木或大乔木，高 4 ～ 15m，具直立或开展的枝条。树皮紫灰褐色，具细裂纹。枝灰褐色，当年生枝绿色或略带紫晕，二年生枝棕褐色，光亮，具较密的皮孔。叶片厚纸质，宽卵形、卵形至椭圆状卵形，或为长圆状披针形，先端短尾尖至尾状渐尖或锐尖，基部常圆形，或为楔形、宽楔形至截形；叶柄无毛。圆锥花序由 1 到多对着生于同一枝条上的侧芽抽生；花序轴、花梗和花萼均无毛；花序轴具皮孔；萼齿钝、凸尖或平截；花冠白色，呈辐状，花冠管裂片卵形，先端锐尖；花丝与花冠裂片近等长或长于裂片，可达 1.5mm，花药黄色。果实长椭圆形，先端常钝，或为锐尖、凸尖，光滑或具细小皮孔。花期 6 ～ 7 月，果期 8 ～ 10 月。

| 生境分布 | 生于林缘、林中。少量山民伐取成材树干制作农具柄杆，野生资源基本保持原生状态。以长白山区为主要分布区域，分布于吉林延边、白山、通化、吉林、辽源（东丰）等。吉林部分地区有栽培。多用作城市园林街道绿植。 |

| 资源情况 | 野生资源较丰富。吉林有栽培。药材主要来源于栽培。 |

| 采收加工 | 春、秋季剥取干皮或枝皮，干燥。 |

| 药材性状 | 本品呈槽状或卷筒状，长短不一。外表面暗灰褐色，嫩皮平滑，有光泽，老皮粗糙，有横纹，横向皮孔椭圆形，暗黄色，外皮薄而韧，内表面淡黄褐色。质脆，易折断，断面不整齐。气微香，味苦。 |

| 功能主治 | 苦，微寒。归肺经。清肺祛痰，止咳平喘，利水。用于咳嗽咳痰，喘息，咳喘痰多，心性水肿。 |

| 用法用量 | 内服煎汤，15 ~ 30g；或入丸、散。 |

| 附　注 | （1）在 FOC 中，本种的拉丁学名被修订为 *Syringa reticulata* subsp. *amurensis* (Ruprecht) P. S. Green & M. C. Chang。 |

（2）暴马丁香被政府列为保护树种，导致其市场原料愈加短缺，收购价格不断上涨，偷砍盗伐野生资源的情况更加严重。受原料产地价格、数量等的制约，国内许多企业因原料不足而导致停产。暴马丁香在国际市场上十分紧俏，其国内市场的需求量也在逐年加大，尤其在农村。作为中药材，暴马丁香主要用于药厂投料生产止咳类中成药，年用量大约在 500t。吉林是暴马丁香药材商品的主要产区之一，年产量在 200 ~ 300t。近年来，由于盲目的采剥暴马丁香，不仅使商品产能过剩，导致价格下跌，同时也对有限的资源造成了严重的破坏。今后我们要在加强资源保护的同时，做到有计划的采收。

（3）2020 年版《中国药典》记载本种的拉丁学名为 *Syringa reticulata* (BL.) Hara var. *mandshurica* (Maxim.) Hara。

木犀科 Oleaceae 丁香属 Syringa

红丁香 *Syringa villosa* Vahl

红丁香

| 植物别名 |

白丁香、暴马子。

| 药 材 名 |

红丁香（药用部位：花蕾）。

| 形态特征 |

落叶灌木，高达 4m。枝直立，粗壮，灰褐色，具皮孔，小枝淡灰棕色，具皮孔。叶片卵形、椭圆状卵形、宽椭圆形至倒卵状长椭圆形，先端锐尖或短渐尖，基部楔形或宽楔形至近圆形，上面深绿色，下面粉绿色；叶柄长 0.8 ~ 2.5cm。圆锥花序直立，由顶芽抽生，长圆形或塔形；花序轴与花梗、花萼无毛，或被微柔毛、短柔毛或柔毛；花序轴具皮孔；花芳香；萼齿锐尖或钝；花冠淡紫红色、粉红色至白色，花冠管细弱，稀直径达 3mm，近圆柱形，裂片成熟时呈直角向外展开，卵形或长圆状椭圆形，先端内弯，呈兜状而具喙，喙凸出；花药黄色，位于花冠管喉部或稍凸出。果实长圆形，先端凸尖，皮孔不明显。花期 5 ~ 6 月，果期 9 月。

| 生境分布 |

生于山坡砾石、沟谷河边。分布于吉林延边、

白山、通化等。

| **资源情况** | 野生资源较少。药材主要来源于野生。

| **采收加工** | 当花蕾变红时采摘，晒干。

| **功能主治** | 温胃散寒，降逆止呕。用于胃寒冷痛，呕吐。

木犀科 Oleaceae 丁香属 Syringa

辽东丁香 *Syringa wolfii* Schneid.

| 植物别名 | 朝鲜丁香。

| 药 材 名 | 辽东丁香（药用部位：叶、树皮）。

| 形态特征 | 落叶直立灌木，高达 6m。枝粗壮，灰色，疏生白色皮孔，当年生枝绿色，二年生枝灰黄色或灰褐色，疏生皮孔。叶片椭圆状长圆形、椭圆状披针形、椭圆形或倒卵状长圆形，先端锐尖、短渐尖或渐尖，稀钝，基部楔形、宽楔形至近圆形，叶缘具睫毛，上面深绿色，下面淡绿色或粉绿色；叶柄长 1 ~ 3cm。圆锥花序直立，由顶芽抽生；花梗长 0 ~ 2mm；花芳香；花萼截形，或萼齿锐尖至钝；花冠紫色、淡紫色、紫红色或深红色，漏斗状，花冠管长 1 ~ 1.4cm，裂片近直立或开展，不反折，长圆状卵形至卵形，先端内弯，呈兜状而具喙；花药黄色，位于距花冠管喉部 0 ~ 1.5mm 处。果实长圆形，先端近

辽东丁香

骤凸或凸尖，皮孔不明显。花期 6 月，果期 8 月。

| **生境分布** | 生于山坡杂木林、灌丛、林缘、河边或针阔叶混交林。以长白山区为主要分布区域，分布于吉林延边、白山、通化、吉林、辽源（东丰）等。

| **资源情况** | 野生资源较少。药材主要来源于野生。

| **采收加工** | 夏、秋季采收叶，晒干或鲜用。春、秋季剥取树皮，除去杂质，晒干。

| **功能主治** | 叶，清肺化痰，止咳平喘，利尿。用于咳嗽咳痰，喘息，小便不利。树皮，清肺化痰。用于咳嗽痰多，肺风痰喘。

| **附　注** | （1）在 FOC 中，本种的拉丁学名被修订为 *Syringa villosa* subsp. *wolfii* (C. K. Schneider) J. Y. Chen & D. Y. Hong。
（2）本种为吉林省Ⅲ级重点保护野生植物。

龙胆科 Gentianaceae 百金花属 Centaurium

百金花

Centaurium pulchellum (Swartz) Druce var. *altaicum* (Griseb.) Kitag.

百金花

| 植物别名 |

麦氏埃蕾、东北埃蕾。

| 药 材 名 |

埃蕾（药用部位：带花全草。别名：东北埃蕾）。

| 形态特征 |

一年生草本。茎直立，浅绿色，多分枝。叶无柄，叶脉 1 ~ 3；中下部叶椭圆形或卵状椭圆形，先端钝；上部叶椭圆状披针形，先端急尖。花多数，排列成疏散的二歧式或总状复聚伞花序；花具明显的花梗；花萼 5 深裂，裂片钻形，边缘膜质，中脉在背面高高凸起成脊状；花冠白色或粉红色，漏斗形，花冠筒狭长，圆柱形，喉部突然膨大，先端 5 裂，狭矩圆形，先端钝，全缘；雄蕊 5，稍外露，着生于花冠筒喉部，整齐，花丝短，线形，花药矩圆形；子房半二室，椭圆形，花柱细，丝状，长 2 ~ 2.2mm，柱头 2 裂，裂片膨大，圆形。蒴果无柄，椭圆形，长 7.5 ~ 9mm，先端具长的宿存花柱；种子黑褐色，球形。花期 5 ~ 6 月，果期 6 ~ 7 月。

| 生境分布 | 生于荒漠地区的湖盆、湿润或盐渍化的沙地、潮湿的田野、草地、海滨、水边等。分布于吉林四平（双辽）、松原（长岭）、白城（大安）等。

| 资源情况 | 野生资源较少。药材主要来源于野生。

| 采收加工 | 5～6月花开时采收，除去杂质，晒干。

| 药材性状 | 本品根纤细，生有须根，表面淡黄色或淡褐黄色。茎细，具4纵棱，有分枝，长短不等，表面黄绿色，光滑无毛。质脆，易折断，断面中空。叶对生，多脱落或破碎，完整叶片呈椭圆形或披针形，表面黄绿色或灰绿色，光滑无毛，无叶柄。花白色或淡黄色。气微，味微苦。

| 功能主治 | 苦，寒。归肝、胃经。清热解毒，散瘀止痛，接骨，消肿。用于急性胆囊炎，肝炎，黄疸，泄泻，乳蛾，跌打损伤，骨折，关节肿痛，咽喉疼痛，牙痛，头痛，发热。

| 用法用量 | 内服煎汤，6～9g。

龙胆科 | Gentianaceae　龙胆属 | Gentiana

高山龙胆 *Gentiana algida* Pall.

| **植物别名** | 白花龙胆、苦龙胆。

| **药　材　名** | 高山龙胆（药用部位：全草。别名：白花龙胆、无茎龙胆、麻龙胆）。

| **形态特征** | 多年生草本，基部被黑褐色枯老膜质叶鞘包围。根茎短缩，直立或斜伸，具多数略肉质的须根。枝 2 ~ 4 丛生，其中有 1 ~ 3 个营养枝和 1 个花枝；花枝直立，黄绿色，近圆形。叶大部分基生，常对折，线状椭圆形和线状披针形，叶脉 1 ~ 3；茎生叶 1 ~ 3 对，叶片狭椭圆形或椭圆状披针形，两端钝，叶脉 1 ~ 3。花常 1 ~ 3，稀至 5，顶生；花萼钟形或倒锥形，萼筒膜质，萼齿不整齐；花冠黄白色，具多数深蓝色斑点，裂片三角形或卵状三角形；雄蕊着生于花冠筒中下部，整齐，花丝线状钻形，长 13 ~ 16mm，花药狭矩圆形；子房线状披针形，花柱细。蒴果内藏或外露，椭圆状披针形，长 2 ~

高山龙胆

3cm；种子黄褐色，有光泽，宽矩圆形或近圆形。花期 7 ~ 8 月，果期 9 月。

| 生境分布 | 生于山坡草地、河滩草地、灌丛、林下、高山冻原。分布于吉林白山（抚松、长白）、延边（安图）等。

| 资源情况 | 野生资源稀少。药材主要来源于野生。

| 采收加工 | 8 ~ 9 月采收，洗净，切段，晒干。

| 功能主治 | 苦，寒。清肝火，除湿热，健胃，镇咳。用于流行性脑脊髓膜炎，目赤肿痛，咽喉疼痛，肺热咳嗽，胃脘胀痛，淋证，阴痒，阴囊湿疹。

| 用法用量 | 内服煎汤，3 ~ 9g。

| 附　　注 | 本种为吉林省 II 级重点保护野生植物。

龙胆科 Gentianaceae 龙胆属 Gentiana

长白山龙胆 *Gentiana jamesii* Hemsl.

| **植物别名** | 白山龙胆。

| **药 材 名** | 长白山龙胆（药用部位：根及根茎）。

| **形态特征** | 多年生草本，高 10 ~ 18cm，具匍匐茎。茎直立，常带紫红色。叶略肉质，宽披针形或卵状矩圆形，先端钝，基部钝圆，半抱茎，边缘外卷，叶柄光滑，极短；下部叶较密集，长于节间，有时呈莲座状，中、上部叶开展，疏离，远较节间短。花数朵，单生于小枝先端；花梗紫红色，藏于最上部叶中；花萼倒锥形，萼筒膜质，裂片略肉质，开展或外折，绿色，叶状；花冠蓝色或蓝紫色，宽筒形，裂片卵状椭圆形或矩圆形，先端钝圆；雄蕊着生于花冠筒中部，整齐，花丝丝状钻形，花药狭矩圆形；子房椭圆形，花柱线形，柱头2裂，裂片宽矩圆形。蒴果内藏，宽矩圆形，先端钝圆，具宽翅；种

长白山龙胆

子褐色。花期 7 ~ 8 月，果期 8 ~ 9 月。

| 生境分布 | 生于山顶草甸、草地、林缘或高山冻原。分布于吉林延边（安图）、白山（抚松、长白、临江）等。

| 资源情况 | 野生资源稀少。药材主要来源于野生。

| 采收加工 | 春、秋季采挖，除去地上残茎，洗净泥土，低温烘干或晒干。

| 功能主治 | 苦，寒。清热燥湿，泻肝定惊。用于湿热黄疸，小便淋痛，阴肿阴痒，湿热带下，肝胆实火之头涨头痛，目赤肿痛，耳聋耳肿，胁痛口苦，热病惊风抽搐。

| 附 注 | 本种为吉林省 Ⅲ 级重点保护野生植物。

龙胆科 Gentianaceae 龙胆属 Gentiana

条叶龙胆
Gentiana manshurica Kitag.

| **药 材 名** | 龙胆（药用部位：根及根茎。别名：关龙胆、龙胆草、山龙胆）。

| **形态特征** | 多年生草本，高20～30cm。根茎平卧或直立，短缩或长达4cm，具多数粗壮、略肉质的须根。茎下部叶膜质，淡紫红色，鳞片形，长5～8mm，上部分离，中部以下联合成鞘状抱茎；茎中、上部叶近革质，无柄，线状披针形至线形，长3～10cm，宽0.3～0.9（～1.4）cm，愈向茎上部叶愈小，先端急尖或近急尖，基部钝，边缘微外卷，平滑，上面具极细的乳突，下面光滑，叶脉1～3，仅中脉明显，并在下面凸起，光滑。花枝单生，直立，黄绿色或带紫红色，中空，近圆形，具条棱，光滑。花1～2，顶生或腋生；无花梗或具短梗；每花下具2苞片，苞片线状披针形，与花萼近等长，长1.5～2cm；萼筒钟状，长8～10mm，裂片稍不整齐，线形或线

条叶龙胆

状披针形，长 8 ~ 15mm，先端急尖，边缘微外卷，平滑，中脉在背面凸起，弯缺截形；花冠蓝紫色或紫色，筒状钟形，长 4 ~ 5cm，裂片卵状三角形，长 7 ~ 9mm，先端渐尖，全缘，褶偏斜，卵形，长 3.5 ~ 4mm，先端钝，边缘有不整齐的细齿；雄蕊着生于花冠筒下部，整齐，花丝钻形，长 9 ~ 12mm，花药狭矩圆形，长 3.5 ~ 4mm；子房狭椭圆形或椭圆状披针形，长 6 ~ 7mm，两端渐狭，柄长 7 ~ 9mm，花柱短，连柱头长 2 ~ 3mm，柱头 2 裂。蒴果内藏，宽椭圆形，两端钝，柄长至2cm；种子褐色，有光泽，线形或纺锤形，长 1.8 ~ 2.2mm，表面具增粗的网纹，两端具翅。花果期 8 ~ 11 月。

| **生境分布** | 生于海拔 100 ~ 1100m 的山坡草地、湿草地、路旁。分布于吉林白山、通化等。

| **资源情况** | 野生资源较少。偶有栽培。药材主要来源于野生。

| **采收加工** | 春、秋季采挖，除去地上残茎，洗净泥土，低温烘干或晒干。

| **药材性状** | 本品根茎呈不规则的块状，长 1 ~ 3cm，直径 0.3 ~ 1cm；表面暗灰棕色或深棕色，上端有茎痕或残留茎基，周围和下端着生多数细长的根。根圆柱形，略扭曲，长 10 ~ 20cm，直径 0.2 ~ 0.5cm；表面淡黄色或黄棕色，上部多有显著的横皱纹，下部较细，有纵皱纹及支根痕。质脆，易折断，断面略平坦，皮部黄白色或淡黄棕色，木部色较浅，呈点状环列。气微，味甚苦。

| **功能主治** | 苦，寒。归肝、胆经。清热燥湿，泻肝胆火。用于湿热黄疸，阴肿阴痒，带下，湿疹瘙痒，肝火目赤，耳鸣耳聋，胁痛口苦，强中，惊风抽搐。

| **用法用量** | 内服煎汤，3 ~ 6g；或入丸、散。外用适量，煎汤洗；或研末调搽。

龙胆科 Gentianaceae 龙胆属 Gentiana

假水生龙胆

Gentiana pseudo-aquatica Kusnez.

| **植物别名** | 苦地胆。

| **药 材 名** | 假水生龙胆（药用部位：全草）。

| **形态特征** | 一年生草本，高 3 ~ 5cm。茎紫红色或黄绿色，密被乳突，自基部
多分枝，似丛生状，枝再作多次二歧分枝，铺散，斜升。叶先端钝
圆或急尖，向外反折，边缘软骨质，具极细乳突，两面光滑，中脉
软骨质，在背面凸起；基生叶大，在花期枯萎，宿存，卵圆形或圆形，
长 3 ~ 6mm，宽 3 ~ 5mm，叶柄宽，长 1 ~ 2mm；茎生叶疏离或密
集，覆瓦状排列，倒卵形或匙形，长 3 ~ 5mm，宽 2 ~ 3mm，叶柄
边缘具乳突，背面光滑，联合成长 1 ~ 1.5mm 的筒。花多数，单生
于小枝先端；花梗紫红色或黄绿色，长 2 ~ 13mm，藏于上部叶中
或裸露；花萼筒状漏斗形，长 5 ~ 6mm，裂片三角形，长 1.5 ~ 2mm，

假水生龙胆

先端急尖，边缘膜质，狭窄，光滑，中脉在背面呈脊状凸起，并下延至萼筒基部，弯缺截形；花冠深蓝色，外面常具黄绿色宽条纹，漏斗形，长 9 ~ 14mm，裂片卵形，长 2 ~ 2.5mm，先端急尖或钝，褶卵形，长 1.5 ~ 2mm，先端钝，全缘或边缘啮蚀形；雄蕊着生于花冠筒中下部，整齐，花丝丝状，长 3 ~ 3.5mm，花药矩圆形，长 1 ~ 1.5mm；子房狭椭圆形，长 2.5 ~ 3.5mm，两端渐狭，柄粗而短，长 1 ~ 2mm，花柱线形，连柱头长 1.5 ~ 2mm，柱头 2 裂，裂片外卷，线形。蒴果外露，倒卵状矩圆形，长 3 ~ 4mm，先端圆形，有宽翅，两侧边缘有狭翅，基部钝，柄长至 18mm；种子褐色，椭圆形，长 1 ~ 1.2mm，表面具明显的细网纹。花果期 4 ~ 8 月。

| **生境分布** | 生于海拔 1100 ~ 4650m 的河滩、水沟边、山坡草地、山谷潮湿地、沼泽草甸、林间空地或林下、灌丛草甸。分布于吉林延边、白山、通化等。

| **资源情况** | 野生资源较少。药材主要来源于野生。

| **采收加工** | 夏、秋季采收，洗净，除去杂质，晒干。

| **功能主治** | 清热解毒，利湿消肿。用于湿热黄疸，小便淋痛，湿热带下，水肿。

龙胆科 Gentianaceae 龙胆属 Gentiana

鳞叶龙胆

Gentiana squarrosa Ledeb.

| **植物别名** | 鳞片龙胆、岩龙胆、小龙胆。

| **药 材 名** | 石龙胆（药用部位：带花全草。别名：蓝花地丁、龙胆地丁、小龙胆）。

| **形态特征** | 一年生草本。茎黄绿色或紫红色，自基部起多分枝，枝铺散，斜升。叶先端钝圆或急尖，具短小尖头，基部渐狭，边缘厚软骨质，密生细乳突，中脉白色，软骨质，叶柄白色，膜质，边缘具短睫毛；基生叶大，在花期枯萎，宿存，卵形、卵圆形或卵状椭圆形；茎生叶小。花多数，单生于小枝先端；花梗黄绿色或紫红色，密被黄绿色乳突，长 2 ~ 8mm；花萼倒锥状筒形，裂片向外反折，叶状，卵圆形或卵形；花冠蓝色，筒状漏斗形，裂片卵状三角形，先端钝，无小尖头；雄蕊着生于花冠筒中部，整齐，花丝丝状，花药矩圆形；子房宽椭圆形，花柱柱状，柱头 2 裂。蒴果外露，倒卵状矩圆形，长 3.5 ~

鳞叶龙胆

5.5mm；种子黑褐色，长 0.8 ～ 1mm。花期 5 月，果期 6 月。

| 生境分布 | 生于山坡、山谷、山顶、干草原、河滩、荒地、路边、灌丛或高山草甸。以长白山区为主要分布区域，分布于吉林延边、白山、通化、吉林、辽源（东丰）、松原（长岭）等。

| 资源情况 | 野生资源较少。药材主要来源于野生。

| 采收加工 | 春末夏初采收，洗净，晒干或鲜用。

| 药材性状 | 本品卷曲。根细小，棕色。茎纤细，近四棱形，多分枝，表面黄色或黄绿色，密被短绒毛；质脆，易折断，断面黄色。叶对生，基部合生成筒而抱茎；脱落或破碎，完整叶呈倒卵形或倒披针形，先端反卷，具芒刺，边缘软骨质，表面黄绿色或灰绿色；质脆，易碎。花萼钟状，5 裂，裂片卵形，先端有芒刺；花冠钟状，长约 8mm，裂片 5，卵形，先端锐尖，褶三角形，淡黄色。气微，味微苦。

| 功能主治 | 苦、辛，寒。归肺、肝、心经。清热降火，消肿解毒，利湿。用于咽喉肿痛，带下，血尿，肠痈，疔疮，痈疮肿毒，瘰疬，目赤肿痛。

| 用法用量 | 内服煎汤，10 ～ 15g，鲜品 15 ～ 30g。外用适量，鲜品捣敷；或干品研末调敷。

龙胆科 Gentianaceae 龙胆属 Gentiana

三花龙胆 *Gentiana triflora* Pall.

| **植物别名** | 东北龙胆。

| **药 材 名** | 龙胆（药用部位：根及根茎。别名：关龙胆、龙胆草、山龙胆）。

| **形态特征** | 多年生草本，高 35 ~ 80cm。根茎平卧或直立，具多数粗壮、略肉质的须根。茎下部叶膜质，淡紫红色，鳞片形，中部以下联合成筒状抱茎；中、上部叶近革质，线状披针形至线形，愈向茎上部叶愈小，先端急尖或近急尖，叶脉 1 ~ 3。花枝单生，直立，下部黄绿色，上部紫红色。花多数，稀 3，簇生于枝顶及叶腋；无花梗；每花下具 2 苞片，苞片披针形；花萼外面紫红色，萼筒钟形，长 10 ~ 12mm；花冠蓝紫色，钟形，裂片卵圆形，先端钝圆；雄蕊着生于花冠筒中部，整齐，花丝钻形，花药狭矩圆形；子房狭椭圆形。蒴果内藏，宽椭圆形，两端钝，柄长至 1cm；种子褐色，有光泽，

三花龙胆

线形或纺锤形。花期 8 ~ 9 月；果期 9 ~ 10 月。

| 生境分布 |

生于林缘、灌丛、草甸或路旁等。分布于吉林东部和南部地区，中部地区也有分布。吉林省东部山区，中部半山区。

| 资源情况 |

野生资源丰富。药材主要来源于野生。

| 采收加工 |

同"条叶龙胆"。

| 药材性状 |

同"条叶龙胆"。

| 功能主治 |

同"条叶龙胆"。

| 用法用量 |

同"条叶龙胆"。

| 附　　注 |

本种为吉林省Ⅲ级重点保护野生植物。

龙胆科 Gentianaceae 龙胆属 Gentiana

朝鲜龙胆
Gentiana uchiyamai Nakai

| 植物别名 | 金刚龙胆、水龙胆、龙胆草。

| 药 材 名 | 朝鲜龙胆（药用部位：根及根茎）。

| 形态特征 | 多年生草本。根茎平卧或直立，短缩或长达 4cm，具多数粗壮、略肉质的须根。茎下部叶膜质，淡紫红色，鳞片形，上部分离，中部以下联合成筒状抱茎；茎中、上部叶草质，披针形，愈向茎上部叶愈小，叶脉 1 ~ 3。花枝单生，直立，黄绿色，中空。花多数，簇生于枝顶及叶腋，有时还从上部叶腋内抽出长达 12mm 的总花梗；无花梗；每花下具 2 苞片，苞片卵状披针形；花冠蓝紫色，漏斗形或筒状钟形，裂片卵形，先端钝，全缘，褶偏斜，截形或宽三角形；雄蕊着生于花冠筒中部，整齐，花丝钻形，花药狭矩圆形；子房线状椭圆形，花柱短。蒴果内藏，宽椭圆形；种子褐色，线形或纺锤形。

朝鲜龙胆

花期 8 ~ 9 月，果期 9 ~ 10 月。

| **生境分布** | 生于湿草甸、林缘湿地、沟边等。以长白山区为主要分布区域，分布于吉林延边、白山、通化、吉林、辽源（东丰）等。

| **资源情况** | 野生资源较丰富。药材主要来源于野生。

| **采收加工** | 春、秋季采挖，除去地上残茎，洗净泥土，低温烘干或晒干。

| **药材性状** | 本品根茎呈不规则的块状，表面灰棕色至深棕色，上端有残留茎基或茎痕，周围及下端有多数细长的根。根呈细长圆柱形，表面黄棕色或棕色，上端有多数明显的横皱纹，下端较细，具纵皱纹和支根痕。质脆，易折断。气微，味极苦。

| **功能主治** | 苦，寒。解热，健胃。用于饮食积滞，表证发热。

龙胆科 Gentianaceae 龙胆属 Gentiana

笔龙胆
Gentiana zollingeri Fawcett

| 植物别名 | 绍氏龙胆。

| 药 材 名 | 笔龙胆（药用部位：全草）。

| 形态特征 | 一年生草本。茎直立，紫红色，从基部起分枝，稀不分枝。叶卵圆形或卵圆状匙形，先端钝圆或圆形，具小尖头，边缘软骨质，叶脉1～3，中脉在下面呈脊状凸起，叶柄光滑，有时最上部叶狭窄，披针形或狭椭圆形，先端渐尖，有短小尖头；茎生叶常密集，覆瓦状排列，稀疏离；基生叶在花期不枯萎，与茎生叶相似而较小。花多数，单生于小枝先端，小枝密集，呈伞房状；花萼漏斗形，裂片狭三角形或卵状椭圆形；花冠淡蓝色，外面具黄绿色宽条纹，漏斗形，裂片卵形；雄蕊着生于花冠筒中部，整齐，花丝丝状钻形，花药矩圆形；子房椭圆形。蒴果外露或内藏，倒卵状矩圆形；种子褐色，椭圆

笔龙胆

形，表面具细网纹。花期 4 ~ 5 月，果期 5 ~ 6 月。

| **生境分布** | 生于草坡、林缘、草丛。分布于吉林延边、白山、通化等。

| **资源情况** | 野生资源较丰富。药材主要来源于野生。

| **采收加工** | 夏、秋季采收，洗净，晒干或鲜用。

| **功能主治** | 清热解毒。用于咽喉肿痛。

龙胆科 Gentianaceae 花锚属 Halenia

花锚
Halenia corniculata (L.) Cornaz

| 植物别名 | 金锚、西伯利亚花锚。

| 药 材 名 | 花锚（药用部位：全草。别名：金锚）。

| 形态特征 | 一年生草本，直立，高 20 ~ 70cm。根具分枝，黄色或褐色。茎近四棱形，具细条棱，从基部起分枝。基生叶倒卵形或椭圆形，先端圆或钝尖，基部楔形，柄长 1 ~ 1.5cm，通常早枯萎；茎生叶椭圆状披针形或卵形，先端渐尖，基部宽楔形或近圆形。聚伞花序顶生和腋生；花 4 基数；花萼裂片狭三角状披针形；花冠黄色，钟形，花冠筒长 4 ~ 5mm，裂片卵形或椭圆形，先端具小尖头，距长 4 ~ 6mm；雄蕊内藏，花药近圆形，直径约 0.8mm；子房纺锤形，柱头 2 裂，外卷。蒴果卵圆形，淡褐色，先端 2 瓣开裂；种子褐色，椭圆形或近圆形。花果期 7 ~ 9 月。

花锚

| **生境分布** | 生于山坡草地、林下、林缘或高山苔原带上。以长白山区为主要分布区域，分布于吉林延边、白山、通化、吉林、辽源（东丰）等。 |

| **资源情况** | 野生资源较少。药材主要来源于野生。 |

| **采收加工** | 夏、秋季采收，阴干。 |

| **药材性状** | 本品根呈圆锥形，表面褐色，栓皮易脱落。茎类圆柱形，表面绿色或黄绿色，有 4 较明显的纵棱。质脆，易折断，断面中空。叶对生，多皱缩、破碎，完整者展平后呈椭圆状披针形，全缘，具明显的 3 ~ 5 脉，无柄。聚伞花序顶生和腋生，萼片条形或线状披针形，花冠黄色或淡绿色。蒴果矩圆状披针形，棕褐色。气微，味苦、微甘。 |

| **功能主治** | 甘、苦，寒。归心、肝经。清热解毒，凉血止血。用于黄疸性肝炎，脉管炎，外伤感染发热，外伤出血。 |

| **用法用量** | 内服煎汤，5 ~ 10g；或入丸、散。外用适量，捣敷。 |

龙胆科 Gentianaceae 睡菜属 Menyanthes

睡菜 *Menyanthes trifoliata* L.

睡菜

| 植物别名 |

绰菜、醉草。

| 药 材 名 |

睡菜（药用部位：全草。别名：绰菜、瞑菜、醉草）、睡菜根（药用部位：根茎。别名：过江龙）。

| 形态特征 |

多年生沼生草本。匍匐状根茎粗大。叶全部基生，挺出水面，三出复叶，小叶椭圆形，先端钝圆，基部楔形，全缘，或边缘微波状，中脉明显，总叶柄长 12 ~ 30cm，下部变宽，鞘状。花葶由根茎先端鳞片形叶的叶腋中抽出；总状花序多花；苞片卵形，先端钝，全缘；花梗斜伸；花 5 基数；花萼分裂至近基部，萼筒甚短，裂片卵形；花冠白色，筒形，上部内面具白色长流苏状毛，裂片椭圆状披针形，先端钝；雄蕊着生于花冠筒中部，整齐，花丝扁平，线形，花药箭形；子房无柄，椭圆形，先端钝，花柱线形，柱头不膨大，2裂，裂片矩圆形。蒴果球形；种子鼓胀，圆形，长 2 ~ 2.5mm。花期 5 ~ 6 月，果期 7 ~ 8 月。

| **生境分布** | 生于沼泽地、水甸子或湖边浅水中，常成片生长。以长白山区为主要分布区域，分布于吉林延边、白山、通化、吉林、辽源（东丰）等。 |

| **资源情况** | 野生资源较丰富。药材主要来源于野生。 |

| **采收加工** | 睡菜：夏、秋季采收，晒干或鲜用。
睡菜根：秋季采挖，除去杂质和泥沙，晒干。 |

| **药材性状** | 睡菜：本品长 20 ~ 30cm。根茎长条形。三出复叶，叶柄长，小叶无柄。完整叶片稍厚，略呈肉质，长椭圆形，长 4 ~ 8cm，宽 2 ~ 4cm，先端钝圆，基部楔形，上部叶缘微波状。花茎不分枝，长可达 35cm，总状花序。气微，味微苦。
睡菜根：本品呈匍匐状，粗大。 |

| **功能主治** | 睡菜：甘、微苦，寒。归心、脾经。清热利尿，健胃消食，安心养神。用于胃痛，胃炎，饮食积滞，消化不良，胆囊炎，黄疸，心悸失眠，心神不安，高血压。
睡菜根：甘、微苦，平。润肺止咳，消肿。用于肺燥咳嗽。 |

| **用法用量** | 睡菜：内服煎汤，10 ~ 15g；或捣汁。
睡菜根：内服煎汤，10 ~ 15g，鲜品 30g。 |

龙胆科 Gentianaceae 荇菜属 Nymphoides

金银莲花 *Nymphoides indica* (L.) O. Kuntze

| 植物别名 | 白花莕菜、印度荇菜。

| 药 材 名 | 铜芫菜（药用部位：全草。别名：白花荇菜）。

| 形态特征 | 多年生水生草本。茎圆柱形，不分枝，形似叶柄，顶生单叶。叶漂浮，近革质，宽卵圆形或近圆形，下面密生腺体，基部心形，全缘，具不甚明显的掌状叶脉，叶柄短，圆柱形。花多数，簇生于节上，5基数；花梗细弱，圆柱形，不等长，长 3 ~ 5cm；花萼分裂至近基部，裂片长椭圆形至披针形，先端钝，脉不明显；花冠白色，基部黄色，分裂至近基部，花冠筒短，具 5 束长柔毛，裂片卵状椭圆形，先端钝，腹面密生流苏状长柔毛；雄蕊着生于花冠筒上，整齐，花丝短，扁平，线形，花药箭形；子房无柄，圆锥形，花柱粗壮，圆柱形，柱头膨大，2 裂，裂片三角形。蒴果椭圆形，开裂；种子鼓胀，褐色，近球形，

金银莲花

光滑。花期 8 ~ 9 月，果期 9 ~ 10 月。

| **生境分布** | 生于水泡子或池塘中，常成片生长。分布于吉林通化（集安）等。

| **资源情况** | 野生资源稀少。药材主要来源于野生。

| **采收加工** | 夏、秋季采收，除去杂质，晒干。

| **药材性状** | 本品全草皱缩，光滑无毛。茎圆柱形，不分枝，形如叶柄，先端单生 1 叶。叶片近圆形，长 3 ~ 11cm，基部深心形，全缘；革质。气微，味辛。

| **功能主治** | 辛，寒。清热解毒，消肿利尿，生津养胃。用于水肿，小便不利，津伤口渴，胃阴亏虚。

| **用法用量** | 内服煎汤，10 ~ 15g。

荇菜
Nymphoides peltatum (Gmel.) O. Kuntze

| 植物别名 | 莕菜、莲叶荇菜、水镜草。

| 药 材 名 | 荇菜（药用部位：全草。别名：莕菜、姜余、水镜草）。

| 形态特征 | 多年生水生草本。茎圆柱形，多分枝，密生褐色斑点，节下生根。上部叶对生，下部叶互生，叶片漂浮，近革质，圆形或卵圆形，基部心形，全缘，有不明显的掌状叶脉，下面紫褐色，密生腺体，粗糙，上面光滑，叶柄圆柱形，基部变宽，呈鞘状，半抱茎。花常多数，簇生于节上，5基数；花梗圆柱形，不等长，稍短于叶柄；花冠金黄色，分裂至近基部，花冠筒短，喉部具5束长柔毛，裂片宽倒卵形，先端圆形或凹陷，中部质厚的部分呈卵状长圆形，边缘宽膜质，近透明，具不整齐的细条裂齿；雄蕊着生于花冠筒上，整齐，花丝基部疏被长毛；在长花柱的花中，花柱柱头大，2裂，裂片近圆形，

荇菜

花药长 2 ~ 3.5mm；腺体 5，黄色，环绕子房基部。蒴果无柄，椭圆形，宿存花柱长 1 ~ 3mm，成熟时不开裂；种子大，褐色，椭圆形，边缘密生睫毛。花果期 4 ~ 10 月。

| **生境分布** | 生于池塘或不甚流动的河溪中。以长白山区为主要分布区域，分布于吉林延边、白山、通化、吉林、辽源（东丰）等。

| **资源情况** | 野生资源较丰富。药材主要来源于野生。

| **采收加工** | 夏、秋季采收，除去杂质，鲜用或晒干。

| **药材性状** | 本品多缠绕成团。茎细长，多分枝，节处生不定根。叶对生或互生，叶片多皱缩，完整叶片呈近圆形或卵圆形，长 1.5 ~ 7cm，基部深心形，近革质。叶柄基部渐宽，抱茎。气微，味辛。

| **功能主治** | 辛，寒。归膀胱经。清热解毒，消肿利尿，发汗透疹。用于风寒感冒，麻疹透发不畅，荨麻疹，水肿，小便不利，热淋，痈肿，毒蛇咬伤。

| **用法用量** | 内服煎汤，10 ~ 15g。外用适量，鲜品捣敷。

龙胆科 Gentianaceae 翼萼蔓属 Pterygocalyx

翼萼蔓
Pterygocalyx volubilis Maxim.

翼萼蔓

| 植物别名 |

翼萼蔓龙胆、双蝴蝶。

| 药 材 名 |

翼萼蔓（药用部位：全草）。

| 形态特征 |

一年生草本。茎缠绕、蔓生、线状，有细条棱，通常无分枝，节间长 5 ~ 10cm。叶薄质，披针形、卵状披针形或狭披针形，先端渐尖，基部宽楔形，全缘，叶脉 1 ~ 3，叶柄宽扁，基部抱茎。花 1 ~ 3 腋生或顶生，单生或呈聚伞花序；花梗纤细，通常比叶短；花萼膜质，钟形，萼筒长 1cm，裂片披针形；花冠蓝色，花冠筒裂片矩圆形，先端圆形；雄蕊着生于花冠筒中部，花丝丝状，花药卵形，长约 2mm；子房椭圆形，稍扁，具短柄，柄长约 3mm，花柱短，柱头 2 裂，呈半圆状扇形，先端鸡冠状。蒴果椭圆形；种子褐色，椭圆形，具宽翅。花期 8 ~ 9 月，果期 9 ~ 10 月。

| 生境分布 |

生于阔叶林林下、林缘。以长白山区为主要分布区域，分布于吉林延边、白山、通化、

吉林、辽源（东丰）等。

| **资源情况** | 野生资源较少。药材主要来源于野生。

| **采收加工** | 夏、秋季采收，除去杂质，晒干。

| **功能主治** | 苦，寒。清热解毒。用于肺炎，咳嗽，肺结核。

北方獐牙菜 *Swertia diluta* (Turcz.) Benth. et Hook. f.

北方獐牙菜

| 植物别名 |

淡花獐牙菜。

| 药 材 名 |

淡花当药（药用部位：全草。别名：獐牙菜、加达、当药）。

| 形态特征 |

一年生草本。根黄色。茎直立，四棱形，棱上具窄翅，多分枝，枝细瘦，斜升。叶无柄，线状披针形至线形，长 10 ~ 45mm，宽 1.5 ~ 9mm，两端渐狭，下面中脉明显凸起。圆锥状复聚伞花序具多数花；花梗直立，四棱形；花 5 基数，直径 1 ~ 1.5cm；花萼绿色，长于或等于花冠，裂片线形，先端锐尖，背面中脉明显；花冠浅蓝色，裂片椭圆状披针形，先端急尖，基部有 2 腺体，腺体窄矩圆形，沟状，边缘具长柔毛状流苏；花丝线形，长达 6mm，花药狭矩圆形；子房无柄，椭圆状卵形至卵状披针形，花柱粗短，柱头 2 裂，裂片半圆形。蒴果卵形；种子深褐色，矩圆形，表面具小瘤状突起。花期 8 ~ 9 月，果期 9 ~ 10 月。

生境分布	生于阴湿山坡、山坡林下、田边或谷地等。吉林各地均有分布。
资源情况	野生资源较少。药材主要来源于野生。
采收加工	夏、秋季采收，除去杂质，晒干。

药材性状	本品长 20 ～ 40cm。茎纤细，多分枝，具 4 棱，浅黄色，有时略带紫褐色。叶对生，多皱缩。完整叶片呈披针形或长椭圆形，长 2 ～ 4cm，宽 3 ～ 10mm，先端尖，基部楔形，全缘，无柄。有时在顶部或叶腋可见聚伞花序。花冠淡蓝紫色，5 深裂，基部内侧有 2 腺体，其边缘有流苏状毛。气微，味微苦。

功能主治	苦，寒。归肝、胃、大肠经。清热解毒。用于咽喉肿痛，疥癣。
用法用量	内服煎汤，5 ～ 15g；或研末冲服。外用适量，捣敷；或捣汁外搽。

龙胆科 Gentianaceae 獐牙菜属 *Swertia*

瘤毛獐牙菜 *Swertia pseudochinensis* Hara

瘤毛獐牙菜

| 植物别名 |

当药、獐牙菜。

| 药 材 名 |

瘤毛獐牙菜（药用部位：全草。别名：獐牙菜、紫花当药、当药）。

| 形态特征 |

一年生草本。主根明显。茎直立，四棱形，棱上有窄翅，从下部起多分枝，基部直径 2 ~ 3mm。叶无柄，线状披针形至线形，两端渐狭，下面中脉明显凸起。圆锥状复聚伞花序多花，开展；花梗直立，四棱形；花 5 基数；花萼绿色，与花冠近等长，裂片线形，先端渐尖，下面中脉明显凸起；花冠蓝紫色，具深色脉纹，裂片披针形，先端锐尖，基部具 2 腺窝，腺窝矩圆形，沟状，基部浅囊状，边缘具长柔毛状流苏，流苏表面有瘤状突起；花丝线形，花药窄椭圆形，长约 3mm；子房无柄，狭椭圆形，花柱短，不明显，柱头 2 裂，裂片半圆形。蒴果卵圆形；种子多数，近球形。花期 8 ~ 9 月，果期 9 ~ 10 月。

| **生境分布** | 生于湿草甸、沟边、林缘湿地。以长白山区为主要分布区域，分布于吉林延边、白山、通化、吉林、辽源（东丰）等。 |

| **资源情况** | 野生资源较丰富。药材主要来源于野生。 |

| **采收加工** | 夏、秋季采收，除去杂质，晒干。 |

| **药材性状** | 本品长 10 ~ 40cm。根呈长圆锥形，长 2 ~ 7cm，表面黄色或黄褐色，断面类白色。茎方柱形，常具狭翅，多分枝，直径 1 ~ 2.5mm；表面黄绿色或黄棕色带紫色，节处略膨大；质脆，易折断，断面中空。叶对生，无柄；叶片多皱缩或破碎，完整者展平后呈条状披针形，长 2 ~ 4cm，宽 0.3 ~ 0.9cm，先端渐尖，基部狭，全缘。圆锥状聚伞花序顶生或腋生；花萼 5 深裂，裂片线形；花冠淡蓝紫色或暗黄色，5 深裂，裂片内侧基部有 2 腺窝，腺窝周围有长毛。偶见椭圆形蒴果。气微，味苦。 |

| **功能主治** | 苦，寒。归肝、胃、大肠经。清热利湿，健胃。用于湿热黄疸，胁痛，痢疾腹痛，食欲不振，胃炎，胆囊炎，病毒性肝炎，急、慢性细菌性痢疾，风火眼，牙痛，口疮。 |

| **用法用量** | 内服煎汤，3 ~ 10g；或研末冲服。外用适量，捣敷；或取汁外涂。 |

龙胆科 Gentianaceae 獐牙菜属 Swertia

卵叶獐牙菜
Swertia wilfordii Kerner

| **药 材 名** | 卵叶獐牙菜（药用部位：全草）。

| **形态特征** | 一年生草本，高 20 ～ 30cm。根黄褐色，主根明显。茎直立，四棱形，棱上有窄翅，下部直径 1 ～ 2mm，仅花序有分枝。基生叶在花期枯存；茎生叶无柄，三角状卵形，长 10 ～ 27mm，宽 4 ～ 15mm，先端急尖，基部心形，半抱茎，叶脉 3 ～ 5，于下面明显凸起。圆锥状复聚伞花序狭窄；花梗细瘦，直立，有条棱，长达 2cm；花 4 基数，直径 1.2 ～ 1.5cm，开展；花萼绿色，稍短于花冠，裂片线状披针形，长 5 ～ 7mm，先端急尖，背面中脉明显；花冠紫色，裂片椭圆形，长 6 ～ 8mm，先端急尖，中部具 2 腺窝，腺窝沟状，边缘具篦齿状短流苏；花丝线形，长约 5mm，花药矩圆形，长约 1mm；子房具短柄，披针形，先端渐狭，花柱明显，柱头 2 裂。花期 8 ～ 9 月。

卵叶獐牙菜

| **生境分布** | 生于海拔 664m 的草甸。以长白山区为主要分布区域，分布于吉林延边、白山、通化、吉林、辽源（东丰）等。

| **资源情况** | 野生资源较少。药材主要来源于野生。

| **采收加工** | 夏、秋季采收，除去杂质，洗净，切段，晒干。

| **功能主治** | 苦，寒。清热利湿，健胃。用于脾虚湿盛，饮食积滞。

夹竹桃科 Apocynaceae 罗布麻属 Apocynum

罗布麻 *Apocynum venetum* Linn.

| 植物别名 | 小花夹竹桃、小花罗布麻、茶叶花。

| 药 材 名 | 罗布麻叶（药用部位：叶。别名：红麻、茶叶花、野麻）。

| 形态特征 | 直立半灌木，具乳汁。枝条对生或互生，圆筒形，紫红色或淡红色。叶对生，仅在分枝处为近对生，叶片椭圆状披针形至卵圆状长圆形，叶缘具细牙齿；叶脉纤细，侧脉每边 10 ~ 15。圆锥状聚伞花序一至多歧，通常顶生，有时腋生，花梗长约 4mm；苞片膜质，披针形；花萼 5 深裂，裂片披针形或卵圆状披针形；花冠圆筒状钟形，紫红色或粉红色，花冠筒裂片卵圆状长圆形，每裂片内外均具 3 明显紫红色的脉纹；雄蕊着生在花冠筒基部，与副花冠裂片互生；花药箭头状，花丝短；子房由 2 离生心皮组成。蓇葖果 2，平行或叉生，下垂；种子多数，卵圆状长圆形。花期 6 ~ 7 月，果期 8 ~ 9 月。

罗布麻

| **生境分布** | 生于盐碱荒地、沙地、河流两岸、冲积平原、湖泊周围或草甸上。分布于吉林长春、吉林、辽源、白城、松原、四平等。吉林西部地区有栽培。 |

| **资源情况** | 野生资源较少。吉林有栽培。药材主要来源于野生。 |

| **采收加工** | 夏季采收，除去杂质，干燥。 |

| **药材性状** | 本品多皱缩、卷曲，有的破碎，完整叶片展平后呈椭圆状披针形或卵圆状披针形，长 2 ~ 5cm，宽 0.5 ~ 2cm。淡绿色或灰绿色，先端钝，有小芒尖，基部钝圆或楔形，边缘具细齿，常反卷，两面无毛，叶脉于下表面凸起。叶柄细，长约 4mm。质脆。气微，味淡。以完整、色绿者为佳。 |

| **功能主治** | 甘、苦，凉。平肝安神，清热利水。用于肝阳眩晕，心悸失眠，浮肿尿少。 |

| **用法用量** | 内服煎汤，5 ~ 10g；或泡茶。 |

夹竹桃科 Apocynaceae 长春花属 *Catharanthus*

长春花
Catharanthus roseus (L.) G. Don

| **药 材 名** | 长春花（药用部位：全草。别名：雁来红、日日新）。

| **形态特征** | 落叶半灌木，略有分枝，高达 60cm，有水液，全株无毛或仅有微毛。茎近方形，有条纹，灰绿色；节间长 1 ~ 3.5cm。叶膜质，倒卵状长圆形，长 3 ~ 4cm，宽 1.5 ~ 2.5cm，先端浑圆，有短尖头，基部广楔形至楔形，渐狭而成叶柄；叶脉在叶面扁平，在叶背略隆起，侧脉约 8 对。聚伞花序腋生或顶生，有花 2 ~ 3；花萼 5 深裂，内面无腺体或腺体不明显，萼片披针形或钻状渐尖，长约 3mm；花冠红色，高脚碟状，花冠筒圆筒状，长约 2.6cm，内面具疏柔毛，喉部紧缩，具刚毛，花冠裂片宽倒卵形，长和宽均约 1.5cm；雄蕊着生于花冠筒的上半部，但花药隐藏于花喉之内，与柱头离生；子房由 2 离生心皮组成，胚珠多数，花柱丝状，柱头头状；花盘由 2 舌

长春花

状腺体组成，与心皮互生而较长。蓇葖果双生，直立，平行或略叉开，长约2.5cm，直径3mm；外果皮厚纸质，有条纹，被柔毛；种子黑色，长圆状圆筒形，两端截形，具有颗粒状小瘤。花果期几乎全年。

| **生境分布** | 生于林边、路边、海滩或灌丛、空旷地。吉林无野生分布。吉林东部地区有栽培。

| **资源情况** | 吉林有栽培。药材主要来源于栽培。

| **采收加工** | 全年可采，除去杂质，晒干。

| **药材性状** | 本品长 30 ~ 50cm。主根圆锥形，略弯曲。茎枝绿色或红褐色，类圆柱形，有棱，折断面具纤维性，髓部中空。叶对生，皱缩，展平后呈倒卵形或长圆形，长 3 ~ 6cm，宽 1.5 ~ 2.5cm，先端钝圆，具短尖，基部楔形，深绿色或绿褐色，羽状脉明显；叶柄甚短。枝端或叶腋有花，花冠高脚碟形，长约3cm，淡红色或紫红色。气微，味微甘、苦。以叶片多、带花者为佳。

| **功能主治** | 苦，寒；有毒。归肝、肾经。解毒消癥，清热平肝。用于癥瘕积聚，眩晕头痛，痈肿疮毒，烫伤。

| **用法用量** | 内服煎汤，5 ~ 10g；或将提取物制成注射剂静脉注射。外用适量，捣敷；或研末调敷。

夹竹桃科 Apocynaceae 夹竹桃属 Nerium

夹竹桃 *Nerium indicum* Mill.

| 植物别名 | 红花夹竹桃、欧洲夹竹桃。

| 药 材 名 | 夹竹桃（药用部位：叶）。

| 形态特征 | 常绿直立大灌木。枝条灰绿色，含水液；嫩枝条具棱，被微毛，老时毛脱落。叶3~4轮生，下枝叶为对生，窄披针形，先端急尖，基部楔形，叶缘反卷，叶面深绿色，无毛，叶背浅绿色，有多数注点，幼时被疏微毛，老时毛渐脱落；主脉在叶面凹陷，在叶背凸起，侧脉两面扁平，纤细，密生而平行，每边达120，直达叶缘；叶柄扁平，基部稍宽，长5~8mm，幼时被微毛，老时毛脱落；叶柄内具腺体。聚伞花序顶生，着花数朵；总花梗长约3cm，被微毛；花冠深红色或粉红色，栽培演变有白色或黄色，花冠为单瓣、呈5裂时，其花冠为漏斗状，其花冠筒呈圆筒形，上部扩大成钟形。蓇葖果2，

夹竹桃

离生，平行或并连，长圆形，两端较窄，绿色，无毛，具细纵条纹；种子长圆形，基部较窄，先端钝，褐色，种皮被锈色短柔毛，先端具黄褐色绢质种毛。花期几乎全年，夏秋为最盛，果期一般在冬、春季，栽培很少结果。

| **生境分布** | 生于公园、风景区、路旁或河旁、湖旁周围。吉林无野生分布。吉林公园、风景区、路旁或河旁有栽培。

| **资源情况** | 吉林有栽培。药材主要来源于栽培。

| **采收加工** | 全年可采，晒干或鲜用。

| **药材性状** | 本品多皱缩卷曲，完整叶片展平后呈条状披针形，长7～10cm，宽1～3cm。先端渐尖，基部楔形，全缘。表面浅黄绿色，中脉于下面凸起，侧脉密而近平行，鲜品折断后自叶脉处有乳汁渗出，叶柄短。革质，质脆易碎。气微，味苦。

| **功能主治** | 辛、苦、涩，温；有大毒。归心经。强心利尿，祛痰杀虫，镇痛，去瘀。用于心力衰竭，喘息咳嗽，癫痫，跌打损伤肿痛，经闭。

| **用法用量** | 内服煎汤，0.3～0.9g；或研末，0.05～0.1g。外用适量，捣敷；或制成酊剂外涂。

夹竹桃科 Apocynaceae 鸡蛋花属 Plumeria

鸡蛋花
Plumeria rubra Linn.

| **植物别名** | 缅栀子、大季花、鸭脚木。

| **药材名** | 鸡蛋花（药用部位：花）。

| **形态特征** | 落叶小乔木，高约5m，最高可达8m，胸径15~20cm。枝条粗壮，带肉质，具有丰富的乳汁，绿色，无毛。叶厚纸质，长圆状倒披针形或长椭圆形，长20~40cm，宽7~11cm，先端短渐尖，基部狭楔形，叶面深绿色，叶背浅绿色，两面无毛；中脉在叶面凹入，在叶背略凸起，侧脉两面扁平，每边30~40，未达叶缘网结成边脉；叶柄长4~7.5cm，内面基部具腺体，无毛。聚伞花序顶生，长16~25cm，宽约15cm，无毛；总花梗三歧，长11~18cm，肉质，绿色；花梗长2~2.7cm，淡红色；花萼裂片小，卵圆形，先端圆，长和宽均约1.5mm，不张开而压紧花冠筒；花冠外面白色，花冠筒

鸡蛋花

外面及裂片外面左边略带淡红色斑纹，花冠内面黄色，直径 4 ~ 5cm，花冠筒圆筒形，长 1 ~ 1.2cm，直径约 4mm，外面无毛，内面密被柔毛，喉部无鳞片；花冠裂片阔倒卵形，先端圆，基部向左覆盖，长 3 ~ 4cm，宽 2 ~ 2.5cm；雄蕊着生在花冠筒基部，花丝极短，花药长圆形，长约 3mm；心皮 2，离生，无毛，花柱短，柱头长圆形，中间缢缩，先端 2 裂；每心皮有胚珠多颗。蓇葖果双生，广歧，圆筒形，先端渐尖，长约 11cm，直径约 1.5cm，绿色，无毛；种子斜长圆形，扁平，长 2cm，宽 1cm，先端具膜质的翅，翅长约 2cm。花期 5 ~ 10 月，果期一般为 7 ~ 12 月，栽培极少结果。

| **生境分布** | 生于公园、风景区、路旁、湖旁周围。吉林无野生分布。吉林公园、风景区、路旁或河旁有栽培。

| **资源情况** | 吉林有栽培。药材主要来源于栽培。

| **采收加工** | 夏、秋季花盛开时采摘，晒干。

| **药材性状** | 本品多皱缩成条状，或扁平三角状，淡棕黄或黄褐色。湿润展平后，花萼较小。花冠裂片 5，倒卵形，长约 3cm，宽约 1.5cm，呈旋转排列，下部合生成细管，长约 1.5cm。雄蕊 5，花丝极短。有时可见卵状子房。气香，味微苦。以净花、干燥、色黄褐、气芳香者为佳。

| **功能主治** | 甘、微苦，凉。归肺、大肠经。清热利湿，解暑润肺。用于感冒发热，肺热咳嗽，湿热黄疸，泄泻痢疾，尿路结石，预防中暑。

| **用法用量** | 内服煎汤，5 ~ 10g。外用适量，捣敷。

萝藦科 Asclepiadaceae 鹅绒藤属 Cynanchum

合掌消 *Cynanchum amplexicaule* (Sieb. et Zucc.) Hemsl.

| **植物别名** | 抱茎白前。

| **药 材 名** | 合掌消（药用部位：根及根茎。别名：土胆草、合掌草、神仙对座草）。

| **形态特征** | 直立多年生草本，全株含白色乳液，除花萼、花冠被有微毛外，余皆无毛。根须状。叶薄纸质，无柄，倒卵状椭圆形，先端急尖，基部下延近抱茎，上部叶小，下部叶大。多歧聚伞花序顶生及腋生，花小，白色，直径5mm；萼裂片5，披针形，具缘毛；花冠黄绿色或棕黄色；副花冠5裂，扁平；花粉块每室1，下垂，花药先端具膜片，柱头稍2裂。蓇葖果单生，刺刀形，基部稍狭。花期6～7月，果期7～8月。

| **生境分布** | 生于山坡草地、田边、湿地或沙滩草丛等。分布于吉林白城（通榆、

合掌消

镇赉、洮南、大安）、松原（前郭尔罗斯、长岭）等。

| **资源情况** | 野生资源较少。药材主要来源于野生。

| **采收加工** | 夏、秋季采挖，除去杂质，鲜用或晒干。

| **药材性状** | 本品根茎呈圆柱形，粗短，呈结节状，上面有圆形凹陷的茎痕或残存茎基，下面簇生多数细而长的根。根长约20cm，直径不及1mm，弯曲，表面黄棕色，具细纵纹。质较脆，易折断，断面平坦。气特异，味微苦。

| **功能主治** | 苦、辛，平。归肺、脾经。清热解毒，祛风除湿，活血消肿，行气止痛。用于急性胃肠炎，胃痛，泄泻，急性肝炎，风湿痛，关节疼痛，腰腹胀痛，偏头痛，便血，痈肿湿疹，乳痈，睾丸肿痛，月经不调，跌打损伤，扭伤，毒蛇咬伤。

| **用法用量** | 内服煎汤，15 ~ 30g。外用适量，捣敷；或研末调敷。

萝藦科 Asclepiadaceae 鹅绒藤属 Cynanchum

潮风草
Cynanchum ascyrifolium (Franch. et Sav.) Matsum.

| 植物别名 | 尖叶白前、小葛瓢、大葛瓢。

| 药 材 名 | 潮风草（药用部位：根）。

| 形态特征 | 多年生直立草本。根茎块状，横生，黄褐色，结节明显。具多数须根。除嫩叶、花序具柔毛外，余皆无毛。叶对生或4轮生，薄膜质，椭圆形或宽椭圆形，先端渐尖，基部宽楔形；侧脉6～7对；叶柄长约1cm。伞形聚伞花序顶生及腋生，着花10～12；花梗及花序梗均被柔毛；花萼外面被柔毛，内面基部具小腺体5；花冠白色；副花冠杯状，5裂至中部，裂片卵形；花粉块每室1，下垂，近球形；子房无毛，柱头扁平。蓇葖果单生，披针形，长渐尖，外果皮具柔毛；种子长圆形，先端具白色绢质柔毛，长约2cm。花期6～7月，果期8～9月。

潮风草

| 生境分布 |

生于阔叶林林下、林缘、疏林下向阳处、山坡草地或沟边等。以长白山区为主要分布区域，分布于吉林延边、白山、通化、吉林、辽源（东丰）等。

| 资源情况 |

野生资源较少。药材主要来源于野生。

| 采收加工 |

秋季地上部分枯萎或春季萌芽前采挖，除去残茎，洗净泥土，晒干。

| 药材性状 |

本品根茎呈块状，上面有圆形的茎痕，下面具多数细长的根。根长 10 ~ 20cm，直径 0.1 ~ 0.2cm。表面棕黄色。质脆，易折断，断面皮部为黄白色。气微，味微苦。

| 功能主治 |

苦、咸，寒。清热凉血，利尿通淋，解毒疗疮。用于阴虚发热，骨蒸潮热，产后血虚发热，热淋，血淋，痈疽肿毒。

白首乌
Cynanchum bungei Decne.

| **植物别名** | 地葫芦、山葫芦、野山药。

| **药 材 名** | 白首乌（药用部位：块根）。

| **形态特征** | 攀缘性半灌木。块根粗壮。茎纤细而韧，被微毛。叶对生，戟形，先端渐尖，基部心形，两面被粗硬毛，以叶面较密，侧脉约6对。伞形聚伞花序腋生，比叶短；花萼裂片披针形，内面基部腺体通常少数或无；花冠白色，裂片长圆形；副花冠5深裂，裂片呈披针形，内面中间有舌状片；花粉块每室1，下垂；柱头基部五角状，先端全缘。蓇葖果单生或双生，披针形，无毛，先端渐尖；种子卵形；种毛白色绢质。花期6～7月，果期7～10月。

| **生境分布** | 生于山坡、山谷、河坝、路边灌丛或岩石缝隙中。分布于吉林通化

白首乌

（集安、通化）等。

| **资源情况** | 野生资源稀少。药材主要来源于野生。

| **采收加工** | 秋季采挖，洗净泥土，除去须根，晒干，或切片晒干。

| **药材性状** | 本品呈不规则团块状或类圆形，长 1.5 ～ 7cm，直径约 5cm。表面棕色或棕褐色，凹凸不平，具纵皱纹及横长皮孔。质坚硬，断面类白色，粉性，有稀疏黄色放射状纹理。气微，味甘、微苦。以块大、粉性足者为佳。

| **功能主治** | 甘、微苦，平。归肝、肾、脾、胃经。补肝肾，强筋骨，益精血。用于久病虚弱，贫血，须发早白，风痹，腰膝酸软，痔疮，肠出血，体虚。

| **用法用量** | 内服煎汤，6 ～ 15g，鲜品加倍；或研末，1 ～ 3g；或浸酒。外用适量，鲜品捣敷。

萝藦科 Asclepiadaceae 鹅绒藤属 Cynanchum

鹅绒藤 Cynanchum chinense R. Br.

| **植物别名** | 祖子花。

| **药 材 名** | 鹅绒藤（药用部位：全草或根、藤茎中的白色乳汁）。

| **形态特征** | 缠绕草本，全株被短柔毛。主根圆柱状，干后灰黄色。叶对生，薄纸质，宽三角状心形，先端锐尖，基部心形，叶面深绿色，叶背苍白色，两面均被短柔毛，脉上较密；侧脉约 10 对，在叶背略为隆起。伞形聚伞花序腋生，二歧，着花约 20；花萼外面被柔毛；花冠白色，裂片长圆状披针形；副花冠二型，杯状，上端裂成 10 丝状体，分为 2 轮，外轮约与花冠裂片等长，内轮略短；花粉块每室 1，下垂；柱头略为凸起，先端 2 裂。蓇葖果双生或仅发育 1，细圆柱状，先端渐尖；种子长圆形；种毛白色绢质。花期 6 ~ 8 月，果期 8 ~ 10 月。

鹅绒藤

| 生境分布 | 生于沟坡、荒地、河滩、地头、灌丛、沙地等。分布于吉林白城、松原、四平（梨树）、辽源（东辽）等。

| 资源情况 | 野生资源较丰富。药材主要来源于野生。

| 采收加工 | 夏、秋季采挖带根全草，除去杂质，洗净泥土，分别晒干。夏、秋季间采集藤茎中的乳汁，鲜用。

| 药材性状 | 本品根呈圆柱形，长约 20cm，直径 5 ~ 8mm。表面灰黄色，平滑或有细皱纹，栓皮易剥离，剥离处显灰白色。质脆，易折断，断面不平坦，黄色，中空。气微，味淡。

| 功能主治 | 全草或根，苦，寒。归肝经。祛风解毒，补益精血，健胃止痛，催乳。用于慢性肾炎，睾丸炎，肝炎，肺结核，神经衰弱，乳汁稀少，小儿疳积。藤茎中的白色乳汁，清热解毒，化瘀消肿，除湿。用于寻常疣。

| 用法用量 | 全草或根，内服煎汤，3 ~ 15g。藤茎中的白色乳汁，外用适量，取汁涂抹患处。

萝藦科 Asclepiadaceae 鹅绒藤属 Cynanchum

徐长卿
Cynanchum paniculatum (Bunge) Kitagawa

| 植物别名 | 尖刀儿苗、土细辛、寮刁竹。

| 药 材 名 | 徐长卿（药用部位：根及根茎。别名：别仙踪、料刁竹、钓鱼竿）。

| 形态特征 | 多年生直立草本，高约 1m。根须状，可达 50 或更多。茎不分枝，稀从根部发出几条，无毛或被微毛。叶对生，纸质，披针形至线形，两端锐尖，两面无毛或上面具疏柔毛，叶缘有边毛；侧脉不明显；叶柄长约 3mm。圆锥状聚伞花序生于先端的叶腋内，着花 10 或更多；花萼内的腺体有或无；花冠黄绿色，近辐状；副花冠裂片 5，基部增厚，先端钝；花粉块每室 1，下垂；子房椭圆形；柱头五角形，先端略为凸起。蓇葖果单生，披针形，先端长渐尖；种子长圆形，种毛白色绢质，长 1cm。花期 6～7 月，果期 7～8 月。

徐长卿

| 生境分布 | 生于草原、山坡林缘、林间草地、灌丛。吉林各地均有分布。吉林部分地区有栽培。

| 资源情况 | 野生资源较较丰富。吉林有栽培。药材主要来源于栽培。

| 采收加工 | 秋季采挖，除去杂质，阴干。

| 药材性状 | 本品根茎呈不规则柱状，有盘节，长 0.5 ~ 3.5cm，直径 2 ~ 4mm。有的先端有残茎，细圆柱形，长约 2cm，直径 1 ~ 2mm，断面中空；根茎节处着生多数须根。根呈细长圆柱形，弯曲，长 10 ~ 16cm，直径 1 ~ 1.5mm。表面淡黄白色至淡棕黄色或棕色，具微细的纵皱纹，并有纤细的须根。质脆，易折断，断面粉性，皮部类白色或黄白色，形成层环淡棕色，木部细小。气香，味微辛凉。以香气浓者为佳。

| 功能主治 | 辛，温。归肝、胃经。祛风化湿，止痛止痒，消肿，行气通经。用于风湿痹痛，胃痛胀满，牙痛，腰痛，跌仆伤痛，风疹，湿疹，蛇串疮。

| 用法用量 | 内服煎汤，3 ~ 12g，宜后下；或入丸剂；或浸酒。

| 附　　注 | （1）本种为吉林省Ⅲ级重点保护野生植物。

（2）本种药材商品主要来源于人工栽培。本种在吉林的野生资源比较丰富，但民间采收较少。今后应充分利用本种在吉林的野生资源，做好收购工作。

萝藦科 Asclepiadaceae 鹅绒藤属 Cynanchum

地梢瓜 Cynanchum thesioides (Freyn) K. Schum.

| **植物别名** | 地梢花、地瓜子、地瓜瓢。

| **药 材 名** | 地梢瓜（药用部位：全草或根、果实。别名：地瓜儿、羊不奶果、小丝瓜）。

| **形态特征** | 落叶直立半灌木。地下茎单轴横生；茎自基部多分枝。叶对生或近对生，具短柄或近无柄；叶线形，基部楔形，先端尖，表面绿色，背部色淡，中脉隆起。伞形聚伞花序腋生；花萼外面被柔毛，萼齿披针形；花冠绿白色，5 深裂，裂片长圆状披针形；副花冠杯状，5 裂，裂片三角状披针形，渐尖，高于药隔的膜片；花粉块每室 1，下垂。蓇葖果纺锤形，先端渐尖，中部膨大；种子扁平，暗褐色，长 8mm；种毛白色绢质，长 2cm。花期 5 ~ 8 月，果期 8 ~ 10 月。

地梢瓜

| **生境分布** | 生于山坡、沙丘、干旱山谷、沟边、荒地、草甸、水边河滩。分布于吉林白城、松原、四平（梨树、伊通）、辽源（东丰、东辽）等。

| **资源情况** | 野生资源较少。药材主要来源于野生。

| **采收加工** | 夏、秋季采收全草或根、果实，洗净，分别晒干。

| **药材性状** | 本品全草长 15 ～ 30cm，常弯曲，地上部分被短柔毛。根细长，褐色。茎不缠绕，多分枝，圆柱形，具纵皱纹。体轻，质脆，易折断。叶对生，多破碎或脱落，完整者展平后呈条形，长 3 ～ 5cm，宽 2 ～ 5cm，全缘。花小，黄白色。蓇葖果纺锤形，表面具纵皱纹。气微，味涩。

| **功能主治** | 甘，平。归肺经。清热解毒，补肺气，降火，生津止渴，消炎止痛，活血通经，通乳。用于气血亏虚，神经衰弱，咽喉肿痛，乳汁不下；外用于疣。

| **用法用量** | 内服煎汤，15 ～ 30g。

萝摩科 Asclepiadaceae 鹅绒藤属 Cynanchum

雀瓢

Cynanchum thesioides (Freyn) K. Schum. var. *australe* (Maxim.) Tsiang et P. T. Li

| **药 材 名** | 雀瓢（药用部位：全草或果实）。

| **形态特征** | 直立半灌木。地下茎单轴横生；茎柔弱，分枝较少，茎端通常伸长而缠绕。叶对生或近对生，线形或线状长圆形，叶背中脉隆起。伞形聚伞花序腋生；花萼外面被柔毛；花冠绿白色；副花冠杯状，裂片三角状披针形，渐尖，高过药隔的膜片。蓇葖果纺锤形，先端渐尖，中部膨大，长 5 ~ 6cm，直径 2cm；种子扁平，暗褐色，长 8mm；种毛白色绢质，长 2cm。花期 3 ~ 8 月，果期 8 ~ 10 月。

| **生境分布** | 生于沟边、山坡、路旁、荒地或路旁灌丛草地等。分布于吉林白城、松原、四平等。

| **资源情况** | 野生资源较少。药材主要来源于野生。

雀瓢

| 采收加工 |

夏、秋季采收全草，晒干。秋季采收成熟果实，晒干。

| 药材性状 |

本品全草长 15 ~ 30cm，常弯曲，地上部分被短柔毛。根细长，褐色。茎缠绕，分枝较少，圆柱形，具纵皱纹。体轻，质脆，易折断。叶对生，多破碎或脱落，叶条形或条状长圆形，长 3 ~ 5cm，宽 2 ~ 5cm，全缘。花小，黄白色。蓇葖果纺锤形，表面具纵皱纹。气微，味涩。

| 功能主治 |

清热解毒，消肿止痛，益气，下乳，生津止渴。用于咽喉肿痛，风湿痹痛，神经衰弱，体虚乳汁不下；外用于扁平疣，毒蛇咬伤等。

| 用法用量 |

内服煎汤，15 ~ 30g。

萝藦科 Asclepiadaceae 鹅绒藤属 Cynanchum

隔山消 *Cynanchum wilfordii* (Maxim.) Hemsl.

隔山消

| 植物别名 |

耳叶牛皮消、隔山牛皮消。

| 药 材 名 |

隔山消（药用部位：块根。别名：隔山撬、隔山牛皮消、白首乌）。

| 形态特征 |

多年生草质藤本。肉质根近纺锤形，灰褐色。茎被单列毛。叶对生，薄纸质，卵形，先端短渐尖，基部耳状心形，两面被微柔毛，干时叶面常呈黑褐色，叶背淡绿色；基脉 3 ~ 4，放射状；侧脉 4 对。近伞房状聚伞花序半球形，着花 15 ~ 20；花序梗被单列毛；花萼外面被柔毛，裂片长圆形；花冠淡黄色，辐状，裂片长圆形，先端近钝形，外面无毛，内面被长柔毛；副花冠比合蕊柱短，裂片近四方形，先端截形，基部紧狭；花粉块每室 1，长圆形，下垂；花柱细长，柱头略凸起。蓇葖果单生，披针形，先端长渐尖，基部紧狭；种子暗褐色，卵形；种毛白色绢质，长 2cm。花期 7 ~ 8 月，果期 8 ~ 9 月。

| 生境分布 |

生于山坡、山谷、灌丛或路边草地等。分布

于吉林四平（梨树）、通化（通化、集安）、白山（浑江）、延边（和龙、安图）等。

资源情况

野生资源较少。药材主要来源于野生。

采收加工

秋季采挖，除去残茎，洗净泥土，晒干。

药材性状

本品呈圆柱形或纺锤形，长 10 ~ 20cm，直径 1 ~ 4cm，微弯曲。表面白色或黄白色，具纵皱纹及横长皮孔，栓皮破裂处显黄白色木部。质坚硬，折断面不平坦，灰白色，微带粉状。气微，味苦、甜。

功能主治

甘、微苦，微温。归脾、胃、肾经。补肝益肾，强筋壮骨，健胃消食，解毒。用于肝肾两虚，头昏眼花，失眠健忘，须发早白，阳痿，遗精，腰膝酸软，脾虚不运，脘腹胀满，食欲不振，泄泻，产后乳少，鱼口疮。

用法用量

内服煎汤，9 ~ 15g。外用适量，鲜品捣敷。

萝藦科 Asclepiadaceae 鹅绒藤属 Cynanchum

紫花合掌消 Cynanchum amplexicaule (Sieb. et Zucc.) Hemsl. var. *castaneum* Makino

紫花合掌消

| 植物别名 |

合掌消。

| 药 材 名 |

合掌消（药用部位：根及根茎。别名：土胆草、合掌草、神仙对座草）。

| 形态特征 |

多年生直立草本，高 0.5 ～ 1m。全株含白色乳液，除花萼、花冠被有微毛外，余皆无毛。根须状，形似白薇而较疏。叶对生，无柄，叶片薄纸质，倒卵状椭圆形，先端急尖，基部下延近抱茎，上部叶小，长 1.5 ～ 2.5cm，宽 7 ～ 10mm，下部叶大，长 4 ～ 6cm，宽 2 ～ 4cm。多歧聚伞花序顶生及腋生，花直径约 5mm；花冠紫色；副花冠 5 裂，扁平；花粉块每室 1，下垂。蓇葖果单生，刺刀形，长约 5cm。花期 5 ～ 9 月，果期 7 月以后。

| 生境分布 |

生于山坡草地、田边、湿草地或沙滩草丛。分布于吉林四平（双辽）、白城（镇赉）、松原（前郭尔罗斯、长岭）等。

| **资源情况** | 野生资源较少。药材主要来源于野生。

| **采收加工** | 同"合掌消"。

| **药材性状** | 同"合掌消"。

| **功能主治** | 同"合掌消"。

| **用法用量** | 同"合掌消"。

萝藦科 Asclepiadaceae 鹅绒藤属 Cynanchum

竹灵消

Cynanchum inamoenum (Maxim.) Loes.

竹灵消

| 植物别名 |

老君须、婆婆针线包。

| 药 材 名 |

老君须（药用部位：根及根茎。别名：正骨草、婆婆衣、绒针）。

| 形态特征 |

直立草本，基部分枝甚多。根须状。茎干后中空，被单列柔毛。叶薄膜质，广卵形，长 4 ~ 5cm，宽 1.5 ~ 4cm，先端急尖，基部近心形，在脉上近无毛或仅被微毛，有边毛；侧脉约 5 对。伞形聚伞花序，近顶部互生，着花 8 ~ 10；花黄色，长和直径均约 3mm；花萼裂片披针形，急尖，近无毛；花冠辐状，无毛，裂片卵状长圆形，具钝头；副花冠较厚，裂片三角形，短急尖；花药在先端具 1 圆形的膜片；花粉块每室 1，下垂，花粉块柄短，近平行，着粉腺近椭圆形；柱头扁平。蓇葖果双生，稀单生，狭披针形，先端长渐尖，长 6cm，直径 5mm。花期 5 ~ 7 月，果期 7 ~ 10 月。

| 生境分布 |

生于海拔 100 ~ 3500m 的山地疏林、灌丛、

山顶或山坡草地上。吉林无野生分布。吉林公园、风景区、道路旁或河旁有栽培。

| **资源情况** | 吉林有栽培。药材主要来源于栽培。

| **采收加工** | 夏、秋季采挖，除去杂质，洗净，晒干。

| **药材性状** | 本品根茎粗短，多分枝，略呈块状，长 2 ～ 3cm，直径 5 ～ 10mm；上方有多数密集的茎痕或残存茎基，下方簇生多数细而长的根。根细圆柱形，多弯曲，长 10 ～ 15cm，直径 0.7 ～ 1.5mm；表面黄棕色，稍有皱纹；质脆，易折断，断面略平坦，黄白色，中央具细小的黄色木心。气微，味淡。

| **功能主治** | 苦、微辛，平。归肺经。清热凉血，利胆，解毒。用于阴虚发热，虚劳久嗽，咯血，胁肋胀痛，呕恶，泻痢，产后虚烦，瘰疬，无名肿毒，蛇虫、疯狗咬伤。

| **用法用量** | 内服煎汤，9 ～ 27g。外用适量，鲜品捣敷。

萝藦科 Asclepiadaceae 萝藦属 Metaplexis

萝藦
Metaplexis japonica (Thunb.) Makino

萝藦

| 植物别名 |

老瓜瓢、哈蜊瓢、老鸹瓢。

| 药 材 名 |

萝藦（药用部位：全草。别名：白环藤、熏桑、鸡肠）、萝藦子（药用部位：果实。别名：斫合子）、萝藦根（药用部位：根）。

| 形态特征 |

多年生草质藤本，具乳汁。茎圆柱状，上部较柔韧。叶膜质，卵状心形，先端短渐尖，基部心形，叶耳圆，两叶耳展开或紧接，叶面绿色，叶背粉绿色；侧脉每边 10 ~ 12；叶柄长。总状式聚伞花序腋生或腋外生，具长总花梗；总花梗长 6 ~ 12cm；花梗长 8mm，通常着花 13 ~ 15；小苞片膜质，披针形；花蕾圆锥状；花萼裂片披针形，长 5 ~ 7mm，宽 2mm；花冠白色，有淡紫红色斑纹，近辐状，花冠筒短，花冠裂片披针形；副花冠环状，着生于合蕊冠上，短 5 裂，裂片兜状；雄蕊联生成圆锥状，并将雌蕊包围其中，花药先端具白色膜片；花粉块卵圆形。蓇葖果叉生，纺锤形，先端急尖；种子扁平，卵圆形，有膜质边缘，褐色，先端具白色绢质种毛。花期 7 ~ 8 月，果期 9 ~ 10 月。

| **生境分布** | 生于山坡草地、耕地、撂荒地、林缘、灌丛、路边、围栏、院墙附近。吉林各地均有分布。吉林公园、风景区、道路旁或河旁有栽培。 |

| **资源情况** | 野生资源较丰富。吉林有栽培。药材主要来源于野生。 |

| **采收加工** | 8~9月采收全草，鲜用或晒干。夏、秋季采挖根，洗净，晒干。秋季采摘成熟果实，晒干。 |

| **药材性状** | 萝藦：本品常卷曲成团。根细长，直径0.2~0.3cm，浅黄棕色。茎圆柱形，扭曲，直径0.1~0.5cm；表面黄白色至黄棕色，具细纵纹，节稍膨大；质脆，易折断，折断时一侧皮部常粘连，呈纤维状，断面髓部中空，木部可见众多管状小孔。叶对生，多皱缩，展平后呈卵状心形，长5~12cm，宽4~7cm；两面无毛；背面叶脉明显，侧脉5~7对；叶柄长3~6cm。总状花序腋生，被灰白色短柔毛；花冠白色，有淡紫红色斑纹，近辐状，花冠筒短。蓇葖果呈纺锤形，长6~9cm，表面有瘤状突起，先端渐尖，基部膨大。种子先端具一簇白色长绢毛。气微，味淡。 |

| **功能主治** | 萝藦：甘、辛，温。归脾、肺、肾经。补益精血，通经下乳，解毒消肿。用于肾虚阳痿，遗精，虚损劳伤，乳汁不足；外用于丹毒，痈疮肿毒，虫蛇咬伤。
萝藦子：甘、辛，温。归心、肺、肾经。补虚助阳，止咳化痰。用于体虚，痰喘，咳嗽，顿咳，阳痿遗精；外用于创伤出血。
萝藦根：甘，温。补气益精。用于体质虚弱，阳痿，带下，乳汁不足，小儿疳积，疔疮，五步蛇咬伤。 |

| **用法用量** | 萝藦：内服煎汤，5~15g。外用适量。
萝藦子：内服煎汤，9~18g；或研末。外用适量，捣敷。
萝藦根：内服煎汤，15~60g。外用适量，鲜品捣敷。 |

| **附　注** | 萝藦已被列入2019年版《吉林省中药材标准》第一册。 |

萝藦科 Asclepiadaceae 杠柳属 Periploca

杠柳
Periploca sepium Bunge

杠柳

| 植物别名 |

香加皮、北五加皮、山五加皮。

| 药 材 名 |

香加皮（药用部位：根皮。别名：香五加皮、北五加皮、山五加皮）。

| 形态特征 |

落叶蔓性灌木，长可达1.5m，具乳汁，除花外，全株无毛。主根圆柱状。茎皮灰褐色；小枝通常对生，有细条纹，具皮孔。叶卵状长圆形，先端渐尖，基部楔形，叶面深绿色，叶背淡绿色；叶柄长约3mm。聚伞花序腋生，着花数朵；花序梗和花梗柔弱；花萼裂片卵圆形，先端钝，花萼内面基部有10小腺体；花冠紫红色，辐状，张开直径为1.5cm，花冠筒短，裂片长圆状披针形，中间加厚成纺锤形，反折；副花冠环状，10裂；雄蕊着生在副花冠内面，并与其合生，花药彼此粘连并包围柱头；心皮离生；花粉器匙形，四合花粉藏在载粉器内，粘盘粘连在柱头上。蓇葖果2，圆柱状；种子长圆形，长约7mm，宽约1mm，先端具白色绢质种毛。花期5～6月，果期8～9月。

| 生境分布 | 生于荒地、林缘、草原、路边、沟坡、河边沙地或地埂等。分布于吉林白城（通榆）、松原（宁江、长岭）、四平（梨树）等。 |

| 资源情况 | 野生资源较少。药材主要来源于野生。 |

| 采收加工 | 春、秋季采挖根，趁鲜剥取根皮，晒干。 |

| 药材性状 | 本品呈卷筒状或槽状，少数呈不规则的块片状，长 3 ~ 10cm，直径 1 ~ 2cm，厚 0.2 ~ 0.4cm。外表面灰棕色或黄棕色，栓皮松软，常呈鳞片状，易剥落。内表面淡黄色或淡黄棕色，较平滑，有细纵纹。体轻，质脆，易折断，断面不整齐，黄白色。有特异香气，味苦。 |

| 功能主治 | 辛、苦，温；有毒。利水消肿，祛风湿，强筋骨。用于下肢浮肿，心悸气短，风寒湿痹，腰膝酸软。 |

| 用法用量 | 内服煎汤，3 ~ 6g。 |

| 附　注 | 香加皮又名香五加皮或北五加皮，曾被作为五加皮药材商品的主流品种使用，历史悠久，用量较大。由于本品具有强心利尿的功效，其需求量逐年增加，特别是复方配伍中其用量明显上升，市场价格也随之出现小幅上涨。吉林西部平原地区有少量香加皮药材产出，但多为自产自销，无商品供市。 |

茜草科 Rubiaceae 拉拉藤属 Galium

猪殃殃

Galium aparine Linn. var. *tenerum* (Gren. et Godr.) Rchb.

| **植物别名** | 拉拉藤、细叶茜草、锯锯藤。

| **药 材 名** | 猪殃殃（药用部位：全草。别名：拉拉藤、细叶茜草、锯子草）。

| **形态特征** | 多枝、蔓生或攀缘状草本。茎具 4 棱；棱上、叶缘、叶脉上均有倒生的小刺毛。叶纸质或近膜质，6 ~ 8 轮生，稀为 4 ~ 5，带状倒披针形或长圆状倒披针形，先端有针状凸尖头，基部渐狭，两面常有紧贴的刺状毛，常呈萎软状，干时常卷缩，具 1 脉，近无柄。聚伞花序腋生或顶生，常单花，花小，4 基数，有纤细的花梗；花萼被钩毛，萼檐近平截；花冠黄绿色或白色，辐状，裂片长圆形，呈镊合状排列；子房被毛，花柱 2 裂至中部，柱头头状。果实干燥，有 1 或 2 近球状的分果爿，肿胀，密被钩毛，果柄直，较粗，每果爿有 1 平凸的种子。花期 6 ~ 7 月，果期 8 ~ 9 月。

猪殃殃

| 生境分布 | 生于山坡、旷野、沟边、河滩、田中、林缘、草地。分布于吉林延边、白山、通化、长春、吉林、辽源等。吉林东部地区有栽培。

| 资源情况 | 野生资源较丰富。吉林有栽培。药材主要来源于野生。

| 采收加工 | 夏季采收，鲜用或晒干。

| 药材性状 | 本品纤细、卷曲，易破碎，表面灰绿色或绿褐色，具倒生的细刺毛，触之粗糙。茎具4棱，易折断，断面中空。叶片纸质或近膜质，常卷缩，完整者呈线状倒披针形至椭圆状披针形，先端有刺尖，两面常有刺状毛，基部渐狭，无柄。聚伞花序顶生或腋生，花小，黄绿色，常退化至单花。果实球形，稍肉质，表面密生白色钩毛。气微，味淡。

| 功能主治 | 甘、辛、微苦，平。清热解毒，消肿止痛，散瘀，止血，利尿通淋。用于淋浊，尿血，跌打损伤，肠痈，疔肿，中耳炎。

| 用法用量 | 内服煎汤，15 ~ 30g。外用鲜品适量。

北方拉拉藤 *Galium boreale* Linn.

| 植物别名 | 砧草。

| 药材名 | 砧草（药用部位：全草）。

| 形态特征 | 多年生直立草本，高 20 ~ 65cm。茎具 4 棱，无毛或有极短的毛。叶纸质或薄革质，4 轮生，狭披针形或线状披针形，长 1 ~ 3cm，宽 1 ~ 4mm，先端钝或稍尖，基部楔形或近圆形，边缘常稍反卷，两面无毛，边缘有微毛；基出脉 3，在下面常凸起，在上面常凹陷；无柄或具极短的柄。聚伞花序顶生和生于上部叶叶腋，常在枝顶结成圆锥花序式，密花；花小；花梗长 0.5 ~ 1.5mm；花萼被毛；花冠白色或淡黄色，直径 3 ~ 4mm，辐状，花冠裂片卵状披针形，长 1.5 ~ 2mm；花丝长约 1.4mm，花柱 2 裂至近基部。果实小，直径 1 ~ 2mm，果爿单生或双生，密被白色稍弯的糙硬毛；果柄长

北方拉拉藤

1.5 ～ 3.5mm。花期 5 ～ 8 月，果期 6 ～ 10 月。

| **生境分布** | 生于山坡、草地、林缘灌丛。以长白山区为主要分布区域，分布于吉林延边、白山、通化、吉林、辽源（东丰）等。

| **资源情况** | 野生资源较丰富。药材主要来源于野生。

| **采收加工** | 秋季采收，切段，晒干。

| **功能主治** | 苦，寒。清热解毒，利尿渗湿，活血止痛。用于瘰疬，肾炎水肿，风湿头痛，风热咳嗽，肺炎，皮肤病，带下，经闭。此外，幼茎枝用于腰肾痛。

| **用法用量** | 内服煎汤，15 ～ 30g。外用适量，捣敷；或煎汤洗。

茜草科 Rubiaceae 拉拉藤属 *Galium*

大叶猪殃殃 *Galium davuricum* Turcz. ex Ledeb.

大叶猪殃殃

| 植物别名 |

兴安拉拉藤。

| 药 材 名 |

大叶猪殃殃（药用部位：全草）。

| 形态特征 |

多年生草本。根干时微红色。茎直立，柔弱，纤细，在上部多分枝，具4棱，在棱上有倒向的疏小刺。叶纸质，5～6轮生，长圆形或倒卵状长圆形，先端渐尖，具硬尖或急短渐尖，基部渐狭，边缘常具向上的小皮刺或粗糙，两面常无毛，具中脉1；叶柄长约1mm或近无柄。伞房状的聚伞花序顶生和生于上部叶腋，花序疏而广展，无毛，常二至三歧分枝；总花梗毛发状，伸长，在果时常极叉开；苞片和小苞片匙状狭长圆形；花多数，小；花梗纤细，毛发状，果时可长达10mm，稍弯；花冠白色，辐状，开展，花冠裂片4,卵状椭圆形，先端急尖或稍急尖，长约1mm；雄蕊4，短，花丝丝状，较花药长；花柱2，柱头头状。果实无毛或被短柔毛，或具小瘤状突起，果爿广椭圆形或近肾形，单生或双生；果柄纤细。花果期6～7月。

| 生境分布 | 生于林下、林缘草地。以长白山区为主要分布区域，分布于吉林延边、白山、通化、吉林、辽源（东丰）等。 |

| 资源情况 | 野生资源较丰富。药材主要来源于野生。 |

| 采收加工 | 夏季采收，鲜用或晒干。 |

| 功能主治 | 祛风，活血，止痛。用于瘀血疼痛，头痛。 |

茜草科 Rubiaceae 拉拉藤属 Galium

东北猪殃殃

Galium davuricum Turcz. ex Ledeb. var. *manshuricum* (Kitagawa) Hara

| 药 材 名 | 东北猪殃殃（药用部位：全草）。

| 形态特征 | 多年生草本。根干时微红色。茎直立，柔弱，纤细，在上部多分枝，具4棱，在棱上有倒向的疏小刺。叶纸质，5～6轮生，长圆形或倒卵状长圆形，先端渐尖，具硬尖或急短渐尖，基部渐狭，边缘常具向上的小皮刺或粗糙，两面常无毛，具中脉1；叶柄长约1mm或近无柄。伞房状的聚伞花序顶生和生于上部叶腋，花序疏而广展，无毛，常二至三歧分枝；总花梗毛发状，伸长，在果时常极叉开，长约2cm；苞片和小苞片匙状狭长圆形；花多数，小；花梗纤细，毛发状，稍弯；花冠白色，辐状，开展，花冠裂片4，卵状椭圆形，先端急尖或稍急尖，长约1mm；雄蕊4，短，花丝丝状，较花药长；花柱2，柱头头状。果实密被紧贴的钩状刚毛，在节上和叶缘有倒

东北猪殃殃

向的刚毛；果爿广椭圆形或近肾形，单生或双生。花期 6 月，果期 10 月。

| **生境分布** | 生于海拔 350 ~ 1100m 的山谷、沟边的林下或草地。以长白山区为主要分布区域，分布于吉林延边、白山、通化、吉林、辽源（东丰）等。

| **资源情况** | 野生资源较丰富。药材主要来源于野生。

| **采收加工** | 夏季采收，鲜用或晒干。

| **功能主治** | 清热解毒，利尿通淋，消肿止血。用于小便淋痛，瘀血肿痛。

茜草科 Rubiaceae 拉拉藤属 Galium

三脉猪殃殃 *Galium kamtschaticum* Steller ex Roem. et Schult.

| 植物别名 | 砧草、堪察加拉拉藤。

| 药 材 名 | 三脉猪殃殃（药用部位：全草）。

| 形态特征 | 多年生草本，高 5 ~ 15cm。茎无毛，不分枝，柔弱。叶薄纸质，每轮 4，广椭圆形、阔倒卵形或近圆形，长 1 ~ 2.5cm，宽 6 ~ 17mm，先端钝圆而有小尖头，基部急尖，两面具稀薄而紧贴的短毛，沿边缘具短缘毛，具 3 脉，无柄或近无柄。聚伞花序顶生和生于上部叶腋，长 2 ~ 6cm，常二歧分枝，少花，最末分枝有 2 ~ 3 花；总花梗长 8 ~ 40mm；花直径 3 ~ 4mm；花梗长 1 ~ 2mm；萼管被毛；花冠白色或淡绿黄色，裂片 4，椭圆状披针形或卵状三角形，长 1mm，宽 0.8mm，先端尖。果实密被长钩状刚毛，直径 1.5 ~ 2mm，果爿单生或双生；果柄长 3 ~ 15mm。花果期 7 ~ 9 月。

三脉猪殃殃

| 生境分布 | 生于海拔 1500 ~ 2300m 的山地林下、沟边草丛。分布于吉林延边、白山、通化等。

| 资源情况 | 野生资源较少。药材主要来源于野生。

| 采收加工 | 夏、秋季采收，除去杂质，晒干。

| 功能主治 | 清热解毒。用于咽喉肿痛。

异叶轮草

Galium maximowiczii (Kom.) Pobed.

异叶轮草

| 植物别名 |

车叶草。

| 药 材 名 |

异叶轮草（药用部位：全草）。

| 形态特征 |

多年生草本。茎直立，具4棱，无毛，有分枝。叶纸质，每轮4~8，长圆形、椭圆形、卵形或卵状披针形，先端钝圆，稀稍尖，基部具短尖或渐狭成短柄，上面无毛或散生短粗毛，边缘和下面脉上具向上的粗毛，通常3脉，稀4~5脉；叶柄长2~6mm，有粗毛。聚伞花序顶生和生于上部叶腋，疏散，再组成大而开展的顶生圆锥花序；花序轴长，与花梗均无毛；花多而稍疏；花梗纤细；花冠白色，钟状，花冠裂片4，长圆形，先端钝，与花冠管等长或稍短；雄蕊具短的花丝，着生在花冠管的中部；花柱短，先端2深裂，柱头球形。果实直径2~2.5mm，无毛，有小颗粒状突起，果爿近球形，双生或单生；果柄纤细。花期6~7月，果期7~10月。

| 生境分布 |

生于山地、旷野、沟边的林下、灌丛或草地。

以长白山区为主要分布区域，分布于吉林延边、白山、通化、吉林、辽源（东丰）等。

| **资源情况** | 野生资源较丰富。药材主要来源于野生。

| **采收加工** | 夏、秋季采收，除去杂质，晒干。

| **功能主治** | 凉血止血。用于血热出血。

林猪殃殃 *Galium paradoxum* Maxim.

| **植物别名** | 奇特猪殃殃、异常拉拉藤。

| **药 材 名** | 林猪殃殃（药用部位：全草）。

| **形态特征** | 多年生矮小草本。茎柔弱，直立，通常不分枝。叶膜质，4轮生，极稀为5，其中2较大，其余小的常缩小而成为托叶状，在茎下部有时为2，卵形或近圆形至卵状披针形，先端短尖、稍渐尖或钝圆而有小凸尖，基部钝圆而急剧下延成柄，两面有倒状的刺状硬毛，常近边缘较密，边上有小刺毛，羽状脉，中脉明显，侧脉通常2对，纤细而疏散，不很明显；叶柄长短不一，在下部的最长，约与叶片近等长，至上部渐短，最上部的长2～3mm。聚伞花序顶生和生于上部叶腋，常三歧分枝，分枝常叉开，少花，每分枝有1～2花；花小；花梗无毛；花萼密被黄棕色钩毛；花冠白色，辐状，裂片卵形，

林猪殃殃

稍钝；花柱长约0.7mm，先端2裂。果爿单生或双生，近球形，密被黄棕色钩毛；果柄长 1.5 ～ 8mm。花期 6 ～ 7 月，果期 7 ～ 9 月。

| **生境分布** | 生于混交林林下、山谷阴湿地、水边等。分布于吉林吉林（蛟河）、延边（安图）、白山（长白、抚松）、通化（梅河口、柳河）等。

| **资源情况** | 野生资源较丰富。药材主要来源于野生。

| **采收加工** | 夏季采收，鲜用或晒干。

| **功能主治** | 清热解毒，利尿，止血，消食，固精，通络。用于湿热黄疸，小便不利，饮食积滞，遗精滑精，尿血，外伤，疮疖。

茜草科 Rubiaceae 拉拉藤属 *Galium*

卵叶轮草 *Galium platygalium* (Maxim.) Pobed.

| 植物别名 | 卵叶车叶草。

| 药 材 名 | 卵叶轮草（药用部位：全草）。

| 形态特征 | 多年生草本，高20～35cm。茎直立，无毛或基部有疏柔毛，具4棱，稍分枝。叶每轮4，革质，卵形、卵状长圆形或广椭圆形，先端钝，基部钝圆而急剧变狭成短柄，两面无毛或在下面沿中脉有疏粗毛，沿边缘有向上的短刚毛；具3～5脉，脉在下面凸起，在上面凹下。圆锥状的聚伞花序顶生，2回三歧分枝，总花梗与花梗均无毛；苞片在花序轴分枝处成对着生，卵形；花冠白色，钟状，花冠裂片4，长圆形，比花冠管长；花丝较花药长，伸出花冠；花柱2深裂，伸出花冠。果爿单生或双生，近球形，直径约1.7mm，无毛，干时黑色。花果期7～9月。

卵叶轮草

| **生境分布** | 生于山坡林下。以长白山区为主要分布区域，分布于吉林延边、白山、通化、吉林、辽源（东丰）等。 |

| **资源情况** | 野生资源一般。药材主要来源于野生。 |

| **采收加工** | 夏、秋季采收，除去杂质，晒干。 |

| **功能主治** | 清热解毒，利水消肿，养肝明目。用于咽喉肿痛，小便不利，水肿，目昏。 |

茜草科 Rubiaceae 拉拉藤属 *Galium*

三花拉拉藤 *Galium triflorum* Michx.

| **植物别名** | 多花猪殃殃。

| **药 材 名** | 三花拉拉藤（药用部位：根）。

| **形态特征** | 多年生草本，高 10 ~ 50cm。茎柔弱，直立或匍匐，无毛或有疏毛，在节上具小粗硬毛，具 4 棱，稍分枝，节间长 3 ~ 5cm。叶纸质，干时草绿色，每轮 6，稀 4 ~ 8，卵状披针形、长圆状披针形或狭椭圆形，先端稍钝而有短尖头或短渐尖，基部楔形，上面无毛或有稀薄的毛，下面在近边缘处有稀疏的倒向硬毛，具 1 脉，具短柄或近无柄。聚伞花序腋生，稀顶生；总花梗和花梗均无毛；总花梗长 1.5 ~ 2.5cm，具 3 花，稀具 2 花；苞片钻状披针形，花梗长约 1.5mm；花冠白色或浅绿色，辐状，花冠裂片 4，披针形；花柱先端 2 裂。果爿双生或单生，密被白色长钩毛。花期 6 ~ 7 月，果期 7 ~ 8 月。

三花拉拉藤

| **生境分布** | 生于山坡林下、林缘、荒地草丛中。以长白山区为主要分布区域，分布于吉林延边、白山、通化、吉林（舒兰）、辽源（东丰）、长春（九台）、四平（公主岭）等。 |

| **资源情况** | 野生资源一般。药材主要来源于野生。 |

| **采收加工** | 春、秋季采挖，除去残茎、泥土及须根，洗净，晒干。 |

| **功能主治** | 清热解毒。用于中暑。 |

茜草科 Rubiaceae 拉拉藤属 Galium

蓬子菜 *Galium verum* Linn.

| 植物别名 | 蓬子菜拉拉藤、鸡肠草、喇嘛黄。

| 药 材 名 | 蓬子菜（药用部位：全草。别名：黄牛衣、铁尺草、月经草）、蓬
子菜根（药用部位：根）。

| 形态特征 | 多年生近直立草本，基部稍木质，高 25 ~ 45cm。茎有 4 棱，被短
柔毛或秕糠状毛。叶纸质，6 ~ 10 轮生，线形，先端短尖，边缘极
反卷，常卷成管状，上面无毛，稍有光泽，下面有短柔毛，稍苍白，
干时常变黑色，具 1 脉，无柄。聚伞花序顶生和腋生，较大，多花，
通常在枝顶结成带叶的长可达 15cm、宽可达 12cm 的圆锥花序状；
总花梗密被短柔毛；花小，稠密；花梗有疏短柔毛或无毛；萼管无
毛；花冠黄色，辐状，无毛，直径约 3mm，花冠裂片卵形或长圆形，
先端稍钝；花药黄色；花柱顶部 2 裂。果实小，果爿双生，近球状，

蓬子菜

无毛。花期 7 ~ 8 月，果期 8 ~ 9 月。

| 生境分布 | 生于灌丛、山坡林下、荒地草丛、林缘路边或砂质湿地等，常成片生长。吉林各地均有分布。

| 资源情况 | 野生资源较丰富。药材主要来源于野生。

| 采收加工 | 蓬子菜：夏、秋季采收，除去杂质，鲜用或晒干。

蓬子菜根：夏、秋季采挖，除去杂质，鲜用或晒干。

| 药材性状 | 蓬子菜：本品茎具 4 棱，较细，完整者长 40 ~ 100cm，直径 0.2 ~ 0.5cm。表面灰棕色至紫褐色。叶 6 ~ 10 轮生，狭线性，边缘反卷，表面光滑无毛，背面有柔毛。圆锥花序顶生，花小。果实扁球形，黄褐色。气微，味微苦。

蓬子菜根：本品呈圆柱形，弯曲，主根不明显，支根多，丛生于根茎，长约15cm，直径 0.2 ~ 0.5cm。表面灰褐色或浅棕褐色，有细皱纹，外皮剥落处显橙黄色木部。质稍硬，断面类白色或灰黄色，用放大镜观察可见多数小孔，并有同心排列的橙黄色环纹。气微，味淡。

| 功能主治 | 蓬子菜：微辛、苦，寒。清热解毒，活血破瘀，利尿，通经，止痒，止血。用于肝炎，风热咳嗽，水肿，咽喉肿痛，稻田性皮炎，瘾疹，疔疮痈肿，跌打损伤，骨折，妇女血气痛，阴道毛滴虫病，蛇咬伤。

蓬子菜根：甘，寒。清热止血，活血祛瘀。用于衄血，便血，血崩，尿血，月经不调，腹痛，瘀血肿痛，跌打损伤，痢疾。

| 用法用量 | 蓬子菜：内服煎汤，10 ~ 15g。外用适量，捣敷；或熬膏涂。

蓬子菜根：内服煎汤，3 ~ 9g。外用适量，鲜品捣敷。

茜草科 Rubiaceae 龙船花属 Ixora

龙船花 *Ixora chinensis* Lam.

| **植物别名** | 卖子木。

| **药 材 名** | 龙船花（药用部位：花）。

| **形态特征** | 落叶灌木，高 0.8 ~ 2m，无毛。小枝初时深褐色，有光泽，老时呈灰色，具线条。叶对生，有时由于节间距离极短，几成 4 轮生，披针形、长圆状披针形至长圆状倒披针形，长 6 ~ 13cm，宽 3 ~ 4cm，先端钝或圆形，基部短尖或圆形；中脉在上面扁平或略凹入，在下面凸起，侧脉每边 7 ~ 8，纤细，明显，近叶缘处彼此联结，横脉松散，明显；叶柄极短而粗或无；托叶长 5 ~ 7mm，基部阔，合生成鞘形，先端长渐尖，渐尖部分呈锥形，比鞘长。花序顶生，多花，具短总花梗；总花梗长 5 ~ 15mm，与分枝均呈红色，罕被粉状柔毛，基部常有 2 小形叶承托；苞片和小苞片微小，生于花托

龙船花

基部的成对；有花梗或无；萼管长 1.5 ~ 2mm，萼檐 4 裂，裂片极短，长 0.8mm，短尖或钝；花冠红色或红黄色，盛开时长 2.5 ~ 3cm，顶部 4 裂，裂片倒卵形或近圆形，扩展或向外反折，长 5 ~ 7mm，宽 4 ~ 5mm，先端钝或圆形；花丝极短，花药长圆形，长约 2mm，基部 2 裂；花柱伸出花冠管外，柱头 2，初时靠合，盛开时叉开，略下弯。果实近球形，双生，中间有 1 沟，成熟时红黑色；种子长、宽均为 4 ~ 4.5mm，上面凸，下面凹。花期 5 ~ 7 月。

| 生境分布 | 生于海拔 200 ~ 800m 的山地灌丛或疏林下，有时村落附近的山坡或旷野路旁亦有生长。吉林无野生分布。吉林公园、路旁有栽培。

| 资源情况 | 吉林偶见栽培。药材主要来源于栽培。

| 采收加工 | 夏、秋季花盛开时采收，鲜用或晒干。

| 药材性状 | 本品花序卷曲成团，展平后呈伞房花序。花序具短梗，有红色的分枝。花直径 1 ~ 5mm，具极短的花梗；萼 4 裂，萼齿远较萼筒短；花冠 4 浅裂，裂片近圆形，红褐色，肉质；花冠筒扭曲，红褐色，长 3 ~ 3.5cm；雄蕊与花冠裂片同数，着生于花冠筒喉部。气微，味微苦。以花朵完整、色红褐者为佳。

| 功能主治 | 甘、淡，凉。归肝经。清热凉血，散瘀止痛。用于头痛眩晕，月经不调，跌打损伤，疮疡疖肿。

| 用法用量 | 内服煎汤，10 ~ 15g。外用适量，捣敷。

中国茜草

茜草科 Rubiaceae 茜草属 Rubia

中国茜草
Rubia chinensis Regel et Maack

| 植物别名 |

中华茜草、华茜草、红茜草。

| 药 材 名 |

中国茜草（药用部位：根及根茎）。

| 形态特征 |

多年生直立草本，高 30 ~ 60cm。具有发达的紫红色须根。茎通常数条丛生，不分枝或少分枝，具 4 直棱，棱上被向上的钩状毛。叶 4 轮生，薄纸质或近膜质，卵形至阔卵形、椭圆形至阔椭圆形，先端短渐尖或渐尖，基部圆或阔楔尖；基出脉 5 或 7，纤细，两面微凸起；叶柄长 0.5 ~ 2cm，上部叶有时近无柄。聚伞花序排成圆锥花序式，顶生或在茎的上部腋生，通常结成大型、带叶的圆锥花序，长 15 ~ 30cm，花序轴和分枝均较纤细；苞片披针形；花梗稍纤细；萼管近球形，直径约 0.8mm，干时黑色，无毛；花冠白色，干后变黄色，质地薄，花冠管具长裂片 5 ~ 6，卵形或近披针形，有明显的 3 脉，先端尾尖；雄蕊 5 ~ 6，生于花冠管近基部。浆果近球形，直径约 4mm，黑色。花期 6 ~ 7 月，果期 8 ~ 9 月。

| 生境分布 |

生于山坡林下、荒地草丛、林缘路边或草甸。
以长白山区为主要分布区域,分布于吉林延边、
白山、通化、吉林、辽源（东丰）等。

| 资源情况 |

野生资源较丰富。药材主要来源于野生。

| 采收加工 |

春、秋季采挖,除去泥沙,干燥。

| 功能主治 |

行血,止血,通经活络,止咳,祛瘀。用于吐血,
衄血,血崩,经闭,肿痛,跌打损伤。

| 茜草科 Rubiaceae | 茜草属 Rubia

茜草
Rubia cordifolia Linn.

| **植物别名** | 辽茜草、伏茜草、四棱草。

| **药 材 名** | 茜草（药用部位：根及根茎。别名：拉拉秧、活血草、四轮车）。

| **形态特征** | 草质攀缘藤本。根茎和其节上的须根均为红色。茎数至多条，从根茎的节上发出，细长，方柱形，有4棱，棱上生倒生皮刺，中部以上多分枝。叶通常4轮生，纸质，披针形或长圆状披针形，先端渐尖，有时钝尖，基部心形，边缘有齿状皮刺，两面粗糙，脉上有微小皮刺；基出脉3，极少外侧有1对很小的基出脉；叶柄通常长1～2.5cm，有倒生皮刺。聚伞花序腋生和顶生，多回分枝，有花10至数十，花序和分枝均细瘦，有微小皮刺；花冠淡黄色，干时淡褐色，盛开时冠檐直径3～3.5mm，花冠裂片近卵形，微伸展，长约1.5mm，外面无毛。果实球形，成熟时为橘黄色。花期8～9月，果期9～10月。

茜草

| 生境分布 | 生于林缘、林下、灌丛、草甸、路旁、山坡等。以长白山区为主要分布区域，分布于吉林延边、白山、通化、吉林、辽源（东丰）、白城等。 |

| 资源情况 | 野生资源较丰富。药材主要来源于野生。 |

| 采收加工 | 春、秋季采挖，除去泥沙，干燥。 |

| 药材性状 | 本品根茎呈结节状，下部丛生粗细不等的长条根。根呈圆柱形，有的弯曲，长10～30cm，直径0.2～1cm。表面红棕色或暗棕色，有细纵纹及少数须根痕，皮部、木部较易分离，皮部脱落后呈黄红色。质脆，易断，断面平坦，皮部狭窄，呈红棕色，木部较宽，呈粉红色，有众多导管孔。气微，味微苦，久嚼刺舌。 |

| 功能主治 | 苦，寒。归肝经。凉血，祛瘀，止血，通经。用于吐血，衄血，崩漏，外伤出血，瘀阻经闭，关节痹痛，跌仆肿痛。 |

| 用法用量 | 内服煎汤，6～9g；或入丸、散；或浸酒。 |

| 附　　注 | （1）茜草在吉林的药用历史较久。在《海龙府乡土志》（1907）、《西安县乡土志》（1908）、《东丰县志略》（1910）等多部地方志中均有关于"茜草"的记载。
（2）茜草也是被多个少数民族记载的民族用药，用量较大。同时，本种还被应用于染料、化妆品、食品添加剂等不同领域。近年来由于茜草的用途拓宽，其需求量增加，价格也随之上涨。吉林的茜草资源分布较广，西部白城等地所产商品条粗、色红棕，品质好，但产量较小。东部山区和中部半山区的茜草资源相对较多，但其根部细小，品质较差，因此无药材商品产出。 |

茜草科 Rubiaceae 茜草属 Rubia

林生茜草 *Rubia sylvatica* (Maxim.) Nakai

| **植物别名** | 林茜草。

| **药 材 名** | 林生茜草（药用部位：根及根茎）。

| **形态特征** | 多年生草质攀缘藤本。茎、枝细长，方柱形，有 4 棱，棱上有微小的皮刺。叶 4 ~ 10 轮生，很少 11 ~ 12，膜状，纸质，卵圆形至近圆形，长 3 ~ 11cm 或更长，宽通常 2 ~ 9cm，先端长渐尖或尾尖，基部深心形，后裂片耳形，边缘有微小皮刺，干时褐黑色或带墨绿色，两面粗糙；基出脉 5 ~ 7，纤细，有微小皮刺；叶柄长 2 ~ 11cm 或更长，有微小皮刺。聚伞花序腋生和顶生，通常有花 10 或更多，总花梗、花序轴及其分枝均纤细，粗糙。花和茜草 *Rubia cordifolia* Linn. 的花相似。果实球形，成熟时黑色，单生或双生。花期 7 月，果期 9 ~ 10 月。

林生茜草

| **生境分布** | 生于林下、草丛、林缘。以长白山区为主要分布区域，分布于吉林延边、白山、通化、吉林、辽源（东丰）等。

| **资源情况** | 野生资源较丰富。药材主要来源于野生。

| **采收加工** | 春、秋季采挖，除去泥沙，干燥。

| **功能主治** | 活血，祛瘀通经。用于经闭瘀阻，关节疼痛，跌打损伤，瘀血肿痛。

花葱
Polemonium coeruleum Linn.

| 植物别名 | 鱼翅菜。

| 药 材 名 | 花葱（药用部位：根及根茎。别名：电灯花）。

| 形态特征 | 多年生草本。根匍匐，圆柱状，多纤维状须根。茎直立，无毛或被疏柔毛。羽状复叶互生，茎下部叶长可达 20cm 或更长，茎上部叶长 7 ~ 14cm，小叶 11 ~ 21，互生，长卵形至披针形，先端锐尖或渐尖，基部近圆形，全缘，两面有疏柔毛或近无毛，无小叶柄。聚伞圆锥花序顶生或生于上部叶腋，疏生多花；花萼钟状，被短的或疏长腺毛，裂片长卵形、长圆形或卵状披针形，先端锐尖或具钝头，稀钝圆，与萼筒近等长；花冠紫蓝色，钟状，裂片倒卵形，先端圆或偶渐狭，或略尖，边缘有疏或密的缘毛，或无缘毛；雄蕊着生于花冠筒基部之上，通常与花冠近等长，花药卵圆形，花丝基部簇生

花葱

黄白色柔毛；子房球形，柱头稍伸出花冠之外。
蒴果卵形；种子褐色，纺锤形，种皮具有膨胀
性的黏液细胞，干后膜质，似种子有翅。

| 生境分布 |

生于山坡草丛、山谷疏林下、山坡路边灌丛或
溪流湿地。以长白山区为主要分布区域，分布
于吉林延边、白山、通化、吉林、辽源（东丰）等。

| 资源情况 |

野生资源稀少。药材主要来源于野生。

| 采收加工 |

秋季采挖，洗净泥土，晒干。

| 功能主治 |

苦，平。止血，祛痰，镇静。用于咳血，吐血，
衄血，便血，胃痛，胃及十二指肠溃疡出血，
功能失调性子宫出血，咳嗽痰喘，慢性支气管
炎，癫痫，失眠。

| 用法用量 |

内服煎汤，3 ~ 10g。

花葱科 Polemoniaceae 花葱属 Polemonium

小花葱

Polemonium liniflorum V. Vassil.

| 植物别名 | 花葱、丝花花葱、电灯花。

| 药 材 名 | 小花葱（药用部位：根及根茎。别名：电灯花）。

| 形态特征 | 多年生草本。茎直立，不分枝，细长，无毛。羽状复叶，生茎下部的长 6 ~ 18cm，向上渐短，小叶 15 ~ 25，互生，狭披针形或卵状披针形，长（1.2 ~）2 ~ 2.5（~ 4）cm，宽 0.4 ~ 0.7（~ 1.4）cm，两面无毛，均无小叶柄；生茎上部的小叶较小，线状披针形或线形；下部叶柄长 6 ~ 14cm，向上渐短，无毛或疏生柔毛。聚伞圆锥花序顶生，因花序分枝短而较狭窄，被短腺柔毛，多花，花梗纤细而短，花时长 2 ~ 3mm，被短腺毛；花较小，花萼钟状，长 2 ~ 3mm，被短毛或有时少毛，裂片三角形，比萼筒短；花冠蓝紫色，钟状，长 0.8 ~ 1.2cm，裂片倒卵形，先端圆，边缘具缘毛；雄蕊和花柱伸出

小花葱

花冠或偶与之等长。蒴果卵球形，长 3 ~ 5mm，凸出于宿存花萼；种子褐色，纺锤形，长 2 ~ 2.5mm，干后边缘一侧膜质。

| **生境分布** | 生于林下、林缘、河谷或湿草甸子等。以长白山区为主要分布区域，分布于吉林延边、白山、通化、吉林、辽源（东丰）等。

| **资源情况** | 野生资源较少。药材主要来源于野生。

| **采收加工** | 秋季采挖，洗净泥土，晒干。

| **功能主治** | 微苦，平。归肺、心、肝、脾、胃经。祛痰，止血，镇静，镇痛。用于急、慢性支气管炎，咳嗽痰喘，胃及十二指肠溃疡出血，咳血，衄血，崩漏，癫痫，失眠，带下，子宫出血。

| **用法用量** | 内服煎汤，3 ~ 10g。

旋花科 Convolvulaceae 打碗花属 Calystegia

毛打碗花

Calystegia dahurica (Herb.) Choisy

| 植物别名 | 马刺楷。

| 药 材 名 | 毛打碗花（药用部位：全草。别名：打碗花、夫儿苗、狗娃秧）。

| 形态特征 | 多年生草本，除花萼、花冠外，植物体各部分均被短柔毛。茎缠绕，伸长，有细棱。叶通常为卵状长圆形，基部戟形，基部裂片不明显伸长，圆钝或2裂，有时3裂，中裂片长圆形，侧裂片平展，三角形，下侧有1小裂片，叶柄较短。花单生于叶腋，花梗长于叶片；苞片宽卵形；萼片5，无毛；花冠淡红色，漏斗状；雄蕊5，花丝基部扩大。蒴果球形，稍长于萼片。花期7～8月，果期9～10月。

| 生境分布 | 生于路边、荒地、旱田、山坡等。吉林各地均有分布。

毛打碗花

| **资源情况** | 野生资源较少。药材主要来源于野生。 |

| **采收加工** | 夏、秋季采收，洗净，切段，晒干。 |

| **功能主治** | 甘，寒。归脾、胃、大肠、小肠经。清肝热，滋阴，利小便。用于肝阳上亢导致的头晕，目眩，小便不利。 |

| **用法用量** | 内服煎汤，15～30g。 |

旋花科 Convolvulaceae 打碗花属 Calystegia

打碗花 *Calystegia hederacea* Wall.

| **植物别名** | 小旋花、喇叭花、大碗花。

| **药材名** | 面根藤（药用部位：全草或根。别名：面根藤、小旋花、盘肠参）。

| **形态特征** | 一年生草本，全体不被毛，植株通常矮小，常自基部分枝。具细长、白色的根。茎细，平卧，有细棱。基部叶片长圆形，先端圆，基部戟形，上部叶片 3 裂，中裂片长圆形或长圆状披针形，侧裂片近三角形，全缘或 2～3 裂，叶片基部心形或戟形。花 1，腋生，花梗长于叶柄，有细棱；苞片宽卵形，先端钝或锐尖至渐尖；萼片长圆形，先端钝，具小短尖头，内萼片稍短；花冠淡紫色或淡红色，钟状，长 2～4cm，冠檐近截形或微裂；雄蕊近等长，花丝基部扩大，贴生于花冠管基部，被小鳞毛；子房无毛，柱头 2 裂，裂片长圆形，扁平。蒴果卵球形，宿存萼片与之近等长或稍短；种子黑褐色，表面有小

打碗花

疣。花期 6～7 月，果期 8～9 月。

| 生境分布 | 生于山坡、耕地、撂荒地、林缘、荒地、田间等。吉林各地均有分布。

| 资源情况 | 野生资源丰富。药材主要来源于野生。

| 采收加工 | 秋季采挖根茎，洗净，晒干或鲜用。夏、秋季采摘花，鲜用。

| 药材性状 | 本品根茎细长，直径约 1mm，表面灰黄色，有细纵皱纹。茎细长，常盘曲扭卷，表面灰棕色或灰褐色，有扭曲的纵向棱线；质脆，易折断。叶互生，有长柄，叶片淡绿色，多皱缩破碎，完整叶片展平后呈戟形。气微，味淡。

| 功能主治 | 甘、淡，平。归肝、肾经。健脾益气，利尿，调经止带。用于脾虚消化不良，月经不调，赤白带下，乳汁稀少；外用于牙痛。

| 用法用量 | 根茎，内服煎汤，10～30g。外用适量。

旋花科 Convolvulaceae 打碗花属 Calystegia

藤长苗
Calystegia pellita (Ledeb.) G. Don

| **植物别名** | 日本打碗花、长裂旋花、喇叭花。

| **药 材 名** | 藤长苗（药用部位：全草）。

| **形态特征** | 多年生草本。根细长。茎缠绕或下部直立，圆柱形，有细棱，密被灰白色或黄褐色长柔毛，有时毛较少。叶长圆形或长圆状线形，先端钝圆或锐尖，具小短尖头，基部圆形、截形或微呈戟形，全缘，两面被柔毛，通常背面沿中脉密被长柔毛，有时两面毛较少，叶脉在背面稍凸起；叶柄长 0.2 ~ 2cm，毛被同茎。花腋生，单一，花梗短于叶，密被柔毛；苞片卵形，先端钝，具小短尖头，外面密被褐黄色短柔毛，有时被毛较少，具有如叶脉的中脉和侧脉；萼片近相等，长圆状卵形，上部具黄褐色缘毛；花冠淡红色，漏斗状，冠檐于瓣中带先端被黄褐色的短柔毛；雄蕊的花丝基部扩大，被小鳞

藤长苗

毛；子房无毛，2室，每室2胚珠，柱头2裂，裂片长圆形，扁平。蒴果近球形；
种子卵圆形，无毛。花期7~8月，果期9~10月。

| **生境分布** | 生于山坡、路边荒草地或菜园地。吉林各地均有分布。

| **资源情况** | 野生资源较丰富。药材主要来源于野生。

| **采收加工** | 夏、秋季采收，除去杂质，晒干。

| **功能主治** | 甘，寒。益气利尿，强筋壮骨，活血祛瘀，理气健脾。用于高血压，消化不良，
糖尿病，咽喉炎，急性扁桃体炎，劳倦乏力，急性肾炎，跌打损伤，肿痛。

旋花科 Convolvulaceae 打碗花属 Calystegia

旋花

Calystegia sepium (Linn.) R. Br.

旋花

植物别名

宽叶打碗花、篱打碗花、喇叭花。

药材名

旋花（药用部位：花。别名：狗狗秧、打碗花、金根花）、旋花根（药用部位：根。别名：旋菖草根、篱天剑根）。

形态特征

多年生草本，全体不被毛。茎缠绕，伸长，有细棱。叶形多变，三角状卵形或宽卵形，先端渐尖或锐尖，基部戟形或心形，全缘或基部稍伸展为具 2 ~ 3 大齿缺的裂片；叶柄常短于叶片或两者近等长。花 1，腋生；花梗通常稍长于叶柄，有细棱或有时具狭翅；苞片宽卵形，长 1.5 ~ 2.3cm，先端锐尖；萼片卵形，先端渐尖或有时锐尖；花冠通常白色或有时淡红色，或紫色，漏斗状，长 5 ~ 6（~ 7）cm，冠檐微裂；雄蕊的花丝基部扩大，被小鳞毛；子房无毛，柱头 2 裂，裂片卵形，扁平。蒴果卵形，长约 1cm，为增大宿存的苞片和萼片所包被；种子黑褐色，表面有小疣。

| 生境分布 | 生于山坡林缘、湿地、田园、溪边草丛。以长白山区为主要分布区域，分布于吉林延边、白山、通化、吉林、辽源（东丰）等。

| 资源情况 | 野生资源较丰富。药材主要来源于野生。

| 采收加工 | 旋花：6～7月花开时采收，晾干。
旋花根：秋季采挖，洗净，晒干。

| 功能主治 | 旋花：甘，温。益气，养颜，涩精。用于面皯，遗精，遗尿。
旋花根：甘，寒。清热利湿，理气健脾。用于目赤肿痛，咽喉痛，带下，白浊，疝气，疬疮。

| 用法用量 | 旋花：内服煎汤，6～10g；或入丸剂。
旋花根：内服煎汤，15～30g。外用适量，捣敷。

旋花科 Convolvulaceae 旋花属 *Convolvulus*

银灰旋花

Convolvulus ammannii Desr.

| **植物别名** | 小旋花、亚氏旋花、彩木。

| **药 材 名** | 银灰旋花（药用部位：全草。别名：小旋花）。

| **形态特征** | 多年生草本，根茎短，木质化，茎少数或多数，平卧或上升，枝和叶密被贴生、稀半贴生的银灰色绢毛。叶互生，线形或狭披针形，先端锐尖，基部狭，无柄。花单生于枝端，具细花梗；萼片5，外萼片长圆形或长圆状椭圆形，近锐尖或稍渐尖，内萼片较宽，椭圆形，渐尖，密被贴生银色毛；花冠小，漏斗状，淡玫瑰色或白色带紫色条纹，有毛，5浅裂；雄蕊5，较花冠短一半，基部稍扩大；雌蕊无毛，较雄蕊稍长，子房2室，每室2胚珠；花柱2裂，柱头2，线形。蒴果球形，2裂；种子2～3，卵圆形，光滑，具喙，淡褐红色。花期7～8月，果期8～9月。

银灰旋花

| **生境分布** | 生于河岸、田野或路旁沙地上。分布于吉林白城、松原等。 |

| **资源情况** | 野生资源较少。药材主要来源于野生。 |

| **采收加工** | 夏、秋季采收，除去杂质，鲜用或晒干。 |

| **药材性状** | 本品长 2 ~ 12cm，地上部分被银灰色丝状毛。根茎短，木质化。茎多分枝，细弱而弯曲；质脆，易折断。叶互生，多皱缩或脱落，完整者展平后呈条形或狭披针形，长 1 ~ 2cm，先端尖，基部狭，无柄。花小，单生于枝端，具细花梗；花冠漏斗状，淡紫色或白色。蒴果球形，2 裂。种子 2 ~ 3，卵圆形，淡褐红色，光滑。气微，味辛。 |

| **功能主治** | 辛，温。解毒，解表，解热，止咳。用于风寒感冒。 |

| **用法用量** | 内服煎汤，6 ~ 10g。 |

旋花科 Convolvulaceae 旋花属 Convolvulus

田旋花 *Convolvulus arvensis* Linn.

| 植物别名 | 中国旋花、打碗花、小旋花。

| 药 材 名 | 田旋花（药用部位：全草。别名：中国旋花、拉拉菀、野牵牛）。

| 形态特征 | 多年生草本，根茎横走，茎平卧或缠绕，有条纹及棱角。叶卵状长圆形至披针形，先端钝或具小短尖头，基部大多戟形、箭形或心形，全缘或 3 裂，侧裂片展开，微尖，中裂片卵状椭圆形、狭三角形或披针状长圆形，微尖或近圆形；叶柄较叶片短；叶脉羽状，基部掌状。花序腋生，总花序梗长 3 ~ 8cm，1 花或有时 2 ~ 3 至多花；苞片 2，线形；萼片长 3.5 ~ 5mm，外萼片长圆状椭圆形，内萼片近圆形；花冠宽漏斗形，长 15 ~ 26mm，白色或粉红色，或白色具粉红色或红色的瓣中带，或粉红色具红色或白色的瓣中带，5 浅裂；雄蕊 5，稍不等长，较花冠短一半，花丝基部扩大，具小鳞毛；雌蕊较雄蕊稍

田旋花

长，子房有毛，2 室，每室 2 胚珠，柱头 2，线形。蒴果卵状球形或圆锥形，无毛，长 5 ~ 8mm；种子 4，卵圆形，暗褐色或黑色。花期 7 ~ 8 月，果期 8 ~ 9 月。

| **生境分布** | 生于山坡、沙地、路边、田园等。分布于吉林白城、松原、四平、吉林（龙潭）等。

| **资源情况** | 野生资源较丰富。药材主要来源于野生。

| **采收加工** | 夏、秋季采收，除去杂质，鲜用。

| **药材性状** | 本品多皱缩、卷曲成团状，根茎细长，具须根。茎细圆柱形，具棱角及条纹，上部被疏毛。叶互生，多卷曲或脱落，完整者展平后呈三角状卵形、卵状长圆形或狭披针形，长 2.8 ~ 7cm，宽 0.4 ~ 3cm，先端钝圆，具小尖头，基部戟形、心形或箭形，全缘；叶柄长 1 ~ 2cm。花序腋生，花 1 ~ 3；花冠宽漏斗状，白色或粉红色，花梗细弱，总花序梗长 3 ~ 8cm。蒴果类球形。种子 4，黑褐色。气微，味咸。

| **功能主治** | 辛，温；有毒。归肾经。活血调经，止痒，止痛，祛风。用于神经性皮炎，风湿性关节炎，牙痛。

| **用法用量** | 内服煎汤，6 ~ 10g。外用适量，酒浸涂患处；或塞蛀牙孔；或置病牙上咬紧，勿咽下。

旋花科 Convolvulaceae 菟丝子属 Cuscuta

菟丝子
Cuscuta chinensis Lam.

| **植物别名** | 小粒菟丝子、豆寄生、金丝藤。

| **药 材 名** | 菟丝子（药用部位：种子。别名：黄藤子、龙须子、萝丝子）。

| **形态特征** | 一年生寄生草本。茎缠绕，黄色，纤细，直径约1mm。无叶。花序侧生，少花或多花簇生成小伞形或小团伞花序，近无总花序梗；苞片及小苞片小，鳞片状；花梗稍粗壮，长约1mm；花萼杯状，中部以下联合，裂片三角状，先端钝；花冠白色，壶形，长约3mm，裂片三角状卵形，先端锐尖或钝，向外反折，宿存；雄蕊着生于花冠裂片弯缺微下处；鳞片长圆形，边缘长流苏状；子房近球形，花柱2，等长或不等长，柱头球形。蒴果球形，直径约3mm，几乎全为宿存的花冠所包围，成熟时整齐地周裂；种子2～4，淡褐色，卵形，长约1mm，表面粗糙。花期7～8月，果期8～9月。

菟丝子

| 生境分布 | 生于田间、地头、路旁沟边，寄生于豆科植物。吉林各地均有分布。吉林公园、药园有栽培。 |

| 资源情况 | 野生资源较丰富。吉林有栽培。药材主要来源于栽培。 |

| 采收加工 | 秋季果实成熟时采收植株，晒干，打下种子，除去杂质。 |

| 药材性状 | 本品呈类球形，直径 1 ~ 2mm。表面灰棕色至棕褐色，粗糙，种脐线形或扁圆形。质坚实，不易以指甲压碎。气微，味淡。 |

| 功能主治 | 辛、甘，平。归肝、肾、脾经。补益肝肾，固精缩尿，安胎，明目，止泻，消风祛斑。用于肝肾不足，腰膝酸软，阳痿遗精，遗尿尿频，肾虚胎漏，胎动不安，目昏耳鸣，脾肾虚泻；外用于白癜风。 |

| 用法用量 | 内服煎汤，6 ~ 12g；或入丸、散。外用适量，炒研调敷。 |

| 附　注 | （1）菟丝子在吉林的药用历史较久。在《长白汇征录》（1910）、《（宣统）安图县志》（1911）、《磐石县乡土志》（1915）等多部地方志中均有关于"菟丝子"的记载。
（2）菟丝子产地分布广，产量大，用量也较大，但大都是自产自销，仅部分外销。吉林菟丝子野生资源分布较广，但因采收困难，导致药材产出量很小，大都自产自销，无更多商品供市。 |

金灯藤 *Cuscuta japonica* Choisy

| **植物别名** | 日本菟丝子。

| **药 材 名** | 金灯藤（药用部位：种子。别名：大菟丝子、日本菟丝子）。

| **形态特征** | 一年生寄生缠绕草本。茎较粗壮，肉质，黄色，常带紫红色瘤状斑点，无毛，多分枝。无叶。花无柄或几无柄，形成穗状花序，基部常多分枝；苞片及小苞片鳞片状，卵圆形，先端尖，全缘，沿背部增厚；花萼碗状，肉质，长约 2mm，5 裂几达基部，裂片卵圆形或近圆形，相等或不相等，先端尖，背面常有紫红色瘤状突起；花冠钟状，淡红色或绿白色，先端 5 浅裂，裂片卵状三角形，钝，直立或稍反折，短于花冠筒 2 ~ 2.5 倍；雄蕊 5，着生于花冠喉部裂片之间，花药卵圆形，黄色，花丝无或几无；鳞片 5，长圆形，边缘流苏状，着生于花冠筒基部，伸长至花冠筒中部或中部以上；子房球状，平滑，

金灯藤

无毛，2 室，花柱细长，合生为 1，与子房等长或稍长，柱头 2 裂。蒴果卵圆形，近基部周裂；种子 1 ～ 2，光滑，褐色。花期 8 月，果期 9 月。

| 生境分布 | 生于田间、地头、路旁沟边，寄生于豆科植物。吉林各地均有分布。

| 资源情况 | 野生资源较丰富。药材主要来源于野生。

| 采收加工 | 秋季果实成熟时采收植株，晒干，打下种子，除去杂质。

| 药材性状 | 本品呈类圆球形或三棱形，直径 2 ～ 3mm。表面黄棕色、棕褐色或淡黄色，微凹陷，种脐圆形，色稍淡。质坚硬，不易以指甲压碎。气微，味微涩，嚼之微有黏滑感。

| 功能主治 | 清热，凉血，利水，解毒。用于吐血，衄血，便血，血崩，淋浊，带下，痢疾，黄疸，痈疽，疔疮，热毒痱疹。

| 用法用量 | 内服煎汤，6 ～ 15g；或入丸、散。外用适量，炒研调敷。

旋花科 Convolvulaceae 鱼黄草属 Merremia

北鱼黄草

Merremia sibirica (Linn.) Hall. f.

| 植物别名 | 北鱼草黄、西伯利亚鱼黄草、钻之灵。

| 药 材 名 | 北鱼黄草（药用部位：全草。别名：钻之灵、小瓠花、北鱼草黄）、
铃当子（药用部位：种子。别名：小牵牛子）。

| 形态特征 | 缠绕草本，植株各部分近无毛。茎圆柱状，具细棱。叶卵状心形，
先端长渐尖或尾状渐尖，基部心形，全缘或稍波状，侧脉 7 ～ 9 对，
纤细，近平行射出，近边缘弧曲向上；叶柄长 2 ～ 7cm，基部具小
耳状假托叶。聚伞花序腋生，有 1 ～ 7 花，花序梗通常比叶柄短，
有时超出叶柄，明显具棱或狭翅；苞片小，线形；花梗长 0.3 ～
1.5cm，向上增粗；萼片椭圆形，近相等，先端明显具钻状短尖头，
无毛；花冠淡红色，钟状，无毛，冠檐具三角形裂片；花药不扭曲；
子房无毛，2 室。蒴果近球形，先端圆，无毛，4 瓣裂；种子 4 或较

北鱼黄草

少，黑色，椭圆状三棱形，先端钝圆，无毛。花期 7 ~ 8 月，果期 8 ~ 9 月。

| 生境分布 | 生于路边、田边、山地草丛或山坡灌丛。分布于吉林白城（通榆、镇赉、洮南、大安）、松原（长岭、前郭尔罗斯）、吉林（磐石）等。

| 资源情况 | 野生资源较丰富。药材主要来源于野生。

| 采收加工 | 北鱼黄草：夏季采收，洗净，鲜用或晒干。

铃当子：秋季采收果实，晒干，打下种子，除去杂质。

| 药材性状 | 铃当子：本品呈卵形，多为圆球体的 1/4，长 4 ~ 6cm，宽 3 ~ 5cm。表面灰褐色，被金黄色鳞片状绒毛，脱落处粗糙，呈小凹点状；背面弓形隆起，中央有浅纵沟；腹腔面为 1 棱线，种脐明显，在棱线背面交界处呈缺刻状。质硬，横切面淡黄色，可见 2 皱缩、折叠的子叶。气微，味微辛、辣。

| 功能主治 | 北鱼黄草：辛、苦，寒。归脾、肾经。活血解毒。用于跌打损伤，疔疮，劳伤疼痛，下肢肿痛。

铃当子：甘，寒。归脾经。泻下祛积，逐水消肿。用于大便秘结，湿热内结，胸水，腹水，食积腹胀，食欲不振，恶心呕吐。

| 用法用量 | 北鱼黄草：内服煎汤，3 ~ 10g。外用适量，捣敷。

铃当子：内服研末，1.5 ~ 3g。

旋花科 Convolvulaceae 牵牛属 Pharbitis

牵牛

Pharbitis nil (Linn.) Choisy

| 植物别名 | 裂叶牵牛、喇叭花、朝颜花。

| 药 材 名 | 牵牛子（药用部位：种子。别名：喇叭花子、草金铃）。

| 形态特征 | 一年生缠绕草本。茎上被倒向的短柔毛，杂有倒向或开展的长硬毛。叶宽卵形或近圆形，3裂，偶5裂，基部圆，心形，中裂片长圆形或卵圆形，渐尖或骤尖，侧裂片较短，三角形，裂口锐或圆；叶柄长2～15cm。花腋生，单一或通常2着生于花序梗先端，花序梗长短不一，通常短于叶柄，有时较长，毛被同茎；苞片线形或叶状，被开展的微硬毛；小苞片线形；萼片近等长，长2～2.5cm，披针状线形，内面2稍狭，外面被开展的刚毛，基部更密，有时也杂有短柔毛；花冠漏斗状，长5～10cm，蓝紫色或紫红色，花冠管色淡；雄蕊及花柱内藏，雄蕊不等长，花丝基部被柔毛；子房无毛，柱头

牵牛

头状。蒴果近球形，3瓣裂；种子卵状三棱形，黑褐色或米黄色，被褐色短绒毛。花期7～8月，果期8～9月。

| **生境分布** | 生于山坡灌丛、干燥河谷路边、园边宅旁或山地路边等。分布于吉林延边、白山、通化等。吉林中部半山区有栽培。

| **资源情况** | 野生资源较丰富。吉林有栽培。药材主要来源于野生。

| **采收加工** | 秋季果实成熟、果壳未开裂时采割植株，晒干，打下种子，除去杂质。

| **药材性状** | 本品似橘瓣状，长4～8mm，宽3～5mm。表面灰黑色或淡黄白色，背面有1浅纵沟，腹面棱线的下端有1点状种脐，微凹。质硬，横切面可见淡黄色或黄绿色皱缩、折叠的子叶，微显油性。气微，味辛、苦，有麻舌感。以成熟、饱满、无皮壳杂质、无黑白相杂者为佳。

| **功能主治** | 苦，寒；有毒。归肺、肾、大肠经。泻水通便，消痰涤饮，杀虫攻积。用于水肿胀满，肾炎水肿，肝硬化腹水，二便不通，痰饮积聚，气逆喘咳，虫积腹痛，蛔虫病，绦虫病，脚气。

| **用法用量** | 内服煎汤，3～6g；或入丸、散，每次0.3～1g，每日2～3次。炒用药性较缓。

| **附　注** | 在FOC中，本种的拉丁学名被修订为 *Ipomoea nil* (Linnaeus) Roth。

旋花科 Convolvulaceae 牵牛属 Pharbitis

圆叶牵牛

Pharbitis purpurea (Linn.) Voigt

| **植物别名** | 圆叶旋花、牵牛花、喇叭花。

| **药 材 名** | 牵牛子（药用部位：种子。别名：黑丑、喇叭花子）。

| **形态特征** | 一年生缠绕草本。茎上被倒向的短柔毛，杂有倒向或开展的长硬毛。叶圆心形或宽卵状心形，基部圆，心形，先端锐尖、骤尖或渐尖，通常全缘，偶见 3 裂；叶柄长 2 ~ 12cm。花腋生，单一或 2 ~ 5 着生于花序梗先端呈伞形聚伞花序，花序梗长 4 ~ 12cm；苞片线形，被开展的长硬毛；花梗被倒向短柔毛及长硬毛；萼片近等长，外面3 呈长椭圆形，渐尖，内面 2 呈线状披针形，外面均被开展的硬毛，基部更密；花冠漏斗状，长 4 ~ 6cm，紫红色、红色或白色，花冠管通常白色，瓣中带于内面色深，外面色淡；雄蕊与花柱内藏，雄蕊不等长，花丝基部被柔毛；子房无毛，3 室，每室 2 胚珠，柱头头

圆叶牵牛

状; 花盘环状。蒴果近球形, 3 瓣裂; 种子卵状三棱形, 长约 5mm, 黑褐色或米黄色, 被极短的糠秕状毛。花期 7 ~ 8 月, 果期 8 ~ 9 月。

| 生境分布 | 生于林缘、灌丛、田间地头、路边、围栏或院墙附近。吉林各地均有分布。

| 资源情况 | 野生资源较丰富。药材主要来源于野生。

| 采收加工 | 同 "牵牛"。

| 药材性状 | 同 "牵牛"。

| 功能主治 | 同 "牵牛"。

| 用法用量 | 同 "牵牛"。

| 附　　注 | 在 FOC 中, 本种的拉丁学名被修订为 *Ipomoea purpurea* (Linnaeus) Roth。

茑萝松
Quamoclit pennata (Desr.) Boj.

| 植物别名 | 五角星花。

| 药 材 名 | 茑萝松（药用部位：全草）。

| 形态特征 | 一年生柔弱缠绕草本，无毛。叶卵形或长圆形，长2~10cm，宽1~6cm，羽状深裂至中脉，具10~18对线形至丝状、平展的细裂片，裂片先端锐尖；叶柄长8~40mm，基部常具假托叶。花序腋生，由少数花组成聚伞花序；总花梗大多超过叶，花直立，花柄较花萼长，长9~20mm，在果时增厚成棒状；萼片绿色，稍不等长，椭圆形至长圆状匙形，外面1稍短，长约5mm，先端钝而具小凸尖；花冠高脚碟状，长约2.5cm或更长，深红色，无毛，花冠管柔弱，上部稍膨大，冠檐开展，直径1.7~2cm，5浅裂；雄蕊及花柱伸出，花丝基部具毛；子房无毛。蒴果卵形，长7~8mm，4室，4瓣裂，

茑萝松

隔膜宿存，透明；种子 4，卵状长圆形，长 5 ~ 6mm，黑褐色。

| **生境分布** | 生长于海拔 0 ~ 2500m 的地区，喜温暖、湿润的环境，不耐寒，能自播（一般由人工引种栽培），要求土壤肥沃。吉林无野生分布。吉林中部半山区林园、公园、植物园有栽培。

| **资源情况** | 吉林有栽培。药材主要来源于栽培。

| **采收加工** | 夏、秋季采收，晒干。

| **功能主治** | 清热解毒，凉血止痢，祛风除湿，通经活络，导泻。用于痈疽疔疮，无名肿毒，湿疮流汁瘙痒，痢疾，便血，耳疔，痔漏，毒蛇咬伤。

| **用法用量** | 内服煎汤，6 ~ 9g。外用适量，捣汁涂；或煎汤洗。

紫草科 Boraginaceae 斑种草属 Bothriospermum

多苞斑种草 *Bothriospermum secundum* Maxim.

| **药 材 名** | 野山蚂蟥（药用部位：全草。别名：山蚂蟥、毛萝菜）。

| **形态特征** | 一年生或二年生草本。具直伸的根。茎单一或数条丛生，由基部分枝，分枝通常细弱。基生叶具柄，倒卵状长圆形，先端钝，基部渐狭为叶柄；茎生叶长圆形或卵状披针形。花序生于茎顶及腋生枝条先端，花与苞片依次排列，而各偏于一侧；苞片长圆形或卵状披针形，被硬毛及短伏毛；花梗长 2 ~ 3mm，果期不增长或稍增长，下垂；花萼裂片披针形，裂至基部；花冠蓝色至淡蓝色，檐部直径约 5mm，裂片圆形，喉部附属物梯形，先端微凹；花药长圆形，与附属物略等长，花丝极短，着生于花冠筒基部以上 1mm 处；花柱圆柱形，极短，长约为花萼的 1/3，柱头头状。小坚果卵状椭圆形，长约 2mm，密生疣状突起，腹面有纵椭圆形的环状凹陷。花期 5 ~ 6 月，果期

多苞斑种草

8 ~ 9 月。

| **生境分布** | 生于山坡、道旁、河床、农田路边、山坡林缘灌木林下或山谷溪边阴湿处。分布于吉林白城、松原等。

| **资源情况** | 野生资源较少。药材主要来源于野生。

| **采收加工** | 春、夏季花开时采收，晒干。

| **功能主治** | 苦，凉。归肺、肝经。祛风，解毒，杀虫。用于遍身暴肿，疮毒。

| **用法用量** | 内服煎汤，3 ~ 9g。外用适量，煎汤洗。

柔弱斑种草

Bothriospermum tenellum (Hornem.) Fisch. et Mey.

柔弱斑种草

| 植物别名 |

细茎斑种草。

| 药 材 名 |

鬼点灯（药用部位：全草。别名：小马耳朵、细叠子草、雀灵草）。

| 形态特征 |

一年生草本，高 15 ~ 30cm。茎细弱，丛生，直立或平卧，多分枝，被向上贴伏的糙伏毛。叶椭圆形或狭椭圆形，长 1 ~ 2.5cm，宽 0.5 ~ 1cm，先端钝，具小尖，基部宽楔形，上下两面被向上贴伏的糙伏毛或短硬毛。花序柔弱，细长，长 10 ~ 20cm；苞片椭圆形或狭卵形，长 0.5 ~ 1cm，宽 3 ~ 8mm，被伏毛或硬毛；花梗短，长 1 ~ 2mm，果期不增长或稍增长；花萼长 1 ~ 1.5mm，果期增大，长约 3mm，外面密生向上的伏毛，内面无毛或中部以上散生伏毛，裂片披针形或卵状披针形，裂至近基部；花冠蓝色或淡蓝色，长 1.5 ~ 1.8mm，基部直径 1mm，檐部直径 2.5 ~ 3mm，裂片圆形，长、宽均约 1mm，喉部有 5 个梯形的附属物，附属物高约 0.2mm；花柱圆柱形，极短，长约 0.5mm，约为花萼的 1/3 或不及。小坚果肾形，长

1 ~ 1.2mm，腹面具纵椭圆形的环状凹陷。花果期 2 ~ 10 月。

| 生境分布 | 生于山坡路边、田间草丛、山坡草地或溪边阴湿处。分布于吉林松原（前郭尔罗斯、宁江）、白城（大安）、四平（梨树）等。

| 资源情况 | 野生资源较少。药材主要来源于野生。

| 采收加工 | 夏、秋季采收，除去杂质，晒干。

| 功能主治 | 苦、涩，平；有小毒。归肺经。止咳，止血。用于咯血，咳嗽。

| 用法用量 | 内服煎汤，9 ~ 12g；或炒焦用于止血。

| 附　　注 | （1）在 FOC 中，本种的拉丁学名被修订为 *Bothriospermum zeylanicum* (J. Jacquin) Druce。
（2）多苞斑种草 *Bothriospermum secundum* Maxim. 的形态与本种相似，但其茎具开展的硬毛及伏毛，苞片多数，与花依次排列，各偏于一侧，可以此与本种相区别。

山茄子
Brachybotrys paridiformis Maxim. ex Oliv.

| **植物别名** | 山野烟、山茄子秧、野旱烟。

| **药 材 名** | 山茄子（药用部位：全草）。

| **形态特征** | 多年生草本。根茎直径约 3mm。茎直立，不分枝。基部茎生叶鳞片状；中部茎生叶具长叶柄，叶片倒卵状长圆形；叶柄有狭翅；上部 5 ~ 6 叶假轮生，具短柄，叶片倒卵形至倒卵状椭圆形。花序顶生，长约 5cm，具纤细的花序轴，花密集于花序轴的上部，通常约为 6；花梗无苞片，花序轴、花梗及花萼都有密短伏毛；花萼 5 裂至近基部，裂片钻状披针形，果期长约 11mm；花冠紫色，筒部约比檐部短 2 倍，檐部裂片倒卵状长圆形，附属物舌状；雄蕊着生于附属物之下，花药伸出喉部，长约 3mm，先端具小尖头；子房 4 裂，花柱长约 1.7mm，弯曲，柱头微小，头状。小坚果长 3 ~ 3.5mm，背

山茄子

面三角状卵形，腹面由三面组成，着生面在腹面近基部。花期 5 ~ 6 月，果期
8 ~ 9 月。

| **生境分布** | 生于灌丛、林缘、林下草地，常成片生长。以长白山区为主要分布区域，分布
于吉林延边、白山、通化、吉林、辽源（东丰）等。

| **资源情况** | 野生资源丰富。药材主要来源于野生。

| **采收加工** | 夏、秋季采收，除去杂质，
晒干。

| **药材性状** | 本品长可达 40cm，茎直立，
不分枝。基部茎生叶鳞片状；
中部茎生叶倒卵状长圆形；
叶柄有狭翅。花序顶生，具
纤细的花序轴，花梗无苞片，
花萼裂片披针形，花冠紫色，
檐部裂片倒卵状长圆形。偶
见小坚果，背面三角状卵形，
腹面由三面组成，着生面在
腹面近基部。气微，味淡。

| **功能主治** | 消癥。用于癥瘕积聚。

| **附　注** | 本种的幼苗为长白山区可食
用的山野菜。

大果琉璃草
Cynoglossum divaricatum Steph. ex Lehm.

| 植物别名 | 展枝倒提壶、大赖毛子。

| 药 材 名 | 大果琉璃草（药用部位：根、果实。别名：展枝紫草、大赖毛子、
玻璃草果）。

| 形态特征 | 多年生草本，高 0.25 ~ 1m。具红褐色粗壮直根。茎直立，中空，
具肋棱，由上部分枝，分枝开展。基生叶和茎下部叶长圆状披针形
或披针形，先端钝或渐尖，基部渐狭成柄，灰绿色；茎中部及茎上
部叶无柄，狭披针形。花序顶生及腋生，花稀疏，组成疏松的圆锥
状花序；苞片狭披针形或线形；花梗细弱，长 3 ~ 10mm，花后伸长，
下弯，密被贴伏柔毛；花萼长 2 ~ 3mm，外面密生短柔毛，裂片卵
形或卵状披针形，果期几不增大，向下反折；花冠蓝紫色，檐部直
径 3 ~ 5mm，深裂至下 1/3 处，裂片卵圆形，先端微凹，喉部有 5

大果琉璃草

梯形附属物，附属物长约 0.5mm；花药卵球形，着生于花冠筒中部以上；花柱肥厚，扁平。小坚果卵形，密生锚状刺，背面平，腹面中部以上有卵圆形的着生面。花期 7～8 月，果期 8～9 月。

| **生境分布** | 生于砂质山坡草地、沙丘、石滩或路边等。分布于吉林白城、松原等。

| **资源情况** | 野生资源较丰富。药材主要来源于野生。

| **采收加工** | 春、秋季采挖根，洗净，晒干。秋季采收成熟果实，晒干，除去杂质。

| **药材性状** | 本品根呈长圆锥形，粗壮，外皮暗褐色，有纵纹，质硬，易折断。气微，味微苦。小坚果呈三角状扁卵形，长3～5mm，宽2～4mm，厚约 1mm，表面灰绿色、黄棕色或绿褐色，密生锚状刺。果皮质坚脆，内含种子 1，瓜子形。气微，味苦。

| **功能主治** | 根，淡，寒。清热解毒。用于咽喉肿痛，乳蛾，疮疖痈肿。果实，收敛止泻。用于小儿泄泻。

异刺鹤虱
Lappula heteracantha (Ledeb.) Gürke

异刺鹤虱

| 植物别名 |

东北鹤虱。

| 药 材 名 |

异刺鹤虱（药用部位：果实）。

| 形态特征 |

一年生草本。茎直立，高 30 ~ 50cm，上部有分枝，被开展或近贴伏的灰色柔毛，茎下部的毛渐脱落。基生叶常呈莲座状，长圆形，长 2 ~ 7cm，宽 3 ~ 8mm，全缘，先端钝，基部渐狭成叶柄，两面被开展或近开展的具基盘的灰色糙毛；茎生叶似基生叶，但较小而狭，无叶柄。花序疏松，果期强烈伸长；苞片线形，下方者比果实长，上方者比果实短；花梗短，果期伸长，下方者长 3 ~ 5mm，中部者长 2 ~ 3mm，直立而粗壮，基部渐细；花萼深裂至基部，裂片线形，花期直立，长 2 ~ 3mm，果期增大，常星状开展；花冠淡蓝色，钟状，长 3 ~ 3.5mm，檐部直径 2 ~ 4mm，喉部白色或淡黄色，附属物梯形。小坚果卵形，背面长圆状披针形，有小疣状突起，边缘有 2 行锚状刺，内行刺黄色，基部扩展，相互联合成狭翅，外行刺比内行刺短，通常生于小坚果腹面的中下部，小坚果腹面具疣状突起；花柱隐藏于小坚果上方的锚状刺之中。花果期 6 ~ 9 月。

| 生境分布 |

生于草地或山坡。以长白山区为主要分布区域，分布于吉林延边、白山、通化、吉林、辽源（东丰）等。

| 资源情况 |

野生资源较少。药材主要来源于野生。

| 采收加工 |

秋季果实成熟时采收，晒干，除去杂质。

| 功能主治 |

杀虫消积，消炎。用于蛔虫病，蛲虫病。

紫草科 Boraginaceae 鹤虱属 Lappula

卵盘鹤虱

Lappula redowskii (Hornem.) Greene

卵盘鹤虱

| 植物别名 |

东北鹤虱。

| 药 材 名 |

卵盘鹤虱（药用部位：果实）。

| 形态特征 |

一年生草本。主根单一，粗壮，圆锥形。茎高达 60cm，直立，通常单生，中部以上多分枝，小枝斜升，密被灰色糙毛。茎生叶较密，线形或狭披针形，直立，先端钝，两面有具基盘的长硬毛。花序生于茎或小枝先端，果期伸长；苞片下部者叶状，上部者渐小，呈线形，比果实稍长；花梗直立，花后稍伸长；花萼 5 深裂，裂片线形，果期增大，长达 5mm，星状开展；花冠蓝紫色至淡蓝色，钟状，较花萼稍长，筒部短，长约 1mm，檐部直径约 3mm，裂片长圆形，喉部缢缩，附属物生于花冠筒中部以上。果实宽卵形或近球状，长约 3mm；小坚果宽卵形，具颗粒状突起，边缘具 1 行锚状刺，刺长 1 ~ 1.5mm，平展，基部略增宽，相互邻接或离生，小坚果腹面常具折皱；花柱短。花期 6 ~ 7 月，果期 8 ~ 9 月。

| 生境分布 |

生于荒地、田间、草原、砂质干坡、向阳草地等。吉林各地均有分布。

| 资源情况 |

野生资源丰富。药材主要来源于野生。

| 采收加工 |

秋季果实成熟时采收，晒干，除去杂质。

| 药材性状 |

本品呈近球形，直径约 3mm，基部有小果柄。表面棕褐色，少数呈灰绿色，密布瘤状突起，腹面有线形凸起的着生痕迹，背面边缘有钩刺，背面中央有小钩刺或无。果皮硬。种仁类白色，显油性。气微，味淡。

| 功能主治 |

驱虫，止痒。用于虫积腹痛，皮肤瘙痒。

紫草
Lithospermum erythrorhizon Sieb. et Zucc.

| **植物别名** | 山紫草、紫丹、紫草根。

| **药 材 名** | 紫草（药用部位：根。别名：紫草根、硬紫草、红石根）。

| **形态特征** | 多年生草本。根富含紫色物质。茎通常 1 ~ 3，直立，有贴伏和开展的短糙伏毛，上部有分枝，枝斜升并常稍弯曲。叶无柄，卵状披针形至宽披针形，先端渐尖，基部渐狭，两面均有短糙伏毛，脉在叶下面凸起，沿脉有较密的糙伏毛。花序生于茎和枝上部，长 2 ~ 6cm，果期延长；苞片与叶同形而较小；花萼裂片线形，果期可达 9mm，背面有短糙伏毛；花冠白色，外面稍有毛，筒部长约 4mm，檐部与筒部近等长，裂片宽卵形，开展，全缘或微波状，先端有时微凹，喉部附属物半球形，无毛；雄蕊着生于花冠筒中部稍上；花柱柱头头状。小坚果卵球形，乳白色或带淡黄褐色，平滑，有光泽，

紫草

腹面中线凹陷成纵沟。花期 7 ~ 8 月，果期 8 ~ 9 月。

| **生境分布** | 生于灌丛、林缘、向阳草地。以长白山区为主要分布区域，分布于吉林延边、白山、通化、吉林、辽源（东丰）等。吉林东部地区有栽培。

| **资源情况** | 野生资源较少。吉林有栽培。药材主要来源于栽培。

| **采收加工** | 春、秋季采挖，除去泥土，晒干。

| **药材性状** | 本品呈圆锥形，扭曲，有分枝，长 7 ~ 14cm，直径 1 ~ 2cm。表面紫红色或紫黑色，粗糙，有纵纹，皮部薄，易剥落。质硬而脆，易折断，断面皮部深紫色，木部较大，灰黄色，有的黄白色。微有特殊香气，味微苦、涩。

| **功能主治** | 甘、咸，寒。归心、肝经。清热解毒，凉血，活血，透疹，抗肿瘤。用于血热毒盛，斑疹紫黑，麻疹不透，猩红热，疮疡，湿疹，烫火伤，尿血，血淋，血痢。

| **用法用量** | 内服煎汤，5 ~ 9g；或入散剂。外用适量，熬膏；或制油涂。

| **附　　注** | （1）紫草在吉林的药用历史较久。在《吉林外记》（1827）、《吉林通志》（1891）、《吉林新志》（1934）等 10 余部地方志中均有关于"紫草"的记载。
（2）本种为吉林省 Ⅱ 级重点保护野生植物。

紫草科 Boraginaceae 砂引草属 Messerschmidia

砂引草
Messerschmidia sibirica L.

| 植物别名 | 紫丹草、西伯利亚紫丹。

| 药 材 名 | 砂引草（药用部位：全草）。

| 形态特征 | 多年生草本，高 10 ～ 30cm。有细长的根茎。茎单一或数条丛生，直立或斜升，通常分枝，密生糙伏毛或白色长柔毛。叶披针形、倒披针形或长圆形，先端渐尖或钝，基部楔形或圆形，密生糙伏毛或长柔毛，中脉明显，在叶上面凹陷，下面凸起，侧脉不明显，无柄或近无柄。花序顶生；萼片披针形，密生向上的糙伏毛；花冠黄白色，钟状，裂片卵形或长圆形，外弯，花冠筒较裂片长，外面密生向上的糙伏毛；花药长圆形，先端具短尖，花丝极短，着生于花冠筒中部；子房无毛，略现 4 裂，花柱细，柱头浅 2 裂，下部环状膨大。核果椭圆形或卵球形，粗糙，密生伏毛，先端凹陷，核具纵肋，成

砂引草

熟时分裂为 2 分核，各含 2 种子。花期 5 ~ 6 月，果期 7 ~ 8 月。

| 生境分布 | 生于沙地、干旱荒漠或山坡道旁等，常成片生长。分布于吉林白城、松原等。

| 资源情况 | 野生资源较少。药材主要来源于野生。

| 采收加工 | 夏、秋季采收，除去杂质，晒干。

| 药材性状 | 本品根茎细长。茎单一或数条丛生，通常分枝。叶披针形、倒披针形或长圆形，先端渐尖或钝，基部楔形或圆形，中脉明显，在叶上面凹陷，下面凸起，侧脉不明显。花序顶生，萼片披针形，密生向上的糙伏毛；花冠黄白色，钟状。气微，味淡。

| 功能主治 | 排脓敛疮。用于疮疖，痔漏。

| 附　注 | 在 FOC 中，本种的拉丁学名被修订为 *Tournefortia sibirica* Linnaeus。

紫草科 Boraginaceae 勿忘草属 Myosotis

勿忘草
Myosotis silvatica Ehrh. ex Hoffm.

| 药 材 名 |　勿忘草（药用部位：全草）。

| 形态特征 |　多年生草本。茎直立，单一或数条簇生，通常具分枝，疏生开展的糙毛，有时被卷毛。基生叶和茎下部叶有柄，狭倒披针形、长圆状披针形或线状披针形，先端圆或稍尖，基部渐狭，下延成翅，两面被糙伏毛，毛基部具小形的基盘；茎中部以上的叶无柄，较短而狭。花序在花期短，花后伸长，无苞片；花梗较粗，在果期直立，与萼等长或稍长，密生短伏毛；花萼果期增大，深裂至花萼长度的2/3 ~ 3/4，裂片披针形，先端渐尖，密被伸展或具钩的毛；花冠蓝色，筒部长约2.5mm，裂片5，近圆形，喉部附属物5；花药椭圆形，先端具圆形的附属物。小坚果卵形，暗褐色，平滑，有光泽，周围具狭边但先端较明显，基部无附属物。

勿忘草

| 生境分布 | 生于山地林缘、林下、山坡或山谷草地等。分布于吉林延边、白山、通化等。 |

| 资源情况 | 野生资源较少。药材主要来源于野生。 |

| 采收加工 | 夏、秋季采收，除去杂质，晒干。 |

| 功能主治 | 清热解毒，芳香化湿，截疟杀虫。用于脘腹冷痛，疟疾。 |

| 附　　注 | 在 FOC 中，本种的拉丁学名被修订为 *Myosotis alpestris* F. W. Schmidt。 |

紫草科 Boraginaceae 紫筒草属 Stenosolenium

紫筒草

Stenosolenium saxatile (Pall.) Turcz.

| **植物别名** | 白毛草、伏地蜈蚣草、蛤蟆草。

| **药 材 名** | 紫筒草（药用部位：全草或根。别名：白毛草、伏地蜈蚣草）。

| **形态特征** | 多年生草本。根细锥形，根皮紫褐色，稍含紫红色物质。茎通常数条，直立或斜升，不分枝或上部有少数分枝，密生开展的长硬毛和短伏毛。基生叶和茎下部叶匙状线形或倒披针状线形，近花序的叶披针状线形，两面密生硬毛，先端钝或微钝，无柄。花序顶生，逐渐延长，密生硬毛；苞片叶状；花具长约 1mm 的短花梗；花萼长约 7mm，密生长硬毛，裂片钻形，果期直立，基部包围果实；花冠蓝紫色、紫色或白色，外面有稀疏短伏毛，花冠筒细，明显较檐部长，通常稍弧曲，檐部直径 5 ~ 7mm，裂片开展；雄蕊螺旋状着生于花冠筒中部之上，内藏；花柱长约为花冠筒的 1/2，先端 2 裂，柱头球形。

紫筒草

小坚果的短柄长约 0.5mm，着生面居短柄的底面。花期 6 ~ 7 月，果期 8 ~ 9 月。

| 生境分布 | 生于沙丘、草地、路旁或砂石地等。分布于吉林白城（洮北、洮南、大安、通榆）、松原（乾安、长岭）等。

| 资源情况 | 野生资源较少。药材主要来源于野生。

| 采收加工 | 夏、秋季采收带根全草，除去杂质，晒干。

| 药材性状 | 本品全草长 8 ~ 25cm，密被粗硬毛和短柔毛。根细圆柱形，长短不一，直径 0.5 ~ 2mm，表面紫黑色或黑棕色，断面皮部黑紫色，木部淡黄白色。茎细圆柱形，直径 0.5 ~ 2.5mm，表面灰绿色或暗褐色，断面类白色，中空。叶互生，多破碎卷曲，草质，灰绿色，完整者展平后呈倒披针状条形或披针状条形。花棕黄色。小坚果三角状卵形，常 4 着生在一起。气微，味微苦。

| 功能主治 | 全草，苦，温。祛风除湿。用于风湿痹痛。根，甘、微苦，凉。清热凉血，止血，止咳。用于吐血，肺热咳嗽，感冒。

| 用法用量 | 全草，内服煎汤，15g；或入散剂。根，内服煎汤，9 ~ 12g。

紫草科 Boraginaceae 聚合草属 Symphytum

聚合草 *Symphytum officinale* L.

| **植物别名** | 爱国草、肥羊草、友谊草。

| **药 材 名** | 聚合草（药用部位：全草）。

| **形态特征** | 丛生型多年生草本，高 0.3 ~ 0.9m，全株被向下稍弧曲的硬毛和短伏毛。根发达，主根粗壮，淡紫褐色。茎数条，直立或斜升，有分枝。基生叶通常 50 ~ 80，最多可达 200，具长柄，叶片带状披针形、卵状披针形至卵形，稍肉质，先端渐尖；茎中部和上部叶较小，无柄，基部下延。花序含多数花；花萼裂至近基部，裂片披针形，先端渐尖；花冠淡紫色、紫红色至黄白色，裂片三角形，先端外卷，喉部附属物披针形，长约 4mm，不伸出冠檐；花药长约 3.5mm，先端有稍凸出的药隔，花丝长约 3mm，下部与花药近等宽；子房通常不育，偶个别花内成熟 1 小坚果。小坚果歪卵形，长 3 ~ 4mm，黑色，平滑，

聚合草

有光泽。花期 6 ~ 7 月，果期 8 ~ 9 月。

| **生境分布** | 生于林缘、路旁、田间、荒地或住宅附近等。以长白山区为主要分布区域，分布于吉林延边、白山、通化、吉林、辽源（东丰）等。吉林东部地区有栽培。

| **资源情况** | 野生资源较少。吉林偶见栽培。药材主要来源于野生。

| **采收加工** | 夏季采收，除去杂质，晒干。

| **功能主治** | 补血，祛痰，抗菌，止泻抗炎，镇痛。用于肺部感染，胃溃疡，赤痢，肠出血，慢性黏膜炎，疲劳，肌肉骨骼疼痛，艾滋病；外用于创伤。

朝鲜附地菜 *Trigonotis coreana* Nakai

| **植物别名** | 森林附地菜。

| **药 材 名** | 朝鲜附地菜（药用部位：全草）。

| **形态特征** | 多年生草本。根茎短粗，深褐色。茎数条丛生，高 20 ~ 32cm，不分枝或上部分枝，疏生贴伏的短糙毛或近无毛，秋季在茎上部叶叶腋内常发出丝状匍匐枝，其上常生根。基生叶和茎下部叶卵形或椭圆状卵形，长 2 ~ 4cm，宽 1 ~ 2cm，秋季常增大，先端具短尖头，基部圆形或楔形，两面被短伏毛；叶柄长 3 ~ 12cm，基部略扩张；茎生叶似基生叶但叶片较小，叶柄较短。花序顶生，有叶状苞片；花单生于叶腋外；花梗细，斜伸，长 1.5 ~ 2mm；花萼裂片长圆状披针形，长 3 ~ 4mm，先端稍尖；花冠淡蓝色，直径约 8mm，筒部长约 2mm，檐部 5 裂，裂片宽倒卵形，长约 4.5mm，宽约 3.5mm，

朝鲜附地菜

喉部附属物 5，厚，梯形，高约 0.8mm，先端凹缺，有短柔毛；花药长圆形，长约 1mm，先端钝。小坚果 4，幼果为斜三棱锥状四面体形，有短毛，背面三角状卵形，先端尖，具短柄。花期 5 ~ 7 月。

| **生境分布** | 生于灌丛、山谷、山地林缘或溪旁湿润处。以长白山区为主要分布区域，分布于吉林延边、白山、通化、吉林、辽源（东丰）等。

| **资源情况** | 野生资源较少。药材主要来源于野生。

| **采收加工** | 初夏采收，鲜用或晒干。

| **功能主治** | 温中止痢，止痛，止血。用于寒湿痢，出血，疼痛。

附地菜
Trigonotis peduncularis (Trev.) Benth. ex Baker et Moore

| **植物别名** | 黄瓜香、地胡椒。

| **药材名** | 附地菜（药用部位：全草。别名：鸡肠草、地胡椒、搓不死）。

| **形态特征** | 一年生或二年生草本。茎通常多条丛生，稀单一，密集，铺散，基部多分枝，被短糙伏毛。基生叶呈莲座状，有叶柄，叶片匙形，先端圆钝，基部楔形或渐狭，两面被糙伏毛，茎上部叶长圆形或椭圆形，无叶柄或具短柄。花序生于茎顶，幼时卷曲，后渐次伸长，通常占全茎的 1/2 ～ 4/5，只在基部具 2 ～ 3 叶状苞片，其余部分无苞片；花梗短，花后伸长，长 3 ～ 5mm，先端与花萼连接部分变粗，呈棒状；花萼裂片卵形，长 1 ～ 3mm，先端急尖；花冠淡蓝色或粉色，筒部甚短，檐部直径 1.5 ～ 2.5mm，裂片平展，倒卵形，先端圆钝，喉部附属物 5，白色或带黄色；花药卵形，先端具短尖。小坚果 4，

附地菜

斜三棱锥状四面体形，背面三角状卵形，具 3 锐棱，腹面的 2 侧面近等大而基底面略小，凸起，具短柄，柄长约 1mm，向一侧弯曲。花期 6 ~ 8 月，果期 7 ~ 9 月。

| 生境分布 | 生于林缘、田间地头、向阳草地等。吉林各地均有分布，主产于安图、抚松、长白等。

| 资源情况 | 野生资源丰富。药材主要来源于野生。

| 采收加工 | 初夏采收，鲜用或晒干。

| 药材性状 | 本品皱缩成团。根细长，圆锥形。茎 1 至数条，纤细，多分枝，基部淡紫棕色，上部枯绿色，有短糙毛。基生叶有长柄，叶片莲座状，长可达 2cm，两面有糙毛；茎生叶几无柄，叶片稍小。总状花序细长，长可达 20cm，可见类白色或蓝色小花。有时具四面体形的小坚果。有青草气，味微苦、涩。

| 功能主治 | 甘、辛，温。温中健胃，消肿止痛。用于胃痛，吐酸，吐血，热肿；外用于跌打损伤。

| 用法用量 | 内服煎汤，15 ~ 30g；或研末。外用适量，捣敷；或研末擦。

| 附　注 | 本种的幼苗有鲜黄瓜清香，可食用。

水马齿科 | Callitrichaceae | 水马齿属 | *Callitriche*

沼生水马齿 *Callitriche palustris* L.

沼生水马齿

| 植物别名 |

水马齿。

| 药 材 名 |

沼生水马齿（药用部位：全草）。

| 形态特征 |

一年生草本。茎纤细，多分枝。叶互生，在茎顶常密集成莲座状，浮于水面，倒卵形或倒卵状匙形，先端圆形或微钝，基部渐狭，两面疏生褐色细小斑点，具3脉；茎生叶匙形或线形；无柄。花单性，同株，单生于叶腋，为2小苞片所托；雄花具雄蕊1，花丝细长，花药心形，小；雌花的子房倒卵形，先端圆形或微凹，花柱2，纤细。果实倒卵状椭圆形，仅上部边缘具翅，基部具短柄。花期7～8月，果期8～9月。

| 生境分布 |

生于沼泽、溪流、水田、沟旁或林中湿地等，常成片生长。以长白山区为主要分布区域，分布于吉林延边、白山、通化、吉林、辽源（东丰）等。

| **资源情况** | 野生资源较丰富。药材主要来源于野生。

| **采收加工** | 夏、秋季采收，洗净，鲜用或晒干。

| **功能主治** | 苦，寒。清热解毒，利湿消肿，利尿。用于目赤肿痛，水肿，小便淋痛；外用于烧伤。

| **用法用量** | 内服煎汤，10 ～ 15g。外用适量，水浸冲洗；或捣敷。

水马齿科 Callitrichaceae 水马齿属 Callitriche

东北水马齿

Callitriche palustris L. var. *elegans* (V. Petr.) Y. L. Chang

| 药 材 名 | 东北水马齿（药用部位：全草）。

| 形态特征 | 一年生草本。茎纤细，多分枝。叶互生，在茎顶常密集成莲座状，浮于水面，倒卵形或倒卵状匙形，先端圆形或微钝，基部渐狭，两面疏生褐色细小斑点，具3脉；茎生叶匙形或线形；无柄。花单性，同株，单生于叶腋，为2小苞片所托；雄花具雄蕊1，花丝细长，花药心形，小；雌花的子房倒卵形，先端圆形或微凹，花柱2，纤细。果实倒卵状椭圆形，周边具狭翅，基部具短柄。

| 生境分布 | 生于溪流、沼泽或湿地。以长白山区为主要分布区域，分布于吉林延边、白山、通化、吉林、辽源（东丰）等。

| 资源情况 | 野生资源较少。药材主要来源于野生。

东北水马齿

| **采收加工** | 夏、秋季采收，除去杂质，晒干。

| **功能主治** | 清热解毒，利湿消肿，利尿。用于目赤肿痛，水肿，小便淋痛；外用于烧伤。